MELISS

TOMO 2

Irresistible Error

TOMO 2

Melissa Ibarra, 2024
Instagram: @kayurka.rhea

Editorial Déjà Vu, C.A.
J-409173496
info@edicionesdejavu.com

Dirección editorial
Nacarid Portal
www.nacaridportal.com

Diagramación
Katherine Hoyer

Ilustraciones
Chriss Braund
Luciana Bertot

Diseñador
Elias Mejía
Katherine Hoyer

Diseño de portada
Elias Mejía

Edición y corrección
Altagracia Javier
Romina Godoy Contreras
Suhey Canosa
Deilimaris Palmar
Cristina Montilla

ISBN:
Depósito legal:

DEDICATORIA

Para aquellos que hacen de sus errores, sus más grandes aciertos.

Si llegaste a este libro, ¡felicidades! Tu madre no descubrió lo que hay dentro de esta apasionante historia. Espero que también tengas suerte esta vez.

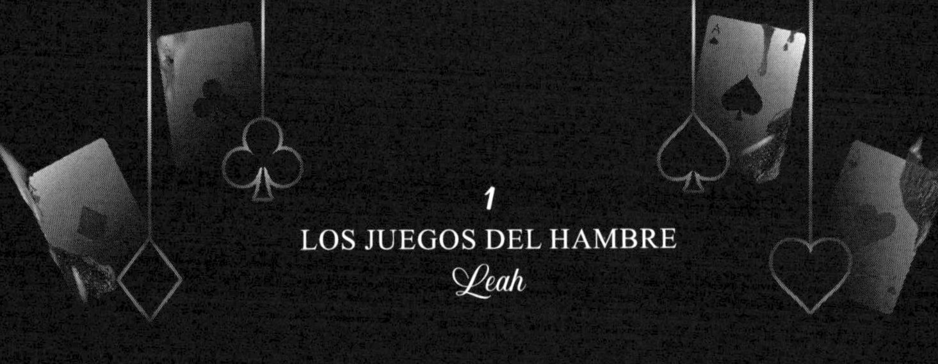

1
LOS JUEGOS DEL HAMBRE
Leah

La declaración de Jordan reverberaba en mi cabeza una y otra vez. La tensión en mi cuerpo era insoportable, apenas podía mantenerme de pie. Las emociones me consumían, y eran tan caóticas que solo podía definir dos, las más imponentes: el miedo y la rabia. Y mientras los murmullos se elevaban en la estancia como violentos tornados dispuestos a arrastrarme, logré recomponerme lo suficiente para decidir arrancarle la sonrisita al imbécil de mi ex con mis propias manos, pero entonces sentí los dedos de papá en mi brazo antes de siquiera verlo.

—¿De qué demonios está hablando, Leah? —siseó pálido, conteniendo el tono de su voz.

—Papá…

—Felicidades, cariño. Espero que seas feliz en tu nuevo matrimonio, aunque lo hayas conseguido a base de ponerme el cuerno, como toda una cualquiera, pero eso es algo que se te da muy bien, he de admitir. —Sonrió con malicia y tuve que apretar los puños para no matarlo—. Que su relación sea tan duradera como lo ha sido por meses.

El silencio en la estancia era ensordecedor y el aire pesaba tanto como un bloque de concreto. El miedo dio lugar a la ira, pura y cruda.

—¿Es real? ¿Lo que dice Jordan es cierto? —Mi padre encajó más sus dedos en mi piel y tragué grueso.

Debía tener la verdad escrita en la cara, porque sus ojos se llenaron de cólera.

—No sean groseros, ¿dónde están esos aplausos? —insistió Jordan, pero solo consiguió otro montón de murmullos.

La gente se congregó en grupos para comentar la nueva noticia.

—A mi estudio, ahora —siseó mi padre con una cara de muerte.

Me llevó a su paso en dirección a la estancia, y mientras caminaba caí en cuenta de que Jordan y sus padres habían desaparecido.

—Pap...

—Cállate, Leah —espetó severo.

Caminamos hasta llegar al estudio. Mentalmente preparé un discurso persuasivo para seguir viva mientras se me ocurría una mejor forma de convencerlos sobre este matrimonio, pero todo se desvaneció cuando lo primero que vi fue a Jordan de brazos cruzados, apoyado en el escritorio con porte jovial.

La ira se apoderó de mí y me privó de cualquier pensamiento racional. No lo medité y llegué hasta él en dos zancadas, tomé impulso y lo golpeé en el pómulo.

Mentiría si dijera que no lo disfruté.

—¡¿Cómo pudiste?! —Volví a golpearlo en el pecho—. ¡Te pedí que no lo hicieras! ¡¿Por qué mierda eres tan inmaduro?! —Lo empujé y rasgué impulsada por la cólera, hasta que alguien me tomó de la cintura y me levantó del piso, separándome de él.

—Basta, Leah, ¡basta! —Alex cerró sus brazos a mi alrededor para contenerme, pero yo seguí lanzando golpes a la nada en mi rabia ciega.

—¡Eres un cabrón! —maldije furiosa.

—¿Ves? ¡Es una cualquiera!

Le lancé una mirada venenosa a Agnes, que también estaba en el estudio, pero no había notado su presencia hasta que abrió la boca.

—Claro que es una cualquiera, mira que engañar a mi hijo —acotó Regina con un deje exagerado de indignación.

Genial, ¿qué era esto? ¿La reunión de *Los Juegos del Hambre*? Que los Colbourn, los Pembroke y los McCartney estuvieran reunidos no era buena señal.

—El error es de tu hijo por esperar un mínimo de decencia de esa mujer.

—Cállate, Agnes, que tú tampoco eres una santa —me defendió mamá desde su lugar junto a papá.

—¡Pero si tú eres la menos indicada para decirlo! ¡Tú! —La señaló airada, para después centrarse en su hijo—. No puedo creerlo, Alexander. Dime que no es cierto, dime que no te has casado con ella, por favor. Dime que es una broma de mal gusto.

Alexander permaneció a mi lado, seguro.

—No es ninguna broma. Nos hemos casado —dijo tranquilo.

—¡No pudiste casarte con alguien así! ¿Qué dirán de nosotros? Compartiendo relación con esta clase de personas tan…

—¡Agnes! —la cortó papá—. Ten cuidado con lo que dices.

—¿Por qué voy a tener cuidado? —se defendió enojada—. Estoy diciendo la verdad, no me voy a callar. Tu hija ha ido demasiado lejos, mira que engatusar a mi hijo. No puedo creer que te hayas casado con alguien de su tipo.

—Por favor, Agnes, ¡cierra la boca! ¡No digas estupideces! —La voz de papá se alzó como un estruendo—. ¿Crees que yo estoy contento con esta unión? ¿Crees que no me preocupa el bienestar de mi hija estando atada a tu bastardo?

—¿Mi bastardo? ¿Acaso olvidas quiénes somos y lo que representa ser parte de nuestra familia? —argumentó batiendo el dedo índice en el aire—. Es claro que tu hija no lo olvidó y por eso se abrió de piernas para llegar hasta él. Es una cualquiera interesada.

—¡Agnes! —la regañó su esposo, pero lo ignoró.

—No, no me voy a callar. ¡Mi familia no tiene lugar para una vil puta!

—Ya. Y tú eres mucho mejor, ¿no? —continuó papá—. ¿Tú crees que nosotros estamos felices y tranquilos sabiendo que nuestra hija se casó con el hijo de una psicópata? La única que corre peligro estando cerca de tu familia es mi hija. ¿O tengo que recordarte el pasado?

Agnes palideció y su boca se convirtió en una fina línea. Por un momento creí que papá había ganado la disputa, pero mi suegra no era el tipo de mujer que se dejaba vencer tan fácil.

—¿Me lo echarás en cara ahora? —siseó—. Estaba haciéndote un favor. Deberías agradecerme por intentar ayudarte.

Las fosas nasales de papá se inflaron.

—¿Haciéndome daño? Estás loca. Y deja de una vez los insultos, no te permito hablar de ese modo en mi casa.

—¡Me importa un carajo lo que tú me permitas!

—Discutiendo de este modo nunca llegaremos a una solución sensata —intervino Abraham, el padre de Jordan.

—En eso mi marido tiene razón, pero es que casarse con otro —bufó Regina—. La chica es una idiota.

—Lo es —la apoyó mi suegra.

—¿Y crees que tu hijo es más listo? —me defendió papá—. Se casaron, Agnes. Ambos.

La aludida se tocó la frente con las manos, cerró los ojos y suspiró luciendo cansada de pronto.

—¿Qué karma estamos pagando?

—Uno muy grande si debo considerarte familia —escupió mi padre.

—Van a divorciarse cuanto antes —sentenció mi suegra dedicándonos una mirada letal.

—Eso ni siquiera es un tema a discusión —concordó papá y sentí la boca seca del miedo.

—A mí no me parece tan mala idea lo del matrimonio —intervino el señor Colbourn, y todos lo miraron como si hubiera propuesto suicidio colectivo—. Quiero decir, fue algo inesperado, es cierto, pero podemos aprovecharlo. Económicamente hablando, una unión entre nuestros hijos representaría...

—¿Tú crees que mi hija es una vaca que voy a vender por dinero? —masculló papá, furioso—. ¿Crees que voy a ponerla en manos de tu hijo para que

le hagan quién sabe qué mierda? ¡Ni loco! Mucho menos considerando los antecedentes de tu mujer.

—Por favor, Byron, cállate. No apoyes las estupideces de tu hijo —espetó su esposa.

—Solo estoy siendo objetivo. La unión no se consolidó con Chelsea, pero ellos dos tienen potencial.

—No. No pienso consentirlo —se negó Agnes, férrea.

—No necesitamos tu consentimiento —intervino Alex con tono claro y seguro—. Las cosas ya están hechas. Íbamos a decírselos como una muestra de atención, nada más. Sus deseos no afectan nuestras decisiones, ni son relevantes para nuestro matrimonio.

Entrelazó sus dedos con los míos en una muestra de firmeza y entereza. Luché por contener la sonrisa que ese gesto casi me hizo esbozar, y en su lugar, di un apretón a su mano como muestra de seguridad.

Su madre palideció como si el alma hubiese abandonado su cuerpo.

—¿Qué estás diciendo? —chilló impresionada—. Alex, esto no es un juego.

—Nunca dije que lo fuera. Mi matrimonio con Leah es real y planeo que continúe de esa manera, te guste o no.

—¿Perdiste la razón? —preguntó a su hijo alzando la voz.

—Desde hace tiempo —escuché la voz de Jordan con tono burlón.

—Nunca he estado más lúcido ni seguro de algo —rebatió Alex.

—Continuaremos con nuestro matrimonio —lo apoyé con determinación, mirando a todos los presentes, sobre todo a mi ex, que mantenía una expresión sombría.

Hubo un silencio prolongado en el que todos parecieron aturdidos, hasta que Abraham tuvo la valentía para romperlo.

—Aunque lo desearan, me temo que la continuación de ese matrimonio no será posible —dijo severo y Agnes extendió los brazos al cielo.

—¡Al fin! Alguien con un poco de sentido común.

—Deben divorciarse para que Leah pueda cumplir con el contrato prenupcial que firmó —anunció serio.

Papá abrió la boca, atónito, como si no diera crédito a lo que escuchaba.

—¿Qué...? ¿Qué contrato prenupcial?

Mierda. Lo había olvidado por completo.

—Uno bastante práctico y por mero protocolo. Nunca pensamos que algo de... —nos escaneó a Alex y a mí con displicencia— esta índole llegaría a ocurrir. Nuestros hijos iban a casarse, por lo que Leah firmó un contrato prenupcial para proteger los intereses de ambas familias. Claro, era un seguro provisional hasta que la boda se realizara, pero... veo que no será posible.

Los ojos de papá me fulminaron antes de centrarse en Abraham otra vez.

—Te lo repito, porque no sé si eres sordo o idiota, pero mi hija no está a la venta —le advirtió con tono filoso.

—Lo entiendo, pero ella firmó un contrato que debe cumplir. —Se acomodó los anteojos—. Si decidiera no hacerlo, quedaría libre, por supuesto, en tanto cubriera la penalización por incumplimiento.

—Además de vulgar, idiota —se quejó Agnes del otro lado.

—¿De qué penalización hablas, Abraham? —cuestionó papá luciendo exhausto.

—En el contrato se establece una penalización del cuarenta por ciento de las utilidades que Leah recibe de tu empresa como accionista por los próximos cinco años, además de la cesión de algunas acciones en tus compañías, en caso de que el matrimonio no se concrete —explicó crítico, y después sonrió con codicia centrándose en Byron—. Y como supongo que se han casado por bienes mancomunados, también recibiré parte del dinero de los Colbourn.

Papá parecía muerto de la impresión, mientras Byron permaneció impertérrito, quizá analizando las posibles pérdidas y ganancias que representaría nuestro matrimonio.

—Ni hablar —acotó Agnes—. Mi familia no dará ni un solo centavo por las estupideces de esta idiota. Le has enseñado mal tus truquitos a tu hija, Allison.

—Cierra el pico —la mandó a callar mi madre.

—La otra opción —se hizo oír Abraham—, es que Leah consiga un divorcio y se case con mi hijo, al menos por un año, por bienes mancomunados. En ese caso no habría penalización y nadie perdería nada en absoluto.

—No, porque estarías alimentándote directamente de mis industrias como la garrapata que eres —siseó papá, pero al aludido pareció no afectarle.

—Me importa un carajo lo que hagan con la idiota de su hija mientras se firme el divorcio —insistió mi suegra, ofuscada.

—Ya te he dicho que ese tema no está a discusión —reiteró mi padre.

—No quiero divorciarme —insistió Alex, firme y seguro a mi lado—. La quiero y no voy a divorciarme.

Agnes pareció al borde del infarto y tuvo que sentarse un momento.

—Mira, niño, esto no es...

—Yo tampoco quiero hacerlo —interrumpí a papá y pareció perder todo el color de su cara.

—No te quedarás con el hijo de una psicópata de mierda.

—¡Por Dios! Mi hijo será el hazmerreír por tomar como esposa a una puta. ¡Ni loca voy a permitir que haga lo mismo que Allison hizo contigo!

—Agnes, ¡joder!

—¡No me voy a callar, ya te lo dije!

Miré a mamá, quien se cubrió la cara con las manos mientras Agnes y mi padre volvían a discutir. De vez en cuando Abraham intervenía para negociar, apoyado por Byron, quien solo buscaba la opción más redituable.

—Creí que sería más sencillo —susurró Alex en mi oído.

—Yo no. Conozco a mi padre.

Su pulgar acarició el dorso de mi mano, que seguía envuelta en la suya.

—No importa si están de acuerdo o no, nosotros continuaremos —dijo tranquilo y sus palabras me transmitieron una especie de sosiego—. Eres lo que quiero, sus rabietas no me harán cambiar de opinión. Ahora eres mi esposa, Leah, y me gusta cómo se siente. No voy a renunciar a ti.

Alcé la vista hacia él y el guiño travieso que me dedicó me hizo sonreír.

Me sentía en un campo de guerra rodeada por todos los frentes: los Pembroke asediándome con el maldito contrato y el dinero; Agnes amenazando con despellejarme viva si no me alejaba de su hijo; y mi padre atacándome más que todos a la vez.

Y mientras la acalorada discusión entre los presentes escalaba, fui más que consciente de que Alex y yo estábamos apostándolo todo a nuestra relación. De que estábamos dispuestos a librar todas las batallas para ganar la guerra, sin embargo, algo me decía que conseguirlo no sería tan sencillo y, en ese momento, ni siquiera imaginábamos las tormentas que se nos vendrían encima y que tendríamos que enfrentar. La pregunta era: ¿sobreviviríamos a esto juntos o la furia y los secretos de nuestras familias acabarían por destruirnos?

Apreté su mano con más fuerza, negándome a dejarlo ir. Mi unión con Alex pudo haber empezado como un error, pero ya no lo era. Justo ahora, era lo único en mi vida que tenía algo de sentido y pretendía aferrarme a él aunque tuviéramos que entrar a las fauces del infierno para estar juntos.

El aire se sentía pesado mientras nuestras familias se insultaban entre sí y relucía el filo del odio que se profesaban, profundo y denso. No tenía idea, pero estábamos a punto de obtener respuestas a preguntas que ni siquiera habíamos formulado, solo esperaba que conocer la verdad nos hiciera más fuertes y no se convirtiera en nuestra destrucción.

Esta guerra de intereses y secretos apenas comenzaba, y yo no estaba dispuesta a perder.

Lo estábamos apostando todo a nosotros y no sabía cómo, pero ganaríamos… Juntos.

2
ENFRENTAMIENTOS

El mundo parecía de diferentes matices después de que el estallido de nuestro inesperado matrimonio saliera a la luz. Si bien las cosas no pintaban color de rosa para Alex y para mí, me sentía un poco más ligera. Aunque estaba segura de que mi padre se ocuparía de hacerme sentir el peso de sus reproches, una vez más.

Bastian abrió para mí la puerta del estudio de papá y entramos juntos. Debía admitirlo: me aterraba un poco su malhumor luego de nuestra disputa la noche anterior y no quería correr algún riesgo. Si papá comenzaba a perder los papeles, Bastian sería el árbitro que lo mantendría a raya.

Esperaba que al menos una noche de sueño le sirviera para aclarar su mente, aunque era poco probable.

—Buenos días para ti también —lo saludó su amigo sin perder la sonrisa. Lucía incluso divertido con la situación.

Papá levantó la vista, nos ubicó a ambos y después volvió a bajarla hacia el montón de papeleo que había sobre su escritorio.

—¿Has visto el montón de periodistas que hay en las rejas de tu casa? —preguntó Bastian con aire jovial—. Apenas pude pasar, creí que me comerían vivo, y eso que yo no tengo nada que ver con el chisme.

Papá gruñó para hacerle saber que no estaba de humor para sus chistes, pero no dijo nada.

—Tienes una cara de mierda. ¿Tuviste una mala noche? —siguió su amigo.

—¿Tú qué crees? —dijo mordaz, mirándome directo a los ojos—. Y todo gracias a mi hija.

Bastian se detuvo frente a una de las sillas para visitas.

—¿Qué sucedió al final? Me fui junto con los últimos invitados.

—Nada, papá hizo su rabieta.

—Porque mi hija ha perdido la cabeza.

—¿Por qué lo dices? —inquirió curioso su amigo.

—¿Por qué? —Lo contempló como si fuera idiota—. Bastian, ¿eres ciego? ¿No ves el montón de periodistas acosándonos? ¡Leah se casó con el hijo de Agnes! ¡De Agnes!

—Sí, lo sé. ¿Y cuál es el problema?

Sonreí en su dirección. Bastian siempre era mi salvador.

—Parece que tú tampoco comprendes la gravedad de la situación.

—Leo, no veo el problema con que Leah se haya casado con Alexander.

Mi padre abrió la boca por un instante, atónito.

—¡El problema es que es un desquiciado igual que su madre! Quién sabe qué cosas perversas quiere hacerle a mi hija... o le hizo —terminó mirándome crispado.

Puse los ojos en blanco.

—Depende a qué te refieras con el término «perverso», porque...

—No quiero saber, Leah —siseó con los dientes apretados y levanté las manos a modo de rendición.

—No me pareció mal chico. De hecho, fue bastante agradable cuando estuvieron en...

Negué apresurada para evitar que siguiera hablando, e hice señas con los ojos para que se callara, pero ya era tarde. Papá alzó la cabeza de golpe, atento a lo que salía de la boca de Bastian, al tiempo que este se detenía y una expresión de reconocimiento asaltaba su cara.

—¿Estuvieron en dónde?

—Escucha, esto te parecerá descabellado, pero...

—¡¿Dónde estuvieron?! —preguntó alterado.

—Conmigo, en Long Island.

—¿Es cierto, Leah? —inquirió mi padre con tono sombrío.

Inspiré preparándome para la nueva batalla.

—Es cierto, estuvimos con él hace meses, a principios de agosto. Le pedimos ayuda con el proceso de divorcio, pero...

—¡¿Tú lo sabías?! —lo recriminó poniéndose en pie de un salto.

Bastian puso las manos al frente en un patético intento por apaciguarlo.

—Sí, pero...

—¿Por qué carajo no me lo dijiste?

—Porque no me correspondía hacerlo, era algo que ella debía decirte. Además, me pidió...

—¿Por qué mierda consientes las peticiones de una niña? ¿Qué hubiera pasado si el imbécil intentaba algo contra ella y yo no tenía ni idea porque tú no me lo dijiste?

—Alex nunca me haría daño —intervine.

—Ella tiene razón, él nunca le haría daño a Leah —lo defendió.

—¡No lo saben! —rugió mi padre.

—En verdad la quiere, Leo. Ambos se quieren.

—¿Cómo puedes decir eso? No tie...

—Es evidente. —Se encogió de hombros—. Tanto como el amor que le tienes a Allison.

—Leah es una niña, no sabe lo que quiere.

Su afirmación me hizo enfurecer.

—¿Insistirás con eso? ¿Por qué no puedes entender que ya no lo soy?

—¡Porque te comportas como tal!

—Dale un poco de crédito a tu hija —pidió Bastian—. Ya es una mujer, madura y capaz de tomar sus propias decisiones.

—¡Claro que no lo es! ¿Sabes lo que hizo con la familia Pembroke? —espetó fijando su vista colérica en mí.

—Papá, eso fue un accidente —fue lo único que salió de mi boca a modo de defensa.

—¿Accidente? ¿No se supone que sabías lo que hacías?

Otra ola de ira volvió a asaltarme y nos miramos librando una batalla muda.

—¿Estás feliz por todo el circo que has montado?

Lanzó entonces una revista sobre la madera para que apreciara la portada. En ella aparecíamos Alexander y yo divididos por una línea con un horrible trabajo de Photoshop, junto a un titular en letras enormes que rezaba: «¿Nuevo matrimonio entre la élite? Todos los secretos de las familias más poderosas al descubierto».

Qué titular más sensacionalista. Por eso odiaba a la prensa.

—Pap…

No pude continuar porque la presencia de Erick me interrumpió. Detuvo sus pasos en el umbral, dudoso de entrar cuando contempló quiénes estaban en la reunión. Si fuera él, huiría antes de salir herido en el fuego cruzado. Sin embargo, mi hermano entró y cerró la puerta con cuidado.

—¿Qué quieres? —preguntó papá, ofuscado.

Erick se pasó una mano por el cabello liso color arena y nos saludó con un gesto a Bastian y a mí.

—Mamá me envió para que me asegure de que ustedes dos no se maten. —Me señaló junto a mi padre con el índice.

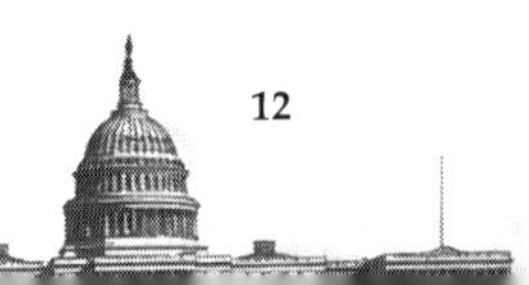

A papá no le hizo ninguna gracia el chiste y, en su lugar, fulminó a su hijo con la mirada.

—Tú también lo sabías, ¿cierto?

—¿De qué hablas, papá?

—Sabías del matrimonio entre tu hermana y el bastardo.

—Estás haciendo de esto un escándalo innecesario —dijo mi hermano—. Ya no es el siglo XVI para que ella deba pedir tu consentimiento o tu opinión sobre su matrimonio.

—Eso lo sé, lo que me molesta es que yo fui el único imbécil que nunca se enteró de nada. Me vieron la cara.

—Papá...

—Me mentiste. Tú también sabías en lo que estaba metida Leah y en lugar de informármelo, la alentaste en sus estupideces.

Mi hermano y yo intercambiamos una mirada significativa.

—Es mi hermana, tú lo has dicho. —Se encogió de hombros—. Y claro que voy a ayudarla si eso la hace feliz.

—¿Cómo puede ser feliz estando con alguien así?

—¿Así cómo? —hablé hastiada—. ¿Por qué no me convences para dejarlo entonces? ¿Por qué no me dices las razones por las que debo alejarme de mi esposo?

—No lo llames así —pidió papá con deje agrio.

—Eso es lo que es, mi esposo —recalqué despacio disfrutando de su mueca—. Y ya que estamos sacando verdades a la luz, ¿por qué no nos dices de qué demonios hablabas ayer con Agnes?

—No insistas con eso —atajó nuestro padre.

—¿Qué? —se interesó Erick—. ¿De qué hablas?

—Ayer, mientras discutían, hablaron sobre cosas del pasado. No tengo idea de a qué se referían, pero ambos parecían afectados por ello. Así que dinos, papá, ¿de qué hablaba clla?

Bastian abrió más los ojos, sorprendido.

—Nada importante. No presten atención a los desvaríos de esa mujer.

Estreché los ojos, suspicaz.

—¿Ves? Ahí vas de nuevo con estúpidas excusas. Nunca nos das ninguna respuesta.

—Porque no hay ninguna respuesta que dar —espetó papá recuperando su entereza—. Nada de lo que esa mujer diga es relevante para ustedes.

Enarqué una ceja y coloqué una mano en mi cintura. Había llegado a mi límite. No soportaría una mentira más.

—¿Sí? ¿Es ella tan irrelevante como Louis Balfour y ese tal Óscar? —solté de repente y el terror se fundió en el rostro de papá apenas mencioné esos nombres—. Estoy harta de mentiras y evasivas, exijo la verdad. ¿Quiénes son esos hombres y por qué es tan importante mantenerlos lejos de mamá y nuestra familia? ¿Por qué les preocupa tanto su paradero o lo que hagan o dejen de hacer?

Papá perdió el color de su cara y su armadura inquebrantable pareció sufrir un duro golpe que resquebrajó su determinación, porque de pronto lucía nervioso. No, no nervioso, aterrado. Eso me inquietó. Nunca lo había visto tan asustado. ¿Por qué la mención de esos dos hombres le afectaba tanto?

—¿Cómo sabes sobre ellos? —Bastian fue el primero en hablar.

—Los escuché a ti y a papá hablar al respecto —confesé sin despegar los ojos de él para calibrar sus reacciones—. Quiero saber qué relación tienen con mamá y por qué no puede escuchar sobre ellos.

—Leah me contó sobre esa conversación. Lo cierto es que, para ser personas irrelevantes, mantuvieron todo con bastante secrecía, eso aumentó nuestra curiosidad —comenzó a explicar mi hermano—. Así que contraté a un investigador privado.

Papá tuvo que sentarse en su silla para continuar escuchando y mi corazón dio un salto dentro de mi pecho. No sabía a dónde me conduciría este camino, pero a juzgar por sus reacciones, sabía que estábamos cerca de descubrir la verdad.

—Según los informes del investigador, Louis salió de la cárcel hace poco. Cumplió una condena por tráfico de drogas, aparentemente —aclaró Erick—. Pero gran parte de su expediente está clasificado. ¿Por qué?

Papá, como de costumbre, permaneció en silencio.

—Algunos expedientes se reservan por petición de los familiares —explicó Bastian con deje nervioso.

—Sí, pero eso no explica la relación que guarda con nuestros padres.

—Estoy esperando —insistí severa.

—Este no es el momento para esas preguntas —volvió a intervenir Bastian—. Hay cosas más apremiantes, como resolver tu situación, linda.

—¿No vas a responder? —inquirió Erick, pero papá se mantuvo en silencio, haciéndome enojar más.

—Bien, sigue en tu papel entonces —escupí—. Yo seguiré en el mío mientras no me digas la verdad.

—Tú no seguirás en ningún papel —dijo tajante recuperando su capacidad para hablar—. Vas a divorciarte para que podamos resolver el problema con el contrato.

—¿Me obligarás a casarme con Jordan? —pregunté crispada.

—¿Qué contrato? —hablaron a la par mi hermano y Bastian.

—Leah firmó un contrato prenupcial con Jordan y su familia —mascultó.

—¿Cuándo? —se adelantó Bastian.

—A principios de noviembre.

—Pero el contrato es nulo, ¿no es así? —añadió Erick—. Tiene que serlo, lo firmó después de casarse con Alexander.

—No todas las cláusulas se nulifican por ministerio de ley atendiendo a la prelación contractual. —El abogado se tocó la barbilla, pensativo.

—El objeto de los contratos prenupciales es sentar las condiciones del matrimonio —explicó papá, exhausto—, obviamente si hay una cláusula que establece la obligación de contraer matrimonio es nula *ipso facto*, de pleno derecho, porque no puedes hacer tal cosa, iría en contra de los principios de la libertad de voluntad, aunado al hecho de que Leah ya estaba… casada.

Se atragantó con la última palabra, como si le costara decirla en voz alta.

—Pero hay algunas cláusulas de penalización que deben ir ligadas a condiciones que sí son legales, y que se incumplirán por su actual matrimonio —siguió explicando.

—¿Cómo puedes estar seguro de eso? —cuestionó Erick.

—Porque Abraham me planteó los términos de la penalización. ¿Por qué lo haría si no se hubiera actualizado alguno de los supuestos?

—No lo sé. ¿Qué decía sobre ello el contrato? —Mi hermano me miró esperando una respuesta que no tenía.

—No sé.

—¿Cómo que no sabes?

Me encogí de hombros, asustada.

—No... No leí el contrato.

Papá suspiró con pesadez, cada vez más enojado.

—He ahí el problema. —Bastian agitó el índice, señalándome—. Tenemos que encontrar la manera de nulificarlas. El contrato debe ser nulo en gran parte, pero Abraham es listo y debió establecer cláusulas más sólidas, aquellas que ligó con la penalización.

—¿El contrato puede anularse totalmente? —inquirí nerviosa.

—En gran parte por pleno derecho, pero debemos encargarnos de la penalización.

—Primero me encargaré de que te divorcies —acotó tajante.

—Papá, escucha...

—No, Erick —lo cortó para centrarse en mí—. Vas a divorciarte y punto. Agilizaré el trámite para que solo tome un par de semanas.

—Leo, estás siendo impulsivo, deja que tu hija...

—No —refutó lacónico.

—Hazlo. ¡Nulifica la maldita acta! —exploté de pronto con la ira corroyéndome—. Es más, puedes nulificar todas las actas que quieras —lo desafié—. ¿Pero sabes qué? Volvería a casarme con él una y otra y otra vez, hasta que comprendas que lo quiero.

—Leah, lo que hiciste fue un error y uno muy grande. Es hora de remediarlo.

—No.

—¡Harás lo que te digo! —gritó colérico—. Irás conmigo al juzgado y firmarás ese maldito divorcio.

—¡Alex no fue un error, es mi esposo! —imité su tono de voz, negándome a ceder—. Puedes odiarlo todo lo que quieras, pero no vas a separarnos.

Tensó la mandíbula y sus ojos me incineraron.

—Lo haré, aunque tenga que deshacerme del bastardo.

Le lancé una mirada de muerte, que vi reflejada en sus ojos cuando me la dedicó también.

Luchar contra papá se sentía como luchar contra un muro invencible, pero no renunciaría a Alex. Tendría que acostumbrarse a la idea de tener un yerno y un nuevo integrante en la familia, aunque la idea lo volviera loco.

—Papá perdió la cordura.

—Nunca me pareció una persona muy cuerda en primer lugar —se burló Alex a través de la pantalla y sonreí. Acomodé el móvil para que

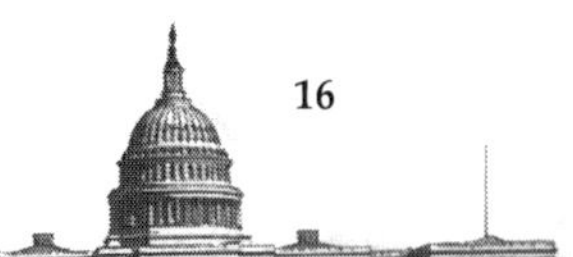

obtuviera un mejor cuadro de mí y la cocina apareciera en segundo plano mientras terminaba de preparar mi almuerzo.

—¿Por qué lo dices?

—Porque no le agrado. Cualquier persona a quien no le agrade, obviamente no está bien de la cabeza.

Solté una risotada y Alex sonrió con el rostro iluminado. Mis dedos hormiguearon bajo el deseo de tocar su rostro y mis labios quemaron por besar esa sonrisa incitante.

Habían transcurrido solo dos días desde que Jordan lanzó la noticia como una bomba. Y como la bomba que en realidad fue, sus estragos continuaban haciendo mella en nuestras familias. Papá había prohibido mi salida hasta el final de las vacaciones de invierno, como si fuera a obedecerlo. Podía enojarse todo lo que quisiera, pero sus rabietas no doblegarían mi voluntad ni cambiaría mi decisión.

Aunque claro, tampoco éramos tan insensatos. Con las cosas tan tensas preferíamos mantener un poco de distancia hasta que tuviéramos un sólido plan para nuestro proceder. Tampoco quería darle a Agnes la oportunidad de despellejarme viva con su perfecta manicura. Así que ahí estábamos, hablando a través del móvil como un par de adolescentes.

—No puedes acusar a mi padre de loco. No es el único al que no le agradas.

—Jordan no cuenta como persona.

Apoyé los codos sobre la barra y enarqué una ceja, desafiante.

—Te recuerdo que a mí tampoco me agradas, Colbourn.

—Y ahora eres mi esposa, señora Colbourn. Debí hacer algo muy bien para entrar en ese frío corazón de piedra.

—¿Quién dice que estás dentro? —lo molesté.

—¿Por qué no lo estaría? —sonrió coqueto mostrando su hoyuelo mientras se acomodaba sobre su cama con el brazo flexionado bajo la cabeza—. Soy irresistible.

Bufé alejándome un paso de la barra.

—¿Quién dice que lo eres?

—Tú lo eres para mí —admitió sin más, y su confesión, teñida de sinceridad, hizo revolotear algo en mi estómago—. ¿Esa es mi camiseta de los Giants?

Bajé la vista hacia el *jersey* de su equipo favorito de fútbol americano y sonreí maliciosa.

—Sí. —Di una vuelta para que la admirara y me miró serio.

—Regrésamela, ladrona.

—Me luce mejor a mí.

La expresión de Alex oscureció cuando coloqué las manos en mi cintura y ceñí la prenda contra mi cuerpo.

—La quiero de vuelta, es mi favorita.

—Si la quieres, tendrás que quitármela.

—¿Ese es el reto o el premio, princesa? Porque estoy más que feliz de hacerlo.

—Claro, y que mi padre te mate apenas te vea —me burlé.

—Tal vez lo reconsidere si escucha lo feliz que te hago.

—¡Alex! —me quejé—. Olvídalo, me quedaré con ella. Ahora es mía.

—Igual seguirá siendo mía. Esa camiseta es tan mía como lo eres tú, así que es lo mismo.

Sonreí.

—Eres imposible.

Estaba por responder algo más cuando escuché pasos venir del vestíbulo de la entrada. Me apresuré a tomar mi móvil y Alex fue rápido en notar mi cambio de actitud.

—¿Moros en la costa? —inquirió y asentí—. Bien, ¿hablamos después?

—Claro —sonreí—. Te quiero.

Sus ojos se iluminaron.

—Yo tam…

Corté la llamada cuando vislumbré a mamá entrar a la cocina a través del umbral. Me senté en la silla alta para comer sobre la barra y me concentré en mi plato.

Esperé que me pasara de largo, pero mi madre no era ese tipo de persona. Dejó su bata de médico sobre la silla contigua y depositó un beso sobre mi cabeza.

—Hola, cariño —saludó jovial.

—Hola. —Levanté el rostro hacia ella.

Frunció el ceño.

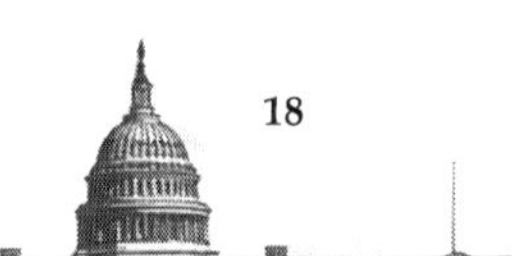

—¿Por qué esa cara?

Dejé de revolver la comida que tenía en el plato.

—He discutido con papá.

—¿Otra vez?

—Otra vez.

Mamá suspiró.

—Parece que tu padre encontró una nueva afición en discutir.

—¿Papá y tú se han peleado? —pregunté, percatándome de que parecía exhausta.

—Sí —admitió con tono pesaroso.

—¿Fue una discusión fuerte? He visto salir a papá de una habitación de huéspedes los últimos días.

Se rascó la ceja, incómoda.

—Solo hemos discutido, es algo normal en un matrimonio.

—Pero ustedes jamás discuten.

Me ofreció una sonrisa dulce.

—Sí discutimos, pero siempre encontramos una manera de repararlo.

La culpa reptó por mi pecho y se asentó como una pesada piedra.

—Lo siento.

—¿Por qué?

—Por haber hecho que papá y tú se pelearan.

Mamá me miró con afecto.

—Está bien, es normal —repitió—. Un matrimonio no es algo fácil. Hay momentos buenos y malos.

—Ustedes han tenido más momentos buenos que malos, estoy segura.

Resopló en desacuerdo.

—No sabes de lo que hablas, cariño.

—¿Por qué tú no estás trepando por las paredes como papá? —inquirí—. ¿No te impactó la noticia? En la fiesta de Año Nuevo lucías muy tranquila, a diferencia de papá y Agnes.

—Porque ya lo sabía. O, al menos, ya lo imaginaba.

Estoy segura de que palidecí tras escuchar esa declaración.

—¿Qué? ¿Cómo? Yo nunca te dije nada al respecto.

—Ya lo intuía. Admito que me tomó por sorpresa el que estuvieran casados, eso sí que jamás se me cruzó por la mente, pero sabía que algo pasaba entre ustedes dos.

—¿Cómo? ¿Por qué?

—Los vi en la fiesta.

—¿Cuál fiesta? —pregunté alterada.

—La cena de los Graham.

¿La fiesta de los Graham? Pero… ¡Oh! Esa fiesta. Era la fiesta en la que había molestado a Alex con mi tonto juego bajo la mesa usando mi...

—Vi tu pie descalzo y su... emoción por lo que hacías con ese pie. —Hizo una mueca—. No fue difícil llegar a la conclusión. Además, la excusa de irte con Edith, diez minutos después de que él saliera, no fue muy convincente de tu parte.

Sentí mi rostro arder.

—Puedo explicarlo, nosotros no...

—Está bien —cortó mi balbuceo—. También fui joven, también hice locuras, no necesitas explicarme nada. Hasta ese momento creí que lo suyo era algo casual, que era tu escape para olvidarte de Jordan por su reciente ruptura. —Abrí la boca, pero levantó la mano para continuar—. Sin embargo, cuando te vi en el hospital... No estoy ciega, Leah. Jamás te había visto tan preocupada por alguien. Ahí comprendí que tus sentimientos por él no eran algo banal o pasajero.

Me mordí el labio sintiéndome expuesta. Los nervios anudaron mi estómago, pero mi mente me instaba a hablar, a confiar en ella. ¿Quién más me escucharía sin juzgarme sino mi madre?

—No lo son. Lo quiero, y créeme, haría todo por no quererlo si supiera que puedo lograrlo, pero ya he llegado a ese punto sin retorno. Mamá, lo quiero tanto que estoy aterrada —susurré con mi voz tildada de emoción—. Estoy aterrada porque jamás creí sentir algo así, de tal profundidad y por él, de todas las personas posibles.

Clavé mis ojos en la mesa, ordenando mis ideas.

—Siempre quise una relación tranquila, sin complicaciones, como la de ustedes, y estaba ahí… Estaba ahí con Jordan, para que la tomara, la disfrutara y fuera feliz, pero no era lo que estaba buscando, no era lo que quería para mí en realidad.

Mamá me escuchó en silencio y no habló por largos minutos que parecieron eternos, hasta que se dignó a hacerlo con cautela.

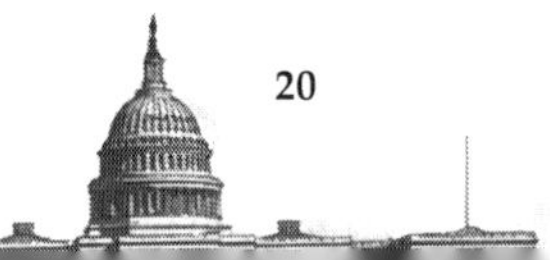

—Mi relación con tu padre nunca fue fácil, cariño, pero nos mantuvimos, justo como tú quieres mantenerte ahora.

—¿No estás enojada conmigo por lo que hice?

Mamá suspiró con pesadez.

—No celebro lo que hiciste. Me habría encantado que hicieras las cosas diferente, que te acercaras más a nosotros para plantearnos la situación antes de llevarla tan lejos, pero ya está hecho, y si en verdad lo quieres, lucha por él.

Cubrió mi mano con la suya para darme un suave apretón.

—Alguien me dijo una vez que, por más complicada que fuera la situación, debía aferrarme a tu padre con ambas manos si lo amaba, y eso hice. Creo que me habría arrepentido toda mi vida de no haberlo hecho —agregó.

Sus palabras me reconfortaron como una fogata luego de una larga caminata en una ventisca, pero la terquedad de mi padre seguía rugiendo como la tormenta, amenazando con extinguir mi llama de esperanza.

—¿Y qué pasará con papá?

—Creo que necesita tiempo, pero quizás lo acepte.

Esbocé una pequeña sonrisa sin mucho alivio, pero era mejor que nada.

—Supongo que ahora tengo que luchar por lo nuestro, aunque no será fácil.

—No, no lo será —me apoyó—. Pero Alexander parece decidido a luchar por ti. ¿Lo harás tú también?

Me mordí el interior de la mejilla, el corazón latiéndome como un tambor mientras un montón de escenarios nuevos se me venían a la cabeza. El panorama era poco alentador, oscuro, pero la respuesta brillaba ante mí con claridad.

—Sí, lo haré.

Mamá sonrió.

—Esa es mi hija —dijo con orgullo.

—Gracias. Gracias por escucharme. —Le eché los brazos al cuello. Me correspondió enseguida con su cercanía confortándome.

En la guerra, nuestra mente estaba siempre puesta en el enemigo, pero los aliados representaban, sin duda, un respiro y un resquicio de esperanza. Mamá era mi aliada y sentía que podía respirar mejor solo por ello.

3
SER UN COLBOURN

Supe que este día al fin tendría un poco de diversión cuando entré a casa junto a papá y encontramos a mamá en la sala de estar, despidiéndose de su entrenador personal. De una manera muy personal.

Papá se aclaró la garganta y ambos se separaron enseguida. Brad se pasó una mano por los labios para eliminar los restos de los besos de mi madre y su rostro se enrojeció. Mamá permaneció inmutable con gesto serio.

Brad acomodó la correa de su mochila y giró el cuello hacia mamá.

—Te veré luego para continuar con la rutina.

Ella asintió cruzándose de brazos.

—De acuerdo. Espero tu llamada.

—Alexander —me saludó al toparse conmigo en la puerta.

—Brad, tenía tiempo sin verte por aquí.

Soltó una risita tonta.

—Es la idea.

Mis comisuras se elevaron tras el astuto comentario.

—Byron —se dirigió entonces a papá, que lo escaneó con desdén una última vez de pies a cabeza, como quien evalúa a una cucaracha antes de pisarla. Lo ignoró y caminó un par de pasos hasta alejarse.

Brad salió sin hacer otro ruido más.

—Y yo que pensé que no podías caer más bajo —fueron las primeras palabras de mi padre cuando por fin estuvimos solos.

—No sé de qué hablas —rebatió mamá haciéndose la desentendida.

—Mira que tener a tu amante frente a las narices de tu hijo y además hacerlos convivir —escupió con desprecio—. ¿Estás enferma? El chico tiene la misma edad de Alex, podría ser tu hijo también.

Ah, genial, hora del espectáculo. Me acomodé en el sofá para disfrutarlo en primera fila.

—¿Perdón? ¿Quién eres tú para decirme eso? Tú, que también estás con alguien menor. ¿Cuántos años tiene Charlotte? ¿Veintinueve? ¿Treinta? —lo atacó sin perder la oportunidad—. Y la última vez que me enteré, Alexander convivía más con ella que con Brad, ¿no es así, Alex?

Fingí evaluar la pregunta.

—De hecho, convivo bastante con los dos.

Ambos me miraron crispados por el cinismo del comentario y sonreí.

—Al menos deberías tener la decencia de cogértelo en otro lugar que no fuera tu casa —espetó papá.

—Ya, ¿y dónde te coges tú a Charlotte? ¿En el auto? ¿En tu oficina? ¿En el baño como el animal que eres?

Su cara enrojeció por la ira.

—No te permito...

—Yo te digo lo que me venga en gana, que para eso soy tu esposa, ¿o no, cariño? —Le dedicó una sonrisa desdeñosa—. Quizás debiste estar más preocupado en educar a tu hijo y no en ir tras el culo de una cualquiera. Tal vez si hubieses prestado más atención, Alex no habría heredado tu fascinación por las putas.

—Para ya con los insultos —pedí tajante.

—Eso es lo que es, una puta, porque su madre es igual.

—Ella no es así. No sé qué problema tengas con su madre, pero Leah no...

—Ese nombre no se dice en esta casa —me cortó con deje agrio—. Vas a divorciarte lo más pronto posible y quizás, con un poco de suerte, podamos salvar tu reputación.

—No seas dramática, mamá. ¿No me escuchaste la primera vez? No voy a divorciarme.

Emitió un quejido de frustración.

—¿Te volviste loco? Ya lo hemos discutido, ¿cómo puedes estar con alguien así? ¿Cómo puedes siquiera considerarlo? ¡Hasta le has dado el anillo de la familia! ¿Tú crees que esa mujerzuela es digna de llevarlo?

Mi boca se convirtió en una fina línea y el asunto perdió toda la diversión.

—Es mi mujer y como tal, debe portar el anillo que le corresponde como la nueva señora Colbourn —respondí severo, negándole la oportunidad de menospreciarla.

—No lo es. No tiene clase, ni belleza, ni actitud, ni modales o…

—Tiene más que tú —espeté hosco y mamá me miró ofendida—. Leah tiene todo para ser una Colbourn, te guste o no.

—¡Ella ni siquiera sabe lo que implica ser un Colbourn! —rebatió alzando la voz.

—¿Y tú sí? —Enarqué una ceja, inquisitivo—. Leah es mi mujer ahora, ahórrate un poco de desgaste y comienza a aceptarlo, por tu bien. Y da igual si le regalo el anillo, la corona o el tapete del baño de la familia, porque al final eso no representa nada ni es relevante. No cambia el hecho de que es mi esposa.

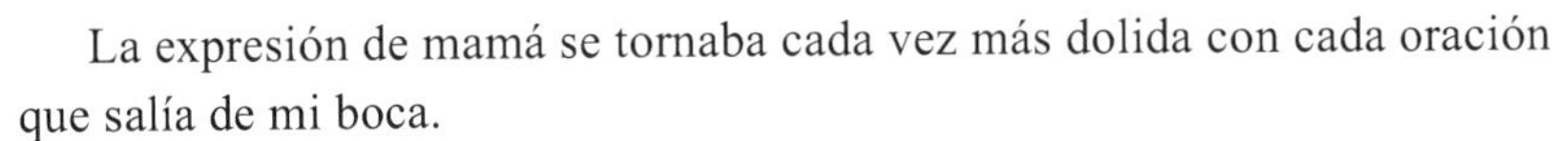

La expresión de mamá se tornaba cada vez más dolida con cada oración que salía de mi boca.

—Es parte de la familia ahora —me apoyó papá y mamá lo acribilló con la mirada.

—¿Cómo puedes apoyarlo en esta estupidez? Ella ni siquiera debería tener el anillo, ¡debería tenerlo yo!

—Nunca lo quisiste —contestó él con indiferencia—. No vengas a reclamarlo ahora.

—No es digna de usarlo, no cuando es de tan baja estirpe, no cuando sus padres son de lo más bajo.

—Aquí vamos de nuevo. —Suspiré hastiado. Normalmente tenía mucha paciencia para mi madre, pero cuando hablaba de Leah, el instinto de protección era más fuerte que cualquier otro.

—Deja ya ese teatro —le pidió papá—. No sé qué problema tienes con ellos, ni tampoco me interesa saberlo. Esta relación es muy benéfica, y no permitiré que por tus estúpidos berrinches lo arruines.

—¡No son berrinches! ¡Mi hijo no va a mezclarse con esa gentuza! Es una trepadora, igual que su madre. ¿Cómo sabes que no se ha embarazado ya para poner las manos sobre nuestro dinero?

—No está embarazada —acoté lacónico.

—¿Cómo puedes estar tan seguro?

—Porque nos cuidamos. Ella se cuida, yo me cuido. Por si no sabías, existen métodos anticonceptivos, y el sexo no se practica solo para procrear. De hecho, es un muy buen relajante y...

—¡Alexander! —me cortó y sonreí con malicia—. Aun así, puede embarazarse de alguien más y pretender que es tuyo para conseguir lo que quiere, para asegurar su futuro y...

—Leah no necesita nuestro dinero. Puede encargarse de su futuro ella misma.

—¡Dios, Agnes! Deja de ver tantas telenovelas. —Negó papá, ofuscado—. Si él no quiere dejarla, no lo hará y punto.

—Ya. Y tú crees que voy a quedarme tranquila mirando cómo meten en la foto familiar a la hija de puta esa, ¿no?

Me puse en pie de un salto, impulsado por la molestia, y clavé mis ojos en ella esperando hacerla desistir de los insultos, pero me sostuvo la mirada sin inmutarse.

—Él tiene suficiente edad para decidir por sí mismo lo que quiera, yo no lo obligaré a nada —acotó mi padre.

Le mantuve la mirada por lo que me pareció una eternidad, el enojo haciendo mella en mi sangre, y cuando mamá se pasó una mano por el cabello, su máscara de fortaleza cayó, para demostrar el cansancio que ocultaba debajo.

—No discutiré más con ustedes, es obvio que son unos intransigentes. Será mejor que nos vayamos ahora o llegaremos tarde a la cita con los Pembroke.

Papá y yo compartimos una mirada significativa.

—¿Tú también irás? —inquirí.

—Claro que iré. —Puso las manos en sus caderas.

Papá la contempló con dureza.

—No fuiste invitada, Agnes. Es un tema de hombres.

Mamá tomó su bolso de diseñador.

—Las guerras también eran temas de hombres y por eso siempre las perdieron —sonrió desdeñosa—. Es obvio que ustedes no tienen la capacidad intelectual para llegar a un acuerdo, por eso necesitan de las mujeres. ¿Leo, Abraham y tú en una misma mesa? Me necesitan ahí con urgencia.

Papá abrió la boca para quejarse, pero mamá comenzó a andar hacia la puerta sin darle oportunidad de detenerla.

Nos esperaba una larga reunión.

El amplio portón de hierro de la residencia Pembroke nos abrió sus puertas, y recorrimos el camino de gravilla que precedía la entrada de la casa. Bajamos del auto y le entregué las llaves a un hombre bajo con uniforme, quien se montó en él para parquearlo.

Tenía pocas esperanzas de convencer a todos los presentes de cambiar su postura en relación a mi matrimonio con la princesa de los McCartney, sobre todo porque Leah no estaba aquí para apoyarme.

Anduvimos los metros que nos separaban de las escaleras de piedra y llegamos al pie al mismo tiempo que Leo, que tensó su cuerpo cuando se acercó para subir también. Mamá ni siquiera le prestó atención y recorrió los escalones a velocidad de la luz.

—McCartney —lo saludó papá, cordial.

—Colbourn —asintió él en un tenso movimiento sin retirarse los lentes oscuros.

No podía saberlo a ciencia cierta, por los lentes de sol que cubrían sus ojos, pero podía apostar a que estaba matándome con ellos de mil maneras posibles, así que aproveché la oportunidad para ganarme a mi suegro.

—¿Cómo está mi esposa? —pregunté sereno y papá me lanzó una mirada de advertencia que ignoré—. Tengo tiempo sin verla.

Su boca se transformó en una fina línea y se retiró los lentes oscuros para escrutarme con desdén.

—Y seguirá de esa manera, créeme —respondió hosco.

—Ya veremos. —Mis comisuras se elevaron con diversión—. Por cierto, te queda bien ese color de corbata, suegro.

Leo me fulminó con la mirada mientras yo subía las escaleras a paso seguro; entré a casa de los Pembroke a través de la puerta que mantenía abierta una de las mujeres de servicio.

Me detuve en el rellano cuando encontré a mamá enzarzada en una acalorada discusión con Abraham, quien parecía un poco incómodo, casi como un perro acorralado por un león. Ahogué una risa. La escena no me sorprendía, mamá tenía una personalidad fuerte que se imponía a la de otros. Papá y Leo entraron entonces y la charla terminó.

—Colbourn —saludó Abraham con educación, recomponiéndose—. McCartney.

—Pembroke —respondieron ambos hombres al unísono.

—¿Por qué no te adelantas al estudio? Tendré una pequeña charla con Leo antes —informó Abraham.

Mamá estrechó los ojos, suspicaz.

—Cualquier cosa que deban decir, yo también quiero escucharla.

—No es de tu incumbencia —escupió Leo.

—¿Y?

—Agnes, por favor, no hagas un escándalo —susurró mi padre en su oído—. Anda.

La llevó casi arrastrando mientras los hombres se quedaban atrás hablando de no sé qué mierda. Seguimos de cerca a la misma mujer de servicio por un pasillo hasta llegar a unas puertas de roble.

—El joven Pembroke ya está en el estudio. —Hizo un gesto con la mano, permitiéndonos el acceso—. Adelante.

Definitivamente sería un día divertido.

—Alex, por favor —me detuvo papá antes de entrar—, compórtate.

—No prometo nada, todo depende de él.

La más mínima provocación por parte del imbécil y terminaría de romperle la cara. Sería la excusa perfecta.

Cuando entramos, Jordan estaba sentado en un sillón de cuero cerca del escritorio, con un tobillo reposando sobre su rodilla derecha y el rostro endurecido al reparar en mí.

—No pensé que tuvieras el descaro de venir después de lo de la fiesta —ladró. Quiero decir, espetó.

—Sorpresa, sorpresa —respondí burlón. Tomé lugar en una silla frente al escritorio, a unos cuantos metros del sillón, y giré mi cuerpo hacia él—. No quería que me extrañaras.

Resopló.

—¿Cómo es que Leo te dejó vivo?

—Porque le agrado más que tú. Hago a su hija más feliz. —Le dediqué una sonrisa perversa y el chico emitió un gruñido. Miré el tenue color verde aún adornando su mandíbula del lado derecho como vestigio de nuestra pelea.

—¡Por favor! —escuché a mamá quejarse, tomando asiento a mi lado. Papá ocupó el lugar junto a ella.

—¿Estás disfrutando de tu matrimonio? —habló Jordan otra vez. Se inclinó hacia adelante, sus labios estirándose en el intento de una risa torcida—. Imagino que debe ser terrible para ti ya no poder cogerte cómodamente a tu zorra y estar bajo la mirada de todos.

Resistí el impulso de romperle la boca por llamar así a mi mujer.

—Podría ser mejor, es verdad, aunque no me quejo. —Acomodé el reloj en mi muñeca con indiferencia, antes de alzar la vista hacia él otra vez—. ¿Pero qué conseguiste tú de todo esto? Leah sigue siendo mi esposa y lo único que hiciste fue adelantar la revelación de una noticia que ya planeábamos dar, así que, en resumen, tú te quedaste sin nada y lo único que lograste fue armar un alboroto innecesario.

El chico se puso en pie en reacción, sus ojos reluciendo con ira.

—Al menos conseguí quitarme de encima a esa zorra. Y con un poco de suerte, puede que hasta resulte algún beneficio económico para el pago de todo el daño moral que esa tipa me hizo.

Abrí la boca para hablar justo en el momento en que Leo y Abraham hacían acto de presencia.

Bingo.

—¿Qué me decías? —lo reté disfrutando de su cambio de expresión a una de mero terror cuando reconoció al padre de Leah—. Creo que no te escuché bien. Y ya que estamos todos, ¿podrías repetirle a mi suegro lo que decías de mi esposa?

—¿De qué habla tu hijo, Byron? —cuestionó Leo, severo.

—Jordan, explícate —le pidió su padre.

—Nada, el imbécil solo está molestando. —Me fulminó y volvió a sentarse con la cara pálida.

—¿Ah, sí? —Elevé las cejas, desafiándolo a mantenerse—. Si vuelves a insultar a mi esposa, te romperé la cara otra vez antes de que puedas pronunciar su nombre completo.

Jordan me dedicó una grosería con el dedo y mamá bufó.

—Paren ya esta locura —dijo ella.

—No tengo tiempo para niñerías —interrumpió Leo—. Resolvamos esto.

—Como desees. —Abraham tomó su lugar tras el escritorio con aire de suficiencia, al tiempo que Leo se sentaba junto a mi padre.

El anfitrión se acomodó el saco y aclaró su garganta.

—Trataré de ser breve y claro con las repercusiones económicas para ambas familias por el incumplimiento y la continuación del matrimonio. ¿Están de acuerdo?

—Al grano, Abraham —lo instó Leo—. Déjate de tanta palabrería, no me hagas perder más mi tiempo.

El aludido abrió un fólder y tendió una copia del contrato prenupcial a ambos hombres; mamá fue rápida en arrebatarle la suya a papá, quien le echó una dura mirada, pero se inclinó igual que yo hacia ella para descubrir lo que rezaba el dichoso contrato.

—Esto es ridículo —gruñó Leo, ofuscado, alzando la cabeza luego de minutos en silencio leyendo. Y sí que lo era—. Es una penalización absurda, Abraham. Es más de lo que recibirías durante los primeros tres años de su matrimonio, y eso, si le concedíamos a tu hijo una participación de mayor porcentaje en las utilidades de mi empresa.

—¿Lo es? Me parece lo justo. —Entrelazó las manos sobre su estómago, evaluándolo con dureza—. Aunque debería aumentar la penalización por la forma tan reprobable de actuar de tu hija. Quizás debí prever su falta de clase y establecer una cláusula penal por adulterio.

—No es difícil darse cuenta de que la chica carece de clase, solo hace falta mirar la familia de la que viene —intervino mi madre cediendo el contrato a papá.

—No te permito…

—Eso sería una estupidez —intervine, harto de que se refirieran a Leah de esa manera—. ¿Dónde está el adulterio en esta situación? —cuestioné desafiante clavando mis ojos en los pozos oscuros del anfitrión.

—Alexander —advirtió papá.

—No sé si conozcas el concepto de adulterio, pero ella está casada conmigo, y hasta donde yo sé, no me engañó a mí, así que, te repito, ¿dónde está el adulterio? —continué, ignorando a mi padre.

El hombre me sostuvo la mirada sin vacilar por unos segundos más, pero se mantuvo en silencio.

—Además, yo tendría cuidado de lo que saliera de mi boca si fuera tú, después de todo, eres el que está babeando como un perro por unas cuantas monedas nuestras.

—Cuidado, estás hablándole a mi padre, no a un amigo —advirtió Jordan desde su lugar.

—Nunca dije que fuésemos amigos —respondí con desdén—. Claramente nunca podríamos serlo.

—Basta, es suficiente —reiteró papá con tono tajante.

—Da igual, no estamos aquí para discutir los valores que tenga o no la chica —asentó Abraham.

—Los valores que ella posea o no es cosa mía, así que no te metas —aseveró Leo en tono amenazante.

—¿Cuáles valores? Es evidente que no tiene ninguno —replicó mamá.

—Tiene más que tú.

—Abrirse de piernas para los hombres no es un valor, Leo. —Mamá chasqueó la lengua y tanto el aludido como yo le lanzamos una mirada de advertencia para que se detuviera.

—Entonces, ¿cuándo harán las cesiones monetarias y accionarias? —preguntó el padre de Jordan.

Leo se pasó una mano por la barbilla, como si estuviera sopesando la mejor opción para ganar ventaja en la partida.

—Cuando analice el contrato.

Abraham resopló por la nariz en modo burlón.

—Lo único que tienes que analizar es la manera en que me transferirás lo que me debes.

—De nuevo —espetó hastiado—, lo que estipulas es ridículo, no te daré un carajo.

—Puede que sea ridículo, pero tu hija debió pensarlo mejor antes de correr detrás de alguien que no le correspondía, o en su defecto, antes de firmar un contrato sin leerlo.

Leo tensó la mandíbula y lo acribilló con la mirada. Por mucho que me doliera reconocerlo, sí tenía razón en algo: Leah no debió confiar en ese hijo de puta. Aun así, había algo extraño en su manera de proceder, en su insistencia porque se le pagara lo debido a causa del incumplimiento del contrato. Quizá ahí residía la solución a todo esto.

—¿Por qué estás tan desesperado por conseguir el dinero? —intervine de nuevo—. ¿De qué tienes miedo?

—De que no salden sus deudas, por supuesto —respondió, impertérrito.

—Lo dudo, no es como si fuésemos a caer en quiebra de la noche a la mañana. —Me incliné en la silla hasta posar los codos sobre la madera—. ¿No será algo más? ¿Que el contrato sea nulo, quizás?

—¿Por qué sería nulo? Ella lo firmó.

—Lo firmó con posterioridad a nuestro matrimonio.

—Y porque la boda entre ellos no se llevó a cabo es que se actualiza la penalización, hijo —aclaró mamá, seria. Cuando la miré, no parecía preocupada o molesta, solo pensativa.

—Las cláusulas de pena no son nulas, están unidas a supuestos que nada tienen que ver con su matrimonio.

—Entiendo que ese es el objetivo del contrato prenupcial, pero lo que exiges por el incumplimiento es lesivo, es demasiado —objetó Leo—. ¿Cuarenta por ciento de sus utilidades por cinco años? ¿Sabes cuánto dinero es eso?

—Más de lo que ella vale —se burló mamá y el padre de Leah emitió un siseo de molestia.

—Estás hablando de millones, Abraham —acotó mi padre luego de colocar el contrato sobre la mesa—. Los Colbourn no tenemos relación con esta problemática, pero si es necesaria nuestra ayuda para que el matrimonio continúe y se resuelva todo esto…

—El matrimonio no continuará —lo cortó Leo.

—Eso no lo decides tú, querido suegro. —Apoyé el mentón sobre mi puño con una sonrisa socarrona y él me lanzó una mirada fulminante.

—Supongo que tampoco tienes opción, Byron —informó Abraham—. El patrimonio de tu hijo se ha mezclado con el de la chica y una parte de él pasará a mis manos a través de ella.

Mamá emitió un jadeo de impresión.

—Nosotros no tenemos razón para pagar por las estupideces de esa mujer —se quejó.

Papá chasqueó la lengua, pensativo. Tampoco estaba feliz con la perspectiva de perder dinero, pero no parecía ni la milésima parte de iracundo que Leo o mamá. En cambio, me miró con gesto solemne antes de asentir.

—Yo apoyo el matrimonio entre nuestros hijos, Leo. En caso de que decidiera pagar por el incumplimiento, nuestras pérdidas no serían tan graves —explicó apacible; me sentí agradecido con la sensatez y soporte de papá.

—No voy a pagar una mierda a esta rata —espetó Leo altivo y decidido, perforando al aludido con los ojos.

—Tendrás que hacerlo o de lo contrario tendré que recurrir a acciones judiciales que serían muy vergonzosas para ti y tu empresa —manifestó el anfitrión en un claro tono de amenaza—. ¿Qué pensarán tus accionistas cuando sepan que tus cuentas están embargadas por un saldo insoluto? Tu empresa se hundiría.

Contemplé al tipo con una pizca de impresión. Tal vez no tanto, era demasiado crédito para alguien como él, pero debía reconocer que sabía lo que estaba haciendo y precisamente eso mismo lo volvía alguien tan peligroso.

—No me importa, no recibirás un solo centavo de mi parte, esto es una ridiculez y no seré parte de ella —sentenció.

—Lo harás si no quieres que los intereses por lo que debes se coman a tu compañía —insistió sereno, pero sin perder esa nota de amenaza.

—¿Cómo puedes exigir algo cuando la base de tu acción es nula? Leah no tenía idea de lo que estaba firmando siquiera, esta mierda que me presentas está viciada, porque ella jamás accedió a firmar esto.

—Lo hizo a consciencia, sabía que estaba firmando un contrato prenupcial, yo no veo vicio de ningún tipo —argumentó sin inmutarse.

—Es el nombre que le pusiste a esto —Leo agitó las hojas, airado—, pero lo que en realidad la hiciste firmar fue un jodido contrato de cesiones del que ella no tenía idea.

El cabrón se encogió de hombros. Sentí la ira corriendo por mi sistema y luché por mantenerla a raya. Dejarse llevar por las emociones en un momento así no era lo adecuado.

—Si sabía lo que firmaba o no, no es el punto. Lo es que debes pagar por los errores de tu hija —Abraham golpeó la madera con su índice—, y entre más pronto lo hagas, mejor.

—No te daré un carajo, ya te lo dije.

—No seas intransigente, Leo. Piensa las cosas con proyección. A la larga te resultará peor no hacerlo.

—No voy a someterme a tus ridículas pretensiones.

—Te recomiendo que lo hagas.

—He dicho que no, y haz lo que quieras al respecto.

Dejó las hojas sobre el escritorio, se recargó en el respaldo retándolo a hacerlo cambiar de parecer, algo que resultaba imposible con alguien tan necio como ese hombre.

Abraham suspiró y nos observó a todos los presentes como si fuésemos fichas en un tablero, calculando la mejor manera de proceder.

—La otra opción, que ya había mencionado, por cierto, si no desean pagar, es que Leah se case con Jordan al menos un año. Si lo analiz...

—No —lo cortamos al unísono Leo y yo sin pensar.

Un incómodo silencio se instaló después de la declaración. Leo giró su cabeza para mirarme, impresionado, pero estaba demasiado abstraído en mi ira para notarlo mucho tiempo. Antes muerto que entregar a Leah al desquiciado de Jordan.

—Eso ni siquiera es una posibilidad, sácala de tu cabeza —dije con los dientes apretados.

—Por mí esa opción es perfecta —habló mamá con tono alegre.

—Yo no quiero casarme con ella —objetó Jordan, crispado.

—Ah, no te preocupes, eso no va a pasar —me centré en Jordan y él me escrutó.

—Creo que me merezco algo mejor que una... —Se detuvo cuando Leo volteó a verlo y el miedo lo dominó.

—Si no van a considerar lo del matrimonio, entonces lo más sensato es saldar la deuda —explicó Abraham.

—De nuevo, el contrato es nulo. No hubo voluntad ni conocimiento de su parte —argumentó Leo, una vez más.

—Oh, lo hubo. Ella sabía lo que estaba firmando —repitió él también.

—No es verdad.

—¿Cómo puedes probarlo?

—Ella debería estar aquí —acoté hastiado de la inútil discusión.

—Mi hija no tiene nada que hacer aquí —me desacreditó Leo con tono ácido.

—Sí tiene —insistí mirándolo severo—. Fue Leah quien lo firmó, ¿no? Si hay alguien a quien le concierne esto, es a ella.

—Alex —intentó detenerme mamá, pero no toleraría más esta sátira de reunión sensata.

—Ya es mayor, debería ser parte de sus propios actos y decisiones. Me parece absurdo que estemos decidiendo sobre su futuro sin que ella esté presente.

Jordan soltó una risita.

—Esa es solo una pobre excusa para verla, ¿no es así? Qué lástima que las cosas entre ustedes terminen tan mal.

—¿Mal? —me burlé mirándolo con una lenta sonrisa de satisfacción surcando mis labios—. No sabes lo bien que terminan las cosas entre nosotros siempre que estamos juntos —declaré con un tono que dejaba muy claro el sentido del comentario.

—Agnes, por última vez, controla a tu hijo o tendré que hacerlo yo —pidió mi suegro con la mandíbula tensa y sus ojos echando fuego.

—Ya fue suficiente —lo cortó mamá con mala cara—. Dejémonos de tonterías y terminemos con esto. Si no vamos a llegar a ningún acuerdo al respecto, mejor saberlo ahora, tengo mejores cosas que hacer que estar en una pelea de niños.

—Demandaremos la nulidad —amenazó Leo, decidido.

—¿No pagarás entonces?

—No.

—Bien, la vía judicial será entonces. —Las comisuras de Abraham se elevaron en una pequeña sonrisa—. Espero que estés preparado para perder tu empresa a causa de los intereses.

—Claro, lo que tú digas. —Se incorporó y acomodó su saco.

—Esperaré tu demanda.

—Por supuesto. —Sonrió con suficiencia, antes de dedicarle una corta mirada a papá, que se había puesto de pie a su lado con expresión aburrida—. Colbourn.

Asintió a modo de despedida, y antes de que saliera, lo detuve.

—Dile a Leah que la extraño, por favor.

Me dedicó una mirada mortal, negó y giró sobre sus talones para salir por la puerta.

Asumí que nos quedaríamos para seguir charlando sobre dudas o posibles soluciones alternas, pero no. Papá suspiró y tomó la copia del contrato.

—Qué pérdida de tiempo —dijo arisco y se acomodó las gafas—. Te veré luego, Pembroke.

—Eso espero.

Me puse en pie junto a mi madre para salir todos a la par.

—¿No quieres que salude a Leah de tu parte? —hablé a Jordan una última vez para no desperdiciar la oportunidad de molestarlo.

Jordan me acribilló con la mirada desde su lugar.

—Jódete.

—Gracias por tus buenos deseos, pero Leah ya se encarga de hacerlo y es la mejor para eso.

Abandoné el estudio feliz cuando su cara se contorsionó por la ira.

Mamá se detuvo en la puerta junto a Abraham y la esperé en el pasillo. Le tendió su mano y él la contempló dudoso.

—Espero que volvamos a encontrarnos pronto, Abraham.

El padre de Jordan la miró curioso mientras yo lo hacía con cautela. Mi madre nunca era tan amable con nadie solo porque sí, siempre había algo más detrás. O quizá yo estaba volviéndome paranoico.

Al final, Abraham correspondió el gesto y estrechó su mano. Mamá sonrió triunfal y fue a mi encuentro enganchando su brazo al mío.

—¿Qué fue eso? —cuestioné cuando llegamos al vestíbulo.

—Ah, solo intentaba ser cordial.

No dije nada más cuando salimos de la mansión Pembroke, ni tampoco lo hice mientras nos llevaba de vuelta a casa.

La reunión había sido inútil, pero no eran sus resultados negativos los que me asustaban, sino las acciones de los demás para conseguir cada uno lo que deseaba, porque eso nos convertía a Leah y a mí en los blancos más vulnerables.

Mierda. No había forma de anticiparme a los movimientos de los demás, solo quedaba reaccionar, pero ¿cómo reaccionaríamos si no sabíamos lo que se avecinaba?

Qué sensación tan hija de puta era la incertidumbre.

4
DESCUBRIMIENTOS DOLOROSOS
Leah

—Vas a lastimarte si sigues golpeando así el saco.

Casi resbalé al escuchar la voz de Erick, con la colchoneta caliente bajo mis pies por el contacto y la fricción, y mis puños paralizados a mitad del golpe número doscientos dos. ¿O era doscientos tres? ¿Cuatro?

Bajé los brazos y dejé escapar el aire, por fin. Mi corazón retumbaba en mis oídos e inspiré profundo para ralentizarlo.

—No voy a lastimarme. —Caminé por el centro de la estancia para tomar la toalla y retirar el sudor de mi rostro.

Erick abandonó su posición en el umbral de la puerta y se acercó a paso seguro, con los brazos cruzados sobre el pecho.

—El saco de boxeo no tiene la culpa.

—¿De qué hablas? —Alcé la vista hacia él y fruncí el ceño. No estaba de humor para sus bromas.

—Lo golpeabas como si quisieras matarlo —se mofó—. ¿En quién pensabas?

Me escrutó sagaz y me sentí expuesta, así que desvié la mirada. Era una pregunta difícil de responder.

Desde el fiasco ocurrido en la fiesta de Año Nuevo, había desarrollado cierta rabia hacia un grupo bastante grande de personas, empezando por Abraham, que no se había tocado el corazón para intentar robarnos dinero. Después estaban Agnes, Jordan, Regina… incluso mi padre. Me dolía reconocerlo, pero el feo sentimiento estaba ahí. Me sentía traicionada y abandonada por él. De todas las personas en el mundo, jamás creí que papá sería quien actuaría en mi contra.

Estrujé la toalla entre mis manos una última vez antes de responder.

—En nadie, solo entrenaba.

—Has estado entrenando mucho estos días. ¿Te preparas para una batalla cuerpo a cuerpo con papá a cambio de tu libertad o algo?

Solté una risita y negué, mis trenzas se balancearon por el gesto.

—No hay mucho qué hacer en casa además de esto. —Abrí los brazos para señalar la enorme estancia que servía de gimnasio—. Y más si tengo prohibido poner un pie fuera.

Erick se mofó.

—¿Desde cuándo obedeces lo que papá te diga?

—No lo hago, pero tampoco estoy de humor para otra discusión campal con él. Está rabiando desde que se enteró del contrato prenupcial.

Erick cambió su peso de una pierna a otra.

—¿Qué sucedió con eso?

Suspiré cansada del tema.

—Alex dijo que se reunieron en casa de Jordan, pero no llegaron a ningún acuerdo. Solo sirvió para que Abraham amenazara a papá con quitarle su empresa si no accede a pagar lo que le corresponde por el contrato.

Los ojos esmeraldas de mi hermano se llenaron de aflicción y frotó su frente con el pulgar tres veces, un gesto que hacía cuando pensaba mucho.

—Es un tema complicado, Leah.

Mi estómago se hizo un nudo y la culpa me oprimió el pecho.

—Ya lo sé, no tienes que repetirme que la cagué. Encontraré una manera de resolverlo.

—Parece que los problemas solo se acumulan.

—Ni me lo digas.

Metió las manos en los bolsillos de su pantalón y miró al techo con aire pensativo.

—¿A ti qué te pasa? Parece que chupaste un limón.

Soltó una risita sin humor.

—Te conozco bien, Erick.

—Para mi mala suerte.

—¿Qué sucede? ¿Qué no me estás diciendo?

Posó su atención en un estante de mancuernas, como si aquello fuera lo más interesante en la habitación. Cuando volvió a centrarse en mí, supe que lo que iba a decirme no me gustaría.

—¿Recuerdas el detective que contraté para que investigara sobre Louis Balfour?

Mi corazón dio un salto en mi pecho por la repentina dosis de adrenalina que ese nombre inyectó a mi sistema, y asentí.

—Bueno, continuó indagando y encontró algo muy interesante.

—¿Qué cosa?

—Louis sí estudió en la misma universidad que mamá.

Bajé los hombros, decepcionada.

—¿Eso es todo?

—No, también me dio el contacto de alguien con quien me reuní para obtener más información sobre el tipo.

—¿Quién?

—La persona que impartió el programa de prácticas en el hospital para mamá y Luis Balfour, la doctora Denisse Hoffman.

Parpadeé un par de veces, asimilando la información.

—¿Eso qué significa? ¿Que mamá y él convivieron? ¿Que quizás ellos...?

Se encogió de hombros.

—No fue lo que esa mujer me dijo.

Mi corazón aumentó su pulso y la curiosidad amenazó con comerme viva.

—¿Qué fue lo que te dijo?

—Parecía sorprendida cuando nos reunimos. No me quitaba los ojos de encima.

Blanqueé la mirada.

—Sí, ya sé que eres guapo. Omite esa parte y ve al grano, ¿quieres?

—Dijo que mamá fue una de sus estudiantes más brillantes, pero que no concluyó su programa.

—¿Por qué? Mamá nunca lo mencionó.

—No lo sé, pero le sorprendió que no lo concluyera siendo un programa tan costoso. Piensa que lo dejó por papá, que él se lo pidió.

Fruncí el ceño, escéptica.

—No suena como algo que papá haría. —Aunque me parecía extraño que estuvieran juntos desde entonces. Las fechas no encajaban del todo—. ¿Qué más dijo? ¿Le preguntaste sobre Louis Balfour?

—Sí. Como te dije, también fue su alumno en la misma época que mamá estudió en el programa, pero no era muy brillante y solía ausentarse de las prácticas.

Una sensación de incomodidad se instaló en mi estómago, como si sus palabras fueran un mal presagio.

—Tampoco terminó el programa, salió poco tiempo después que mamá.

—¿Pero convivían? —La sensación de malestar no desaparecía.

—Algo así. Dijo que los vio hablar algunas veces, pero nada más. Lo único que me resaltó fue que era un chico problemático, que no le sorprendió cuando terminó en la cárcel porque siempre usó drogas, y que lo sentía mucho por su padre, un buen amigo de ella. Según la señora Denisse, el hombre siempre se culpó por el destino de su hijo.

—Pobre hombre —musité y me mordí el labio, pensativa—. ¿Conseguiste algo más?

—Creo que eso es todo —confesó.

Me sentía frustrada. Sabía que mamá escondía algo más y que su relación con ese tal Louis iba más allá que una de colegas. No tenía pruebas, pero era una corazonada y había aprendido a confiar en mis instintos. Sin embargo, no había un hilo del cual tirar, todo era un laberinto sin salida y sin…

—¿En verdad terminó en la cárcel por drogas? Recuerda que en su expediente aparecían cargos como clasificados —dije de pronto.

Erick frunció la frente, pensativo.

—La doctora Hoffman no me dijo nada al respecto, cuando le pregunté solo me dijo que el padre del tipo era quien sabía todo sobre el caso. Después de todo era su hijo.

Los engranajes de mi cerebro comenzaron a trabajar a toda velocidad. Debía existir algo, una pista que no estaba viendo.

—¿Quién es el padre de Louis?

—El detective me pasó información sobre él, espera.

Extrajo su móvil del bolsillo y procedió a revisarlo. Esperé, con cada segundo transcurriendo más lento que el anterior, hasta que habló otra vez.

—Se llama Demian Balfour. Fue director de la universidad donde estudió mamá.

—Eso explica por qué su hijo consiguió entrar junto a mamá en un programa tan especial —apunté—. ¿Tienes su contacto?

Erick me miró de forma significativa.

—Sí, pero no creo que nos dé información.

—¿Por qué?

—Está postrado en cama por una embolia desde hace meses.

Mierda. Tenía que haber una forma.

—¿Hay alguien que cuide de él?

—No lo sé, pero no creo que pueda decirnos algo importante. ¿Qué puede saber la persona que se encarga de él? —espetó mi hermano con hastío—. Creo que lo mejor es parar aquí, Leah. Tal vez solo estás haciéndote ideas y…

—Pásame el número que te dio tu detective. Trataré de contactarme.

Erick me miró exasperado, pero no flaqueé. Necesitaba saber o no descansaría. Luego de un minuto, se rindió y me envió el número que le pedí.

—Eres insoportable algunas veces, ¿sabías?

Sonreí.

—Pero aún así me amas.

Usaría cualquier rastro de información para llegar a la verdad, por más pequeño que fuera. Para eso necesitaba una aliada y conocía una lo suficientemente loca para seguirme la corriente en todo. «¿Qué estará haciendo mi mejor amiga en este momento?» pensé, decidida a no dar un paso atrás.

La casa de Demian Balfour estaba a una hora hacia el sur de la ciudad, en Shirlington.

—No creo que regresemos a casa antes que tu padre —comentó Edith observando el reloj luminiscente del auto, que marcaba pasadas de las siete.

—No importa, lo superará si se molesta —dije sin interés.

Estaba sedienta de respuestas y no iba a desaprovechar la oportunidad de obtenerlas.

Llamé a Edith luego de contactar a la enfermera que estaba al cuidado de Demian Balfour, y después de mentirle diciendo que era una periodista de parte del Times recopilando información para redactar un artículo en homenaje al célebre doctor, aceptó verme. Esperaba que mi amiga fuera tan buena como yo para mentir o todo se iría al carajo.

Salir de casa fue un tema mucho más complejo. Tuve que amenazar a los guardias para que abrieran las puertas y prometer que volvería antes de las siete para que mi padre no me descubriera y los despidiera, pero estaba al fin frente a una posible fuente de respuestas, así que papá y su enfado pasó a segundo plano.

Bajamos del auto y caminamos por el sendero que llevaba al porche de la casa. La lámpara brillaba en contraste con la oscuridad. El cielo nublado, aunado al frío clima, me recordaba a Londres, a sus constantes lluvias y sus gélidos vientos. Me recordaba a Alexander.

Había estado tan abstraída en desentrañar el pasado de mamá los últimos días, que ni siquiera me había percatado de cuánto lo extrañaba. Una punzada de añoranza se asentó en mi pecho, desvaneciéndose en el momento en que una robusta mujer de ojos pequeños y busto ancho abrió la puerta, plantándose frente a nosotras.

¿En qué momento había tocado el timbre? ¿O lo hizo Edith?

—¿Sí?

Me mantuve en silencio por un momento, hasta que sacudí la cabeza y logré despejarme

—Hola, Edna, soy la chica que habló con usted para la entrevista —balbuceé—. Trabajo para el Times.

Arrugó la nariz, suspicaz, para después dedicarme una enorme sonrisa.

—Por supuesto, adelante. —Se hizo a un lado y nos invitó a pasar con un gesto—. El señor Balfour está indispuesto por la condición que te comenté, pero yo puedo responder a todas tus preguntas.

Entramos en la casa.

—Sí, lo entiendo y agradezco tu colaboración. —Me detuve en el vestíbulo junto a Edith para esperar a nuestra anfitriona.

—Toda una lástima que terminara así el señor Balfour —dijo con pesar alcanzándonos—. Está postrado en cama y conectado a un respirador artificial.

—Una pena —dijo mi amiga.

—¿Mi nombre aparecerá en la revista? —preguntó la mujer con sus pequeños ojos iluminándose.

Me sentí mal por usarla.

—Por supuesto —le mintió Edith.

—En ese caso, adelante, tomen asiento.

La sala era escueta y austera, con un solo cuadro en blanco y negro en la pared de enfrente y unos sillones de tela clara. Una raída alfombra y una pequeña mesa de centro eran lo único que adornaban la estancia.

—¿Gustan algo de beber? —ofreció con entusiasmo.

—No, gracias —respondimos al unísono.

—De acuerdo. —Se sentó en el sillón individual de enfrente, con la espalda recta y las manos sobre el regazo, expectante—. Ya pueden comenzar con las preguntas.

Me aclaré la garganta y extraje mi celular, colocando la grabadora para seguir con el teatro.

—¿Qué nos puede decir sobre la carrera de Demian Balfour? Más específicamente, sus inicios.

—Bueno, tengo entendido que él se graduó con un promedio perfecto de la carrera de medicina y comenzó a laborar en un hospital privado. Lo hizo por unos años, ascendiendo de puesto con rapidez. Luego se casó con Margaret, con quien tuvo a su único hijo, Louis.

Mis oídos se agudizaron como radares. Moría por dejarme de tanta palabrería e ir directo a lo que me interesaba, pero no pretendía ser evidente.

—¿Cómo fue su matrimonio?

—Turbulento. Estuvieron casados hasta que su esposa enfermó de cáncer de colon y murió hace unos años, quince para ser exactos. El señor Balfour fue siempre alguien temperamental y explosivo, solía discutir bastante con Margaret, pero las cosas siempre empeoraban cuando se trataba de su hijo. Tuvieron muchos problemas con él.

—Ya veo. ¿Entonces el señor Balfour no tenía una buena relación con su familia?

Se aclaró la garganta; parecía buscar las palabras correctas.

—Fue un buen esposo pese a las discusiones, con ella tenía una buena relación. La parte difícil siempre fue con Louis. Yo llegué aquí cuando el chico tenía dieciséis años, y todos los días era lo mismo: siempre había una hora durante el día que el señor Balfour dedicaba a reprender a su hijo. A veces eran solo palabras ofensivas, otras veces llegaban a gritos y golpes.

Me coloqué un mechón de cabello tras la oreja, sorprendida por esa faceta del doctor Balfour.

—¿Era un hombre violento?

—En realidad no, solo con el chico. Nunca comprendí sus motivos para tratarlo tan mal, y Margaret nunca dijo nada al respecto. —Se encogió de hombros—. Supongo que solo quería corregirlo, pero las cosas no salieron bien.

—¿Por qué? —intervino Edith.

Edna hizo una mueca de desagrado.

—Digamos que obtuvo resultados contraproducentes.

—¿A qué se refiere? —espeté la pregunta, cada vez más ansiosa—. ¿Quiere decir que hasta la fecha el señor Balfour no tiene una buena relación con su hijo?

Asintió.

—De hecho… —Hizo una breve pausa antes de continuar—. Desde que fincaron cargos en su contra y lo sentenciaron, el señor Balfour no quiso saber nada más de él. Además, la situación de Margaret con su enfermedad fue de mal a peor cuando el chico enfrentó su juicio, hasta que esa preocupación terminó por matarla. Esa fue otra razón más que el señor tuvo para odiarlo.

Un latigazo de lástima me invadió el pecho e hizo retorcer mis entrañas. Fue una vida miserable para alguien tan joven.

—¿Por qué terminó en la cárcel?

—Tráfico de drogas, o al menos esa es la versión oficial, la que se encargó de dar a los medios el señor Balfour para no ensuciar más su apellido.

Bien, ya estábamos llegando hacia lo que en realidad me interesaba.

—¿Hay otra versión?

Clavó sus ojos pequeños en mí, sopesando si decirme algo más o no. Al final decidió no hacerlo porque se encogió de hombros y contestó:

—No que yo tenga conocimiento. Quizás sí cometió más delitos, pero no tengo idea de cuáles.

Estaba mintiendo, lo sabía, pero no podía presionarla demasiado con ese tema sin levantar sospechas.

—¿Sigue cumpliendo su condena? —interrogué con lentitud.

Sabía que estaba libre, pero quería conocer su paradero.

—No, hace unos meses llegó una notificación sobre su libertad.

—Así que está libre —intervino Edith—. ¿Está aquí? Tal vez pueda ayudarnos con el reportaje también.

Mi corazón se aceleró por las posibilidades.

—No. No sé dónde pueda estar. El señor Balfour no puede moverse a causa del derrame que sufrió hace algunos meses, pero sé que no le habría gustado tener a su hijo cerca, por eso ignoré la notificación. —Se inclinó hacia adelante como si fuera a soltar un secreto—. Y la verdad, entre más lejos permanezca de aquí, mejor.

—¿Por qué? ¿Es alguien peligroso? —inquirí.

—No sé si peligroso, pero sí violento y temperamental, justo como su padre, así que prefiero evitar riñas innecesarias.

Una alarma resonó en mi mente por la nueva información, pero me sentía insatisfecha con lo poco que estaba consiguiendo.

—¿Y el señor Demian tiene nietos?

—No, ¡qué va! —La mujer soltó una estruendosa carcajada que reverberó en la estancia—. Louis nunca sentó cabeza.

—¿Nunca tuvo novias? —preguntó con tono curioso mi amiga, a lo que la mujer se encogió de hombros con indiferencia.

—No que yo sepa. Solo sé que soy lo único que el señor Balfour tiene ahora.

—Entiendo —dije con un auténtico tono de pesar por la vida tan solitaria de ese hombre—. ¿Y qué hay sobre...?

Mi móvil comenzó a vibrar sobre la mesa y el nombre de papá apareció en la pantalla.

—Un momento. —Lo tomé y rechacé la llamada con el corazón latiendo como loco en mi garganta.

Levanté la cabeza y miré a mi amiga con cara de susto. Todo el color desapareció de su rostro ante el reconocimiento de lo que sucedía.

—¿Pasa algo? —preguntó Edna y tuve que esforzarme para mantenerme serena.

—No, en absoluto, pero el tiempo se nos ha agotado.

—Sí, tenemos otras entrevistas por hacer —añadió Edith, nerviosa.

—Oh, ya veo.

No quería irme todavía. Aún tenía un montón de dudas en la cabeza que necesitaba esclarecer con urgencia, pero sabía que cada minuto que pasaba era un nuevo nivel en la furia de mi padre y no quería ponerla a prueba.

—Sí, pero antes, ¿tiene alguna foto familiar que pudiera proporcionarnos? Ya sabe, para el reportaje —pedí con una sonrisa.

—¡Claro! —La mujer se levantó de su lugar como un resorte y se perdió dentro de una de las habitaciones.

En cuanto desapareció por el pasillo, aproveché para soltar el aire y rechazar otra llamada de papá.

—Va a matarme.

—¿Solo a ti? Seguro nos cuelga del balcón a las dos. —Edith puso sus manos a ambos lados de su cara, consternada—. Así nunca querrá ser mi *sugar daddy*.

—¡Edith! —Le di un golpe en el hombro—. Esto es serio.

—¡Lo mío también! —refutó, y puse los ojos en blanco justo en el momento en que Edna volvía a aparecer con dos fotos familiares.

—Gracias —dije al tomarlas.

Cuando mis ojos se posaron en ellas, un peso igual a un bloque de concreto se instaló en mi pecho y un enorme nudo se ató en mi garganta, dificultándome el tragar. Un escalofrío me recorrió la columna y fue como si mis sentidos se aturdiesen, como si estuviera dentro de una botella y todo lo demás hubiese pasado a segundo plano.

—Fue un placer, pero ya tenemos que irnos —escuché la voz de Edith a lo lejos y sentí sus dedos alrededor de mi brazo para levantarme—. Gracias por todo.

Mis pies me condujeron hasta la puerta sin que yo fuese del todo consciente de ello, como si pertenecieran a otra persona, y nos detuvimos cuando la mujer dijo algo que apenas pude registrar.

—Edna Malkim, para el reportaje —gritó a lo lejos.

Salimos al porche y el aire frío me provocó vértigo mientras mi visión se nublaba.

Yo conocía esos ojos.

Conocía esa mirada turbada.

Conocía la curva de esa sonrisa mezquina.

La había visto y la reconocía a pesar del tiempo, las cicatrices y las operaciones.

La fuente a todas mis respuestas estuvo frente a mis narices todo este tiempo, y yo no me había percatado siquiera.

—Leah, ¿estás bien? —preguntó Edith, mas no pude formular una respuesta.

Mi mente trabajaba a toda velocidad atando cabos y relacionando rostros, facciones, gestos.

Lo había visto antes, tantas veces.

Las náuseas se alzaron como olas y corrí hasta el primer bote de basura que encontré para vaciar el estómago, con el amargo sabor a bilis llenándome la boca y escociéndome la garganta, y las fotografías arrugadas entre mis dedos mientras me sostenía del contenedor para seguir vomitando.

—Estás amarilla. —La voz de mi amiga salió teñida de preocupación antes de que me tomara el rostro entre las manos—. ¿Estás bien?

—Sí —respondí con un hilo de voz, limpiándome la boca con el dorso de la mano.

—¿Qué fue eso? ¿Comiste algo que te hizo mal?

—No. Solo… llévame a casa, necesito descansar.

—De acuerdo, ya fue suficiente de jugar a los detectives por un día.

Le di la razón y me acomodé en el asiento en cuanto estuvimos en su auto.

No podía hablar, no sabía si por lo débil que me sentía o por el tenso nudo que me dificultaba el paso del aire. Solo era consciente de que no podía echarme a llorar.

Edith condujo en silencio el camino de vuelta. No hizo preguntas ni comentarios sobre nada, tal vez porque percibía mi angustia y tristeza. No se lo dije, pero agradecí que no pronunciara palabra porque mi cabeza ya era un *pandemónium* en sí misma.

—Suerte.

Mi amiga me regaló una sonrisa confortante cuando bajé de su auto al pie de las escaleras de casa.

—Te veré luego, gracias por acompañarme hoy —agradecí a través de la ventana.

—Siempre, ya sabes.

—Si no te respondo el móvil, intenta con la *ouija* —le advertí y lanzó una risa.

—Lo tendré en mente.

Me di la vuelta cuando salió por el enorme portón y subí los escalones a paso apresurado, doblando las fotografías para meterlas en el bolsillo trasero de mi pantalón.

No había nadie en la puerta esperando para colgarme del balcón o despellejarme viva, así que tomé eso como otro regalo del universo. Caminé en línea recta sin despegar la vista del frente, dispuesta a subir la escalera de caracol como si la misma muerte me persiguiera.

—¿Dónde estabas? —La voz de papá detuvo en seco la carrera por mi vida.

Inspiré y me preparé para otra batalla campal.

—Con Edith.

—Como lo estuviste con ella todas las otras veces, ¿no?

—Sí estaba con ella esta vez.

Se cruzó de brazos y me perforó con la mirada.

—Joder, Leah, ¿cuándo aprenderás a obedecer?

Tensé la mandíbula, con la quemazón de la furia extendiéndose por mi estómago.

—¿Obedecer? ¡No he hecho otra cosa toda mi vida! —espeté alzando la voz, harta de besar y adorar las manos que me vendaron los ojos por años—. Eso fue lo que ustedes me enseñaron, ¿no? A obedecer ciegamente, a no cuestionar las cosas, a ignorarlas, ¿y para qué? ¿Qué gané con eso? ¡Nada!

—¡Nunca has obedecido! Si lo hubieses hecho nada de esto estaría ocurriendo. Si hubieras obedecido no tendríamos tantos problemas por un estúpido capricho tuyo —replicó con el mismo tono airado y la cólera corrió por mis venas.

—¡Pues lo siento por no ser la hija que esperabas!

—¿Por qué tienes que ser tan complicada? ¿Por qué no puedes entender que hacemos esto por tu bien?

—¿Qué es por mi bien? ¿Ocultarme cosas? —Alcé la barbilla retándolo y la sorpresa asaltó sus facciones.

Por un momento estuve tentada a mostrarle las fotografías de Louis Balfour para que contemplara con horror lo mismo que yo, para forzarlo a darme respuestas ahora que podía, ahora que tenía pruebas que sustentaban mis dudas. Sin embargo, me abstuve y deseché la idea cuando caí en cuenta de que papá nunca me diría la verdad. Solo una persona lo haría.

—¿De qué hablas? —preguntó confundido y miré al techo para evitar llorar.

—De nada. Solo que quizás yo fuese diferente si tú fueras un mejor papá, pero no podemos obtener siempre lo que queremos, ¿o sí? —hablé con desdén y subí las escaleras para no mirar la expresión herida que ensombrecía su cara y me estrujaba el corazón.

Sí, dolía, pero estaba cansada de tantos malditos secretos, y ahora que había encontrado un hilo de donde tirar, no pensaba soltarlo hasta aclarar todas las incógnitas que se cernían sobre mi familia como una gigantesca nube negra.

5
MENTIRAS EBRIAS
Leah

Contemplé las fotografías por enésima vez después de darme una merecida ducha.

Louis Balfour era el tipo del bar. Era el tipo contra el que había jugado Alexander la primera vez que lo acompañé.

Ahora entendía por qué se había mostrado tan interesado en mí, por qué había hecho esos comentarios sobre mi «extremo parecido con alguien» y por qué parecía tan nervioso cuando mencioné a mamá.

Entendí la razón de que su rostro me resultara tan familiar.

Un regusto amargo me inundó la boca y el pesar se asentó sobre mí como una pesada piedra.

La aterradora respuesta había estado frente a mí todo este tiempo, obvia y brillante como el sol, lista para quemarme en cuanto me acercara a ella.

Moría por hablar con él. Quería citarlo en algún lugar para interrogarlo, para que dijera todas las cosas sobre mamá que ella jamás me confesaría. Me mordí el labio, indecisa. Estaba ansiosa en la misma medida que asustada por la verdad.

¿Debía decírselo a Erick? ¿O era mejor guardármelo hasta conseguir información de Louis Balfour personalmente? ¿Por qué mintió sobre su apellido? ¿Qué era lo que deseaba ocultar? ¿Sus antecedentes criminales acaso?

Tenía que hacer algo para resolverlo, tenía que encararlo, tenía que...

Di un respingo cuando escuché tres golpes secos en mi puerta y me apresuré a meter las maltratadas fotografías en el cajón de mi mesita de noche.

—¿Sí? —dije una vez que estuvieron seguras.

Erick abrió la puerta con una mezcla de emociones en la cara, entre las que resaltaba la diversión. No pude sofocar la sensación extraña que se afincó en mi pecho al verlo bajo una nueva luz.

—¿Qué haces aquí todavía? —Miré el reloj en mi mesita que marcaba pasado de las doce de la noche—. Pensé que estarías en Alemania.

—Mi viaje se pospuso hasta mañana. Estaba con papá afinando los últimos detalles de la reunión en Berlín, y ya me iba, pero... —Soltó una risita—. A que no te imaginas quién está haciendo un espectáculo en el portón.

—¿Quién?

Su risa se hizo más fuerte.

—Al parecer a tu marido le pareció buena idea visitarte.

—¿Qué?

Me incorporé de la cama dando un salto, impulsada por la adrenalina. Llegué hasta él en dos zancadas y lo pasé de largo para correr escaleras abajo.

—¿Qué hace aquí Alexander?

—Lo mismo quiero saber yo —comentó sin perder su buen humor, marchando detrás de mí.

—¿Por qué no le preguntaste? ¿Por qué no le dijiste que se fuera? —Le lancé una mirada de reproche sobre el hombro.

—Pues... —Otra risa volvió a interrumpirlo y gruñí con exasperación por su tonta actitud.

Crucé el vestíbulo a velocidad de la luz, bajé las escaleras de piedra y recorrí el camino de gravilla casi trotando, impulsada por mi deseo de verlo, aunque fuese una locura hacerlo a las puertas de mi casa. Apenas llegué al portón, comprendí por qué mi hermano no podía contener la risa.

—Por favor, retírese. Evítenos la pena de sacarlo nosotros mismos —decía un guardia, tratando de contenerlo.

Alex retiró las manos del hombre de su pecho con brusquedad y levantó un dedo, amenazador.

—No me toques. ¿Estás sordo? ¡He dicho que quiero ver a mi esposa!

Estaba completamente ebrio.

—Vaya, no deja esa pesada actitud ni estando hasta el culo —volvió a reír Erick.

—Te lo repito, tienes prohibida la entrada. —Lo detuvo otro guardia y él volvió a quitárselo de encima con movimientos torpes.

—Y yo te repito que no me toques —dijo arrastrando las palabras—. ¿No me escuchaste? Llámala, quiero verla.

No recordaba verlo visto jamás así, excepto quizás en Las Vegas, pero yo estaba mucho peor, así que no tenía recuerdos de ese Alexander, hasta ahora.

—Si no puedes conducir, llamaremos a un taxi —añadió otro de los guardias, tomándolo de los hombros para retenerlo—. No puedes estar aquí, es propiedad priv...

—No, está bien —lo interrumpí, y cuatro pares de ojos se centraron en mí—. Lo llevaré yo misma.

—¡Leah! —Sus facciones se relajaron en el momento en que reparó en mí, y casi sonreí por lo mucho que había extrañado escuchar su voz acariciando las letras de mi nombre.

—Abran las puertas, yo lo llevaré a casa —ordené.

—¿Estás segura, hermanita?

Asentí, justo en el momento en que un guardia se aclaraba la garganta.

—Lo lamento, señorita, pero su padre dio órdenes terminan...

Clavé mis ojos en él, impaciente.

—Ya tuvimos esta conversación hoy, no me hagan repetir las cosas.

El hombre captó el mensaje. Las puertas comenzaron a abrirse y no perdí el tiempo para ir hasta él, con mi cuerpo vibrando por la simplicidad de su cercanía.

—¿Volverás o tendré que cubrirte con alguna mentira? —preguntó mi hermano, mientras yo me pasaba uno de los brazos de Alex por los hombros para que se apoyara en mí.

—Volveré, solo encárgate de que papá no...

El interfón en la cabina de control de las puertas emitió un pitido de llamada, y uno de los guardias abandonó su puesto en las rejas para atender.

—¿Sí, señor?

—¿Qué alboroto hay en la puerta? ¿Por qué las han abierto? —Escuché la arisca voz de mi padre.

Un guardia nos dedicó una mirada nerviosa.

—Nada, señor, es solo un...

—Voy para allá. —Colgó antes de que pudiera replicar.

—Vete ahora —me urgió mi hermano—. Iré por mi auto y le diré que era yo saliendo.

Asentí y comencé a caminar con Alex, buscando su Challenger.

—¿Dónde está el auto? —inquirí, pero él no contestó a mi pregunta, en cambio, me estrechó contra sí y besó mi coronilla una vez, dos, tres…

—Me moría por verte.

Sonreí, pero cuando no vi rastros de lo que buscaba, lo detuve tomándolo de la barbilla para que se concentrara.

—Alex, ¿dónde está el auto?

—¿Cuál auto?

—El tuyo, idiota.

—En mi departamento, ¿por qué?

—¿Qué? —chillé—. ¿Y cómo llegaste aquí? ¿Cómo... cómo...?

—En un auto. —Frunció el ceño por la obviedad—. No seas tonta, Leah —dijo con expresión seria y yo gruñí exasperada.

Miré hacia las puertas, dispuestas a unos metros de distancia, pero no tenía posibilidades de llegar a mi Bently antes de que mi padre llegara a la cabina de control. Mierda. El único plan que se me ocurría era estúpido y descabellado, y…

—De acuerdo, ven —lo insté.

Volví a pasarme su brazo por los hombros y cruzamos las puertas sin rastros de Erick o mi padre.

—¿A dónde estás llevándome?

Maldije por el esfuerzo que representaba arrastrarlo conmigo y caminamos hasta rodear mi casa y llegar al jardín trasero.

—A donde papá no pueda verte para que no te mate.

—No va a matarme, le agrado —dijo con seguridad y sonreí por su actitud positiva.

—No lo creo.

—Yo sí, se ha enamorado de mí como lo has hecho tú. Mi carisma es irresistible.

—Creo que algunas personas son inmunes a ella.

—Tal vez, pero no quien me interesa, y con eso estoy satisfecho.

Esa vez no pude contener la risa que brotó de mi garganta. El Alexander ebrio era tan irreverente como el sobrio, solo que un poco más torpe.

—¿Cómo es que terminaste aquí?

—Ya te lo dije, quería verte.

—Lo sé, pero ¿cómo llegaste?

—Estaba con Michael, él condujo. Tomamos unos tragos, le dije que quería verte y *voilà*.

—No puedo creer que haya accedido.

—Yo sí, siempre tengo las mejores ideas.

Bufé.

—¿Él está bien? No debería conducir ebrio.

—Seguro que sí. —Me estrechó contra sí con fuerza—. Yo estoy bien ahora.

Caminamos por el jardín con dificultad, esquivando los aspersores; Alex estuvo a punto de caerse en más de una ocasión.

—Espera aquí —ordené.

Lo apoyé en el muro que había junto a la puerta trasera y que conectaba con un pasillo cuyo fin estaba en la cocina, el lugar más cercano a las escaleras que conducían a mi habitación.

—No soy un perro —se quejó y maldije cuando me adelantó.

—¡No! —susurré para detenerlo, temiendo que alguien estuviera cerca. Lo tomé del brazo, aunque no paró, y suspiré al comprobar que el corredor estaba desierto.

Lo sujeté de la mano para que me siguiera el paso. Nos escabullimos por el pasillo con todo el sigilo del mundo, algo que, tratándose de Alexander ebrio, significaba tropezarse con cada mueble existente y estrellarse contra una silla con toda la gracia de un orangután. Ah, pero él estaba seguro de que no había hecho ningún ruido.

Era un milagro que no repararan en nuestra orquesta de tropiezos.

Me pegué a la pared y asomé la cabeza para cerciorarme de que no hubiera moros en la costa.

—¿Estamos ganando?

—¿Qué? —pregunté mirándolo con dureza por su tono elevado, él sonrió y se encogió de hombros.

—No lo sé, cualquier estúpida cosa a la que estés jugando.

Reprimí una sonrisa. Estaba estresada por la situación, pero tenía que admitir que el Alexander ebrio era tan divertido como el sobrio.

—Sí, estamos ganando —respondí tomándolo de la mano. Nos deslizamos hacia la cocina, con mi corazón acelerado mientras cruzábamos el rellano para entrar a la estancia. Estábamos cada vez más cerca de nuestro objetivo sin cruzarnos con ningún obstáculo, y...

Damen gritó cuando cerró la puerta del refrigerador y nos encontró de frente. Yo di un respingo y él soltó el plato de cereal que tenía en las manos, haciendo que se estrellara contra el piso y se hiciera añicos.

—Buenas noches —lo saludó Alex con educación, pero sin dejar de caminar, como si esta fuera su casa, hasta que lo detuve.

—¡Oh por Dios! —exclamó mi hermano mientras yo le hacía señas desesperadas para que se callara—. Sabía que un día perderías la cabeza, pero nunca pensé que llegaría tan pronto.

—Su cabeza está bien. —Alex me tomó de la parte trasera del cuello para moverlo y me retiré de su toque con poca delicadeza.

Damen bufó.

—¿Está borracho o idiota?

—Ambas —respondí.

—Oye, yo te conozco —habló felizmente mi esposo.

Damen lo miró crispado.

—Sí... Sé que tienes mal gusto para los hombres, pero te has superado esta vez.

—Claro, soy encantador —intervino el aludido inclinando la cabeza con petulancia.

Mi hermano emitió un sonido de burla.

—Papá va a matarte cuando se entere.

—Eso es justo en lo que me vas a ayudar, a que no se entere.

—¿Cómo?

—Solo... no digas nada.

Estrechó sus ojos esmeralda, considerándolo.

—Podría hacerlo, por un buen precio —sonrió codicioso.

—Sí, sí, lo que tú digas. —Tomé a Alex del brazo para continuar con nuestro andar hacia mi habitación—. Te compraré el videojuego que quieras si no le dices a papá que...

La puerta principal se cerró con un estruendo y los pelos se me pusieron de punta. La cara de mi hermano perdió todo el color, mientras yo trataba de encontrar un lugar para escondernos a medida que unos pasos se acercaban.

—¡Mételo al baño! —murmuró mi hermano como desquiciado, señalando hacia la puerta que estaba al pie de las escaleras.

—¡No puedo ir tan rápido! —me quejé, usando todas mis fuerzas para arrastrarlo.

—¡Pues cárgalo o algo!

—¡No puedo!

—¿Seguimos jugando? —cuestionó Alex.

Jalé de él con todas mis fuerzas, sintiendo los latidos de mi corazón zumbándome en los oídos y el miedo arrastrándose por mi cuerpo.

Logré llegar al baño y cerrar la puerta detrás de mí, justo en el momento en que la voz de papá inundó la cocina.

—¿Por qué has quebrado el plato?

—Eh... Fue un accidente —dijo Damen, nervioso.

—Recógelo, Ana no puede hacer todo por ti —ordenó autoritario.

—Ya voy.

Me mantuve con la oreja pegada a la puerta, desesperada porque papá se fuera ya a dormir, pero al parecer se quedaría hasta que el insecto limpiara su desastre. De pronto, escuché agua correr, y por más que pegué el oído a la madera no lograba entender de dónde provenía el...

Casi me infarté cuando encontré a Alex orinando. Terminó, intentó tres veces abrocharse los pantalones hasta lograrlo, y le di un manotazo cuando se dispuso felizmente a tirar de la cadena.

—¡¿Qué estás haciendo?! —siseé al borde del paro cardíaco.

—Orinando, ¿qué no v...? —Le cubrí la boca con la mano cuando noté pasos acercándose.

—¡No entres a ese baño! —Escuché la voz de mi hermano al otro lado de la puerta y me sentí desfallecer.

—¿Por qué no? —cuestionó papá.

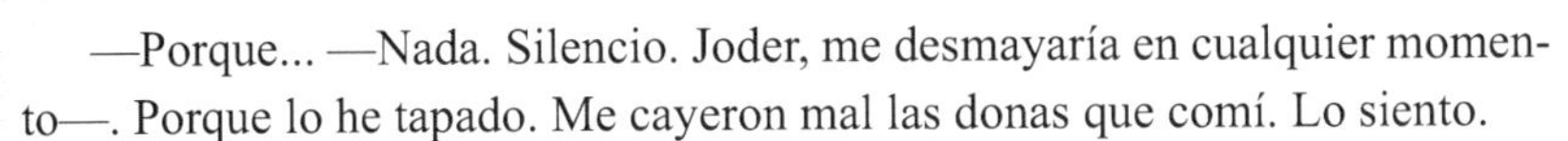

—Porque... —Nada. Silencio. Joder, me desmayaría en cualquier momento—. Porque lo he tapado. Me cayeron mal las donas que comí. Lo siento.

Hubo otro lapso de silencio en el que pensé que papá intentaría abrir la puerta, pero no.

—De acuerdo. ¿Te sientes mejor o aún tienes malestar?

—Ya estoy mejor.

—Tu madre debería revisarte, solo para estar seguros.

—Sí... Iré con ella luego.

—Bien. Buenas noches, hijo.

—Buenas noches, papá. Que descanses.

Lo escuché ir escaleras arriba y solté el aire que estaba conteniendo justo en el momento en que Alexander bajaba la palanca del escusado; le lancé una mirada asesina.

—¿Qué? Es de mala educación no hacerlo —dijo digno y resistí el impulso de darle un golpe.

—Ya pueden salir —susurró mi hermano a través de la madera y asomé la cabeza por el pequeño espacio que creé.

—Ayúdame a llevarlo arriba —le pedí, sabiendo que sería imposible subirlo sola con su peso.

Hizo una mueca de disgusto, pero se echó un brazo de Alex al hombro.

—No puedes decir que no te quiero cuando hago estas cosas por ti —musitó el insecto subiendo las escaleras a mi paso.

—Eres el mejor hermano, gracias.

—¿Cuál gracias? Me debes dos videojuegos ahora.

Gruñí, pero me pareció justo.

Llegamos al piso superior apenas y recorrimos el pasillo hacia mi habitación a paso lento. Abrí la puerta y lo arrastramos hasta depositarlo con poca delicadeza sobre mi cama.

—¡Joder! —se quejó Alex arrugando los párpados y mi hermano negó.

—Me muero por ver cómo te las ingenias para sacarlo de aquí mañana —se burló.

—Cállate, insecto.

Rio y salió de la habitación cerrando la puerta.

—¿Tenías que elegir venir aquí ebrio? —reproché al tiempo que él se sentaba del otro lado de la cama para quitarse los zapatos. Se retiró uno con la punta del pie e hizo lo mismo con el otro.

—No sé si tu hermano es menos molesto cuando está ebrio o es más fácil de soportar cuando yo lo estoy.

—¿Qué? —Lo miré perpleja—. Mi hermano no está ebrio, tú sí, y mucho.

—¿Y te preocupa que lo esté?

—Un poco, sí.

—¿Te importaría compartir con la clase por qué?

—¿Crees que es momento adecuado para compartir? —pregunté con dureza, cruzándome de brazos frente a él. Me dedicó una ojeada y me conocía bien, porque sabía que había cruzado la línea de la broma y la diversión, así que permaneció en silencio.

Se desabrochó el cinturón y el tintineo del cierre metálico llenó el espacio.

—Ni siquiera voy a preguntarte por qué te pareció buena idea venir aquí, así que mejor dime, ¿por qué estabas bebiendo con Michael?

Detuvo su tarea de retirarse los calcetines y miró al frente por un segundo, antes de reanudar la faena.

—Solo fuimos por unos tragos.

—¿Por qué?

Alex no solía beber, algo muy malo o muy bueno tenía que haber sucedido para terminar en ese estado.

—Tenemos complicaciones —confesó.

—¿Qué complicaciones?

—Nada que debas saber.

—Sí necesito saber.

Suspiró, se puso en pie y comenzó a desabrochar sus pantalones.

—¿Qué haces? —inquirí perpleja. Estaba muy mal de la cabeza si pensaba que tendría sexo con él en ese estado y en mi casa, con mi padre bajo el mismo techo.

—Me preparo para dormir, estoy cansado.

—Pero...

Terminó de retirarse los pantalones y se abalanzó sobre la cama aún con la camiseta puesta. Yo me senté al borde del otro lado, frente a él.

—¿Las complicaciones tienen que ver con el contrato?

—No —dijo sin despegar la cabeza de la almohada ni abrir los ojos—. Ya lo discutimos, fue un desastre. Jordan fue un imbécil.

Estiró el brazo de pronto, su mano se cerró en torno al mío y tiró de mí hasta tumbarme junto a él.

—Apestas a alcohol. —La cama se removió cuando se acercó más a mí.

—Bueno, veamos, he mencionado beber, ebrio, tragos... Creo que puedes deducir por qué huelo así.

—Lo único que puedo deducir es que eres molesto ebrio y sobrio.

—Es un efecto secundario.

—¿De qué?

—De estar expuesto tanto tiempo a ti. Es como la sobreexposición a elementos tóxicos.

Abrí la boca indignada y tomé una nota mental de recordarle esto cuando estuviera besándome, cuando me lanzara sobre alguna cama o cuando me estampara contra la primera superficie plana para tomarme.

«Oh no Alex, no quiero que te sobreexpongas a mi toxicidad».

Idiota.

—Lis. —Suspiró con satisfacción cerrando los ojos y abrazando la almohada bajo su cabeza.

—¿Qué? —gruñí—. ¿Quién mierda es Lis?

Me incorporé sobre el codo y lo sacudí. No iba a dormirse sin contestarme. Si al idiota se le había resbalado el nombre de otra tipa por accidente, no iba a salir vivo de aquí.

—Alex, ¿quién es Lis?

—¿Mmmm? —preguntó somnoliento, pero volví a moverlo hasta que despertó—. ¿Qué?

—¿Quién es Lis? —volví a preguntar—. Te juro, Alexander, que si estás engañándome voy a...

—Hueles a lis, a eso huelen tus almohadas —y murmuró algo más sobre perfume, lavanda y lirios.

Volvió a jalar mi cuerpo hasta que terminé recostada en la cama de nuevo. Se apoyó en su codo para levantarse un poco y arrastró una mano por mi pecho hasta posarla sobre mi rostro.

—Extrañaba mucho esto. —Sus ojos encontraron los míos, brillantes por el alcohol que corría en su sistema—. Mis sábanas ya no huelen a ti y lo odio, porque no puedo dormir bien.

Esbocé una pequeña sonrisa, con una sensación de apego inflándome el pecho. También había extrañado tenerlo cerca.

—¿Por eso te pareció buena idea venir hasta acá?

—Necesito una buena noche de sueño. —Volvió a recostarse y solté un pequeño chillido de protesta cuando su brazo se cerró alrededor de mi cintura, pegándome a su torso, mi cara contra su pecho y sus piernas enredándose con las mías. Sentí su mentón reposar sobre mi cabeza.

Sí, definitivamente extrañaba esto.

—¿Vas a decirme de qué complicaciones hablabas? —susurré pegándome tanto como me fuera posible, quería fundirme con él.

—Te lo diré mañana.

No quería esperar y estaba segura de que lo olvidaría mañana, pero no quería arruinar el momento con una de mis rabietas, así que lo dejé pasar.

—Leah —habló de pronto.

—¿Mmm?

Se mantuvo unos momentos en silencio en los que pensé que se había dormido, hasta que su pecho se movió con una larga inspiración.

—Te adoro —murmuró con un tono lleno de sinceridad que hizo a mi corazón saltar por un precipicio.

Levanté la cabeza para mirarlo, pero solo pude ver su mentón. Joder, ¿por qué tenía que elegir los peores momentos para las mejores confesiones?

—¿Qué dijiste? —me hice la desentendida por el simple placer de escucharlo otra vez.

—Que te adoro, sorda. —Besó mi frente con delicadeza y acaricio mi cabello, infundiéndome una sensación tan profunda de calidez como pocas veces experimenté en mi vida.

No quería dejar de escuchar esas palabras de su boca jamás.

—No te escuché otra vez, ¿qué dij...?

Encajó sus dedos en mis costillas tomándome de la cintura con rudeza y arrancándome un gritito de dolor por el pellizco.

—Dije que voy a ahogarte con una almohada si no te callas y me dejas dormir de una vez por todas.

—Yo sol...

Volvió a cortarme con otro pellizco. Le di un codazo cuando emitió esa sonrisa baja y siniestra que yo pretendía odiar, pero que en realidad me encantaba, porque era la que esbozaba cuando hacía alguna de sus travesuras.

Quise replicar algo por el bien de mi dignidad o devolverle el gesto, pero me estrechó más contra sí.

Para el momento en que yo planeé mi venganza, ya estaba dormido y no tardé en seguirlo.

Estaba en el lugar al que pertenecía, con la persona que amaba y nada me daba tanta paz como ser consciente de ello.

El plácido sueño, sin embargo, no duró mucho. Los golpes secos en la puerta terminaron por despertarme luego de haber ignorado exitosamente los primeros tres. Abracé más mi almohada y lancé quejidos de protesta.

—Leah —Escuché con más claridad la voz llamándome a través de la madera.

Emití otro sonido malhumorado antes de gruñir porque los toques se volvieron más insistentes.

—¿Estás despierta?

Con pesadez, abrí primero un ojo, resignada a despedirme de la cómoda calidez que provenía de mi almoha...

Oh Dios. Me incorporé de un salto en la cama cuando miré a Alexander dormido junto a mí, en mi habitación.

—Necesitamos hablar, Leah. —Oh, y claro, con mi padre esperando afuera—. ¿Estás bien? Voy a entrar.

—¡No! —grité y callé cuando Alex se removió en la cama para descansar sobre su estómago—. Ya voy.

Corrí hasta llegar a la puerta y la abrí lo suficiente para que mi cuerpo se deslizara fuera.

—¿Qué pasa? —dije jadeando por la carrera.

Papá me miró desde su altura con suspicacia.

—¿Por qué estás tan agitada?

—Estaba... Estaba en el baño, perdón.

Me analizó por un momento más con los ojos al acecho, antes de recuperar la compostura.

—Tenemos que hablar, es sobre Abraham.

—Está bien —contesté con toda la serenidad que pude reunir.

Olfateó el aire e hizo una mueca de disgusto.

—¿Por qué hueles a alcohol?

El alma se me fue a los pies e intenté mantenerme calmada.

—Ayer bebí con Edith —mentí.

De nuevo me escrutó dudoso.

—¿En dónde bebiste?

—En... un bar de la zona.

—De acuerdo, te veo en mi estudio en diez minutos.

—*Okay.*

Caminó por el pasillo hasta descender las escaleras. Entré en mi habitación y le coloqué el pestillo a la puerta para proceder a tomar la cabeza entre mis manos.

«¿Cómo voy a sacar a Alexander de aquí ahora?», me pregunté sin encontrar respuesta.

Oh Dios, necesitaba otro milagro.

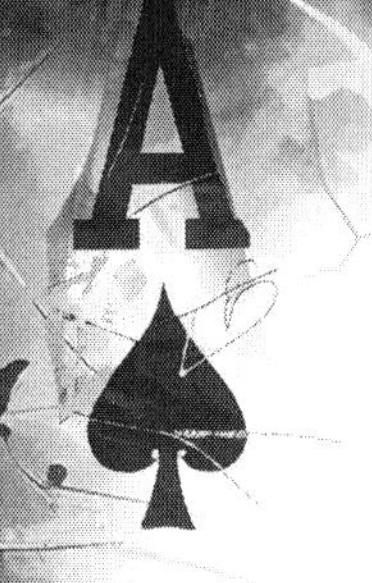

6
EL DETONANTE
Alexander

Mi cabeza estaba prendida en fuego. O bajo la llanta de un automóvil. Una lacerante presión la abarcaba y mi cerebro luchaba por liberarse de los confines de mi cráneo. El dolor pulsó más fuerte que mi corazón cuando una brillante luz chocó con mis párpados.

Abrí los ojos y tardé unos segundos en distinguir el color claro de las paredes a través de mi visión desenfocada. No reconocí el estante que había frente a mí, ni la mesita de noche que tenía cerca, ni la sábana con la que me cubría.

Mierda. ¿Cuánto había bebido ayer? Normalmente no me permitía beber hasta el punto de la inconciencia desde el desastre con Leah en Las Vegas. Sin embargo, la puerta se abrió y sustituyó la consternación por alivio.

—Pensé que seguías durmiendo. —Se acercó al borde de la cama hasta estar a un palmo de distancia y me ofreció la taza que llevaba en las manos junto dos pastillas—. Para tu cabeza —aclaró, y resistí el impulso de abrazarla por salvarme la vida.

Las engullí con ayuda del café, que hizo maravillas para reactivar mis sentidos y desvanecer el letargo al que los había inducido el licor.

—Eres linda cuando eres amable. Creo que me gusta esta faceta tuya —dije para aligerar la tensión, pero fue evidente que fallé cuando se cruzó de brazos y adoptó esa pose que sabía que significaba malas noticias—. Estás molesta conmigo, ¿cierto?

—Sí. ¿En qué estabas pensando? ¿Por qué viniste hasta acá ebrio?

Encogí un hombro con pereza.

—Parece que tengo las mejores ideas cuando bebo.

—Las peores, más bien.

Me escrutó con impaciencia y los brazos tensos contra su pecho.

—No lo sé —terminé por decir.

—Tenemos que sacarte de aquí antes de que papá sepa dónde pasaste la noche.

—Supongo que no haré puntos para el yerno del año si se entera, ¿verdad?

—¿Tú qué crees? —siseó.

Retiré las sábanas para incorporarme.

—Vayamos entonces.

—Por el momento es imposible —me detuvo.

—¿Por qué?

—Todos están desayunando en el comedor.

—¿Por qué no estás tú con ellos?

Vaciló por un instante, antes de responder.

—Prefiero quedarme contigo —dijo en un susurro que habría parecido dulce si no estuviera clavándome estacas con los ojos—, y evitar que cometas alguna estupidez.

Solté el suspiro de una risa.

—De acuerdo. ¿Debería bajar a desayunar con el resto de la familia? ¿Saludar a mis suegros? —la molesté y palideció, ensanchando mi sonrisa.

—No creo que quieras perder tu descendencia.

—Eso depende. —Doblé los brazos tras la cabeza—. Me dolerá solo si la descendencia es contigo, si no, me da igual.

Quiso sonreír, pero se contuvo.

—¿Vas a decirme de qué complicaciones hablabas ayer? —preguntó en su lugar.

Levanté la cabeza con más rapidez de la deseada. Si mi expresión no era evidencia suficiente, entonces ese gesto hizo el resto del trabajo.

—¿De qué hablas?

—¿De qué hablabas tú? Cuando te pregunté por qué habías bebido me dijiste que estabas con Michael porque tenían complicaciones. ¿Es por el tipo de la casa de apuestas?

Me reprendí mentalmente por no ser capaz de guardarme las cosas cuando estaba ebrio. Solo Dios sabía qué otras estupideces le dije en ese estado. Esperaba que nada demasiado relevador.

Gané tiempo dejando la taza sobre la mesita de noche.

—No tiene caso hablarte de eso.

—Sí lo tiene. Quiero saber qué está pasando.

Por un instante consideré decírselo, sin embargo, terminé por descartar la idea. Tenía que mantenerla tan alejada como fuera posible de todo ese vórtice de problemas, al menos hasta que les encontrara una solución.

—Son problemas con Rick —fui sincero a medias.

—¿Qué problemas? ¿Problemas de dinero?

—No, distintos —dije con cautela, bordeando la verdad sin revelar demasiado—. Tratos que Rick y yo teníamos con anterioridad, y que ahora tienen complicaciones.

—¿Qué clase de complicaciones?

—Leah.

—Quiero saber —insistió—. Estoy harta de todo el mundo ocultándome cosas, no puedes mentirme tú también.

Por un momento pareció tan agobiada que estuve tentado a abandonar la cama y abrazarla.

Sus ojos brillaron suplicantes y la culpa me oprimió el pecho, pero no podía arrastrarla a esto. No podía decirle que ahora estaba atado a Fejzo y su voluntad, que debía trabajar para Rick y Louis para comprar mi libertad.

—Complicaciones para el cumplimiento de esos tratos, pero se resolverá pronto, ¿de acuerdo? No te preocupes por eso. —Pareció poco convencida. Abrió la boca para replicar, pero me adelanté—. ¿A qué te refieres con eso de todo el mundo ocultándote cosas?

Me observó suspicaz, hasta que desistió y centró su vista en el techo, como si el recuerdo la molestara.

—¿Sabías que Abraham le propuso un nuevo trato a papá?

Mis cejas se alzaron por instinto.

—¿Qué trato? Lo único que recuerdo fue su ridícula propuesta de las penalizaciones para mi familia y la tuya.

—Hablé con papá antes de que despertaras. Abraham perdonará el incumplimiento del contrato.

Fruncí el ceño, incrédulo.

—¿Por qué?

—No tengo idea —confesó—. Al parecer no quiere mancillar la relación empresarial que tiene con papá por algo tan lesivo como ese contrato, así que lo dejará pasar en espera de continuar con los negocios que tienen juntos.

—Eso es una estupidez. Abraham nunca dejaría ir una oportunidad tan provechosa, no tiene sentido. Además, eso no le asegura que tu padre continúe trabajando con él. No después de esto.

—Lo sé, pero es conveniente —argumentó con vacilación—, para papá al menos.

Conocía a Leah, y por la tensión en su cuerpo y su forma ansiosa de comportarse, supe que algo con ese trato no iba a gustarme.

—Bien, cancela la ejecución del contrato y ¿qué quiere a cambio?

Levantó sus ojos hasta mí y ahí estaba, la parte de este cuento tan conveniente que sabía que iba a odiar.

—Que nos divorciemos.

Clavé mis ojos en ella y la repentina ola de ira intensificó mi dolor de cabeza e inició una llamarada desagradable en la boca de mi estómago.

—¿Por qué? ¿Qué gana Abraham con eso?

—No lo sé, no tengo idea. ¿Castigarme por humillar la imagen de su familia en público tal vez?

Chasqueé la lengua, escéptico.

—Eso no explica por qué renunciaría a un contrato más redituable por una relación incierta con tu padre. Debe haber un porqué.

Leah parecía tan perdida como yo.

—Esto solo tiene sentido si él gana algo más de otra manera —expliqué con mi aletargada cabeza comenzando a espabilarse—. Abraham es alguien cauto, nunca se arriesgaría a perder el dinero de tu padre, a menos que consiguiera la misma ganancia de otro modo.

—¿Pero de cuál? ¿De tu familia?

Negué, considerando todas las posibles fuentes de ingresos.

—Lo dudo... Tal vez tu padre y él llegaron a un acuerdo distinto.

Frunció el ceño, reticente.

—No lo creo, papá no quiere pagarle y sé que no lo hará.

—Tal vez no con dinero. Quizás disminuyeron la cantidad a pagar, pero conservarán las relaciones comerciales. Eso le aseguraría una fuente de ingresos permanente.

—No lo sé. No suena a algo con lo que Abraham se conformaría.

Tenía razón. Por mucho que pensara en las posibles ganancias que pudieran amortiguar las pérdidas de Abraham, ninguna compensaba del todo la cantidad del contrato. Había algo más.

—Bueno, da igual —hablé luego de unos momentos en silencio y le sostuve la mirada—. En caso de que lo hayan olvidado, eres mía, Leah. Pueden hacer lo que quieran al respecto, pero no pienso entregarte como cordero de expiación.

El color se concentró en la punta de sus orejas antes de extenderse por sus mejillas. Esbozó una pequeña sonrisa y caminó un par de pasos con toda la intención de besarme. Mis brazos se abrieron para recibirla con entusiasmo justo en el momento en que abrían la puerta de su habitación, deteniéndola.

Le lancé una mirada de muerte a Erick por arrebatarme lo que había estado deseando por semanas.

—Por Dios, estás desnudo —espetó desde el umbral con una mueca de sorpresa y asco a la par.

—Vaya, tu poder de observación es increíble si lo comparas con el de un ciego. Felicidades, McCartney.

Me dedicó una mueca venenosa antes de cerrar la puerta y acercarse a nosotros.

—Tenemos que sacarte de aquí, prefiero evitar otra desgracia.

—Yo no llamaría desgracia el hacer feliz a tu hermana.

Leah se llevó una mano a la frente y Erick me regaló una cara que prometía la muerte. Molestar a los McCartney se estaba convirtiendo en una de mis actividades favoritas.

—Vístete, tienes que irte cuanto antes —sentenció él entre dientes.

—¿Papá aún está en casa?

—Sí, pero está en su estudio. Aprovechemos mientras podamos. Te veo abajo en...

—Yo lo llevaré —se ofreció mi esposa—. Encárgate de distraer a papá el tiempo suficiente para que podamos salir.

—¿Segura?

Leah asintió con decisión.

—De acuerdo. Tienen cinco minutos para irse.

—Como tú digas, cuñado.

Salió rechinando los dientes y azotando la puerta. Mi humor mejoró considerablemente después de eso.

Encontrar a Michael esperando fuera de mi departamento me pilló por sorpresa.

—Veo que estás vivo —señaló sonriendo.

—Para tu buena suerte, sí, sigo vivo. —Abrí la puerta y los invité a pasar.

—Me alegra verte de nuevo, Leah —la saludó Michael sin perder su buen humor.

—Igual —saludó mi mujer con educación.

—Si algún día te aburres de este idiota, yo estoy disponible para divertirte —la animó y ella soltó una risa.

—Lo tendré en mente.

Le dediqué una mirada gélida, pero mi indignación duró poco.

—Yo que tú no me haría ilusiones, Leah no tiene tan mal gusto.

—Lo tiene si está contigo —atacó mi amigo y asentí en reconocimiento.

—No puedes combatir contra eso —lo apoyó divertida.

—Lo sé —concedí—. ¿Y bien? —lo presioné, ansioso porque se largara. Apreciaba a Michael, pero todas las cosas que representaba eran un mal presagio para mí.

Mi compañero se rascó la barba que le cubría el mentón. El cansancio estaba impreso en sus ojos.

—¿Te molesta si hablamos a solas? —Miró de reojo a Leah, nervioso, y supe por su tono que cualquier cosa que hubiera venido a decir, no iba a gustarme.

—Sí, claro, pero...

—No se preocupen, yo ya me iba —intervino ella tomando su pequeño bolso del sofá.

—¿Te vas? —Mi voz dejó al descubierto lo poco que apoyaba la idea—. ¿Por qué?

—Tengo que volver a casa, y tú tienes cosas de qué hablar. Te veré después.

—Pero...

Me cortó dándome un casto beso y sonrió a Michael antes de salir.

—Espero volver a verte pronto.

—Y en mejores circunstancias —añadió a modo de broma—. Cuídate, preciosa, y no olvides mi propuesta.

Por un segundo estuve tentado a pedirle que no se fuera, solo por lo mucho que había añorado tenerla cerca, pero la oportunidad se fue por completo cuando cerró la puerta.

—¿Y bien? ¿Qué pasa?

—Hablé con Rick.

—¿Y?

—Quiere verte.

La noticia envió una desagradable sensación por mi cuerpo.

—Yo no tengo nada de qué hablar con él, cualquier cosa que tenga que ver con el trato o negocios, lo hablo directamente con Fejzo. Rick no tiene nada que decirme. Sé que tenemos complicaciones, pero...

—Es de eso de lo que quiere hablar.

Levanté la cabeza sin comprender.

—Será mejor que vengas conmigo —pidió Michael con extrema seriedad y caí en cuenta de lo jodido que estaba.

Volver a la casa de apuestas después de tanto tiempo desencadenó una serie de emociones que habría preferido evitar.

El lugar lucía exactamente igual a como lo recordaba y sus clientes habituales estaban sentados en sus lugares de siempre.

Cuando llegué hasta el anexo, el lugar privado de Rick, no me sorprendió verlo junto a Louis.

—Vaya, extrañábamos que nos iluminaras con tu presencia, príncipe —saludó mordaz el dueño del lugar.

—No puedo decir lo mismo de ti —respondí con desdén y tomé asiento frente a él en la mesa redonda. Quería salir de ahí cuanto antes—. La próxima vez que quieras hablar conmigo, ve a buscarme tú mismo y no mandes a tu sirvienta a por mí.

—¡Oye! —se quejó Michael a mi lado, pero lo ignoré.

—¿Sobre qué quieres hablar? No tengo tiempo.

—No, imagino que la vida marital debe cansar mucho. —Esbozó una sonrisa—. Felicidades por tu matrimonio, príncipe, aunque debo admitir que me dolió no recibir una invitación.

—¿Mandarás a traer té para que nos pongamos al día con mi vida o planeas decirme algo relevante?

—¿Es una buena esposa? —continuó—. ¿Es servicial contigo? La chica ya es divina, imagino que Leah…

—Eso es algo que a ti no te importa —lo corté—. Y mantén el nombre de mi esposa fuera de tu boca. Habla o me iré.

Chasqueó la lengua y cruzó los brazos sobre su barriga.

—Tenemos problemas con Fejzo.

—Siempre tienen problemas con Fejzo, no es nada nuevo —recalqué de malhumor.

—Sabemos que estás al tanto de que tenemos problemas con la venta y distribución de la droga —intervino Louis y lo miré impaciente—. Pero a nuestro proveedor se le ha agotado la paciencia y nos ha impuesto un plazo para pagar los créditos que tenemos insolutos.

—¿Y cómo es ese mi problema? Mi función es asegurarme de que los pedidos se entreguen a tiempo y lleguen a su destino en buen estado...

—Y asegurarte de que le liquidemos todo —terminó Rick por mí.

—No todo. Yo me iré en cuanto se entregue este cargamento que se ha liquidado. Si ustedes hicieron negocios nuevos con él que involucran más mercancía, yo no tengo nada que ver. Consigan otra puta garantía —escupí airado.

—No puedes irte aún —objetó Rick.

—Claro que puedo. Te he pagado, no te debo nada.

—Sigues siendo nuestra garantía —intervino Louis—. ¿Crees que nuestro patrocinador te dejará libre cuando aún no le hemos liquidado?

Tensé la mandíbula, molesto porque a pesar de que me mostraba reacio a reconocerlo, tenía un punto, y uno muy bueno.

Fue muy ingenuo de mi parte pensar que podría salir de toda esa mierda liquidando a Rick, porque ahora no solo estaba encadenado a él, sino a otro cabrón con aires de mafioso que era mucho peor.

—De acuerdo, comprendo —consentí a regañadientes—. Lo que no entiendo es, ¿para qué me han citado aquí? ¿Quieren que intervenga por ustedes para que Fejzo les conceda una prórroga o qué carajo?

—No precisamente. —El dueño del casino se acarició la barbilla, pensativo—. Lo que queremos es que nos financies.

—¿Qué?

—Considéralo el pago de tu boleto de salida —explicó condescendiente—. Si nos ayudas a liquidar la deuda con Fejzo y a estar al día con nuestro proveedor, dejaremos de molestarte.

Mis dedos se movieron sobre la superficie de la mesa, ansiosos por romperle la nariz.

—Ya, ¿de qué me viste cara? ¿De tu banco personal?

—Esto te involucra a ti tanto como a nosotros, Alex —replicó Louis y le dediqué una mirada venenosa.

—Lo único que queremos es que entres en razón. Nos olvidaremos de ti en el momento en que liquidemos la deuda —aseguró Rick.

—Sus problemas no son mis problemas.

—Sí lo son —insistió—. Y te recomiendo que cooperes, no quisiéramos utilizar otras medidas.

—¿Otras medidas? —Me incliné sobre la mesa, retándolo a continuar en su ridícula postura—. No estás en posición de amenazarme, tú eres quien me necesita.

—Me refiero a medidas correctivas, estoy cansándome de tu insolencia.

Enarqué las cejas, desafiante.

—No nos obligues a llegar hasta ese extremo.

—¿Se supone que debo temer ahora?

—Deberías.

Chasqueé la lengua y me crucé de brazos, evaluándolo.

—¿Cuánto tiempo tienen para pagar?

—Dos semanas.

Dejé escapar el aire con pesadez.

Rick y Louis eran como dos niños ineptos, sin una puta idea de lo que era la administración, manejando una empresa que apenas podía mantenerse a flote. Si yo accedía a pagar sus deudas una vez, sería el inicio de una larga lista de "favores" que nunca terminaría, y lo último que deseaba era mantener alguna relación con ellos.

Lo mejor era quemar los puentes mientras aún pudiera.

—Hablaré con Fejzo, conseguiré una prórroga para que puedan solventar el crédito con lo que obtengan de la distribución y venta. Solo necesitan tiempo.

—Dudo que acceda —dijo Louis.

—Habrá que convencerlo. —Me masajeé el cuello.

—Michael irá contigo, esperamos que puedas convencerlo.

—Y que no reaccione mal, porque podría terminar en algo mucho peor —advirtió el otro idiota con tono sombrío.

Solía obedecer a mis instintos, y mientras planeaba la mejor forma para abordar a Fejzo, algo me decía que no debía ir, que era una mala decisión.

Gran parte de mí estaba inclinado a obedecerla y a huir para salvarme a mí mismo, pero la amenaza en las palabras de Rick era clara: si no los ayudaba, entonces me cazarían hasta matarme, o peor, atacarían lo que era importante para mí, y no podía permitirlo.

Debía cerrar este jodido círculo vicioso de mierda y encontrar una manera de cortarlo de raíz.

7
EL ROSTRO DE LA MUERTE
Alexander

Hoy era el día. Esperaba que la suerte estuviera de mi lado.

La oficina de Fejzo en apariencia era la misma, pero había un aura extraña rodeándola.

Sus guardaespaldas cerraron la puerta apenas entramos a la estancia, y un escalofrío me puso los vellos en punta.

—Caballeros —habló el anfitrión incorporándose con parsimonia y me deshice de la sensación para mantener la cabeza fría—. Sabía que no tardarían en venir.

—Bien, si ya sabes para qué estamos aquí, vayamos al grano —hablé con firmeza, ansioso por salir.

—Que lo sepa no significa que quiera saltarme la conversación previa. No hay que ser groseros, ¿no crees, Colbourn?

Me mantuve en silencio. No tenía tiempo para sus juegos.

—Tomen asiento, por favor. —Hizo una seña hacia nosotros para después sentarse en su silla alta. Lo obedecimos sin respingar—. ¿Algo de beber?

—Estamos bien, gracias —se adelantó Michael.

Fejzo le puso la misma atención que a un adorno para concentrarse en mí.

—Primero que todo, permíteme felicitarte. Apoyo el matrimonio joven, creo que es una forma muy madura de comenzar a vivir, y creo que tu esposa es... muy adecuada para ti.

Enarqué una ceja cuando reparé en la desnudez de su dedo anular.

—Gracias, pero es curioso que lo apoyes cuando tú mismo no estás casado.

Fejzo soltó una risita y movió los dedos de su mano izquierda.

—Bueno, apoyo el matrimonio joven porque significa más tiempo para la prueba y el error.

—No lo sé, he pasado la fase de la prueba, pero no he llegado a la parte del error, y espero nunca hacerlo —contesté y el anfitrión sonrió.

—Me gusta tu ingenio, chico. Es rápido y ágil, algo que te será muy útil, siempre y cuando sepas usarlo.

—Créeme, sé perfectamente cómo usarlo —respondí lacónico.

—¿Podemos continuar? —insistió Michael, nervioso.

Fejzo chasqueó la lengua y asintió.

—Michael tiene razón, dejémonos de formalismos innecesarios.

—Tenemos una propuesta —dijo Michael con rapidez.

—Imagino que no me gustará.

—¿Por qué lo dice? —cuestionó mi compañero.

—Lo presiento.

Hijo de puta. Claro que sabía por qué nos habíamos presentado, por eso no podía deshacerse de esa petulante expresión en su rostro. Mi amigo se aclaró la garganta y comenzó a hablar con toda la seguridad que pudo reunir.

—Queremos que nos otorgue una prórroga —pidió.

—¿Por qué debería? —cuestionó Fejzo con severidad—. Creo que ya he sido suficientemente generoso con ustedes, incluso les he concedido créditos. Lo menos que merezco es que salden su deuda.

—Lo sabemos y lo haremos. Solo necesitamos un poco más de tiempo. La venta va bien, la distribución se ha entorpecido un poco, pero considerando el flujo que ha tenido y su celeridad de consumo, calculo que solo se necesitan un par de días más para liquidarlo —expliqué con tono analítico.

—Otorgarles una prórroga no me beneficia en nada.

—Es solo un poco más de tiempo —aseveró Michael.

—Tiempo en el que pierdo dinero. Tal vez tú no lo comprendas, pero tú, chico —posó su atención en mí—, sabes cómo funciona el flujo de ingresos y egresos en una empresa. Un día más puede ser definitivo para la rentabilidad.

—Lo sé, y lo entiendo. Por ese motivo te será bonificado un cinco por ciento extra sobre el monto del crédito —ofrecí.

Sus ojos se iluminaron entonces con una emoción diferente: codicia.

—¿Cinco por ciento como tasa de interés? —repitió.

—Sí.

Se acarició la barbilla, pensativo, y la estancia se sumió en el silencio por un largo momento.

—¿Y bien? —presionó mi amigo.

—No hay prórroga, me temo —respondió impertérrito.

Michael emitió un jadeo de sorpresa y yo tuve que controlar a mis cuerdas vocales para no hacer lo mismo.

—¿Quieres que negociemos el porcentaje de los intereses? Porque podemos hacerlo —propuse.

—Quiero que me den mi dinero.

—Y lo haremos, con intereses, solo nec...

—Escucha, yo no quería ni tenía planeado estar envuelto en toda esta mierda, mucho menos quería tener algún tipo de repercusión, pero aquí estoy jugando el papel de ser tu puta garantía —interrumpí a Michael, explotando por fin—. Le he dicho a Rick que esta será la última entrega en la que yo participaré, así que deberá buscarse a alguien más que haga sus negocios, igual que tú.

Tomé aire y él abrió la boca para respingar, pero me adelanté.

—Haré que Rick salde su deuda y te daremos tu bonificación —continué—. Si las cosas salen bien, esto podría ser el inicio de una relación de negocios entre tú y yo en el futuro. Tengo entendido que tienes algunas empresas.

Fejzo no parpadeó por lo que me pareció una eternidad y mientras él procesaba la propuesta que había hecho, esperaba que ese futuro fuera remoto y lejano, porque no deseaba tener ningún tipo de relación con él, Rick, o Louis en lo que me restara de vida.

Luego de un tiempo en silencio, se puso en pie y se abrochó el saco.

Michael me miró consternado cuando pasó a su lado y me giré en mi silla. Me daba la espalda, así que no sabía cuál era su expresión. Eso solo me estresó más. La sensación de incertidumbre aumentó y se volvió difícil de ignorar, como la alarma de un reloj despertador.

—¿En verdad quieren negociar conmigo una prórroga? —cuestionó luego de un momento en silencio.

Me puse en pie y Michael me imitó.

—Sí. Te lo repito, tendrás tu dinero además del cinco por ciento extra. Tienes mi palabra —insistí.

Fejzo suspiró con pesadez.

—¿Saben? Este fue mi primer centro de operaciones. —Se giró y nos miró, con las manos enlazadas a su espalda—. Era austero, pero fue muy efectivo por muchos años. Nadie supo jamás lo que ocurría aquí.

—Sí, sí, muy inspirador —lo cortó Michael—. ¿Aceptas o no?

—Solo quería que conocieran su eficacia —respondió sin despegar la vista del frente—. Me pareció adecuado.

—¿Por qué? —Michael formuló la pregunta que yo me moría por hacer.

Mi corazón latía como loco dentro de mi pecho, tan rápido que parecía a punto de emprender una carrera por todo mi cuerpo a causa de la ansiedad que sentía. Un sudor frío bajaba por mi espalda y la resequedad en mi boca provocada por el miedo era evidente.

La alarma resonó más fuerte.

—O quizás solo estoy un poco nostálgico. En fin. —Fejzo sonrió y nos dio la espalda de nuevo—. ¿Realmente quieres la prórroga?

—Sí.

—¿Estás seguro? —volvió a preguntar en el mismo tono sombrío y mis entrañas se constriñeron.

—Sí.

—Bien, en ese caso, hay que fincar la nueva garantía.

Todo sucedió como en una mala toma de cámara rápida, desenfocada y difusa: Fejzo girando su cuerpo, su mano empuñando un arma y la detonación de un disparo retumbando entre las paredes de piedra.

Me sentía mareado, desorientado y adolorido. Por un momento creí que la bala me había perforado, podía percibir nítidamente el dolor, pero cuando fui un poco más consciente y palpé mi cuerpo, caí en cuenta de que la bala no me había atravesado a mí.

Miré a Michael y en ese instante, juro que mi corazón dejó de latir.

Hubo una explosión de miedo en sus ojos y las líneas de su cara. Luego desapareció. Se desplomó con pesadez y el suelo retumbó. Me abalancé sobre él con desesperación.

Por unos segundos fue como si yo estuviera a modo de espectador exterior, como si no fuera yo quien estaba ahí, como si fuera un intruso que lo miraba todo desde fuera.

La sangre que le brotaba del lado derecho del cuello era espesa, caliente y casi negra. Registré sus sonidos ahogados, desesperado por encontrar oxígeno, por aferrarse a la vida. Presioné la herida, porque no sabía qué otra cosa hacer mientras observaba a Michael perder la batalla poco a poco; con cada latido de su corazón expulsaba más sangre de su cuello, ahogándose en sus propios fluidos.

Su cuerpo se sentía caliente aún, suave en la parte de la herida y dura en el pecho.

—¡Joder! ¿Qué mierda te pasa? —grité cuando recuperé la conciencia—. ¿Qué carajo te pasa? ¿Por qué le disparaste?

Fejzo me miró con indiferencia desde su altura, o al menos eso creí, mientras aún presionaba torpemente el orificio que la bala había hecho a la piel de Michael, pero era inútil, perdía color cada segundo.

—¡Haz algo! ¡Michael está muriendo! —Mi cabeza punzaba con el puto sonido de alarma que era lo único capaz de escuchar.

Me sujeté a su camiseta sacudiéndolo con violencia como si eso lo ayudara a vivir, como si pudiera impedir su muerte de ese modo. El estrés, la angustia y el miedo me consumieron mientras él moría sin que yo pudiera hacer algo.

Entonces supe que se había ido, su cuerpo inerte sobre el piso y su mirada desenfocada en el techo.

Estaba muerto.

Muerto por mi culpa.

Grité, o maldije, o hice ambas mientras continuaba haciendo puños la tela, no estaba seguro. Las emociones me rebasaron y el sentido común se escondió en lo más profundo de mi mente para dejar solo los instintos.

—Qué lástima, manchó una de mis paredes —lo escuché decir y eso fue el catalizador.

Me incorporé y arremetí contra Fejzo. Mi puño se estrelló contra el lado derecho de su cara. El sonido de hueso contra hueso inundó la estancia y la rabia que me carcomía se convirtió en adrenalina. Su cuerpo chocó con el escritorio, se llevó una mano al rostro y estaba por atacarlo de nuevo cuando uno de sus hombres me tomó de los brazos y me mantuvo en mi lugar, aplicando una llave que envió un latigazo de dolor hasta mis hombros.

Forcejeé, luché e hice todo por liberarme, pero fue inútil.

El otro guardia ayudó al maldito de Fejzo a incorporarse. No perdió el tiempo en apuntarme con el arma. Sentí el metal frío contra mi frente y la sangre viajó hasta mis pies tan rápido que pensé que tendría un ataque al corazón o me desmayaría.

—Tú optaste por la prórroga, yo te dije que habría que fincar una nueva garantía —dijo limpiándose la sangre del labio con el puño.

—¡Yo era la garantía! ¡Yo, hijo de puta! ¡Yo! ¿Por qué no me has matado a mí? ¡Él no tenía por qué morir!

—Ah, porque tú eres una moneda mucho más valiosa, chico. Nadie extrañará a alguien como él.

—¡Púdrete, maldito hijo de...!

—Ahora, espero que comprendas el mensaje —habló con calma y bajó el arma—. De esta forma aseguro mi pago. Muchos hombres vivos hacen juramentos, pero solo los que tienen a la muerte persiguiéndolos son capaces de cumplirlos. —Me dedicó una sonrisa siniestra—. Imagino que no querrás terminar como él, ¿cierto?

—¡No piens...!

—Si no pagan, este será tu lugar de descanso también.

Mi cólera era tanta que me libré de su guardaespaldas y me abalancé contra el hijo de puta otra vez, sin embargo, me detuvieron antes de alcanzarlo.

—Compórtate, por favor. Esta actitud no es digna de alguien como tú. —Alzó la barbilla y miró el cuerpo inerte de Michael una vez más—. Manda mis saludos a Rick y su socio. Diles que les enviaré el cuerpo cuanto antes, por si quieren hacerle algún tipo de funeral, al que me encantaría asistir.

La ira ardió en mi interior.

—¡Eres una mierda!

—Ya tienes tu prórroga: dos semanas más para el pago, y quiero el diez por ciento de interés porque tu amigo manchó mis paredes. Esas manchas no saldrán con facilidad.

Quería matarlo. Quería ahorcarlo con mis propias manos.

—Paga —insistió—. No creo que quieras dejar viuda a tu esposa, ¿o sí? Aunque —soltó una risita—, es joven, bonita y rica, no tardaría mucho en reemplazarte. Muchos hombres matarían por follársela al menos una vez, yo incluido.

Mi mandíbula estaba tan tensa que pensé que se rompería, y mi corazón palpitaba tan duro contra mis costillas que temí por ellas.

—Nos veremos pronto, chico —se despidió con una inclinación cordial—. Llévenselo.

Asintieron y me arrastraron fuera pese a mis esfuerzos.

Mi pecho se comprimió cuando observé el cuerpo de Michael desangrándose sobre la madera.

No me gustaban los finales. Y la muerte, por supuesto, era el final más definitivo e irrevocable de todos.

No, los inicios nunca eran sencillos. Pero los finales eran siempre mucho más difíciles.

Bajé de mi auto dando un portazo.

No tenía ni puta idea de cómo había logrado conducir hasta ahí, pero no iba a desperdiciar la oportunidad. Entré a la casa de apuestas sin ser consciente de nada más, solo de concretar el objetivo que tenía en mente.

Registré las miradas de desconcierto y terror de algunos desconocidos que se cruzaban conmigo en el camino, haciéndose a un lado tan pronto reparaban en mi cara, mi ropa y mis brazos llenos de sangre. Alguien me llamó a lo lejos, pero lo ignoré y continué caminando impulsado por la ira, que se erguía como una alta muralla entre mi racionalidad y el resto del mundo.

Localicé a Rick sentado en una mesa junto a Louis y otros hijos de puta que no reconocí. Una de las mujeres que atendían en el casino soltó un grito cuando me vio acercarme, pero fue demasiado tarde. Tomé su camisa de un hombro y justo cuando se giró, estrellé mi puño en el centro de su cara. Mis nudillos crujieron cuando hicieron contacto con su nariz y ahogué un gemido por el latigazo de dolor que me invadió, pero no fue nada comparado con lo que él sintió.

Cayó al suelo hecho un ovillo y una serie de gritos llegó hasta mis oídos. Creí escuchar mi nombre, pero no me detuve para comprobarlo.

Llegué hasta él en dos zancadas y me senté a horcajadas sobre su estómago para evitar que se incorporara. Antes de que pudiera defenderse o replicar algo, yo ya le había asestado otro golpe.

—¡Para! —gritó alguien, pero continué masacrándole la cara, la sangre que brotaba de su boca y su nariz manchaban su espesa barba.

—¡Está muerto por tu culpa! —rugí antes de estrellar mi puño contra su pómulo una décima vez y escuchar un hueso quebrarse.

—¡Alex!

Un par de manos me sujetaron de los hombros, seguida de otra más que ejerció presión y me obligó a quitarme de encima. Intenté arremeter contra él una segunda ocasión, pero el agarre sobre mí era firme y me impidió avanzar.

—¡Contrólate! ¿Qué mierda te pasa? —vociferó Louis, histérico.

—¡¿Te volviste loco, pedazo de mierda?! —gritó Rick con voz ahogada un par de metros más allá. Sujetaba un pañuelo contra su nariz y su boca.

—¡Murió por tu culpa! —gruñí como un animal salvaje intentando liberarme.

La ira que hervía en mi interior no era humana, era mucho más primitiva.

—¿De qué hablas? —preguntó Louis, perplejo.

—¡Michael está muerto!

Hubo un silencio generalizado entonces. Rick maldijo por lo bajo y su socio se giró hacia él, desconcertado y aterrado. Una ola de murmullos se elevó por el lugar.

—¡Está muerto por su culpa, hijos de puta! —bramé con voz tensa, sin dejar de retorcerme.

—Alex, contrólate, por favor, cont...

Logré zafarme del agarre de muerte sobre mis brazos y tomé uno de los vasos de licor que había sobre la mesa. Lo lancé hacia Rick, que palideció y levantó sus manos en un patético intento por defenderse, pero mi puntería no fue tan buena y se hizo añicos a su espalda, junto a una mesera que soltó un grito de terror y fue imitada por varias de sus compañeras cuando caminé hacia su jefe, pero no llegué muy lejos porque me capturaron de nuevo. Emití un sonido de exasperación en respuesta. Quería matar a Rick.

Louis tomó mi cara entre sus manos y me obligó a mirarlo a los ojos.

—¡Contrólate! ¡Necesitas controlarte! ¡Contrólate, joder!

—¡Está muerto! —grité también desesperado, con las emociones desbordándome.

—Alex...

—¡Nos envió a ese lugar para matarnos!

—¡Yo no lo sabía! —se defendió el imbécil desde su lugar y le dediqué una mirada de muerte.

—¡Sí lo sabías, cobarde de mierda! ¡Por eso nos has enviado a nosotros! ¡Era solo un chico! ¡Trabajaba para ti! ¡Hacía todo por ti!

—¡Alexander! —Louis volvió a tomarme del rostro para que me concentrara en él—. Necesitas calmarte, tenemos que hablar, tenemos...

—No, llévatelo de aquí antes de que decida hacerle algo.

Louis se giró hacia su socio.

—No estás ayudando, Rick.

—Inténtalo, pedazo de mierda —dije colérico—. Tú eres quien debería estar muerto, no él.

—¡Te sugiero que te calles! —ladró desde su lugar—. Podría hacer que corrieras la misma suerte que Michael ahora mismo.

—¡Hazlo! ¡Anda! ¡Te volaré la cabeza antes de que jales el gatillo! —lo reté, forcejeando con mi captor otra vez. Rick dio un paso hacia atrás—. No harás un carajo, porque eres un cobarde. No eres más que una puta rata que se esconde en este hoyo de mierda. ¡Inténtalo! —volví a gritar con la voz en cuello—. Moriría siendo aún un heredero, pero tú, tú seguirás apestando a una asquerosa rata.

El rostro de Rick enrojeció e hizo el ademán de extraer algo de la parte trasera de su pantalón. Louis se adelantó y fue hasta él para detenerlo.

—No cometas una estupidez —le advirtió a su socio cuando este desenfundó un arma entre el griterío de la gente mientras se escondían debajo de las mesas—. No puedes matarlo y lo sabes. Basta ya.

—¡Necesita aprender a respetarme!

—¡Basta! —insistió Louis con determinación—. Me lo llevaré de aquí, deja al chico tranquilo.

Rick pareció tranquilizarse lo suficiente para guardar su arma.

—Sácalo de aquí antes de que cambie de opinión —masculló con voz pastosa.

Louis hizo una seña a quien me mantenía cautivo y este ejerció fuerza sobre mis brazos para obligarme a moverme.

—Voy a matarte —lo amenacé antes de ceder y dejar que me arrastraran fuera, y con cada paso que daba, era más consciente del peso sobre mi pecho que apenas me dejaba respirar. Cuando el aire tocó mi rostro, la realidad me golpeó con tanta fuerza que apenas logré mantenerme en pie.

La muerte ya no era una cosa distante e improbable. No era más una cosa extraña y desconocida. Estaba ahí, manifestándose en nítidas y palpables líneas. Se manifestaba en la cara de Michael, en la inmovilidad de su cuerpo y en las amenazas persistentes de Rick. Respiraba sobre mi nuca, acechándome.

La muerte estaba impresa en caras pálidas, piel azul, ojos desenfocados, gritos y sangre.

La muerte era un monstruo que te perseguía de mil maneras y te dolía en mil maneras distintas más.

De pronto, todo pareció perder enfoque y definición. Todo se tornó en matices de blanco y negro, y de esos colores se tiñó el mundo.

8
EL MIEDO A PERDER

Alexander

El sueño siempre empezaba de la misma manera.

Corría por el túnel, la piedra resonaba por mi peso mientras avanzaba y las polutas de polvo danzaban por el lugar, iluminadas por la luz amarillenta de las lámparas.

Entraba a un largo pasillo. Mi corazón latía como loco contra mi garganta y mi palma se sentía resbalosa mientras terminaba de abrir la puerta. Sabía que era tarde; podía oler la sangre incluso antes de ver el suelo. Los pedazos de cristal crujieron bajo mis pies, el hedor a pólvora se alzaba en el aire mientras llamaba su nombre en una voz que no parecía la mía.

Veía el cuerpo de Michael sobre el piso, temblando mientras se desangraba. Me inclinaba a su lado para detener la sangre, para intentar salvarlo en mi desesperación. Entonces inhalaba una última vez antes de irse, volviéndose un peso muerto en mis brazos.

Sabía que era él. Lo sabía, pero siempre que lo miraba a la cara, todo lo que veía era el cabello oscuro de Leah, sus facciones vacías y sus bonitos ojos grises desenfocados.

La miraba en cada sueño en el que era demasiado tarde para salvar a Michael.

Siempre era demasiado tarde para salvar a Leah.

Un sonido insistente me despertó. Abrí primero un ojo y me removí en la cama para tomar mi celular con pereza. Lo observé vibrar hasta que paró, añadiendo otra llamada perdida de mi esposa al buzón y un nuevo mensaje que no quería escuchar.

Habían transcurrido cuatro días desde la muerte de Michael y aún no encontraba la fuerza para enfrentarme al mundo otra vez.

Me incorporé con un gruñido de protesta tras conseguir solo dos horas de sueño. Me dirigí al baño para ducharme, aunque sabía que no importaba cuántas veces lo hiciera, la sangre de Michael no se iría de mis manos.

Salí de la ducha, me vestí y observé la cocina: estaba impecable a excepción de un par de cajas de comida para llevar, que eran lo único que había ingerido por necesidad los últimos días. Las tiré en el cesto de basura junto a la barra y me debatí entre ordenar algo más para comer o no. Vania no se había presentado en estos días. Le había pedido que no lo hiciera.

Jamás habría puesto a Michael en peligro de haberlo sabido. Nunca lo habría expuesto de esa manera, ni siquiera lo habría llevado conmigo. No se lo merecía. Era la primera vez en toda mi vida que sentía desprecio por mí mismo.

¿Había valido la pena? La muerte de Michael, la culpa, la aversión por mí mismo. ¿Había valido la pena a cambio de una puta prórroga? No, no lo valía.

Los golpes en la puerta me sacaron de mis cavilaciones.

Esperé en silencio a que la persona se rindiera y se fuera. No quería ver a nadie.

Tres golpes otra vez, más fuertes y decididos, y después otros seis y otros nueve, hasta que eventualmente aporreaban mi puerta. Me mantuve de pie en el vestíbulo, esperando a que mi visita comprendiera el mensaje.

—Alex, abre la puerta. Sé que estás ahí dentro, vi tu auto afuera —dijo Leah del otro lado sin dejar de golpear.

Mi pecho se comprimió y una parte de mí casi corrió a abrir para dejarla entrar, pero me resistí.

—Hablo en serio —volvió a hablar con tono amenazador—. Abre la puerta.

Silencio. Se escuchó un estruendo y la imaginé pateando la puerta.

—¿Qué está pasando? ¿Dónde está la llave de repuesto? ¿La has quitado del marco?

Sabía que intentaría entrar a como diera lugar, y no estaba listo para verla a la cara, mucho menos después de mis horribles pesadillas, así que la guardé en otro lugar.

—¿Por qué no abres? Abre o llamaré a Adam para que me dé acceso.

Hice silencio de nuevo, sintiendo mis pies y mi cuerpo ansiosos por ir hasta ella, como si fuese mi jodido salvavidas.

—Juro que tiraré esta puerta si no la abres en este preciso moment...

Tiré de la manilla y la vi en el umbral justo al final de su oración.

Soltó el aire que había tomado para hablar y se abalanzó sobre mí, rodeándome el cuello con sus brazos. Me estrechó con todas sus fuerzas y desvaneció cualquier rastro de distancia entre nosotros. Se lo agradecí en silencio.

Casi suspiré por el alivio que trajo consigo el tenerla cerca, su cuerpo y su calidez inundando mi piel y acaparando mis sentidos. Inspiré profundo en su cabello y mis brazos se cerraron en torno a su cintura como grilletes, negándome a apartarla.

No quería dejarla ir, porque Leah era, en ese preciso momento, la soga que me mantenía atado a la vida. Olía a lis y a redención.

—¿Dónde demonios estabas? —Se separó de mí y acunó mi cara entre sus manos para inspeccionarme más de cerca—. Te ves horrible, ¿qué pasó?, ¿por qué no has contestado mis llamadas?

La miré abstraído en su belleza, en lo llena de vida que estaba, y me horrorizó que mi sueño llegara a concretarse. Me aterrorizó más que nada en el mundo.

Retiré sus manos de mi cara con delicadeza.

—Estaba ocupado.

—¿Con qué? Quiero decir..., llamarme una vez no te habría matado. —Se cruzó de brazos.

—No podía llamarte.

—¿Por qué?

—Asuntos de trabajo.

Estrechó los ojos, suspicaz.

—¿Qué asuntos?

—Nada que te importe —dije áspero y parpadeó un par de veces, impresionada y ofendida a la par con mi respuesta.

—Me importa —rebatió—. Me importa porque tiene que ver contigo, y no sé qué es lo que está pasando y me preocupa. No entiendo qué es lo que haces o por qué desapareces por días, ni por qué aún sigues en contacto con el tipo del bar, yo solo... — Dejó escapar el aire con frustración—. Estoy preocupada por ti. Estoy cansada de recibir evasivas. Quiero respuestas, Alex. Reales, no mentiras.

Había un atisbo de desesperación en su voz y súplica en sus ojos. Por un efímero instante, estuve tentado a contárselo todo, casi me rendí a sus pies, pero protegerla era más importante que todo lo demás.

—Te repito, no es nada que te importe. No insistas —dije severo.

Hizo una mueca de exasperación.

—¿Vas a decirme al menos por qué te comportas así conmigo?

—¿Así como?

—Como una mierda.

Solté una risa tosca.

—*Ding dong,* princesa, ¿no te gustó lo que recibiste como esposo? —mis palabras salieron agresivas y filosas.

—De eso estoy hablando. ¿Por qué estás tan a la defensiva?

—No estoy a la defensiva, estoy siendo yo. Si no te gusta, lárgate.

Pareció dolida con eso último y a mí me destrozó.

—No, no hasta que me digas qué demonios está pasando.

—¡No tengo nada que decir! —exploté alzando la voz y ella dio un respingo.

—¡No tienes que gritarme!

—Tal vez no tendría que hacerlo si no me atacaras con preguntas estúpidas todo el tiempo.

—¡No estoy atacándote! —replicó airada—. Solo quiero saber qué demonios pasa contigo.

—¡No pasa nada! Y aunque pasara, no es asunto tuyo.

—¡Sí es! ¡Soy tu esposa, tengo derecho a saber!

—¡No todo! ¿No entiendes lo peligroso que es para ti el que sepas estas cosas? ¡Estoy protegiéndote!

Infló las fosas de su nariz, iracunda.

Joder, iba a terminar de matarme, pero necesitaba hacer esto. Su bienestar debía ser prioridad.

—No sé mucho sobre el matrimonio, ¿de acuerdo? Ninguno de los dos sabe nada, de hecho. —Su expresión se llenó de consternación enseguida—. Pero eres mi esposo y las cosas que hagas sí son asunto mío, lo que te suceda sí es asunto mío.

Intentó tocarme y me alejé como si quemara.

—Me desespera el hecho de que no me digas nada, no solo de tus negocios, sino de tu vida en general. No sé nada que no tenga que ver conmigo por *default*. ¿No lo ves? Estamos casados, Alex, pero lo único que quieres compartir conmigo es tu cama.

Mi corazón se encogió ante sus palabras. Odiaba hacerle daño.

—Encontraré una manera de resolverlo. Cuanto menos sepas, menos peligro corres. ¿No lo entiendes? —Me acerqué sintiendo el terror recorriéndome el cuerpo—. Eres lo más importante para mí, Leah, no quiero que nadie te lastime, de ninguna manera.

—¿Y qué pasa cuando alguien te lastima a ti? —inquirió con el dolor desbordando de sus ojos—. Te ves muy mal. Sé que algo está pasando y cualquier cosa que sea, puedes decírmelo. Soy más fuerte de lo que crees, Alex, ¿por qué no confías en mí?

—¿Seguirás en esa postura?

—Sí. Necesito saber. Quiero estar ahí para ti.

La súplica en sus preciosos ojos grises casi funde mi determinación. Casi.

—Ya te lo dije, no es nada que no pueda manejar.

—¿Sabes?, eres un buen mentiroso generalmente, pero no te creo esta vez. Dime qué está pasando, sé que algo no está bien.

—¡No pasa nada, joder!

—¡Sí está pasando! Te conozco y sé...

—¡No!

—¡Solo dime! —exclamó con desesperación.

—¡No insistas!

—¡Será mejor si me lo dices, podemos buscar una solución, podemos...!

—¡No, no puedes! —vociferé a un palmo de distancia de ella, con mis muros de decisión a punto de quebrarse—. Lo único que puedes hacer para ayudarme es alejarte de mí, Leah. ¡Ahora!

—Pues mala suerte la tuya, Colbourn. No voy a irme. No me iré a ningún lado —zanjó sin que su determinación flaqueara—. Dime qué está sucediendo. ¿Tiene que ver con Michael?

La mención de su nombre instaló un agudo dolor en mi pecho e impactó en mis endebles murallas, amenazando con romperlas por completo.

—Leah, vete.

—No. ¿Por qué estuvo aquí la última vez? ¿Por qué estabas con él en el bar?

—¡Leah!

—¡He dicho que no! ¿Para qué quería Michael hablar contigo? ¿Para qué...?

—¡Está muerto! ¡Está muerto, joder! —rugí, derrumbándome por fin, y solté un gemido lastimoso de estrés y tristeza.

Dio un respingo por mi muestra de emoción y después toda su cara perdió color.

—¡Está muerto! ¡Muerto por mi culpa!

La carga de emoción era tanta que terminó por aplastarme y me derribó, arrastrándome hacia un turbulento vórtice a punto de destruirme. Me dejé caer de rodillas en el suelo hasta que me senté sobre él, derrotado.

—Lo siento, lo siento, lo siento. No quería que pasara —dije una y otra vez, con el nudo en mi garganta impidiendo la correcta circulación de oxígeno—. No quería que muriera.

Tal vez ahora que sabía la verdad se iría. Tal vez ahora sería inteligente y se salvaría de mí mientras aún podía.

Leah se arrodilló frente a mí, en el espacio entre mis piernas, y tomó mis manos temblorosas. Esperé un comentario de lástima o una despedida, pero nada de eso llegó.

—Se ha ido —dije con voz estrangulada.

—Yo no voy a irme —sentenció, y su oración resonó con un millar de significados en mi interior.

Sus manos acariciaron las mías, y yo estaba demasiado cansado para resistirme a su tacto. Estaba demasiado cansado para luchar contra ella.

Cuando alcé mi vista hacia su cara, sus ojos estaban fijos en los míos y encontré gris. Por cuatro días, el mundo había sido a blanco y negro, y ahora era gris. Gris, azul y dorado.

—No quiero que te vayas. Quédate. Quédate —supliqué al fin.

Leah asintió sin más preguntas y me envolvió en sus brazos, y fue puro instinto la manera en que yo la abracé de vuelta. En esa ocasión, yo era quien no paraba de temblar, pero no me soltó.

Era cálida, tan cálida que inconscientemente acepté el calor que ella proveía, aunque no lo mereciera. Y era un hecho, no la merecía, pero quería acaparar tanto de ella como fuera posible, porque en verdad era mi salvavidas y la luz dentro de esta vorágine interminable de oscuridad.

Sus labios acariciaron mi sien, mi oreja y mi cabello antes de que mi cabeza se apoyara contra su pecho, y la inspiré. Estaba atrapado en el infierno con mis demonios, pero ella permanecía a mi lado mientras ellos danzaban en mi mente, inconscientemente llevándome hacia la luz.

Lis, lavanda y rosas.

La abracé con más ganas. Mis manos hicieron puño su blusa, y cuando el dolor y la culpa me golpearon por completo, fue devastador e implacable, pero ella me sostuvo con toda su fuerza para no derrumbarme en esa ocasión, sin soltarme ni dejarme ir.

La amaba… En ese momento de mera agonía, pura y contundente, caí en cuenta de cuánto la amaba.

A
WASHINGTON
A

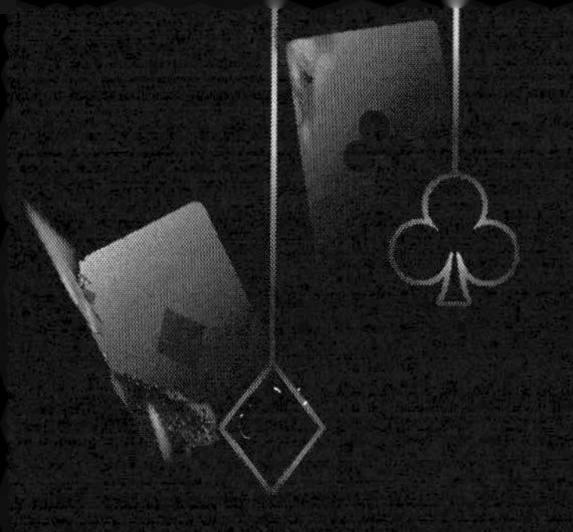

9
EL ACIERTO
Leah

Observé el desayuno humeante en el plato por lo que me pareció una eternidad, hasta que mis ojos comenzaron a escocer y parpadeé.

Luego de que el punto más álgido de la catarsis hubiese cesado, decidí que lo mejor era ocupar mi mente en algo, así que preparé el desayuno mientras esperaba que Alex emergiera de su habitación, ordenara sus ideas y terminara de hacer cualquier cosa que estuviese haciendo.

—Sé que no soy el orgullo de ningún *chef*, pero es comestible. Yo misma lo probé —dije cuando salió.

—No tengo hamb... —comenzó a replicar, pero se detuvo cuando le dediqué una mirada que prometía algo más que un sartenazo si osaba decir una palabra más. Se sentó y comió en silencio. Tomé asiento cerca de él, y callé, esperando pacientemente que me dijera algo.

Moría por hacerle preguntas, pero sabía lo hermético que podía ser cuando lo presionaba demasiado y eso era precisamente lo que quería evitar.

Así que esperé. Esperé mucho después de que terminara de comer y se bebiera la última gota del café. Esperé hasta que mi espalda comenzó a doler por la incómoda silla.

Esperé hasta que comenzó a hablar.

Me habló sobre su relación con Rick, la manera en que empezó y cómo fue mutando hasta convertirse en el infierno que ahora era. Me habló de cómo conoció a Louis —cosa que yo también recordaba porque estuve ahí— y el papel que tenía en todo esto. Me habló sobre Fejzo, sus empresas, los negocios que tenían en común y cómo ahora era la garantía en esa retorcida operación. Habló de la prórroga y por qué Michael había sido asesinado.

Yo propuse dar el dinero a modo de solución; era algo que no necesitaba. Lo necesitaba a él, tranquilo, vivo y conmigo, pero se negó antes de que terminara de planteárselo, argumentando que esa no era la solución, sino más bien una forma de consentir que siguieran aprovechándose de él.

No era cuestión de dinero, sino de estrategia. De encontrar una manera de cortar esos enfermizos lazos de raíz en lugar de alimentarlos.

Me habló de la razón de su culpa, del cambio y el control en su vida, y cómo parecía que no podía hacer ninguna de las dos cosas bien.

Habló, habló y habló. Yo permanecí en silencio, escuchando atenta mientras un nudo se formaba en mi garganta, tenso y exasperante.

¿Cómo había resistido tanto tiempo cargando con todo aquello? Yo habría perdido la razón de estar en su lugar.

Estaba dividida entre la admiración y la tristeza. Entre echarme a llorar e idolatrarlo por seguir y seguir pese a todo lo que tenía detrás. Admiraba su fortaleza, su resiliencia y su valentía, pero me dolían sus decisiones, su hermetismo y su egoísmo.

¿Culpabas a un chico por las consecuencias de sus actos cuando solo hacía lo que le era ordenado? ¿Por obedecer ciegamente a quienes mantenían el yugo sobre él y su vida? ¿Lo culpabas por sus acciones? ¿Lo eximías de la culpa o lo obligabas a asumirla?

Hablamos hasta que mi espalda dolió y mis piernas se entumecieron, entonces fuimos hasta la cocina. Él lavaba los platos mientras yo los secaba, contaba cosas mientras yo respondía, hasta que eventualmente comenzamos a debatir.

—Creo que todo en la vida parece algo increíble al principio, pero no siempre termina siéndolo. Todos en algún momento somos como el rey Midas —comencé a explicar—. Él podía convertir todo en oro con solo su toque y pensó que el mundo estaba en sus manos antes de arruinar su vida por completo.

—Hay cosas que empiezan mal, pero terminan muy bien.

—¿Pero por qué fue malo al principio? —insistí—. Tú mismo lo dijiste, empiezan mal.

—No necesariamente —rebatió Alex pasándome una taza—. No creo que tu tristísima teoría aplique para todo.

—No, pero dame un ejemplo donde algo haya iniciado mal y terminado bien—lo desafié.

Cuando alcé mi rostro hacia Alex, él ya tenía sus ojos fijos en los míos y parecía muy absorto contemplándome.

—Nosotros.

Siempre lograba pillarme con la guardia baja con cosas como esas. Así estuviésemos casados cien años, nunca dejaría de sorprenderme con esos comentarios, que eran los más inesperados y los mejores. Quería besarlo hasta dejarlo sin respiración cada vez que decía algo así, pero me concentré en seguir la conversación.

El tiempo transcurría rápidamente en su presencia, la charla fluía sin problema y antes de que fuera consciente de ello, ya habíamos conversado por horas. Hablamos de todo y nada a la vez, las cajas de comida para llevar olvidadas sobre la mesa después de devorarlas.

Para el caer de la noche, preparé café para ambos y salimos al balcón de su departamento.

El líquido caliente se sentía como gloria en comparación del viento frío, las luces de la ciudad pendían como velas en la oscuridad, el cielo estaba nublado sobre nuestras cabezas mientras admirábamos la vista apoyados en el parapeto de metal.

Me arrebujé más en su chaqueta, que era tres tallas más grande que la mía.

Permanecimos junto al otro, inmersos en un silencio que no era para nada incómodo. Habíamos llegado a ese punto de sintonía donde no necesitábamos hablar para sentirnos bien en la presencia del otro. Era algo nuevo y extraordinario.

—¿Qué habría sido de tu vida si no hubieses nacido como una heredera? —preguntó de pronto, pillándome por sorpresa.

—No sé. —Me encogí de hombros—. ¿Qué habrías sido tú?

—¿De qué tengo cara?

—De idiota —lo molesté. Él me dedicó una mirada de fingida indignación y escondí mi sonrisa dando un sorbo a mi café—. No lo sé, de psicólogo supongo.

Resopló mordaz.

—Qué buen chiste. Apenas puedo aguantar mi mierda, imagina tener que tolerar la de los demás. Creo que me ahorcaría.

Me eché a reír y terminé tosiendo por el líquido que se atascó en mi garganta.

—Creo que ellos se ahorcarían con tus comentarios crueles y tu falta de tacto para decir las cosas. Nunca tendría una sesión contigo, creo que acabaría peor.

—¿Por qué no? ¿Nunca has escuchado que follarte a tu psicólogo ayuda?

Elevé una ceja, suspicaz.

—Qué conveniente para ti.

—No te imaginas cuánto. —Reí, pero él guardó silencio un momento—. Profesor o fotógrafo, o algo por el estilo —dijo lentamente, como si probara las palabras en su lengua.

—Le queda a tu personalidad, de hecho. Puedo imaginarte a la perfección corrompiendo la dulce mente de tus alumnos.

Alcé la vista para encontrarlo mirándome con atención. Arrugué las cejas.

—¿Qué?

—No puedo imaginarte de otra forma que no sea esta —admitió.

—¿Siendo una niña rica y caprichosa?

Mostró el esbozo de una risa y asintió.

—Pero te imagino en el futuro.

—¿Cómo?

—Con un buen puesto, haciendo trabajo voluntario, enseñando a niños, donando a orfanatos, invirtiendo para encontrar la cura del cáncer...

Sonreí.

—Me conoces tan bien. Sí quiero hacer trabajo voluntario, pero antes quiero mi carrera, quiero crecer y tener mis logros. Creo que, si me organizo, puedo hacer voluntariado en verano, enseñar a niños por las tardes e invertir para encontrar la cura del cáncer en mis tiempos libres.

—¿Y lo harás todo a la vez? —cuestionó y asentí; me miró horrorizado—. Joder, nunca dejarás de intentar salvar al mundo, ¿verdad?

—Sabes que no —sonreí.

El tiempo ameno que habíamos conseguido se desvaneció después de eso y caímos en un nuevo silencio, pesado y sepulcral. Volteé a ver a Alex, tenía la cabeza echada hacia atrás con los ojos cerrados. Suspiré despacio. Podía notar la lucha consigo mismo desarrollarse en los confines de su mente, peleando por su redención.

Luchaba por salir de ese vórtice de situaciones que destrozó sus ilusiones e hizo añicos la idílica realidad que lo envolvía todo. La realidad le escupía a la cara y le gritaba: «Esto es en lo que te convertirás, esto es lo que eres».

Alex peleaba para salvarse a sí mismo, aunque muriese en el proceso.

—Puedes hacerlo, lo sabes ¿no? —dije con seguridad y su cabeza se giró en mi dirección—. Sé que puedes solucionarlo. Eres mejor que esto, y sé que puedes con ello, eres inteligente y valiente, y tenaz e increíble... Te amo, estoy muy orgullosa de ti —dije esto último casi sin respirar.

Me miró fijamente y en silencio, con una expresión que no supe cómo definir. Me aterraba la idea de asustarlo con mi intensidad, pero también

me hacía querer llorar, abrazarlo con todas mis fuerzas o salir corriendo, todo a la vez.

Le sostuve la mirada el tiempo suficiente para hacerle saber que hablaba en serio, y esperé una reacción con el estómago constreñido. Era cierta cada palabra, y quizás debí haberle dicho antes lo mucho que lo amaba. Quizás necesitaba escucharme decírselo, o tal vez no significaba nada para él, pero se lo había ganado a pulso, cada letra de esas palabras. Se había ganado el derecho de escucharlo.

—¿Recuerdas lo que me dijiste sobre el rey Midas? —preguntó luego de un rato y tuve que tomarme mi tiempo para asentir, porque esa no era la respuesta que esperaba—. La otra parte de la historia que nadie cuenta sobre él, es lo mucho que intentó arreglar sus errores, donar a los pobres, visitar a los enfermos... Todo para ser perdonado, porque la culpa es la peor emoción de todas, la más consumidora.

Fruncí el ceño.

—No entiendo.

—Incluso si un ser celestial nos redime por las cosas que hemos hecho, la persona sigue culpándose a sí misma.

—Pero seguirían siendo perdonados, ¿no?

—Ante los ojos de alguien más. Es ante los ojos de uno mismo que cuenta.

—Pero si solo se interesan por sí mismos, no sentirían culpa, ¿o sí? —rebatí, intentando derribar su argumento, recordándole que no era una mala persona.

—¿Qué importa que alguien más te perdone cuando tú mismo no lo has hecho?

Callé intentando ordenar mis ideas, porque era un tema complicado.

—Podrías dejar de sentirte culpable, eventualmente, sabiendo que otros te han perdonado por lo que has hecho.

—¿Y si no puedes hacerlo?

Me encogí de hombros.

—Puedes intentarlo. No eres una mala persona, Alex. Por mucho tiempo creí que lo eras, pero estaba equivocada, y tú me perdonaste por pensar así. Tú cometiste un error, uno grande, pero eso no te define como una buena o una mala persona, lo hace el cómo te sientes al respecto y sé que estás arrepentido. Por eso, te perdono.

Me miró con fijeza, sus ojos exudando una emoción intensa que no logré descifrar

—Que me perdones es riesgoso. Puedo volver a cagarla en cualquier momento.

—Algunas veces tienes que tomar oportunidades y riesgos en la vida. Eso me dijiste una vez.

Su semblante permaneció indescifrable.

—Sí, pero tienes que asegurarte de que esos riesgos valen la pena.

—Lo sé, sí hay algunas cosas por las que vale la pena arriesgarse y luchar.

—¿Cómo qué?

—Tú, por ejemplo —dije sincera, sintiéndome desnuda y expuesta, pero me daba igual.

Otro silencio volvió a instalarse entre nosotros, e hice acopio de toda mi templanza para no sentirme decepcionada con su falta de correspondencia.

—Es tarde, creo que deberías irte a dormir. Ya empezaste a delirar.

—Claro que no —repliqué, pero sí me sentía cansada y entumecida por el frío.

Tomé nuestras tazas y me dispuse a ir hasta la cocina para dejarlas en el lavaplatos. No terminé de dar el segundo paso cuando me tomó del brazo deteniendo mi andar, presionó sus labios cálidos contra mi frente y los deslizó por mi sien, siguiendo la forma de mi cara hasta posarlos sobre mi mejilla con una delicadeza ajena a él. Sus labios continuaron su travesía por mi barbilla hasta la comisura de mi boca; mis ojos se cerraron en el momento en que la tomó por completo, con movimientos lentos y deliberados mientras se adueñaba de cada línea, curva y recoveco.

Me presionó contra sí y caí en cuenta de que su correspondencia no se encontraba en sus palabras, sino en la forma en que se preocupaba por mí y me convertía en su única prioridad. Se encontraba en la manera en que me besaba, porque cada halar, empujar y tomar de ese encuentro estaba repleto de emoción, desbordando cariño.

Cuando nos separamos, dejó dos castos besos sobre mi frente.

—Gracias —susurró sin apartarse y un placentero escalofrío me recorrió el cuerpo, hasta convertirse en algo cálido que terminó asentado en la boca de mi estómago.

Asentí, con mi corazón saltando de felicidad como un duende idiota sobre un campo de flores dentro de mi pecho. No importaba lo que dijera el mundo entero sobre nosotros. Me daba igual si reprobaban nuestra

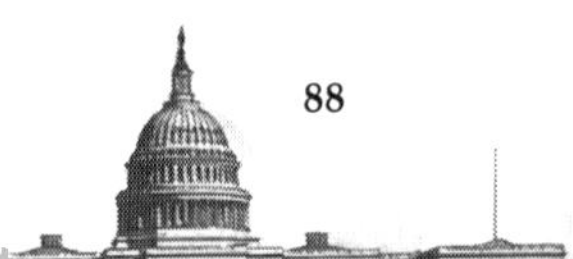

relación o la creían un error, porque para mí, el amor que sentía por Alex nunca sería un error; él siempre sería mi mejor acierto.

—Ve a dormir —dijo con voz suave.

—¿No vienes?

—Me quedaré un poco más.

Asentí y dejé las tazas sobre la barra.

Me metí entre las sábanas lista para dormir, y cuando me balanceaba entre el dulce limbo que había entre la conciencia y el sueño, el colchón se hundió bajo su peso. Se enredó en torno a mi cuerpo con un brazo rodeando mi cintura, estrechándome contra él, e inspiró profundo sobre mi cabello.

—Tú estás más cerca de la luz —susurró en mi oído.

—¿Qué? —inquirí mirándolo por el filo del ojo, pero solo pude distinguir su mentón.

¿Hablaba sobre algo relacionado con nuestra charla en la terraza? ¿O era alguna metáfora sobre nuestra disparidad? ¿O quizás era una forma de pedirme ayuda y me estaba dando pistas?

—La lámpara, Leah, apágala. Tú estás más cerca.

Ah, era eso.

Me sentí estúpida por mi mini ataque de paranoia.

—Tú nunca la apagas cuando estás cerca —me quejé.

—¿Y? —Sus músculos se estrecharon cuando me presionó más contra su pecho. La calidez de su palma se transmitió más allá de su camiseta, que yo usaba para dormir.

—Ese es mi punto.

—Es débil. Espero que puedas dormir con la luz encendida.

No repliqué nada porque no había nada más en mi cabeza, solo la exquisita calidez que se extendía por la boca de mi estómago y parecía calentar todo mi cuerpo de una manera que nunca experimenté antes. Pero era agradable, y me encantaba que fuera él quien lo provocara.

Cerré los ojos para evitar la intromisión de la luz de la lámpara y me dispuse a dormir.

Alex no creía en Dios, pero quizás necesitaba saber que yo lo perdonaba, para que pudiera perdonarse a sí mismo.

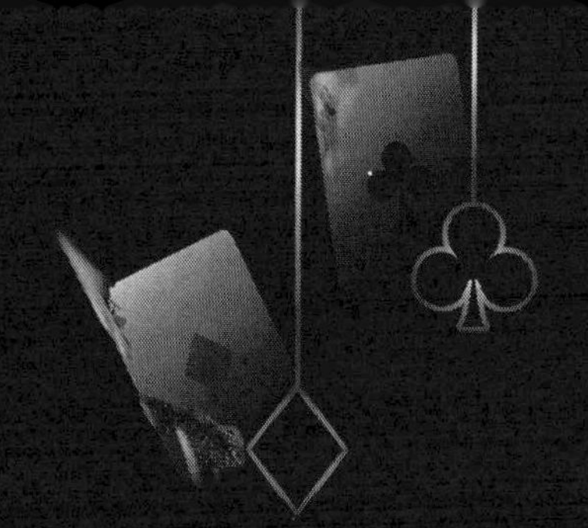

10
REVELACIONES
Leah

Odiaba los funerales. No era como si la gente los disfrutara o fueran eventos agradables, pero los odiaba más que la mayoría de las personas. Quizás porque no había vivido la muerte muy de cerca y no estaba muy familiarizada con ella. La única razón por la que estaba allí era por Alex, porque a pesar de su renuencia a que lo acompañara, y sus advertencias de peligro, sabía que me necesitaba. Era su esposa, lo amaba y no lo dejaría solo en un momento tan difícil y doloroso.

El cielo había vuelto a cerrarse y comenzaba a hacer frío en los ralos jardines del cementerio. Una ligera neblina envolvía nuestros pies, dotando al lugar de un toque aún más siniestro y lúgubre. Había solo un pequeño grupo de personas en torno a la tumba, sin contar al sacerdote que hablaba sobre el amor, Dios y el perdón, irónicamente.

Localicé a Louis a unos metros de distancia frente a mí, su mirada fija en el ataúd era indescifrable. Verlo de nuevo, ahora que sabía de la posible existencia de una relación con mamá, creaba una maraña de emociones en mi interior que me provocaba retortijones. No esperaba encontrarlo aquí, pero era una buena oportunidad para hablar y no iba a desaprovecharla; solo necesitaba encontrar el momento adecuado para abordarlo.

Además de él, no reconocí a los otros asistentes. Ni al hombre grueso de barba grisácea y labio partido que no dejaba de dedicarle miradas furtivas a Alexander desde su lugar, o a las dos mujeres que lloraban desconsoladas. Tampoco reconocí al hombre que estaba unos metros más allá: calvo, robusto, flanqueado por dos guardaespaldas y envuelto en un traje demasiado caro para ser alguien común.

—Cenizas a las cenizas, y polvo al polvo... —el sacerdote continuó con su discurso, recitando palabras que solo me eran familiares por películas.

El reverendo terminó de hablar y procedieron a bajar el ataúd para su entierro. Nadie emitió una sola palabra en el proceso. Alex estaba intranquilo, ansioso y alterado, como si quisiera salir corriendo del lugar. Yo no conocía al chico, ni sabía el tipo o la profundidad de relación que compartían, pero sabía que la muerte de un amigo siempre dolía, más cuando te culpabas por ello.

Sabía que Alex odiaba también estos pérfidos sucesos, porque no pertenecía a escenarios como este. Su aura era dispar y contrastante en un lugar tan lúgubre.

Tomé su mano cuando pareció a punto de venirse abajo. Dio un respingo de sorpresa y bajó la vista para observar nuestros dedos entrelazados. Le di un apretón, intentando reconfortarlo. No esperaba que me regresara el gesto. De hecho, estaba segura de que lidiaría con esto solo, pero no. Apretó mis dedos de vuelta, envolviendo mi mano con la suya, que era mucho más grande. Jaló mi cuerpo para estar más cerca, de manera que mi brazo se presionaba contra el suyo, sin ningún resquicio de espacio. Su postura se relajó y pareció derretirse a mi lado para amoldarse. Coloqué mi cabeza contra su hombro y por la forma en que suspiró, supe que al menos logré apaciguar su ataque de pánico.

Permanecimos así, uno junto al otro hasta que el solemne acto concluyó, hasta que el ataúd desapareció de nuestra vista y quedó bajo tierra por completo. Esperaba con todas mis fuerzas que Alexander lograra enterrar sus culpas de la misma forma en que había enterrado a su amigo.

Miré a Alex desde la distancia hablando unos metros más allá con el hombre de la barba grisácea. Era bajo, hirsuto y fofo. Mantenía una conversación cerrada con él y me inquietó.

—Lamento si te sientes incómoda.

Di un respingo cuando escuché una voz a mi espalda y casi sonreí al notar quién era.

—¿Incómoda por qué? —respondí con mi mejor tono neutral cuando Louis se posó a mi lado.

—Por estar sola en un lugar con gente que no conoces.

Presioné más los dedos contra mi pequeño bolso para controlarme y evitar hacer una escena exigiendo respuestas, porque sabía que así no las obtendría. Tendría que tragarme toda la bilis y actuar con inteligencia para llegar a ellas.

—Bueno, puedo decir que a usted lo conozco.

—¿Ah, sí? —Elevó una comisura de la boca, como si estuviese complacido por eso.

—Quiero decir que lo he visto un par de veces, al menos es un rostro familiar.

«Muy familiar» se mofó mi conciencia.

—Es bueno que decidieras acompañarlo. Necesita apoyo.

Le lancé una mirada asesina sin ser consciente de ello hasta que me obligué a respirar. Si Alex estaba en esa situación, era culpa suya y de sus amigos.

—Es lo que hacemos las parejas, ¿no? Apoyarnos en las adversidades. —Lo escruté por el rabillo del ojo—. Aunque no todas hacen lo mismo.

Calibré su reacción, esperando provocar algo, cualquier cosa que delatara el que pensara en mi madre.

—Supongo. —Se encogió de hombros con indiferencia.

—¿Usted ha estado casado alguna vez?

—No.

—Ya veo.

Un silencio pesado se instaló entre nosotros y mi corazón latió en mi garganta. Era ahora o nunca, necesitaba lanzar la bomba y rogar porque no me explotara en la cara.

—Me gustaría hablar con usted —solté de la nada y Louis frunció el ceño.

—¿Sobre qué?

Me aclaré la voz para intentar remediar el asunto y no joderlo más de lo que ya lo había hecho con mi falta de tacto.

—Es un tema importante y me gustaría que lo discutiéramos.

—¿Y tiene que ver conmigo?

—Sí.

—¿De qué se trata?

—Un tema del pasado. Es algo que le interesará mucho escuchar y a mí también. Pero este no es un buen momento —lo encaré con toda la seguridad posible, aunque mis piernas estuviesen temblando bajo el vestido.

Se acarició el mentón, pensativo.

—¿Por qué habría de asistir? ¿Qué gano yo con eso?

Me encogí de hombros.

—Saciar su curiosidad, supongo.

—¿De qué tema del pasado hablas?

Arrugué los labios con los nervios anudando mi estómago.

—Creo que usted y yo tenemos más en común de lo que imaginamos, pero no lo discutiré ahora, es demasiado… personal.

Aquello pareció pillar su interés.

—Debe ser un tema importante, en ese caso.

—Mucho. De hecho, tenía tiempo pensando proponérselo, pero nunca tuve la oportunidad. Fue una suerte encontrarlo.

Sus labios se ensancharon en una sonrisa felina que resultó grotesca y me provocó un escalofrío.

—Más bien diría que fue una suerte encontrarte a ti. ¿Tiene que ver con tu esposo?

—No —respondí observando a Alex en la distancia. Cuando nuestros ojos conectaron por accidente, giré el rostro del lado contrario al de Louis. No quería otra sarta de reprimendas por mi falta de cuidado. El aludido pareció notarlo porque soltó una risita.

—¿Tan pronto y ya estamos guardando secretos en el matrimonio? Eso no pinta bien.

Abrí la boca para responder cuando mi esposo se acercó, seguido muy de cerca por el hombre de la barba.

—¿No vas a presentarnos? —inquirió su acompañante cuando llegaron hasta nosotros.

Alex se situó junto a mí, posando una mano sobre mi cintura para mantenerme cerca.

—Ella es mi esposa Leah. Él es Rick —dijo hosco, como si las palabras le escocieran la lengua.

El hombre sonrió cortés, extendió una mano que yo quise escupir, romper y pisar, porque al fin podía darle una cara al nombre que tantos problemas había causado en la vida de mi esposo.

—Es un placer conocerte, he escuchado mucho sobre ti. Eres incluso más hermosa en persona —me halagó condescendiente.

—Gracias —respondí con frialdad, observando su mano sin estrecharla. Alex me alejó un poco tirando de la cintura.

—Tenemos que irnos. Es tarde —informó arisco, con su rostro endurecido.

El gesto de Rick se desvaneció e hizo puño su mano antes de colocarla en su costado otra vez.

—Aún es temprano. Pensaba que quizá podíamos ir a comer algo para charlar un rato —sugirió con el mismo tono amable que no le creía ni un niño.

—No es una mala idea —lo apoyó Louis a nuestro lado.

—Tenemos cosas que hacer. Los veré después —los rechazó mi esposo.

—En ese caso, espero que volvamos a coincidir, señora Colbourn —se despidió el idiota de la barba inclinando su cabeza.

—Lo dudo —contestó Alex tomándome de la mano para conducirme lejos del lugar.

—Hasta pronto, Leah.

No pude ver la cara de Louis, pero el tono alegre en sus palabras no pasó desapercibido.

Terminé de vestirme con la camiseta y tomé el móvil de la mesita de noche justo cuando dejaba de vibrar para mandar otra llamada de papá al

buzón. Sabía que estaría furioso conmigo por haber pasado noches fuera de casa, pero necesitaba comprender lo importante que era para mí el bienestar de Alexander, y si esta era la única manera en que lo haría, entonces afrontaría las consecuencias.

Me hice una coleta y fui hasta la sala, donde Alex ordenaba unas fotografías sobre la mesa de centro. Tenía tiempo sin dedicarse a eso y me alegró saber que al menos estaba dispersando su mente.

—Son buenas. —Me detuve junto a él para apreciar los paisajes.

Permaneció con la vista pegada a las capturas.

—Supongo, aunque son viejas. Estaban en la memoria y no había tenido tiempo de imprimirlas. Puede que envíe algunas con la solicitud de admisión.

Ah, la admisión. Habían sucedido tantas cosas durante los últimos meses, que olvidé por completo su meta de mudarse a Suiza, y con todos los problemas que tenía en este lugar, seguramente esa ambición se había reforzado.

—Les encantarán.

Resopló como si no estuviese convencido de ello, pero no dijo nada al respecto.

—¿Te vas? —preguntó cuando levantó la mirada.

Asentí.

—Tengo que ir a casa. Mis padres deben estar al borde de un colapso por no saber nada de mí desde hace días.

—¿Y te irás así? —Señaló su camiseta de los Washington Redskins que vestía y yo di la vuelta para modelársela.

—He llegado a la conclusión de que tus camisetas son mucho más cómodas que mis blusas.

Soltó una risa.

—Claro que lo son, te quedan enormes.

—¿Y? Me queda divina y es la nueva moda de todas formas.

Su expresión dejó claro que no servía como comediante y suspiré.

—No tengo más ropa aquí. Mi blusa está sucia y el vestido que compré está pues... —Le dediqué una mirada significativa para hacerle entender que no estaba feliz con que lo hubiese hecho jiras.

—¿Roto? —completó—. De nada, te hice un favor. Ese vestido era una tortura.

—¿Para quién? ¿Para ti?

—Para los dos —dijo con seguridad, esbozando una sonrisa de suficiencia y tomó mi mano para jalar de mí. Mis rodillas se encajaron en el mullido sillón a ambos lados de su cadera y me acomodé sobre su regazo—. Deberías traer más ropa, así no me dejarías a mí sin nada que usar.

Estreché los ojos, suspicaz, y cerré mis brazos en torno a su cuello.

—¿Estoy perdiendo la razón o estás diciéndome que me mude contigo?

—Wow, tu capacidad de deducción es asombrosa —dijo sarcástico, y agradecí su tono porque el brillo en sus ojos desplazaba un poco el dolor que cargaba por la muerte de Michael—. Sherlock estaría orgulloso.

Le di un golpecito en el pecho.

—Cállate —lo reñí—. ¿No crees que es una mala idea? Creo que terminaríamos matándonos el uno al otro.

—Pues… —Fingió considerarlo antes de que sus labios se curvaran en una pequeña sonrisa traviesa. Era evidente que su humor había mejorado después de sumirse en mi cuerpo; el mío también—. Hay una gran probabilidad de que te mate follándote por un ataque al corazón uno de estos días, así que…, ¿qué importa?

Una carcajada brotó de mi garganta sin que pudiera detenerla.

—Ese es un riesgo que sí quiero tomar. —Acorté la distancia que nos separaba para besarlo sin perder el gesto—. Supongo que puedo comenzar a traer cosas, como pantalones, blusas, bragas...

La respuesta fue inmediata: las manos de Alex se posaron en mi culo sobre la tela de mi falda, pegándome más a él. Su miembro se hinchó dentro de su pantalón y sonreí triunfal.

—Esa es la reacción que estaba esperando.

—Deberías parar si no quieres que cambie de opinión sobre dejarte ir —amenazó. Sus dedos se colaron bajo mi falda, su tacto ascendiendo por mis muslos hasta encontrar el borde de mi ropa interior—. Me parece perfecta la idea de que dejes aquí más cosas tuyas, empezando por las bragas. Sobre todo, esas que son de encaje negro y tienen una forma que...

—¿Cómo las que estoy usando ahora? —pregunté con inocencia, molestándolo.

Un sonido gutural emergió de su garganta y levantó mi falda para comprobar que, en efecto, sí estaba usando esas bragas.

—Son las únicas que nunca sé si quiero dejarlas o arrancártelas. Se te ven muy bien.

Gemí cuando movió sus caderas, frotando su erección contra mí para demostrar su gusto por ellas.

—Para, tengo que irme. Llegaré tarde.

—¿Y de quién es la culpa? —susurró acariciando mi cuello con sus labios, acelerando mi pulso en menos de dos segundos.

—Detente —pedí empujando mis manos contra su pecho y me soltó al instante con un suspiro de decepción—. Te lo compensaré después.

Sus dedos acariciaron mi mejilla y sus ojos recorrieron ávidos la forma de mi rostro.

—Está bien, pero tus cosas pueden quedarse, y tus bragas, y tú.

Volví a sonreír como idiota, con mi corazón acelerándose por una emoción muy distinta a la lujuria.

—Eres tan dulce.

—¿Aunque sea un imbécil sarcástico contigo?

—Creo que eso me enamora más.

—¿Y qué hay de mis errores?

—También.

—Qué masoquista eres.

—Supongo que lo soy. Lo bueno para ti es que tienes todos los días de tu vida para compensarme por tus errores y por ser un imbécil conmigo.

Enarcó las cejas.

—¿Todos los días de mi vida?

—Sí, todos los días. —Lo besé entonces, disfrutando del sabor de su boca, explorándola a pesar de que ya conocía cada recoveco y curva de ella.

Cuando nos separamos, sus labios estaban hinchados y sus ojos de un azul claro.

—Creo que ese es un riesgo que también vale la pena tomar.

Sonreí y lo besé una última vez antes de ponerme en pie.

—Tengo que irme.

Asintió acomodándose en el sillón y caminé hacia la puerta, pero detuve mi andar justo cuando estaba por llegar al vestíbulo.

—Ah, casi lo olvido. —Me giré y me observó desde su lugar con curiosidad mientras yo levantaba mi falda, me quitaba las bragas y se las lanzaba sin previo aviso. Sus reflejos de deportista las atraparon en el aire—. Dijiste que mis bragas podían quedarse, ¿no?

Miró la prenda hecha puño en su mano y después a mí antes de echarse a reír.

—Estás loca, McCartney.

—Gracias, sé que te encanto por eso. Y mi apellido es Colbourn ahora, recuerda.

—Más te vale que nadie mire debajo de esa falda. Lo que escondes ahí me pertenece —amenazó con un tono más oscuro.

—Ya lo sé, señor mandón.

Salí de su departamento sin decir nada más, con su risa inundando todavía el lugar, lo que contrastaba con el estado en que lo había encontrado. Mi corazón latió más fuerte al saber que al menos hice que volviera a sonreír, o lo que es mejor, yo era la razón de su sonrisa.

Louis ya esperaba por mí cuando llegué al café donde lo cité.

Habían transcurrido cinco días desde nuestro encuentro en el funeral de Michael, un tiempo que consideraba prudente dejar pasar antes de llamarlo y reunirnos.

¿Era muy tarde para huir? Porque si no huían mis pies, lo haría mi corazón con lo rápido que latía. Caminé entre el montón de mesas en el pequeño café situado en la parte empresarial de la ciudad, una de las más concurridas y seguras. Si intentaba algo, al menos habría testigos.

Ahora, luego de darle vueltas a esta idea por días, al fin estábamos ahí, frente a frente.

—Siempre es un placer verte otra vez, Leah —saludó con una cortesía que rozaba la exageración. Y la falsedad.

—Hola.

—¿Cómo van las cosas? No he sabido mucho de Alexander.

La camarera se acercó a nuestra mesa, su libreta y bolígrafo listos para anotar.

—¿Qué va a ordenar? —preguntó la chica.

Mi estómago estaba demasiado revuelto con la incertidumbre para ingerir algo.

—¿Quieres algo de beber? —preguntó Louis con educación, ignorando las miradas extrañas que recibía de la mesera por sus cicatrices.

—Estoy bien así, gracias —rechacé con una forzada sonrisa.

—Está bien, ordena lo que quieras —insistió, pero negué con un gesto.

La chica giró sobre sus talones con mala cara y desapareció entre el mar de clientes.

El café estaba abarrotado y las conversaciones de los comensales se mezclaban hasta volverse un sonido indescriptible.

—Lamento la interrupción. —Su mano tembló cuando tomó la taza y se la llevó a los labios—. ¿Me decías?

—Prefiero que evitemos las conversaciones banales y vayamos al grano. No quiero perder el tiempo —lo informé estoica.

Enarcó una ceja partida, pero accedió.

—¿Y bien? ¿Sobre qué quieres hablar? ¿Qué es ese tema tan importante sobre el pasado que quieres discutir? Que yo sepa, no hay nada sobre mi pasado que pueda int…

—Sé quién eres —solté sin más.

—¿Perdón? —Su expresión se transformó.

—Sé quién eres —repetí más alto—. Louis Balfour.

Sus ojos se abrieron desmesurados de pronto, la sorpresa asaltó su cara mientras extraía de mi bolso la fotografía que había logrado obtener por Edna, la enfermera de su padre.

—¿De dónde sacaste esto? —preguntó hosco.

—¿Por qué me mentiste sobre tu nombre?

—Responde mi pregunta primero. —Alzó la vista hacia mí, sus ojos avellana eran penetrantes y su tono amenazador.

—Eso no importa. Te he investigado. Sé que Demian Balfour es tu padre, que tenía un puesto de director en la facultad donde tú estudiaste medicina, que abandonaste la carrera por enfrentar cargos con tráfico de drogas y que saliste hace poco por buena conducta.

Su mano tembló violentamente, aunque no pude descifrar su expresión.

—No sé qué estés buscando, pero no creo que este juego que intentas ganar sea apto para una niña idiota como tú. Las consecuencias pueden ser severas —amenazó, pero no flaqueé.

—Sé perfectamente lo que estoy haciendo.

—No creo que a tu esposo le guste que te metas en esto.

—Mis motivos para hacerlo no tienen nada que ver con él.

—¿Y por qué me dices todo esto? ¿Qué pretendes lograr, ah? ¿Qué mierda ganas tú con eso?

—Información.

Echó su cuerpo hacia atrás de pronto, con su ceño tan fruncido que todas las cicatrices de su cara se arrugaron.

—¿Sobre qué?

—Sobre tu vida, eso es lo que quiero.

—No te estoy entendiendo, niña.

—Quiero saber qué tipo de relación tenías con mi madre —exigí con tono duro y todo el color desapareció de su cara.

—¿Tu madre?

—Allison Lowe, quiero saber qué relación mantenían.

—Yo no...

—No te molestes en mentirme, sé que se conocieron. La doctora Denisse Hoffman lo confirmó.

Se pasó una mano por el cabello, quizá al saber que estaba acorralado por mí y no había más opción que decir la verdad.

—Sí conocí a tu madre —confesó reticente—. Estuvimos juntos en la carrera, compartimos prácticas en el programa de Denisse Hoffman.

—¿Solo eso? ¿Qué tipo de relación tenían? ¿Por qué mi madre no soporta escuchar tu nombre? ¿Qué ocurrió entre ustedes que la dejó tan mal?

Ante esto, su deje de pánico desapareció y algo en él fue diferente.

—¿Tu madre no te lo dijo? —preguntó y sacudí la cabeza en una negativa—. Qué desconsiderada. Creí que la habíamos pasado bien.

—¿Qué? —inquirí con voz temblorosa.

—Fuimos pareja, tu madre y yo.

Sus palabras cayeron como piedras sobre mi estómago. De pronto me sentí furiosa con mamá por mentirme, por ocultar siempre partes de su vida que eran tan naturales como esa. ¿Por qué nunca me contó sobre él?

—Fueron... ¿pareja? —pregunté y asintió con decisión, el atisbo de una sonrisa adornaba sus labios—. ¿Por cuánto tiempo?

Se encogió de hombros.

—Varios meses. —Pareció complacido con el recuerdo.

—¿Por qué terminaron?

Su mano tembló sobre la mesa una vez más.

—Creo que sabes la respuesta.

Negué con la cabeza.

—Por tu padre —dijo en tono ácido—. Ellos mantenían una relación muy... particular.

—¿Particular? ¿Cómo?

—Por su profesión.

Parpadeé sin comprender.

—¿Cuál profesión? ¿La medicina?

Resopló, como si todo esto le pareciera muy divertido, y se cruzó de brazos.

—Nos queríamos mucho. Ella me adoraba.

La confusión abarcó todo a su paso dentro de mi mente y me sentí perdida. Siempre pensé que la única persona que mamá había amado en su vida era papá. Ahora estaba más que claro que no era así.

—Si se querían tanto, ¿por qué terminaron?

—A veces el dinero tiene más poder.

—Pensé que me dirías que lo dejaron porque enfrentaste cargos por su culpa. Pensé... Pensé que ella te había denunciado. —De pronto, una alarma

se encendió en mi cerebro ante la nueva posibilidad—. ¿Estás molesto con ella por eso? ¿Quieres hacerle daño?

Su cara se compungió en una fea mueca, pero duró solo un momento.

—No, nunca le haría daño, pero sí, ella tuvo que ver con mi detención. Aunque yo apostaría a que lo hizo por influencia de tu padre. Estaba muy ansioso por deshacerse de mí —espetó con resentimiento.

Lo observé en silencio, con mi mente trabajando a toda velocidad para asimilar y conectar sus palabras. Tenía sentido. Eso explicaba por qué papá estaba tan ansioso por encontrarlo cuando lo escuché hablando con Bastian, pero...

—No entiendo. Una vez escuché decir a papá que le hiciste mucho daño a mamá, pero no entiend...

—Muy curioso que lo haya dicho tu padre, ¿no crees? Ya te lo expliqué, estaba ansioso por deshacerse de mí. Jamás le haría daño. —Se llevó una mano al corazón y sonó sincero.

Permanecí en silencio, confundida. Papá no era una mala persona, entonces, ¿por qué haría un circo tan grande para deshacerse de él?

—Eso no explica lo del daño, o por qué mamá no soporta escuchar sobre ti.

—Tal vez no puede escuchar sobre mí por lo mucho que le duele recordarme —respondió con pesar—. Siempre creí que me amaba, pero supongo que otros intereses ganaron su corazón.

Mi estómago se cerró y las náuseas se alzaron hasta mi esófago. Si él decía la verdad, si Louis y mamá habían sido una pareja, entonces...

—¿Sabes si mamá se embarazó mientras estaba contigo?

Su cabeza se alzó de pronto con la sorpresa escrita en su rostro. Yo apenas respiraba durante los segundos que tardó en responder.

—Sí, algo me dijo al respecto, pero asumí que era producto de la relación que ya mantenía con tu padre. ¿Por qué?

Su respuesta casi me hizo desfallecer. Estaba sufriendo una taquicardia mientras intentaba controlar mi respiración para no tener un ataque, para no enloquecer ante la innegable verdad que se alzaba como un farol en esa bruma de dudas.

—Creo que necesitas hablar con mamá —mis palabras salieron casi susurradas.

—¿Ah, sí? —Enarcó las cejas y sonrió—. Estoy seguro de que le encantará volver a verme.

Asentí con un nudo en la garganta. Necesitaba llevarlo a casa, con mamá y papá. Necesitaba encarar a esos mentirosos.

Necesitaba escuchar la verdad.

11
LA DULCE VERDAD

Pulsé el botón y rechacé la llamada de Alex. No quería que se enterara de lo que estaba a punto de hacer o me haría cambiar de opinión. No podía permitir que eso sucediera, no cuando estaba tan cerca de obtener lo que quería.

Abrí la puerta cuando escuché el timbre.

—Hola, niña —saludó Louis.

Sus ojos se clavaron en los míos, filosos e insondables. Mi corazón no dejaba de galopar en los confines de mi pecho; parecía a punto de saltar y emprender una carrera por todo el vestíbulo para esconderse.

Había una vocecita en mi cabeza diciéndome que algo malo resultaría de todo esto, que le cerrara la puerta en la cara y desistiera de esta descabellada idea, pero mi curiosidad la acallaba.

—No pensé que llegarías tan rápido —dije desde el umbral.

—Estaba ansioso por este encuentro. —Estiró los labios en una sonrisa ladina y caminó por el vestíbulo, observándolo todo—. Qué bonita casa, tu madre debe estar encantada con ella.

—Supongo que sí. —Inspiré para armarme de valor—. Acompáñame.

Caminó pisándome los talones, igual que una sombra ominosa.

Nos detuvimos frente a la puerta que precedía el estudio de mamá. Fue toda una odisea encontrar el momento indicado para abordarla sola, sin que papá estuviera en casa. Si él había manipulado la verdad, ya no estaría para hacerlo otra vez.

—Espera aquí —le pedí.

Aguardó expectante a que yo abriera la puerta. Cerré mis dedos en torno a la manija, con mi corazón latiendo como loco, mi estómago volcado y mi pecho comprimido por la anticipación.

Mamá levantó la cabeza de sus expedientes en el momento que entré a la estancia.

—¿Qué pasa, cariño? —preguntó con voz suave.

—¿Estás ocupada?

—No. —Hizo el papeleo a un lado para demostrarlo—. ¿Qué sucede?

—Quiero... Quiero mostrarte algo.

Enarcó ambas cejas, pero sonrió.

—Claro, ¿qué es?

Inspiré una última vez para calmar mis nervios. Giré mi cuello hacia la puerta y hablé; mi voz salió tan tensa que no pareció mía.

—Pasa.

Louis se materializó en el umbral, con su postura tan imponente como un monolito, su boca torcida en una mueca de satisfacción y sus ojos brillantes.

El estruendo de la silla contra el piso me hizo fijar la vista en mamá. Se había incorporado de un salto y tenía una expresión de tal angustia que incluso yo sentí un atisbo de pánico.

—Tiempo sin verte, Allison —saludó mi invitado.

Nunca vi tanto terror en los ojos de mamá, pero estaba ahí, tan evidente que pensé que se desmayaría. No había sorpresa, o pesar, o cariño. No había otra emoción en su rostro, solo miedo.

—¿Mamá? —la llamé cuando pensé que había entrado en estado catatónico.

—¿Qué haces aquí? —susurró.

—¿Me extrañaste? —inquirió él con tono burlón sin despegar los ojos de ella.

—¡No deberías estar aquí! —gritó con voz quebrada—. ¡No tienes nada que hacer aquí!

—¡Sí tengo! —vociferó Louis y dio un paso al frente, al tiempo que mamá daba una zancada hacia atrás.

—¡Lárgate!

—¡Mamá! —volví a llamarla cuando pareció al borde de una crisis, su respiración era errática y sus ojos estaban llenos de horror.

Dios, ¿qué había hecho?

—Aléjate de mi hija —lo amenazó con toda la valentía que pudo reunir—. ¡Aléjate de ella ya mismo!

—¿Por qué debería? Leah y yo somos amigos, ¿verdad, niña? —Giró su rostro hacia mí y lo miré sin que nada acudiera a mi mente por la impresión.

Siempre que imaginaba este encuentro, luego de mi charla con Louis, jamás lo hice de esta manera. Pensé que mamá se impresionaría de verlo, al final, era alguien de su pasado y el padre de su hijo, pero no creí que lo recibiría con miedo.

¿Quién era él en realidad? ¿Qué le había hecho a mamá? ¿Y qué había hecho yo al traerlo a casa?

Louis se abalanzó sobre el escritorio cuando mi madre intentó tomar el teléfono. Se lo arrebató y apresó su muñeca.

—No arruines esta bonita reunión —siseó—. Apenas hemos comenzado.

—Suéltame —suplicó forcejeando—. ¡Leah, vete!

—¿Por qué? —pregunté angustiada. No comprendía nada—. Louis, suelta a mamá, por favor. La estás lastimando.

—¡Vete! —insistió mamá, pero no pensaba dejarla sola. No con él.

—Louis, suéltala o llamaré a los guardias —amenacé.

—¿Para qué quieres que tu hija se vaya? ¿No crees que fue suficiente de tus mentiras, Allison? ¿No crees que es hora de que tus hijos sepan quién es su madre?

—¡Me estás lastimando! —se quejó intentando liberar su muñeca del agarre de Louis, y su cara se tornó roja por el llanto—. ¡Suéltame! ¡Suéltame!

—¿O qué? No eres tan valiente sin tu perro guardián, ¿no? ¿Dónde está tu sabueso?

Mamá soltó un quejido de dolor y eso bastó para hacerme reaccionar. Arremetí contra él y lo empujé con mi cuerpo para alejarlo.

—¡Esto no fue lo que dijiste que harías! ¡Dijiste que solo querías hablar! —Lo golpeé en el pecho cuando me interpuse entre él y mi madre. Retrocedió un paso.

—Eso es lo que vamos a hacer, ¿no, Allison? Vamos a hablar y decirle a tu hija toda la verdad.

—¡Estás loco! —gritó ella entre lágrimas—. Vete, Louis, no le diré a Leo que estuviste aquí, pero vete ahora.

—Quiero ver a mi hijo —soltó sin más y escuché el jadeo de impresión que lanzó mamá a mi espalda.

Me giré y miré a mi madre en busca de respuestas.

—No sé de qué hablas.

—¡Sí sabes! —gritó él, furioso—. La última vez que nos vimos me lo preguntaste, me preguntaste si nos habíamos cuidado. —Sonrió con maldad—. Así que decidiste conservar a mi hijo después de todo. ¿Qué? ¿Querías tener un recuerdo de lo bien que la pasamos juntos mientras estábamos drogados hasta el culo?

—¡Cállate, cállate! —gritó con desesperación, a punto de quebrarse.

—¿Tiene mis ojos? ¿Mi temperamento? ¿Está tan loco como dices que lo estoy yo? ¿Qué heredó el pobre chico de mí?

Verla en ese estado tan vulnerable y devastado fue como recibir una bofetada. Luchaba por no venirse abajo, pero la presencia de Louis y su cercanía la atormentaban sobremanera.

—¡Basta ya! —Corrí hasta ella y rodeé sus hombros con mis brazos para estrecharla contra mí—. Fue suficiente, Louis. Vete, ¡ahora!

—Tú me invitaste aquí porque querías escuchar la verdad —dijo seco y se irguió—. Y voy a darte precisamente eso.

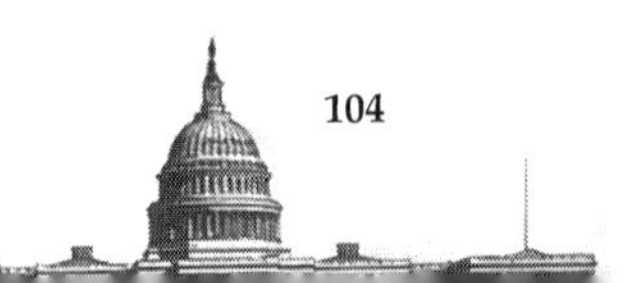

—¡Basta, basta, basta! ¡Vete de aquí, vete! —la voz de mamá era un gañido por el miedo.

—No me iré.

Mi madre usó los últimos resquicios de valor para colocarme detrás de sí cuando Louis rodeó el escritorio y se acercó hasta quedar a un palmo de distancia de ella.

—Leo te matará si te encuentra aquí —lo amenazó con toda la convicción que pudo reunir.

Él soltó una risa desdeñosa.

—Será mejor que esta vez termine el trabajo. —Se señaló la cara con un dedo y sus cicatrices se arrugaron en una mueca. Ahogué un jadeo de impresión—. Pero antes, es hora de que confieses algunas verdades.

—¡Cáll...!

Dio otro paso y mamá retrocedió conmigo detrás.

—¿Por qué no le cuentas a tu hija cómo se conocieron Leo y tú?

—Louis, por favor, no hagas esto —le suplicó.

—¿Por qué no le cuentas que su familia no es tan perfecta como parece, ni su madre tan buena como aparenta ser?

—¿Qué? —balbuceé desde mi lugar.

—Louis —rogó mamá.

—¿Por qué no les dices a tus hijos lo que eres, Allison? ¿Por qué huyes de la verdad? Diles que eras la puta de su padre.

—¡Cállate! —Se abalanzó sobre él, empujándolo con sus palmas, antes de que él cerrara sus dedos en torno a sus muñecas, apresándola.

—Diles cuánto pagaba Leo por ti para follarte.

—¡No!

—¡Paren! —Intenté colocarme en medio de ambos para alejarlo, pero no lo conseguí.

—Cuéntales cómo te dejabas coger por otros hombres a cambio de unos billetes.

—¡Louis! —gimió mamá con desesperación, mientras él continuaba sacudiéndola con violencia.

—Cómo me la chupabas para que no revelara tu sucio secretito, para que no dijera a los demás la vil prostituta que eras. La gran Allison Lowe, la estudiante estrella de la doctora Hoffman, dejándose follar por todos con tal de conseguir un mejor futuro.

Mi cerebro pareció desconectarse después de eso, sobrecargado con información que no sabía cómo procesar. De pronto todo pareció hacer clic en mi mente: el por qué mamá decía que se habían conocido en un bar, por qué decía siempre que había sido el regalo de papá, la conveniencia que representaba para ella esa relación, todo.

—Lo disfrutabas como la zorra que eres, ¿no es así? Cada vez que estaba dentro de ti —dijo con voz cruda mientras mi madre seguía forcejeando para librarse de su agarre—. Dime, Allison, ¿Leo aún te paga por follarte? Para no perder la costumbre, quiero decir.

Escuchaba sus voces, distinguía sus palabras, pero no sentía mi cuerpo, era incapaz de reaccionar, de siquiera mover un músculo. Estaba envuelta en las verdades que salían a flote y me hundían a mí en el proceso.

—Eres una mierda —gimoteó mi madre sin dejar de luchar—. Has perdido la razón, la perdiste por completo.

—Siempre has creído que eres mejor que yo, cuando somos iguales, por eso has tenido un hijo mío, ¿no? La vida te enseñó que somos lo mismo —le dedicó una sonrisa mezquina.

Mamá logró asestarle un golpe en la cara que le dio el tiempo suficiente para alejarse, antes de que él se recuperara y alcanzara su brazo, cerrando su mano en torno a él como un grillete.

—¡Para! —hablé por fin cuando salí de mi estupor, forcejeando con él hasta lograr que la dejara ir—. Ya fue demasiado. Vete antes de que llame a la policía.

La agresividad de su rostro pareció aminorar, pero el pálpito del miedo se percibía aún en la estancia, el regusto de la adrenalina todavía corriendo por mi cuerpo.

—Quiero ver a mi hijo —demandó con un tono grave luego de unos segundos.

Mamá lanzó un quejido detrás de mí.

—¡Que te largues!

Se retiró una gota de sudor de la frente para después arreglar sus ropas sin dejar de mirarnos. Luego se pasó una mano por el pelo ralo y soltó el aire.

—Fue un placer volver a verte, espero que se repita, Allison. —Fijó entonces su atención en mí—. Gracias por invitarme.

—Yo lamento haberlo hecho —siseé.

La ira bullía de mi cuerpo y me hervía la sangre. Quería matarlo por agredir a mi madre. Dio un paso hacia nosotras con toda la intención de acercarse, pero mantuve a mamá detrás de mí y lo miré con fijeza.

—Te romperé la nariz si das otro paso. Lárgate, Louis.

Otro quejido de desasosiego inundó el aire y no fue tan idiota para intentar lastimarnos. Hizo una mueca y salió por la puerta dando largas zancadas.

Mamá se desplomó en el suelo apenas desapareció, abrazándose a sí misma, y yo me arrodillé junto a ella mientras la rodeaba con mis brazos y la estrechaba contra mí.

—Lo siento, mamá, lo siento, lo siento —gimoteé al tiempo que sentía las lágrimas caer por mis mejillas—. Lo siento tanto. No sabía… No sabía…

—No lo sé —respondió sin dejar de llorar, pero no comprendí.

—¿Qué cosa?

—No sé quién es el padre de Erick —confesó.

Mi corazón se quebró dentro de mi pecho y lloré con mayor ahínco. Por tristeza, por impotencia y por amargura.

Había perdido la capacidad de distinguir quién era el héroe y el villano, y las líneas entre el bien y el mal se habían desdibujado.

El cielo estaba tan oscuro como la tinta cuando papá entró a mi habitación como una violenta ráfaga de viento.

—¿Qué estabas pensando? —espetó cuando estuvo a dos pasos de distancia—. ¿Qué mierda tienes en la cabeza, Leah?

Lo observé fijamente mientras percibía la furia dentro de mí borbotear como la lava de un volcán, a punto de hacer erupción. Me incorporé con parsimonia de la cama y permanecí impasible.

—Estaba pensando en lo mucho que quería conseguir respuestas. No pensé que mamá reaccionaría de esa manera.

—¡Mira a dónde nos ha llevado tu sed por respuestas! ¡Mira lo que le has hecho a tu madre! ¿Tienes idea de lo que provocaste? —gritó alterado, perdiendo los estribos como jamás lo había visto antes.

—¡Lo único que quería era la verdad! —bramé también, colérica.

—¡Pero esa no era la manera de conseguirla! ¡¿Tienes idea del riesgo al que sometiste a tu madre, a ti?! ¡No eres consciente de nada! ¿Cómo pudiste traerlo aquí?

—Louis me dijo la verdad, ¡algo que ustedes jamás iban a hacer porque son unos mentirosos!

—¡No sabes lo peligroso que es!

—¡Tal vez lo sabría si me lo hubiesen dicho!

—¡Leah! Él es un enfermo hijo de puta que…

—¡Él me dijo la verdad!

—¡Despierta, Leah! ¡El mundo no es de color rosa! ¡No es tan fácil como tú crees, no seas idiota!

—¡Todo su matrimonio es una mentira!

Papá se acercó y me tomó del brazo con brusquedad, con su rostro rojo por la ira. Por un momento pensé que iba a golpearme, hasta que su agarre se aflojó. De pronto, parecía dolido y aterrado. Era la primera vez que lo apreciaba en una faceta tan vulnerable, a él, que siempre había sido mi ejemplo de templanza y fortaleza.

—Tu madre no tuvo elección. Salir de ese mundo no es tan sencillo como tú crees. Hizo lo que pudo para sobrevivir, no sabes el valor que todo aquello representa.

—¿Y cuánto valor se necesita para mentirle a tus hijos? —siseé.

No estaba molesta con mamá por su pasado, por lo que había hecho para sobrevivir. Eran las mentiras, los secretos y las versiones manipuladas de la verdad para enaltecer a unos y rebajar a otros, para mantenernos en la oscuridad.

—Leah, tu madre...

Caminé con pasos furiosos hasta la cama y tomé las fotografías que aún conservaba de Louis en su juventud. Se las estampé en el pecho ignorando su expresión de sorpresa.

—Mamá no sabe quién es el padre de Erick, pero yo tengo la respuesta: no es tuyo. Es igual a él, es igual a Louis.

Las observó perplejo.

—Erick merece saber la verdad —afirmé y sus facciones volvieron a endurecerse. Arrugó las fotografías y las tiró al piso con desdén.

—Erick es mi hijo, igual que ustedes dos.

—¡Deja de mentir! ¡Mi hermano merece saber la verdad!

—¡Leah, joder! —gruñó perdiendo por completo los estribos.

—¡Estoy harta de sus putas mentiras!

—¡Con un carajo, no estás pensando bien las cosas! ¡Escúchame!

—¿Para qué? ¿Para que vuelvas a mentirme a la cara? No. —Sacudí la cabeza—. ¡Son unos egoístas!

—¿Por qué gritan tanto? —Erick apareció en el umbral en ese momento, interrumpiendo la discusión—. Sus voces se escuchan desde la escalera. ¿Qué está pasando?

Papá me lanzó una clara mirada de advertencia.

—Tu madre tuvo una crisis nerviosa —explicó.

El semblante de Erick estaba inundado de consternación.

—Lo sé, me lo dijiste. ¿Qué pasó?

—Nada, tu hermana...

—Encontré a Louis Balfour. Lo traje a casa hoy —lo interrumpí para escupir todo lo que sabía antes de que papá encontrara una forma de disuadirme.

El aludido me fulminó en una clara indicación de que cerrara la boca, pero yo no iba a ser parte de sus engaños.

—¿Lo encontraste? — Erick frunció el ceño y asentí con lentitud.

—Leah, ya para —suplicó papá.

—Por eso mamá está tan mal. Hablaron hoy —expliqué.

—¡Leah! —insistió, pero lo ignoré.

—Hay cosas que tienes que saber —continué.

—Leah, no hagas esto —suplicó tomándome del brazo con urgencia.

—¿Qué cosas? —cuestionó mi hermano con cautela.

—No estás pensando bien, analiza las consecuencias, ni siquiera estás segura —mi padre se concentró en él—. No la escuches, todo está bien.

—¡Deja de mentir! —rugí zafándome de su agarre—. ¡Dile la verdad por una vez!

—¡No es ninguna verdad! ¡No sabes de lo que hablas! —gritó papá.

—¡Eres un cobarde!

—¿Qué demonios está pasando? —intervino Erick alzando el tono. Estaba desconcertado—. ¿De qué hablan?

—¡Dile! —Miré a papá con dureza—. Dile la verdad.

—Leah, para ya, no necesitas arrastrarnos a todos en tu...

—¡Dile quién es su padre!

—¿Qué? —Mi hermano palideció.

—Yo soy su padre —dijo papá, dolido por mis declaraciones—. Es mi hijo.

—¡Mentira!

—No estoy entendiendo, ¿qué...?

Tomé las fotografías que permanecían arrugadas en el piso y se las tendí.

—Mamá y Louis tuvieron una relación, y ellos...Y tú... Tú eres el producto de esa relación.

El horror y el reconocimiento se reflejaron en los ojos de Erick mientras observaba las fotografías, apreciando a su padre en su juventud. Apreciando el parecido evidente que había entre ambos.

—¿Es cierto? —preguntó con un hilo de voz cuando el impacto de la revelación aminoró—. Papá, ¿es cierto?

—Lo es —confirmé.

El aludido me dedicó una mirada gélida antes de responder.

—No lo es, no...

—¿Por qué no me lo dijeron antes? ¿Por qué lo ocultaron?

—Erick, tú no entiendes, no sabes lo peligroso que es, solo intentábamos protegerlos —explicó papá.

—¿De qué? —mi hermano soltó un quejido—. ¿De mi padre? ¿Mintiéndonos?

—No tienen idea de lo que todo esto implica, no...

—¡Cómo pudieron! —gritó—. ¿Qué les pasa?

—Erick, ustedes tienen que entender que...

—Vete a la mierda, Leo. Váyanse a la mierda los dos.

—¡Erick! —lo reprendió.

—Son unos egoístas de mierda —masculló.

—No tuvieron ninguna relación, ellos...

—¡Sí la tuvieron! —objeté—. ¿Por qué insistes en mentir? ¡Él mismo lo dijo frente a mamá!

—¿Qué carajo está mal con ustedes? —dijo Erick.

—¡No entienden! —la grave voz de papá retumbó en la estancia—. No fue una relación lo que ellos mantuvieron, fue...

—¡Sí lo fue! —insistí—. Louis dijo que mantuvo una relación con mamá mientras ella se prostituía para pagar la universidad, hasta que tú te hiciste cargo de ella. —Miré a papá—. Me imagino a cambio de qué.

—¿Que ella qué? —El rostro de mi hermano era un poema de sentimientos crudos—. ¿De qué mierda hablas?

—¿Le dirás cómo se conocieron o también tendré que hacerlo yo? —desafié a papá, que tenía la mandíbula tensa y una mirada de muerte.

—¡Basta ya!

—¡No! ¡No hasta que admitas la verdad!

La tristeza y aflicción eran tan notorias en papá que resultaban casi palpables, pero la rabia, el dolor y la decepción eran un monstruo imparable dentro de mí.

—Lo siento, no puedo. —Erick se tocó la frente, abatido, e inspiró para mantener los estribos—. No puedo hacer esto ahora.

Se giró sin mediar otra palabra y salió de la habitación con pasos torpes, nervioso.

—¡Erick! —lo llamó papá disponiéndose a ir tras él, antes de encararme y mirarme con desdén por primera vez—. Espero que estés contenta con todo lo que has logrado hoy, Leah. Felicidades, lo has jodido todo.

Salió trotando por la puerta, dejándome a mí con un peso muerto en el estómago. Las emociones amenazaban con sepultarme.

Me llevé las manos a la cabeza intentando respirar en toda esa tempestad, forzándome a no llorar. No quería ser yo la que tuviera una crisis nerviosa.

Estaba furiosa con mis padres y conmigo misma. Esto había sido mi idea y debía prepararme mejor para ello, pero el resentimiento y la ira eran emociones difíciles de manejar; estaban impresas en cada uno de mis tensos músculos, aunado al dolor anclado a mi pecho que me comprimía el corazón.

Inhalé y exhalé para apaciguar el nudo que se formaba en mi garganta.

Con dedos temblorosos tomé mi móvil y llamé a la única persona que sabía que podía salvarme de mí misma. Necesitaba salir de ahí cuanto antes.

Tomé la taza que me ofrecía con manos temblorosas.

—Creí que no te gustaba el té —recalqué cuando reparé en el líquido.

—No me gusta, pero creo que lo necesitas —dijo Alex.

Llegó a casa por mí cuando lo llamé. Lo dejé conducir luchando con las viles emociones que rugían en mi interior y agradecí que no hablara en todo el camino. No fue hasta que entramos a su departamento que me derrumbé y lloré. Lloré con fuerza y ahínco, con el pecho comprimido y mi cabeza punzando por la violencia del llanto.

No pude ver su cara, ni tampoco escuchar sus palabras, pero pude sentir sus brazos rodeándome, firmes y protectores, mientras yo hacía puños su camisa con desesperación, aterrada porque desapareciera, pero se enredó en torno a mí como una fortaleza, un muro de contención que peleaba contra los devastadores efectos de mi catarsis y luchaba por mantenerme en una sola pieza mientras explotaba, derrumbándome en el interior. Alex me anclaba a la tierra mientras yo buscaba salir del pandemónium que eran mi mente y mis emociones.

Ahora estaba un poco mejor, seguía a mi lado y se lo agradecí. Di un sorbo al tiempo que él tomaba su lugar junto a mí en el sofá.

—¿Te sientes mejor? —inquirió con voz tranquila.

Me encogí de hombros con la vista fija en su mesita de centro, repasando todos los eventos catastróficos de hoy.

—Sigo sin poder creer que mi madre mantuvo una relación con Louis y tuvo un hijo con él —confesé—. Sigo sin asimilar que mis padres nos mintieran con tanto descaro por años.

Colocó una mano sobre mi espalda en un gesto reconfortante.

—Es sorprendente, sí, pero no veo el problema con eso.

Clavé mis ojos en los suyos, incrédula.

—¿Hablas en serio? Nos mintieron, Alex.

—Muchas personas lo hacen. Tú lo haces, yo lo hago, y eso no nos define como persona.

Tenía un punto, pero no significaba que doliera menos. Me dolían las mentiras, pero también imaginar el infierno al que mamá tuvo que sobrevivir.

—Tampoco imaginé su profesión —mencioné—. Debió ser horrible para ella.

—Tal vez no terminó allí por elección propia, o no pudo salir cuando quiso hacerlo. Hay situaciones de las que no es tan fácil librarse. Mírame a mí, soy un claro ejemplo de ello.

—Es distinto.

—Es parecido. La prostitución y las apuestas son mundos de los que no siempre puedes salir, al contrario, te arrastran más hacia el fondo.

—¿Estás justificando sus mentiras?

Negó con lentitud.

—Estoy poniéndote las cosas en perspectiva.

Me alejé de su toque, desconcertada, y me fundí más en el sillón.

—No entiendes lo jodido que es esto. Puede que Leo ni siquiera sea mi padre. —Miré mis manos entrelazadas en mi regazo, aterrada ante esa posibilidad.

Inclinó la cabeza y rio.

—Eres la viva imagen de tu padre, Leah, y tienen la misma actitud mandona.

Fue el intento de una broma, pero no funcionó.

—Ahora entiendo por qué tu madre decía eso de la mía —comenté con acidez, percibiendo un fuerte resentimiento hacia Agnes—. Por qué la insultaba tanto y por qué no le gustaba la idea de que estuviéramos juntos.

—Mi madre insulta a todos, no es nada especial.

Me mordí el interior de la mejilla y lo miré con devoción.

—¿Cómo lo sabía?

—Tiene sus métodos para enterarse de las cosas —dijo sin más.

Resoplé para ahogar la risa histérica que amenazaba con salir de mi boca. Alex estiró su brazo, entrelazó sus dedos con los míos y acarició mi mano con su pulgar.

—Leah, lo que tus padres hayan hecho o no, no te define a ti como persona. Tu madre es alguien extraordinaria, no menosprecies lo que ha logrado

por su pasado, no creo que se lo merezca, ni tampoco creo que lo que haya sido en su pasado te convierta a ti en algo igual.

Sus palabras estaban tildadas de tal sinceridad que calaron hondo en mi interior, buscando desesperadamente estabilizarme en esa tempestad.

—Quizás sí lo hace, no puedo deshacerme de ello, es como un sello, como una jodida letra escarlata.

Alex negó, soltando mi mano para gesticular.

—Es como una casa.

—¿Una casa? —Lo miré sin comprender.

Asintió y la luz sobre él lo dotaba de un aire casi etéreo, como si fuera un ser demasiado brillante para apreciar.

—Pasamos por muchas cosas a lo largo de nuestra vida, por los eventos que nos definen como personas, ¿no? —Lo escruté impasible, intentando seguirlo—. Nacemos y eso es la tierra. Tus padres te enseñan a hablar, a caminar. Te enseñan tu compás moral, tus creencias, y eso construye los cimientos. Después vives cosas por ti misma, las experiencias de tu vida, eso construye las paredes, el suelo, el techo, la azotea. Moldea el camino de entrada y la vista a través de las ventanas en la que apreciarás el mundo. Algunas veces construyes una mansión, otras veces es una jodida choza.

—Sigo sin comprender por qué lo comparas con una casa.

Soltó el suspiro de una risa.

—Lo que trato de decir es que tus padres construyeron tus cimientos, pero no lo que eres ahora. No a la chica fuerte, inteligente y tenaz que tengo enfrente, eso lo hiciste tú misma, y eso es lo que te define.

Una calidez se instaló en la boca de mi estómago, extendiéndose profundo por todos mis huesos, calando hasta lo más recóndito.

¿En qué momento se había convertido Alexander en alguien tan importante para mí? Estaba tan apegada a él que me aterraba.

—Quizás tengas razón —hablé por fin, con las lágrimas escociéndome los ojos—, pero lo jodí todo, destruí a mi familia por completo.

Se mantuvo impasible mientras yo lloraba en silencio otra vez.

—Soy un caos.

Volvió a tomar mi mano con la suya y besó mis nudillos con cariño.

—Lo sé, pero por ti vale la pena enfrentar cualquier caos que venga contigo.

Esbocé el amago de una sonrisa y me dejé envolver por esa sensación de plenitud que solo él podía proveerme. El mundo a mi alrededor se había desplomado y lo único que restaba por hacer ahora era afrontar las consecuencias e intentar reconstruirlo.

12
LA FAMILIARIDAD DE ESE ROSTRO
Leah

Bajé del auto en el complejo donde Erick tenía su departamento. Tomé el ascensor y subí hasta su piso. No tenía idea de en qué estado lo encontraría, pero necesitaba averiguarlo, necesitaba asegurarme de que estaba bien.

Claire abrió la puerta al tercer toque. Tenía unas ojeras terribles bajo sus ojos y lucía agotada.

Su labio tembló. Por un momento pensé que se echaría a llorar, pero luchó contra ello y se mantuvo firme.

—¿Cómo está? —pregunté con cautela.

—Mal. Ni siquiera yo entiendo bien qué está sucediendo. Leah, ¿qué pasó ayer? ¿Qué...?

Lucía perdida y una ola de empatía me inundó. Me sentía igual.

—Es una larga historia —respondí con cansancio—. ¿Puedo pasar?

—Sí, claro. —Se hizo a un lado—. Está en nuestra habitación —me informó apenas entré.

Erick alzó la vista en cuanto abrí la puerta y me observó desde la cama.

Mi cuerpo se movió por sí solo; él pareció tener la misma idea porque se incorporó y fue a mi encuentro. Mis brazos se cerraron en torno a su cuello y me abrazó con la misma fuerza, derrumbándose de inmediato.

Su espalda temblaba con cada amargo sollozo, mientras mi corazón se estrujaba y mis brazos luchaban por estrecharlo tanto contra mí como fuera posible, para transmitirle todo el consuelo que pudiera reunir.

No importaba a quién mirase reflejado en su rostro; no importaba si era Louis, o papá, o mamá, Erick seguía siendo mi hermano. Seguía siendo la persona que me defendía de los malditos insectos, que dormía junto a mí cuando tenía miedo, que me apoyaba en todas mis estupideces y mis locuras.

Era mi cómplice, mi confidente, mi apoyo y mi amigo más fiel.

Era mi hermano, no importaba quién fuera su padre.

Lo abracé con todas mis fuerzas hasta que el momento más álgido del pesar cesó, hasta que sus espasmos pararon y limpié el resto de sus lágrimas con mis pulgares. Me costaba horrores mantenerme calmada, porque estaba a nada de venirme abajo también, pero necesitaba ser la fuerte esta vez, por él.

—¿Es cierto? —preguntó con voz ronca; sus ojos idénticos a los de mamá titilaban con tristeza.

—¿Qué cosa?

Se alejó unos pasos, tomó de la cama las arrugadas fotografías y me las tendió.

—¿Soy su hijo?

Mi corazón se agitó en mi pecho.

—No estoy segura.

—¡Sí lo estás! —bramó y di un respingo por su repentina muestra de emoción—. Lo estabas ayer.

—En verdad no lo sé. Ni siquiera mamá lo sabe, ella misma me lo dijo. Escuché a Louis decirlo, y es obvio que mamá y él mantuvieron una relación de algún tipo, ellos...

Abrí la boca para decir algo más, pero nada acudió a mi mente. No sabía cómo lidiar con esto, con este Erick, estaba devastado por la situación. Una parte de mí quería evitarle todo ese dolor, mientras la otra, la que tenía mayor partido, sabía que era necesario.

—Tampoco puedo confiar en que papá o mamá lo confirmen.

—No me digas —espetó con desdén—. Todo lo que Leo dice debe ser una puta mentira. ¿Por qué nos engañaron por tanto tiempo? ¿Qué pretendían lograr?

—Conservar la familia perfecta, supongo. —Me encogí de hombros.

—Vaya, pues les ha estallado la bomba en la cara.

—Lo sé.

Se sentó al borde de la cama con el pesar aún plasmado en sus facciones.

—¿De qué hablabas ayer? ¿Qué era eso de que mamá era una prostituta? Estaba tan impactado con la noticia sobre Louis Balfour, que no pude procesar nada más.

La palabra se clavó en mi pecho como una daga y me retorció las entrañas. Era un término que odiaba.

—Lo que escuchas. A eso se dedicaba antes de casarse con papá.

Erick rio con amargura y se pasó el pulgar por la ceja en un gesto de exasperación.

—¿Qué clase de versión enferma de *Mujer Bonita* es esta? —se burló desdeñoso y negó, alzando su vista hacia mí.

—No lo sé.

En verdad no sabía nada. No sabía qué hacer ni cómo reaccionar.

—¿Hay algo más que quieras decirme? ¿Algo así como que Leo es líder de una organización terrorista o algo por el estilo?

—Tampoco me sorprendería si lo fuera, nuestro padre tiene toda la actitud para ser...

—Tu padre, no el mío —aclaró con acidez y de pronto el poco humor que habíamos recobrado se disipó.

Cambié mi peso de un pie al otro y me crucé de brazos, sin saber qué más decir. Lo único que quería era que su tristeza desapareciera.

—Aún hay cosas que no comprendo, que no me cuadran, pero no sé dónde obtener las respuestas —confesé.

—Sí, será difícil creerles algo a esos dos. Mamá intentará hacerse la víctima y Leo nos mentirá a la cara como siempre.

Nos mantuvimos en un tenso silencio. Mi hermano permaneció mirando un punto fijo, como si pensara en algo, hasta que pareció arribar a una decisión por fin y habló.

—Quiero verlo —dijo con determinación.

—¿Qué?

—A mi padre, quiero hablar con él.

La misma sensación de inquietud que se asentaba en mi cuerpo cuando se hablaba de Louis se hizo presente, mucho más intensa ahora que sabía lo temperamental que podía ser y lo mal que las cosas habían salido en la reunión con mamá.

—No creo que sea buena idea, no deberíamos apresurarnos. Creo que primero tenemos que conseguir respuestas de otra forma, de una fuente confiable, de...

—¿Quién es más confiable que él? —Se incorporó y cruzó los brazos sobre el pecho—. Te dijo la verdad, ¿o no?

—Sí, pero...

—Llámalo —exigió.

—Erick, la verdad no creo...

—Leah, llámalo. Quiero hablar con él —pidió con tono más insistente.

Lo observé debatiéndome entre acceder a su petición o no, con una vocecita detrás de mi cabeza diciéndome que aquello era una pésima idea.

Sin embargo, terminé doblegándome, no por su determinación, sino por la súplica que había en sus pupilas.

Quizás Erick necesitaba ese encuentro, quizás necesitaba conocerlo.

—De acuerdo. Lo llamaré y haré una reunión para que puedas conocerlo.

—Quiero llamarlo yo. —Extendió su mano para que le diera mi móvil, pero negué con la cabeza.

Louis era peligroso. Por más sincero que fuera conmigo, no terminaba de confiar en él y prefería que mi hermano no estuviera en contacto directo, al menos por ahora.

—Lo llamaré yo o no habrá reunión.

Erick me conocía lo suficiente para no discutir conmigo, así que asintió a regañadientes.

—Bien, pero quiero verlo cuanto antes.

—Haré lo que pueda.

—¿Cómo lo encontraste? —inquirió de pronto.

—A través de Alexander.

—¿Cómo? —la perplejidad lo asaltó.

Carraspeé, incómoda por entrar en ese terreno.

—Ellos... se conocen por algunos negocios.

Pareció no comprender, y sabía que tenía toda la intención de hacer más preguntas, pero se abstuvo. En su lugar, me abrazó otra vez en un gesto protector y confortante.

—Resolveremos esta mierda, te lo prometo —susurró.

Suspiré con cansancio entre sus brazos.

—Siempre estaré para ti, no importa qué, lo sabes —dijo sobre mi coronilla.

—Claro que lo sé. —Recargué mi cabeza en su pecho y me dejé envolver por él.

Éramos familia, era mi hermano, y eso no cambiaría por nada en el mundo.

—Lamento el retraso. —Louis llegó al restaurante puntual.

Habían transcurrido cinco días desde el desastre de casa y lucía diferente, exhausto, como si no hubiese dormido para nada la última semana, sin mencionar que llevaba como veinte años más encima con esa barba.

Erick se puso en pie y yo hice lo mismo. Al parecer todos nos habíamos quedado sin palabras, porque pasó tiempo antes de que alguien se atreviera a hablar.

—Siempre es un placer verte de nuevo, Leah —dijo cordial y asentí apenas, todavía resentida por su actitud violenta con mamá.

—Él es mi hermano Erick. —Lo señalé y nuestro invitado se apresuró a tenderle la mano.

—Louis Balfour —se presentó.

Se estrecharon las manos en un gesto rígido, y la acción resultó incómoda y fuera de lugar.

—¿Les parece si nos sentamos? —sugirió el tipo.

El movimiento de su silla fue el único sonido en la terraza del restaurante. Erick no le quitaba la vista de encima, buscando todos los rasgos que compartía con él.

Louis nos escrutó a ambos, visiblemente incómodo, hasta que decidió centrarse en mí.

—¿Cómo está Alexander? Tengo tiempo sin verlo.

—Él está bien —dije sin más.

—¿Cómo está Allison? —preguntó también.

La interrogante me tomó por sorpresa y compartí una mirada de confusión con Erick.

—No muy bien desde la última vez que estuviste en casa —contestó mi hermano, severo.

—¿En serio? —había un ligero toque de consternación en sus palabras.

—Escucha —Erick se inclinó sobre la mesa, con sus ojos esmeraldas brillando con determinación—, no quiero perder el tiempo, y creo que no tiene caso evitar más el tema. Quiero que nos hagamos una prueba de ADN.

—Qué directo —dijo Louis en tono burlón—. De acuerdo, chico, me haré una prueba de paternidad —accedió sin pensarlo mucho y la cara de mi hermano se desfiguró con sorpresa.

—No pensé que aceptarías tan rápido —dijo.

Louis se encogió de hombros.

—Me puedo hacer del rogar si eso lo vuelve más entretenido para ti, aunque creo que ambos estamos igual de ansiosos por conocer esos resultados.

—Bien. — Mi hermano asintió con lentitud.

—¿Eso es todo? —preguntó el hombre.

—Tengo más preguntas que quiero que me respondas —se adelantó Erick.

—¿Por eso tienes que hacerlo sonar como un interrogatorio judicial? —intentó bromear Louis, pero no funcionó. Ninguno se inmutó por su mal chiste.

—¿Qué tan seguro estás de que la embarazaste? —empezó mi hermano.

Louis miró al frente y se reclinó en la silla, pensativo.

—Ochenta por ciento. No, ochenta y cinco si somos optimistas.

Un peso muerto se instaló en mi estómago y Erick palideció.

—De acuerdo... —Mi hermano tragó para recuperarse del impacto, sin que Louis perdiera su seguridad—. ¿Ella quería estar contigo? ¿O te aprovechaste de lo que era?

—¡Erick! —lo reñí, pero él ni siquiera se movió. Tenía los ojos clavados en Louis, que permanecía impasible.

—No. Nunca lo haría. La quería.

Parecía sincero, pero había algo en sus palabras que no terminaba de creerme.

Hizo una mueca.

—A Leo le ha encantado siempre manipular las cosas. ¿No les parece muy curioso que él siempre sea la víctima o el héroe?

Le dediqué una mirada suspicaz. Nunca lo había visto desde esa perspectiva, pero era difícil de creer, conociendo a papá.

—¿Cómo puedo estar seguro de que no estás mintiendo? —siguió Erick.

—Puedes creer lo que quieras. —Luis se encogió de hombros.

Erick se recargó en la silla, tenso, y tuvimos un respiro del pesado ambiente cuando el camarero se acercó para preguntar si necesitábamos algo, pero fuimos rápidos en despedirlo.

—Quiero saber cómo se conocieron mamá y tú —exigió mi hermano.

—Ya se lo he dicho a tu hermana, pensé que te lo habría contado a estas alturas.

—Lo hice. —Fijé mis ojos en él.

—Lo hizo —reafirmó el aludido—, pero quiero escucharte personalmente.

Se limpió la boca con una servilleta y soltó el aire, acomodándose en la silla.

—Compartimos clases en la universidad y prácticas durante el internado. Era muy buena en lo que hacía, a decir verdad.

Mi hermano lo escrutó con intensidad.

—¿Cómo te enteraste de lo que hacía para ganarse la vida? —quise saber.

Aquella pregunta pareció tomarlo con la guardia baja y fijó la vista en la mesa por unos momentos.

—Yo no tenía idea, me enteré por casualidad en una ocasión que estuve en el bar donde ella trabajaba.

Mi hermano y yo compartimos una mirada de confusión.

—¿Ya tenían una relación cuando te enteraste? —cuestioné para clarificar.

Asintió con lentitud, como si no estuviera convencido.

—Sí.

—¿Seguiste con la relación a pesar de saber lo que era? —seguí.

—Sí.

—¿Por qué?

—¿Por qué no? —replicó.

—¿Y también tenía una relación con papá? —inquirí, cada vez más angustiada.

—La tenía —respondió cortante—. Por lo que sé, era su cliente regular.

—¿Y tampoco te importó? —Erick alzó la voz, alterado—. Ellos ya tenían una relación.

—No tuve tiempo de hacer mucho. Leo me sacó del camino con un chasquido de sus dedos. Supongo que quería quedársela para él.

—¿A qué te refieres? —preguntó Erick.

—No es tan bueno como aparenta ser, no sean ingenuos. —Nos lanzó una ojeada significativa—. Si Leo quiere algo, hará lo que sea para obtenerlo.

—No entiendo —insistió mi acompañante—. ¿Qué quieres decir?

—Me inventó cargos y obligó a su madre a declarar en mi contra —respondió sin más—. Era injusto, pero le importó un carajo si con ello podía quedársela.

Mi hermano se quedó inmóvil de la impresión y yo permanecí boquiabierta.

Era increíble el nivel de hipocresía de papá. Se quejaba de lo manipuladora e inescrupulosa que era Agnes, cuando él no estaba tan lejos de ser igual, o peor.

Continuamos hablando por unas horas más, cuestionándolo sobre otras cosas durante su relación, sobre el arranque de ira que había tenido papá en su contra y cómo lo había dejado casi muerto por ello; sobre su estadía en la cárcel, las cosas que había hecho dentro y sus razones para permanecer escondido al salir. Según él, era todo por auto preservación.

Cuando nos pusimos en pie para despedirnos, ya no estaba tan segura de conocer a papá. Sentía la cabeza repleta de información mientras me esforzaba por procesarla.

—Me pondré en contacto para el día y la hora en que nos haremos la prueba —le informó Louis a mi hermano.

—Estoy más que dispuesto a ello —contestó determinado.

Asentí a modo de despedida cuando no encontré otra cosa que decirle. Siempre era inquietante estar en su presencia, quizás porque conocía los negocios turbios que compartía con mi esposo.

—Fue bueno verte, hijo —soltó de pronto, provocando que la sorpresa asaltara el semblante de Erick.

Resultaba tan extraño que se refiriera de esa manera hacia él. Mi hermano se mantuvo impasible y le dimos la espalda para irnos.

—Una cosa más —nos detuvo, y ambos lo miramos con curiosidad—. Su madre... ¿Es feliz?

Nos observamos con una mezcla de confusión y pasmo, pero me apresuré a contestar.

—Lo es —le confirmé—. La verdad es que lo es.

Si exceptuábamos todo lo que había pasado las últimas semanas, esa era la respuesta. Fuese lo que fuese papá, no podíamos ignorar el hecho de que se las había ingeniado para hacer a mamá feliz.

Louis esbozó una sonrisa que no pude descifrar.

—Entiendo. —Movió la cabeza—. Cuídense. Espero verte pronto, Leah —se despidió con un gesto de la mano y una sonrisa que resultó escalofriante; Erick posó una mano sobre mi espalda baja en un sutil ademán protector.

Salí del restaurante con una sensación de desasosiego e intranquilidad inmensa, sin mencionar el mal sabor de boca que el encuentro me había dejado.

Erick condujo en silencio y, cuando llegamos a su departamento, se internó en su habitación junto con Claire. Yo respiré profundo, y por alguna razón, sentí que era la primera vez que lo hacía desde que nos reunimos con Louis. Había algo sobre su versión de la historia que no terminaba de cuadrarme. Él dijo que habían tenido una relación, que la quería y que mi padre la obligó a fincar los cargos en su contra para sacarlo del camino, sin embargo, la reacción que tuvo mamá al verlo no era de alguien que hubiera sentido afecto hacia esa persona, sino todo lo contrario. Estaba aterrada.

No la culpaba, Louis era inquietante. Había una pieza que necesitaba encontrar para armar este rompecabezas por completo, y no pararía hasta conseguirla.

La casa estaba en silencio cuando abrí la puerta del recibidor.

Esperé a que papá apareciera gritando maldiciones para continuar con la pelea, pero nada sucedió. Había pasado las últimas dos semanas con Alexander, pero necesitaba volver por mis cosas y mi ropa.

Suspiré aliviada cuando no lo encontré y corrí escaleras arriba para buscar a Damen. Sin embargo, su habitación estaba vacía cuando entré. Me mantuve de pie en el umbral, con el miedo a que se lo hubiesen llevado a otro lugar asaltándome, hasta que comprobé que su consola y el resto de su ropa seguían en su lugar.

Me tomó un momento caer en cuenta de que primero dejaría sus calzones a su consola de Xbox, y que probablemente estaba en la escuela.

La puerta de la habitación de mis padres se materializó frente a mí, como un feo recordatorio tangible de mis errores, y por un instante me vi tentada a abrirla. Si mamá no había acudido al hospital, entonces estaría dentro.

Mi corazón se compungió dentro de mi pecho y me convencí de que aún necesitaba asimilar muchas cosas antes de decidir mi próximo movimiento, antes de hablar con mis padres y estar dispuesta a escuchar su versión.

Quería estar preparada para desacreditar sus mentiras con otros hechos y opiniones.

Tomé una maleta de mi armario y la abrí para lanzar dentro lo primero sobre lo que mis manos se posaran. La sensación de asfixia y angustia que me provocaba ese lugar era sobrecogedora. Quería salir de ahí cuanto antes.

Di un respingo cuando me giré para ir hasta mi maleta con la intención de meter más ropa, y me encontré de frente con papá, que me miraba ceñudo.

—¿A dónde crees que vas?

Hice puño el montón de blusas que tenía en las manos y las lancé a la maleta.

—Con mi esposo.

—¿Según quién? —me desafió.

—Yo, es lo único que necesitas saber.

—No lo creo. Aún hay un tema que no hemos resuelto, ni tampoco apruebo que vayas con él. Es peligroso.

Dejé lo que hacía y lo fulminé con la mirada.

—Por sorprendente que parezca, no necesito ni quiero tu aprobación.

Sus ojos llamearon con enojo y adoptó esa faceta autoritaria que antes me habría hecho disculparme al instante.

—Bien, porque yo tampoco necesito de tu aprobación para actuar, y si te digo que te quedas, lo haces —ordenó.

—¿Ah sí? —lo reté—. ¿Y qué vas a hacer? ¿Encadenarme a mi habitación para que no pueda salir? ¿Poner un guardia en cada puerta, cada ventana y cada baño?

Los músculos de su mandíbula se movieron, tensos.

—Lo haré si no me dejas opción. Así tenga que encadenarte vas a escucharme.

Dejé caer las manos a modo de rendición.

—¿Qué quieres que escuche? ¿Más mentiras? ¿Más historias falsas donde mamá y tú son los héroes?

—No, quiero que escuches la verdad. Es lo que te diremos, nada más —respondió tranquilo.

Bufé, incrédula.

—Como lo han hecho todos estos años, ¿no?

La sombra del arrepentimiento se asentó en el rostro de papá y quise disculparme por todo el desastre que había hecho.

—Estás siendo inmadura, déjame hablar. Comprendo tu postura, entiendo que estés a la defensiva, pero también necesitas escucharnos —comenzó.

Me mordí el labio inferior, indecisa. Una parte de mi se moría por escucharlo, y la otra quería seguir herméticamente cerrada.

—Quiero hacerlo. Queremos escucharlos, Erick y yo, pero es difícil. Es... es demasiado para digerir —dije cansada de mantener en alto mis

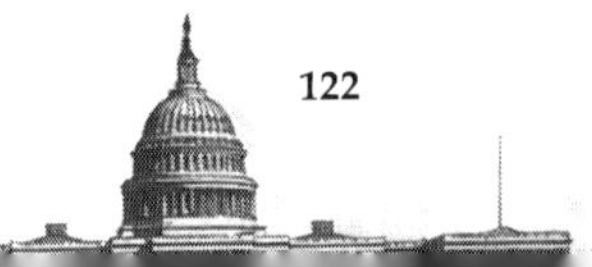

murallas—. Necesito tiempo para asimilar que mamá es... fue una prostituta y el tipo de relación que tuvieron. No es nada fácil hacerte a la idea, ¿sabes? Además, lo de Erick...

—Leah, no puedes dudar de mí, de nosotros —se señaló, dolido—, soy tu padre, me has conocido desde siempre, eres lo que más amo en la vida, ¿cómo puedes pensar que te mentiría con el fin de hacerte daño?

—No lo sé. Hay muchas cosas que aún no sé, por eso necesito aclarar mis dudas.

—¿Cómo vas a hacerlo si no me dejas explicarte? —acotó frustrado.

—Quiero escuchar otras versiones, quiero tener material para...

—¿Versiones de quién? —cuestionó con terror en la voz, pero su semblante se tornó de piedra un segundo después—. No pienses ni por un jodido momento que te dejaré acercarte otra vez a ese pedazo de mierda.

—Nos reunimos con él —confesé y palideció, con terror puro reflejado en sus ojos—. Dijo que mantuvo una relación con mamá mientras también estaba contigo. Dijo que la quería, dijo que sabía de su embarazo, dijo…

—¿Perdieron el juicio? ¿Sabes lo arriesgado que es? ¿Tienes alguna idea de lo peligroso que es él? —habló alterado—. Ni siquiera debería estar libre, debería estar muer...

—¡Él nos dice la verdad! —lo interrumpí con el mismo tono.

—¡Es un mentiroso!

Lancé un quejido de incredulidad.

—Es su padre.

—¡Yo soy su padre! ¡Él es solo alguien que violó a tu madre y la torturó por meses! —bramó, con las columnas que lo sostenían temblando mientras las mías se venían abajo tras el impacto de la confesión.

Todo el aire abandonó mis pulmones y la sangre viajó hasta mis talones. Si era verdad, si él…

—¿Qué dices? —susurré cuando salí de mi estupor—. ¿Estás insinuando que Erick es producto de una…?

—Erick es mi hijo —reafirmó dolido—. Louis es peligroso, Leah. No quiero que se acerquen más a él, por favor.

Apenas registraba lo que me pedía, estaba abstraída en el dolor que sentía en mi pecho y la furia irracional que se extendía como un fuego salvaje en mi interior. Si Louis en verdad había hecho algo así a mi madre, eso podría explicar su reacción al verlo otra vez.

Y yo lo había traído a casa, a su peor pesadilla.

Me sentí desfallecer.

—¿Cómo lo encontraste? Yo tenía meses buscándolo —la voz de papá pareció lejana, pero me sacó de mis cavilaciones.

—En un casino. Fue una coincidencia, de hecho, y yo no tenía ni idea de...

—¿Qué mierda hacías en un casino? —me interrumpió.

—No estaba sola, Alexander iba conmigo. Se presentó con nosotros porque al parecer tenían algunos asuntos en común y...

—¿Alexander? —repitió con lentitud, como si luchara por asimilarlo—. ¿Él te lo presentó?

—No sucedió exactamente así, pero fue algo par...

—Leah —comenzó tranquilo, colocando las manos al frente, como si tuviese miedo de que yo huyera si era demasiado brusco—, voy a pedirte esto de la forma más simple posible, y quiero que me escuches bien.

Mantuve mis ojos fijos en los suyos, que eran un reflejo exacto de los míos.

—Tienes que alejarte de él —pidió en tono bajo pero contundente—. Tienen que divorciarse, por tu bien.

Negué incluso antes de que terminara la oración.

—Lo siento, pero eso no está a discusión. No voy a dejarlo.

—Si te presentó a Louis significa que quiere hacerte daño, ¿por qué te lo presentaría si no busca perjudicarte?

—Ya te lo dije, fue una coincidencia.

—No me importa cómo haya sido, tienes que separarte. Eso es solo una razón más a la lista.

Tensé la mandíbula y me mantuve firme en mi postura.

—No, no voy a dejarlo. Lo quiero.

—Eres una niña, no tienes idea de lo que es querer a alguien.

Lo escudriñé con decisión.

—Créeme, lo sé.

—No me hagas repetirlo —espetó en tono amenazante, pero no flaqueé.

—He dicho que no.

—Te lo pido por mera consideración hacia ti, porque eres mi hija y quiero que lo hagas voluntariamente —explicó severo—, pero si no me dejas opción, entonces solo te quedará firmar la notificación de la nulidad del matrimonio.

—Ya te lo dije, pero te lo repetiré para que te quede claro: nulifica todas las putas actas que quieras, seguiré casándome con él una y otra vez.

Los orbes de papá llamearon con ira.

—¡Haz lo que te digo por una vez en la vida, joder! —vociferó, con sus emociones desatándose por fin.

—¡No!

—Leah, última oportunidad.

—¡No tienes ningún derecho de exigirme nada ni de amenazarme de ninguna manera!

—¡No te imaginas a todo el peligro que te expones!

—¡El único peligro al que me expongo es estando con ustedes! ¡No son de fiar!

Papá me tomó del brazo con brusquedad, sacudiéndome con tal fuerza que trastabillé.

Su mirada era tan aterradora que me heló la sangre.

—Estoy harto de ti —dijo iracundo—. Harto de limpiar siempre el rastro de mierda que dejas después de tus desastres, de tus malas decisiones y de tus caprichos. —Intenté liberarme, pero su agarre era tan fuerte que no pude moverme ni un centímetro—. Estoy cansado de lidiar con todo lo que provocas porque no eres consciente de nada. Tu madre sigue mal por lo que hiciste, y pudo haber sido peor, no te imaginas lo que ese hijo de puta pudo haberle hecho, lo que podría haberte hecho a ti.

Lancé un quejido de dolor, pero ni eso fue suficiente para que me dejara ir. Clavó su dura mirada en mí, obligándome a encararlo.

—Tampoco eres consciente de todo lo que tu unión con ese chico representa. No tienes idea de los problemas legales que tengo encima por culpa de Abraham y su jodido contrato. Podría perder la empresa por un capricho tuyo, pero son problemas con los que no puedo lidiar ahora, porque me preocupa tu madre y su salud, y evitar que cometas más estupideces, porque tengo miedo de que Agnes intente algo peor para separarte de su hijo.

Intenté liberarme una vez más, sin éxito.

—Estoy jodidamente exhausto, Leah. No puedo lidiar con todo. Vas a matarme de un ataque al corazón si no paras ahora, hablo en serio. Si tienes algún tipo de consideración por tu madre y por mí todavía, vas a separarte de ese chico.

Forcé a mis cuerdas vocales a funcionar a pesar del nudo que tenía en la garganta.

—Lo amo, ¿sabes? No es ningún capricho.

—¿Amor? ¿Qué podrías saber de amor? —negó—. Eres tan joven, por Dios, solo te pones en peligro estando con él.

Me liberé al fin cuando su agarre aflojó, y me masajeé la zona, donde sabía que tendría una marca al día siguiente.

—Siempre hablas de peligro, de lo arriesgado que es estar con Alex, de lo mucho que temes que Agnes intente algo contra mí, ¿por qué? ¿Por qué tienes tanto miedo?

La ira pareció cederle el lugar al pesar, que se asentó como una sombra en su semblante.

—Porque haría cualquier cosa con tal de separarte de él. Cualquier cosa.

—¿Qué cosas?

—Son tan complicadas que no cre...

—¿Ves? ¿Cómo quieres que te crea si ni siquiera me explicas? ¡Dime por qué te da tanto miedo! —alcé la voz, frustrada—. También quiero saber cómo es que ella se enteró de lo que mamá hacía, porque joder, lo ha dicho siempre.

—Son demasiadas razones, es una larga historia.

—Cuéntame.

—No creo que sea el momento indicado para decírtelo.

—¡Ves como siempre lo evitas!

—Necesitas tranquilizarte primero.

—¡No quiero tranquilizarme, quiero saber!

—¡Le hizo daño a tu madre! —soltó de pronto y callé, perpleja.

Papá alzó la vista al techo, exasperado.

—¿Daño? ¿De qué hablas?

Hizo una mueca de amargura.

—Tu madre y yo tuvimos una relación muy difícil. Por su profesión, había quienes dentro de mi familia no la aprobaban. —Fijó su vista en algo detrás de mí, exhausto—. Una relación con Chelsea era mucho mejor que un matrimonio con alguien que no representaba ningún beneficio económico, así que Agnes hizo todo lo posible porque mi matrimonio con los Colbourn se concretara.

—¿Por qué? ¿Ella qué obtenía de eso?

—Más de lo que te imaginas.

—No entiendo. ¿Qué conseguía casándote con Chelsea Colbourn? ¿Más dinero? ¿Más posición social? Ella ya estaba casada con Byron, ¿qué le importaba lo que tú hicieras?

Frunció los labios con agriedad.

—Vengarse, eso era lo que quería.

Me sentí más perdida que antes. Papá debió notarlo porque se apresuró a explicar.

—Mucho antes de conocer a tu madre, mantuve una relación con Agnes. Creí que sus sentimientos por mí eran genuinos, pero solo estaba usándome como plataforma para conseguir más *status* social mientras se cogía a otro.

»Cuando me enteré, lo investigué. El tipo era un don nadie, pero estaba tan enojado por el engaño que finqué cargos en su contra como venganza y

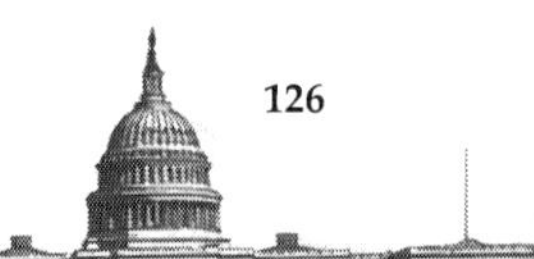

lo envié a la cárcel por años. Al parecer Agnes lo amaba, porque nunca me lo perdonó.

—¿Qué quieres decir? ¿Qué le hizo a mamá?

—Quería pagarme con la misma moneda, así que intentó quitarla del camino también. Cuando se enteró de que Erick venía en camino, intentó practicarle un aborto a tu madre de la mano de un doctor que... —calló, su mandíbula tensa y sus puños apretados, como si el recuerdo lo enfureciera— ... era un hijo de puta. Sabía que no accedería a casarme con Chelsea mientras Allison siguiera viva, así que se las habría ingeniado para matarla durante el procedimiento y hacerla desaparecer, estoy seguro de ello.

No se detuvo ahí, y siguió hablándome sobre Raymond —un nombre que solo había escuchado mencionar una vez y había sido seguido por un silencio sepulcral—, y sobre la manera en que Agnes se había aliado a él para quitarla del camino a través de sus pérfidos medios.

Lo miré con la boca abierta, impresionada por los alcances de la madre de Alex. Sabía que era una víbora y una hija de puta, pero jamás imaginé que pudiese hacer tanto daño por conseguir un objetivo.

Una ola de pena me invadió por mamá, por toda la mierda a la que fue sometida gracias a esa mujer, que no tenía ningún derecho para hacerlo.

—Agnes hizo todo aquello por venganza. —Me lanzó una mirada significativa—. ¿Qué crees que hará para proteger a su hijo? Si te embarazas de él, ¿crees que lo aceptará? ¿Crees que no hará nada al respecto?

Mis entrañas se retorcieron y mi corazón pareció dejar de latir por un segundo.

Papá se acercó, tomó mi cara entre sus manos y me hizo mirarlo.

—Tengo tanto miedo de que intente hacerte lo mismo, o algo peor. Me aterra que alguien pueda hacerte daño. —Su voz estaba cargada de emoción—. Sé que lo quieres, pero no es para ti, Leah. Fue un error desde el inicio, él representa demasiados problemas para ti, para tu madre, para mí, para la empresa, para todos.

Mi pecho se constriñó por sus palabras.

—Y si aún te importamos, si te importa tu seguridad, vas a dejarlo ir, por tu bien.

Un gemido de angustia y desesperación se escapó de mi garganta.

—Eres joven, hija, encontrarás a alguien mejor.

Tenía un nudo en la garganta que me asfixiaba, una maraña de emociones asentada en el pecho y un montón de dudas asediándome la mente.

Todos querían algo de mí, pero yo… yo no sabía qué era lo que quería.

13
EL ERROR
Leah

Me interné en el departamento de Erick durante tres días, completamente confinada del mundo exterior. Necesitaba meditar las cosas y analizar las palabras de papá, que me taladraban la cabeza sin tregua.

Hablé con mi hermano, le conté sobre mi conversación en casa y el dilema en el que me encontraba. Él insistió en que no debía acceder a sus demandas, argumentando que era muy probable que papá me estuviera mintiendo para poder manipularme y obtener lo que quería de mí.

Pero a mí me pareció bastante sincero. El dolor que asaltaba su cara mientras me relataba las atrocidades que Agnes había cometido contra mamá era real, su ira era real, el miedo en su voz era real.

La aversión y resentimiento que sentía hacia ella me hacían hervir la sangre, escocer el estómago y rechinar los dientes.

Podía ser que Alex tuviera razón en asumir que los errores de mi madre no me definían a mí, ni tampoco los de Agnes lo definían a él, pero de algún modo los errores de ambas sí influían en nuestra relación.

Podía aferrarme a Alexander tanto como me fuera posible, amarlo con todas mis fuerzas, pero los problemas fuera de nuestro control terminarían por rebasarnos; a nuestras familias, a nosotros y a nuestro futuro.

Por tres días, no tuve idea de qué hacer; por tres días observé la relación de Erick y Claire, y me alegró saber que mi hermano tuviera a alguien que sostuviera su mano mientras atravesaba el ojo del huracán que era su vida en ese momento.

Se amaban incondicionalmente.

Y quizás eso era el amor en realidad. No te salvaba de las adversidades de la vida, pero sostenía tu mano mientras luchabas por salvarte a ti mismo.

De una forma u otra, todos buscábamos eso: alguien a nuestro lado que nos anclara de vuelta a la tierra durante la tormenta. Alguien que permaneciera.

Y así, con la misma imponencia de una montaña de rocas, la respuesta apareció frente a mí, tan clara y estremecedora que resultaba difícil mirarla a la cara, pero estaba ahí y no se iría hasta que estrechara su mano y la ejecutara.

Vania llevaba el bolso en el hombro cuando abrió la puerta, justo antes de que yo llamara.

—¡Leah! —Me dedicó una brillante sonrisa y me dio dos cortos besos en las mejillas antes de tomarme de las manos—. Ya comenzaba a preocuparme, ¿por qué no te habías aparecido por aquí?

Le correspondí apenas.

—Lo siento, había estado muy ocupada con algunos asuntos familiares y...

—Menos mal. Estaba a punto de preguntar por ti, no quería llevarme la sorpresa de que aquel idiota hubiese hecho una estupidez.

Reí.

—Aquí estoy, no te preocupes. Puedes irte tranquila.

—Está en su habitación terminando algo de la universidad. ¿Tienes hambre? Puedo prepararte algo de comer antes de irme, si quieres.

—No, no, ya comí.

Estrechó los ojos, suspicaz.

—¿Segura? Estás muy delgada, linda.

—Sí, no te preocupes.

—De acuerdo —palmeó mi mano entre las suyas con afecto—, te veo después entonces. Cuídalo bien. —Me guiñó un ojo y salió sonriendo.

Alex estaba inmerso trazando un plano cuando entré en su habitación. Los rayos del sol se colaban por su ventana, iluminando un costado de su cara y dotando a su cabello de un color dorado, justo como aquella vez en el porche de la casa de Bastian.

Mi corazón se comprimió con la mera visión, haciéndome flaquear, pero me mantuve firme.

Me tomó un momento salir de mi estupor y registrar que estaba observándome desde su cama.

—¿Dónde estuviste? —preguntó dejando su cuaderno de lado e incorporándose para ir hasta mí.

—Con Erick.

—¿Por qué no te quedaste conmigo?

—Es complicado.

—¿Por qué no respondiste mis llamadas? Estaba a punto de enviarte señales de humo.

Por su tono, sabía que estaba esperando que contestara para continuar haciéndome preguntas. Era obvio que se preocuparía, considerando que no había acudido a la universidad ni había respondido sus llamadas. Sin embargo, no tenía el valor de responder.

Alcé la vista hacia él y reparé en cosas que no quería reparar porque volvían todo más difícil, como el intenso azul de sus ojos, que tenían esa dualidad de parecer un mar en calma o una tormenta eléctrica, dependiendo de su humor.

—Vine a entregarte esto. —Le tendí la bolsa de papel en la que había metido todas las camisetas que le había robado a lo largo de nuestra estrepitosa relación.

Me miró curioso cuando la abrió y comprobó su contenido.

—¿Y esa? —Señaló la que llevaba puesta y esbocé una pequeña sonrisa.

—También vengo a devolvértela, a cambio de que me regreses mi blusa.

Inclinó la cabeza a un lado, considerándolo; sus ojos titilaban con travesura.

—Algo podemos arreglar para regresártela.

—Estoy segura de que sí —bromeé también.

—¿Cómo está tu hermano? —preguntó dejando la bolsa a un lado.

Me aclaré la garganta, buscando las palabras.

—Está lidiando con ello, a su manera.

—¿Y tú? —Mi piel se erizó cuando sus dedos entraron en contacto con mis brazos, recorriéndolos con cariño—. ¿Cómo estás tú?

«Mal».

—Bien. —Fingí una sonrisa, pero a juzgar por su mueca, no me creyó—. Considerando las circunstancias.

—¿Hablaste con tus padres?

Mis entrañas se constriñeron y el nudo en mi garganta que se había convertido en mi nuevo mejor amigo apareció sin demora.

—Algo así, hablé con papá.

—¿Y qué tal?

Agaché la vista hasta mis pies, forzando a mis lágrimas a retroceder. Entonces, en un momento de mero instinto, tomé impulso y lo besé. Me correspondió al instante, sin vacilación ni premura, pero con afecto.

—Te extrañé —susurré contra sus labios, disfrutando de cada encuentro, de la calidez de su aliento contra mi cara.

Devoré su boca con más insistencia, tomando, sujetando y halando, y no tardó en seguirme el ritmo, hasta que me tomó de los brazos, deteniéndome.

—¿Qué pasa? ¿Qué es lo que no me estás diciendo?

Lo miré fingiendo perplejidad, luchando desesperadamente por no quebrarme otra vez.

—Nada.

—Leah. —Se mantuvo férreo cuando intenté besarlo de nuevo—. ¿Qué pasa?

Permanecí impasible en un intento por hacerle creer que nada estaba sucediendo.

Pareció rendirse porque aflojó su agarre, y aproveché ese momento para abalanzarme sobre él, capturando sus labios con los míos una vez más, con mis manos a ambos lados de su cara para inclinarlo y mantenerlo pegado a mí, para devorarlo con apetito.

—No quiero pensar ahora, solo házmelo —supliqué—, solo házmelo.

Hubo vacilación en su respuesta cuando me besó de vuelta, pero terminó por ceder. Sus dedos se enredaron en mi cabello para inclinar mi cara y tener un mejor acceso a mi boca, adueñándose de ella con codicia.

Si aquella era la última vez que estaríamos juntos, entonces quería disfrutarlo sin mesuras, con cada uno de los sentidos que poseía.

Estaba luchando por tragarme el tenso nudo en mi garganta cuando se alejó de mí para sentarse al borde la cama.

El desconcierto no tardó en hacerse presente.

—Déjate la camiseta. Quítate el resto —ordenó.

En cualquier otra ocasión, habría bufado o me habría burlado, o le habría dedicado una mirada de muerte para hacerle saber que yo no seguía sus órdenes, pero no ese día.

Sentía que se lo debía, porque de repente me sentí culpable. Merecía saber que quizás yo no volvería, pero no iba a decírselo. Merecía tener la oportunidad de decidir sobre nuestro divorcio por sí mismo, pero yo ya había tomado la decisión por él.

Me sentía una egoísta, pero era lo mejor para los dos. Era lo mejor para Alex.

Necesitaba sentirlo una última vez, así que me quité las zapatillas y desabotoné mis pantalones. Lo necesitaba tanto que, de hecho, era la razón para estar ahí; por eso había esperado con todas mis fuerzas que estuviese en su departamento.

Necesitaba estar con él para que me inyectara vida e hiciera correr la sangre por mis venas; para que me hiciera olvidar, para despojar mi mente de todo pensamiento, excepto él.

Lo miré con timidez. Era extraño estar de pie en medio de su habitación con nada más que un trozo de tela mientras él me escaneaba.

Se incorporó sin que sus ojos dejaran de recorrerme con lentitud y avidez.

—Quería apreciarte. Me encanta verte usando solo eso, ¿sabías?

Su confesión fue como un golpe en el estómago, y esperé que lo apreciara en todo su esplendor, porque sería la última vez.

Admiró la vista una vez más, con sus ojos subiendo desde mis pies hasta mi cara. Agotó la distancia que nos separaba, inhaló profundo y exhaló, tomando el dobladillo entre sus dedos. Presionó sus manos contra la piel de mis muslos y ascendió despacio, llevándose la camiseta consigo.

No había dejado de mirarme a los ojos desde que se sentó sobre el borde, y yo podría jurar que lo sabía. Era inteligente y me conocía bastante bien.

Levanté mis brazos y sus palmas llevaron la tela por toda su longitud, hasta que la retiró por completo.

—Huele a ti. No importa si las usas solo por diez minutos, siempre las dejas impregnadas de ti. —La hizo un puño y la lanzó a algún lugar de la habitación—. Tu aroma está en todos lados.

No supe qué decir, pero no tuve que pensar mucho porque su cara se enterró en la curvatura de mi cuello, mientras mis manos tocaban sus hombros, su pecho, hasta que mis palmas viajaron bajo su camiseta para expandirse en su abdomen, al tiempo que él me respiraba; mi cabeza se inclinó a un lado cuando comenzó a besar mi garganta.

Sus labios se movieron hasta mi barbilla y mi mejilla, y esperé cuando se detuvo frente a mi boca.

Abrí los ojos para mirarlo y parecía que era justo lo que estaba esperando. Se acercó, con las yemas de sus dedos trazando mi cara desde mi mentón hasta mi frente; sus manos acunaron mi cuello, colándose hasta mi cabello. Deslicé mis brazos por sus hombros, presionándome tanto como fuera posible, ya que tristemente no poseía la habilidad de hundirme en él. Me besó entonces, alternando entre la agresividad y una deliberación que parecía un lento quemar en mis entrañas.

No tenía idea de cuánto tiempo estuvimos de pie solo besándonos. No tenía idea de cómo me las había ingeniado para desvestirlo, ni para llegar hasta su cama. No tenía idea de por qué se lo tomaba con tanta calma; por qué me miraba a los ojos cuando no estaba besándome; por qué se deslizaba contra mi piel en cada estocada en lugar de sostenerse con sus brazos.

No sabía por qué yo había comenzado a llorar; por qué se había detenido por varios segundos y había presionado su frente contra la mía; por qué me besó hasta que mi llanto se detuvo sin preguntar la razón.

Solo sabía que era bueno aquello que teníamos, y que me había hecho sentir cosas que jamás imaginé.

Éramos nosotros dos, cualquier cosa que fuésemos —un error, un acierto, una improbabilidad—; éramos Alexander y yo, y eso siempre había sido suficiente para mí. Y era perfecto.

Sabía que lo amaba; lo amaba tanto que dolía.

Alex se había convertido en esa pieza de rompecabezas que no sabía que necesitaba para estar completa, y mientras nos conocíamos, se incrustaba cada vez más profundo en mí, hasta que se convirtió en una parte elemental.

No podía removerlo de mí; solo él podría desencajarse, si quería, pero tendría que cavar hondo y cortar de raíz. Sabía que me rompería dejarlo ir, y que dejaría un espacio en mí creado para hacerlo encajar a él, y solo a él, por el resto de mi vida.

Comprendí entonces lo que mamá me había dicho aquella vez, sobre el amor y otras cosas que en aquel momento no entendí. La forma en que sabías que era esa persona, que no necesitabas buscar más.

Alexander me conocía en cada momento y de todas las maneras. Conocía mi felicidad, mi rabia, mi oscuridad; me conocía imponente y destruida; conocía mi apatía y mi pasión. Me conocía cuando ni siquiera me conocía a mí misma; cuando era una idiota arrogante y cuando era reducida a los instintos más básicos de mi humanidad.

Me conocía cuando mi mundo se venía abajo en pedazos y cuando luchaba por mantenerlo erguido. Cuando estaba vacía y repleta.

Conocía mi lucha, porque era nuestra lucha. Me conocía cuando todo lo que yo conocía era él.

Era él. Siempre había sido él.

Aquel día se fue todo lo que quise y necesité, y estaba tan llena, tan repleta de Alex, que de pronto me pareció mucho más difícil alejarme. Había una parte asustada de mí que quería permanecer dentro de la seguridad que me daban sus brazos. Quería olvidarme del mundo y que el mundo se olvidara de mí. Ambos podríamos quedarnos por siempre en su habitación, podría seguir sujetándome con fuerza para protegerme de todos, hasta que el mundo comprendiera el punto.

Pero aquella era solo mi parte débil, la parte que se negaba a despegar el oído de su pecho, para continuar escuchando el estable latir de su corazón. Era solo mi debilidad deteniéndome.

Todo era nuevo y una maravilla otra vez cuando tu tiempo se estaba agotando; la mano de Alex acariciando mi espalda, mi cabello; la sensación de su aliento contra mi cara; su cabello entre mis dedos; la tensión de sus músculos; los movimientos de su mandíbula. Todos mis sentidos, mi habilidad de sentir, escuchar, ver, oler y probar; Alexander era nuevo para mí otra vez, recordándome lo que había ganado y lo que estaba por perder.

Era curiosa la manera en que apreciábamos lo que teníamos cuando más cerca estábamos de perderlo.

—¿Me dirás qué te sucede? —preguntó luego de un largo rato de silencio, en el que no hicimos nada más que estar recostados junto al otro.

Me removí contra él y mis manos empezaron a trazar figuras sin sentido en su pecho y sus costillas. Parecía un gesto inconsciente, pero sabía que escribía mi nombre en un estúpido intento posesivo por tenerlo solo para mí, por marcarlo de tal manera que nadie pudiese quitármelo.

—Te diré mañana.

Necesitaba más tiempo para prepararme mentalmente, y, sobre todo, para tenerlo conmigo más horas.

—¿Tienes hambre?

—No —mentí, justo cuando mi estómago gruñó.

—Te morirías de hambre si fueras política.

—¿Por qué? —Alcé la vista hacia él.

—Porque eres una pésima mentirosa.

Y después de tantos días, volví a reír de verdad, aquella vez por tanto tiempo que me quedé sin respiración.

—Ven, te haré algo de comer.

Emití un quejido de molestia cuando me alejó y se incorporó, buscando sus pantalones.

—¿Cómo qué?

—Bueno, puedo prepararte *lasagna.*

Enarqué una ceja, escéptica.

—No puedo creer que sepas cocinar algo así.

—Te sorprenderías de todas las cosas que sé hacer, sobre todo cuando no quiero morirme de hambre.

Reí una vez más, envolví mi cuerpo con la sábana y tomé la mano que me tendía.

—Te va a encantar, créeme. Te gustará tanto que querrás casarte conmigo.

—Ya estoy casada contigo —recalqué, con una sensación de acidez extendiéndose por mi estómago.

—Querrás hacerlo otra vez.

Sonreí con tristeza.

—Estoy segura de que sí.

Cumplió todas sus promesas.

El platillo sí había resultado una delicia, mucho más desde que lo acompañamos con una botella de vino que tenía guardada en su cocina. Era la cena improvisada más romántica que habíamos tenido hasta ese momento, e irónicamente parecía un buen cierre.

Hablamos sobre un montón de cosas mientras se cocinaba; sobre algunos recuerdos, sobre situaciones del pasado y sobre las cosas difíciles que atravesábamos ahora, y brindamos por el futuro, por un futuro juntos.

Y después de media hora, siguió cumpliendo sus promesas.

Salí de la habitación de Alex cuando terminé de vestirme. Tenía la boca seca y me sentía desfallecer.

Había sido una buena decisión postergarlo hasta el fin de semana; así al menos no tendríamos que dejarlo a medias por la universidad.

—Estaba pensando en que necesitamos distraernos, y que quizás hoy podríamos... ¿qué tienes? —se cortó a sí mismo cuando llegó hasta mí en la sala. Su preocupación era tan palpable que quizás yo demostraba más de lo que quería.

—Tenemos que hablar.

Estrechó los ojos y asintió con lentitud.

—Habla.

No tenía idea de que mis manos estaban temblando hasta que alcé una para retirarme el cabello de la cara.

—Sé que nuestra relación es... complicada, que ninguno de los dos tenía planeado enredarse tanto con el otro y que...

—Ve al jodido punto, Leah. Te encanta dar vueltas a las cosas.

—Déjame terminar —dije con dureza, y él puso los ojos en blanco, pero calló—. Creo que ninguno de los dos planeó esto que tenemos —tragué y atrapé sus ojos—, pero no me arrepiento de nada, de ningún momento, y te amo; daría todo porque esto no estuviera sucediendo, porque fuésemos personas distintas, personas comunes, pero no puedo hacerlo.

La cara de Alex se transformó en una de desconcierto.

—¿Por qué de pronto me estás dando este discurso tan cautivador?

Continué sosteniéndole la mirada, contando mentalmente los latidos de mi corazón antes de hablar, antes de que se fracturase de manera irremediable.

—Quiero el divorcio —solté sin más y el impacto fue tan crudo que palideció.

—¿Qué? ¿De qué hab...?

—No sé cuándo tendremos que ir a firmar, pero no debería tardar más de una semana.

—¿Es una broma? Porque si lo es, es una de mierda —dijo gélido.

—No es ninguna broma. Hoy mismo iniciaré el trámite.

Negó sin poder creerlo.

—¿Por qué? ¿Qué locura se te metió a la cabeza ahora?

—No es ninguna locura —respondí con toda la convicción a la que pude recurrir—. Quiero divorciarme.

—¿Por qué? —cuestionó con dureza.

—Son muchas razones.

—Dame una sola puta razón válida.

Desvié la mirada y me humedecí los labios, nerviosa. Siempre era difícil enfrentarse a un Alexander enojado.

—Para empezar, nuestras familias se...

—¿Nuestras familias qué? —espetó con acidez—. No somos Romeo y Julieta, Leah. No tenemos que divorciarnos para complacerlos. Es algo que nos incumbe solo a nosotros dos, y si quieren hacer el mundo arder por ello, que arda, ese no es nuestro problema.

—¡Pero sí lo es! —alcé la voz, insistente—. Nuestro matrimonio les afecta de forma directa, no podemos evitarlo, por mucho que queramos.

—¿Les afecta cómo? Ellos tienen su vida, nosotros la nuestra. No tienes que sacrificar nada a cambio de su cariño. Entenderán lo nuestro eventualmente.

Negué.

—No estás entendiendo.

—¡Entonces explícame!

—¡Pero es complicado!

—Ah, ¿y crees que leo tu mente? ¿Cómo puedes pensar que estaré de acuerdo con esa mierda? —escupió airado, haciendo aspavientos—. Te pedí razones válidas, y no me has dado ni una sola.

—¡Porque muchas cosas de las que están sucediendo son por nuestra culpa! ¡Porque no importa cuánto intentemos negarlo, somos un error! ¡Porque por mucho que queramos, la familia a la que pertenecemos sí afecta nuestra relación!

—¿Qué cosas están sucediendo que son tan graves para separarnos? ¿La rabieta de tu padre? ¿O la de mi madre?

Me mantuve de pie con los brazos cruzados sobre el pecho, intentando mantenerme templada y seguir con esto hasta el final, ahora que ya lo había empezado.

—No es tan simple como tú crees. Hay cosas que nosotros provocamos, y sus consecuencias están fuera de nuestro control, mientras todo se va al carajo por ello.

—¿Eso es tan fatal? ¿Vas a rendirte tan fácil? —reprochó dolido.

—¡No es tan sencillo! Estoy harta de que me presionen para que nos divorciemos, que papá me diga una y otra vez todos los problemas que tiene en la empresa por culpa de Abraham y el jodido contrato, que me recuerde lo peligroso que es estar contigo gracias a Agnes y tiene razón, joder, tiene razón —hablé con rapidez, sacándolo todo.

—¿Qué tiene que ver mi madre en esto? Sé que no tienen una buena relación, pero ¿qué importa? Estás casada conmigo, no con ella —recalcó, con la súplica bailando en sus ojos.

—Lo sé, pero no puedo seguir contigo, no puedo hacerle algo así a mamá, a mis padres. Tienen razón en decir que es peligroso.

—¿Por qué?

—¡Porque tu madre está loca! ¡Realmente loca! —exploté con la voz en cuello, impulsada por la cólera y adrenalina que corría por mi sistema, y que era provocada por el montón de imágenes atroces que papá había implantado en mi mente—. Es una desquiciada, y mis padres tienen razón en odiarla. Lo que les hizo fue horrible, Agnes ni siquiera debería estar libre en las calles.

Las cejas de Alex se fruncieron y su rostro se llenó de desconcierto.

—No entiendo. ¿Qué es tan grave para que digas esas cosas sobre ella? Escucha, sé cómo es mamá, crecí con ella, y sí, lo admito, es un poco histérica, pero no es algo que deba afectarnos a nosotros.

—¡Pero sí lo hace!

—¿Cómo? —alzó la voz también, ofuscado—. ¡Los problemas de nuestros padres les conciernen solo a ellos! No tienes por qué resolverlos tú.

—¡No es por lo que quiera resolver, es por lo que quiero evitar! No puedo hacerles algo así a mis padres.

—¿Algo así cómo?

—¡No puedo estar con el hijo de la mujer que intentó matar a mamá! —bramé, incluso antes de poder pensarlo mejor.

Alex retrocedió un paso.

—¿Intentó qué?

—Lo que dije —confirmé, con mi corazón pesando tanto como una piedra por la expresión de pesar que lo ensombrecía—. Tu madre quería que papá se casara con Chelsea, y para lograrlo, hizo de todo. La secuestró e intentó practicarle un aborto a mamá, para después desaparecerla. ¿Sabes lo enfermo y retorcido que es eso? ¿Lo mal que tienes que estar de la cabeza para pensar en hacer algo así?

—¿Quién te lo dijo? —preguntó aún en su estupor.

—Papá —me limpié una lágrima rebelde con el dorso de la mano y continué—, ¿y sabes qué? Le creo, porque es la única razón por la que Agnes pudo haberse enterado de que mamá era una prostituta. ¿Cómo lo habría sabido antes? ¿Y lo de la paternidad dudosa de Erick?

Desvió la mirada con el ceño fruncido, mientras un montón de emociones diferentes se mezclaban en sus ojos. No tenía idea de cómo estaba lidiando con esto, ni si me creía o no, pero le estaba costando.

—Estar contigo sería lo mismo que traicionarlos, sería exponerme a que tu madre intentara hacer lo mismo conmigo.

—Jamás dejaría que mamá te pusiera un dedo encima —sentenció con determinación—. Ni una sola vez.

—¿Y qué pasará si tenemos hijos? —argumenté, y mi visión se tornó borrosa por el llanto—. No estará feliz con ello. Intentará deshacerse de ellos, intentará...

—Cálmate, no es ningún monstruo.

—¡Mira lo que le hizo a mamá!

—¡No haría lo mismo con nuestros hijos! —rebatió—. Serían míos también, ella no me lastimaría así.

Me limpié las lágrimas con hastío.

—Prefiero no correr el riesgo.

—Entonces vámonos. —Agotó la distancia que nos separaba y tomó mi cara entre sus manos—. Si tienes tanto miedo, larguémonos de aquí.

Quería creerle e ir con él desesperadamente. Dejar todo atrás y empezar de cero, pero las responsabilidades de ambos no lo permitirían.

Negué, retirando sus manos con las mías.

—No se trata de eso.

—¡No me estás escuchando!

—¡No, tú no me estás escuchando! Se trata de que por mucho que queramos, no podemos estar juntos por ahora. ¡Tenemos que separarnos! Al menos por un tiempo, para que las cosas se tranquilicen, tenemos que firmar ese jodido divorcio para que...

—Leah, para —suplicó, y sentí mi cara contraerse con angustia; mi corazón se hacía pedazos mientras intentaba seguir con esto, pero era demasiado difícil. Era doloroso verlo con el cabello desordenado, con sus facciones pálidas por el golpe de la verdad del pasado, que pendía entre nosotros dos como una guillotina.

Lucía tan humano, tan vulnerable, que las emociones estaban estrangulándome.

—Alex, necesi...

—¡PARA! ¡Solo cállate por un segundo! —gritó furioso, haciéndome dar un respingo—. Estás mandándonos al carajo por cosas que ni siquiera tienen que ver con nosotros. ¿Qué pretendes lograr?

—¡Tenemos que separarnos! No quiero perder a papá, no quiero poner en peligro a mamá, ni a ti, ni a mí —dije con desesperación en medio del llanto—. Alex, necesitamos divorciarnos.

—No —espetó con decisión—. Podemos encontrar otra solución, podemos...

—No hay tiempo —gimoteé, respirando con dificultad—. Hay cosas que aún tenemos que asimilar. Si seguimos juntos ahora, solo nos reprocharemos las cosas, nos desgastaremos por nada. Necesitamos separarnos.

—¡No quiero! —Volvió a tomar mi cara entre sus manos; la desesperación era palpable en su agarre, en su mirada—. Hablemos con ellos, lleguemos a una solución, podemos...

—¡No podemos! —grité con la misma angustia—. Ya te lo dije, no pod...

—¡No quiero divorciarme, joder! ¿Qué es lo que quieres que haga? —Levantó mi cara y me obligó a mirarlo—. ¿Quieres que me arrodille y te ruegue? ¿Eso quieres?

—¡No! —respondí ahogándome con las lágrimas—. ¡Quiero que estés a salvo! ¡Quiero que esto se termine!

—Eso es mierda y lo sabes.

—Alex, por favor —supliqué sin que el llanto parara.

—Te necesito, Leah —susurró capturando mis ojos con los suyos—. Te amo, joder, te amo tanto. ¿Eso es lo que necesitas escuchar?

Sentí el tiempo, pesado y cruel dentro de mi pecho, moviéndose bajo mi piel.

Alex fue un chico extraño en mi infancia, que se convirtió en ese hombre que ahora tenía enfrente, y mientras él seguía de pie, siendo solo una partícula de vida perdida entre los bordes de la mafia y el dolor, yo lo apreciaba en líneas nítidas y fuertes, porque mientras Alexander Colbourn no era nada para el mundo, él era todo para mí.

—Lo siento, no quería que terminara así, pero no me dejas opción. —Retiré el débil agarre de sus manos de mi rostro.

Dejó caer los brazos, derrotado.

—Te lo preguntaré una última vez, Leah. ¿Esto es lo que quieres?

«No, no, no. Te quiero a ti».

—Sí.

La tristeza ensombreció su rostro y se derrumbó por un momento, antes de erguirse, imponente y firme.

—Bien, será lo que tú quieras, a tu manera entonces. Nos divorciaremos.

Alcé la cabeza, dolida.

Sabía que sería difícil convencerlo, pero que al final accedería. Me preparé un montón de veces para este escenario, pero repasarlo en mi mente no había servido para un carajo, porque dolía, realmente dolía.

Era un dolor real, crudo y lacerante.

—Lo siento, pero tenemos que enmendar el error que cometimos —susurré con voz estrangulada.

Me miró con la mandíbula tensa.

—Como tú digas. Mi abogado se pondrá en contacto contigo para la fecha en la que debo ir a firmar.

Asentí con el cuello rígido, mis movimientos eran torpes mientras tomaba mi bolso y recorría por última vez su recibidor, hasta la puerta.

Giré la cara y lo miré sobre el hombro con el corazón hecho añicos.

—Te amo —le dije, pero se mantuvo impasible en su lugar, sin ninguna emoción en el rostro mientras yo salía de su departamento.

Y justo cuando crucé la puerta, mi pecho se desplomó y perdí la capacidad de respirar una vez más.

14
GUERRA FRÍA
Alexander

—Tienes una cara de mierda.

Enarqué una ceja y me pasé el pulgar por el labio esbozando una sonrisa irónica.

—Muy curioso que tú digas eso.

Louis resopló nada feliz con el comentario, pasándose la mano por la mejilla, ahí donde la barba le crecía de manera desigual alrededor de las cicatrices.

—¿Qué quieres decir con eso?

—No creo que seas tan idiota para no comprender la ironía —respondí con indiferencia, de pronto encontrando el feo tapete de la desvencijada sala de Rick muy interesante.

—No me faltes el respeto —amenazó inclinándose hacia adelante en el sofá—. Tu lengua es más valiente que tú después de todo, chico.

—Lo dice quien huyó de la casa de los McCartney como un puto perro cagándose de miedo —ataqué sin perder la oportunidad. Su expresión de petulancia desapareció y me regodeé por ello—. ¿Muy valiente para empezar el incendio, pero no para ver el mundo arder? Eso no habla muy bien de ti, Louis.

—Eso es algo que no te incumbe.

El comentario me hizo escocer el estómago, porque, en efecto, la vida de Leah debía dejar de ser algo que me importase.

—Lo sé, pero eso no quita que eres un cobarde.

Cruzó una rodilla sobre la otra, colocando las manos sobre el reposabrazos.

—Veo que tu esposa no tardó en contártelo todo.

—Un movimiento muy estúpido de tu parte, si quieres mi opinión —dije lacónico, sin quitarle los ojos de encima.

—Lástima que no pedí tu opinión.

—Habría sido más sabio que lo hicieras, hasta yo sé que estuvo mal.

Se encogió de hombros.

—Allison necesitaba saber que aún tiene cuentas pendientes conmigo.

Lo miré ofuscado por la seguridad en su voz, y por todas las posibles implicaciones que aquello podría representar.

—No quiero que...

—Veo que empezaron la reunión sin mí —me interrumpió Rick, entrando en la estancia con tres cervezas en las manos.

Me ofreció una que tomé de mala gana y dejé de inmediato en la mesita de centro; no estaba dispuesto a arriesgarme. Conociéndolo, podría haberle puesto hasta raticida.

Desde la última vez que visité la oficina de Fejzo, había desarrollado cierta aversión a reunirme en lugares privados donde no hubiese más personas, porque eso disminuía la posibilidad de testigos y los colocaba en una posición de ventaja.

Louis le dio un largo trago sin despegar su vista de mí, que era filosa e intensa, y se la sostuve pese a la inquietud que tiraba de mi piel.

—¿Por qué estamos aquí y no en el bar? ¿Me extrañabas, Rick?

Su grueso labio se alzó en una mueca de disgusto y dio otro trago de la botella.

—Extraño más mi grano en los testículos que a ti.

Emití un sonido de dolor.

—Eso no es normal, deberías ir a revisarte. Sabía que terminarías pescando algo con...

—Suficiente, no tengo tiempo para perderlo con tus estupideces.

—¿No? —Me recargué en el sofá e incliné la cabeza con inocencia—. Porque esta reunión de té para ponernos al día fue tu idea.

—Están vigilando el bar, no quiero arriesgarme.

Enarqué ambas cejas, sorprendido porque Fejzo ya hubiese llegado al punto de vigilar los movimientos en el casino de Rick.

—Nos tiene atados de manos —completó Louis, preocupado.

—Los tiene atados de los huevos, más bien —rectifiqué y el dueño me dedicó una mirada venenosa.

—Nos tiene, te recuerdo que tú más que nadie eres parte de esto.

Estreché los ojos con recelo y disgusto.

—¿Crees que no lo sé? Yo soy su puta garantía, pero mi trabajo no es conseguir el dinero que ustedes dos, par de imbéciles, se gastaron, es suyo. —Los pardos orbes de Rick me perforaron—. ¿Cómo van con eso? El tiempo se agota, y si seguimos así, tendrás a los gorilas de Fejzo aquí, vigilándote mientras cagas.

—Ya lo sé —contestó nervioso—. Pero a ti también te incumbe todo esto, sabes que te matará si no conseguimos el dinero.

Me encogí de hombros.

—Lo he estado pensando, y no creo que lo haga. Le sirvo más vivo que muerto. En todo caso, los mataría a ustedes que no representan ninguna ganancia —dije y disfruté de la forma en que el rostro de Rick se desencajó por un segundo, antes de volver a su estado de inconformidad perpetua.

—Vamos bien —intervino Louis—. Si nuestros planes resultan, conseguiremos el monto total antes de la fecha acordada.

Enarqué una ceja, curioso por su seguridad y los planes de los que hablaba, pero decidí que lo mejor era permanecer tan alejado de ellos como fuera posible. Ya me había metido en suficientes problemas a causa de esos idiotas.

—De acuerdo.

Me toqué el cuello, sintiendo la tensión sobre él aminorar. Sin embargo, Rick parecía poco convencido y no supe cómo interpretarlo.

—Solo queríamos avisarte de la situación actual del bar, y advertirte que tuvieras cuidado si te aparecías por ahí —siguió su socio.

—¿Por qué iría a ese hoyo de mierda?

Rick gruñó ofendido.

—Es probable que también te vigilen a ti, para mantenerte bajo control —explicó Louis con los brazos sobre sus rodillas—, así que trata de no hacer alguna estupidez.

—Yo no soy como ustedes.

—Qué soberbio, príncipe. —Rick esbozó una sonrisa torcida.

Decidí ignorarlo, era lo mejor.

—¿Eso es todo?

El dueño asintió.

—Te daremos el dinero para que se lo entregues a Fejzo una vez que esté completo.

Me puse en pie y me acomodé la chaquea, ansioso por salir de ahí.

—Bien.

—Tengan cuidado…, tu esposa y tú.

Miré a Rick severo, esperando que mi rostro no mostrase ninguna de las estrepitosas emociones que me asaltaban cada vez que mencionaban a Leah.

—Como sea.

—Estás ebrio —me riñó mamá, molesta.

El salón de eventos del Ritz Carlton estaba atestado de periodistas, diseñadores, inversionistas y un montón de sanguijuelas más que solo estaban ahí para ver a qué pobre ingrato podían pegársele.

El rostro de mamá estaba en todos lados, y era elogiada como una de las diseñadoras más famosas y creativas del último año, tanto que recibiría un premio gracias a eso. Era evidente que se sentía en su elemento siendo el centro de atención, y lo último que quería era que el insolente de su hijo le arruinara su noche.

Lamentablemente, ya eran cinco copas de *champagne* tarde para ello.

Había accedido a asistir a este estúpido evento con la única finalidad de joderla de la misma forma en que ella me jodió a mí, e iba bastante bien hasta ahora, a juzgar por su humor.

—Déjalo tranquilo, Agnes —dijo papá.

Le sonrió a un hombre que le estrechó la mano con bastante entusiasmo, y creo que también quiso saludarme y lo ignoré, ¿o le correspondí? No estaba seguro. Mamá besó en las dos mejillas a una alta mujer de tez morena.

—¡Está completamente ebrio, Byron! —susurró a su esposo, alterada, esperando que nadie la escuchara.

Estaba bebiendo coñac de una copa alta luego de hartarme del *champagne*. Esto era la mayor expresión de vulgaridad posible para mi madre, y sabía que ya le había provocado una jaqueca.

—¿Estás tratando de humillarme? —preguntó en tono bajo luego de saludar a un hombre alto e hirsuto.

Papá me miró inquisitivo, y la pregunta de mamá me hizo detenerme a medio sorbo. Enarqué una ceja y tenía que admitir que fue gracioso cuando él hizo lo mismo.

—Dudo que pueda humillar a esta familia más de lo que tú ya lo hiciste —repliqué hosco, bajando la vista hacia ella.

Mamá lanzó un quejido corto y desconcertado. Había esperado por aquel preciso momento todo el día.

—Malagradecido insolente —siseó—. ¿Cómo te atreves?

Esquivé su comentario furioso con una risa burlesca.

—¿Cómo me atrevo? No sé cómo te atreves tú a mostrar tu cara en público. En verdad, ¿cómo lo soportas? —le pregunté dando un paso más cerca de ella—. Sé honesta, ¿cómo puedes vivir con lo que hiciste? ¿Cómo puedes soportar que la gente vea lo que eres? Si yo humillo a la familia, ¿cómo se le llama a lo que hiciste tú?

Alcé la copa a modo de saludo y sonreí cuando alguien hizo lo mismo sobre la cabeza de mamá.

Papá se acercó a mí, intentando parecer relajado para desviar la atención que yo ya había conseguido, y presionó mi brazo con fuerza, invadiendo mi espacio personal. Yo era un hombre alto gracias a él y ese rasgo siempre había funcionado para intimidar, lástima que no le funcionaba conmigo.

—Sabes que no puedes manejar bien el alcohol, hijo. Para de una vez.

—Vas a dejar este numerito ya. Estamos aquí para hacer crecer nuestras industrias e inversiones, no lo arruines —advirtió mamá, logrando lo que papá no podía: lucir jodidamente intimidante.

—Tus industrias e inversiones, no mías. —Me solté del agarre y terminé de vaciar la copa.

—Ya tuviste suficiente —alzó la voz arrebatándome el contenedor. Le dediqué una mirada de muerte.

—Aún no —siseé, y ella gruñó.

—No hagas una escena ahora.

—Tú eres quien la está haciendo.

—¿Por qué tienes esta actitud? Es por culpa de esa, ¿no es así? —me retó, furiosa.

Mis entrañas se retorcieron.

—Tiene un nombre y un apellido, ¿sabes?

—Sí, y no tendría que ser Colbourn, por Dios.

Estaba por hablar justo en el momento en que una chica esbelta de cabello rizado la tomaba con delicadeza del brazo.

—Señora Colbourn, todo está listo para recibir su premio. Acompáñeme, por favor.

Mamá le regaló una sonrisa forzada, dividida entre ir con ella o seguir riñéndome.

—De acuerdo. Los veo en un momento.

—Suerte, querida —dijo papá con un tono meloso, más falso que las nalgas de la mayoría de las mujeres en esa sala.

Nos acomodamos frente al centro, donde estaba montada una imponente pasarela.

—¿Esto está encendido? —habló de pronto un hombre enjuto envuelto en un costoso traje—. Creo que sí —sonrió cuando su voz retumbó en toda la estancia—. Tomen sus asientos, por favor. Estamos encantados por presentarles la última colección de Agnes Colbourn, una de las diseñadoras más destacables de la última década. Prepárense para deleitarse con algunas de las prendas más exquisitas que ha creado para nosotros, será un espectáculo único.

Caminé junto a papá hasta la primera fila y robé una copa de *champagne* de un mesero que me encontré en el camino.

—¿Qué? Es por si me da sed —me justifiqué cuando papá me miró con reproche, y negó dándose por vencido.

Tenía que admitir que si mamá hubiese tenido la mitad de conciencia que tenía de talento, las cosas habrían resultado mucho mejor para todos. Tal vez entonces habría tomado mejores decisiones en su vida, y no descargaría esa furia que sentía consigo misma afectando a los demás.

Para la mitad de la pasarela ya estaba ansioso porque terminara y largarme de ahí. El desgaste mental y emocional comenzaban a hacer mella en mi cuerpo, que combinado con el montón de alcohol que había ingerido, me convertían en una bomba de tiempo.

La guerra fría que había mantenido con mamá durante el día estaba a nada de estallar.

Las ovaciones no se hicieron esperar tan pronto el desfile terminó; las personas estaban tan extasiadas que se pusieron en pie, celebrando sus creaciones.

—¡Un aplauso para nuestra extraordinaria diseñadora! —pidió el hombre y mamá entró con una enorme sonrisa, elevando otra ola de ovaciones a su paso.

Papá esbozaba su mejor imitación de una sonrisa genuina, que yo conocía demasiado bien para creérmela.

—Queremos agradecerte por deleitarnos el último año con tus exquisitos diseños, por tu espectacular presentación en el Fashion Week que nos dejó a todos encantados —dijo entusiasmado el presentador, y se apresuró a entregarle un elegante premio de plata sobre un pedestal de cristal—. Te lo mereces más que nadie, has marcado un antes y un después en el diseño, y has dejado un legado en la moda. Muchas felicidades.

Hubo otra ola de aplausos, hasta que el anfitrión le tendió el micrófono a mamá.

—Gracias, Cesar —dijo emocionada—. No tienes idea de lo que este premio representa para mí, de lo que todos ustedes representan en la construcción de mi carrera. —Se llevó el premio al pecho, conmovida—. Gracias a mi familia por apoyarme y amarme incondicionalmente.

Ahogué una risa por su falso agradecimiento.

Cesar nos hizo una seña.

—¡Suban, por favor!

Papá me empujó para que comenzara a caminar y lo obedecí de mala gana, dirigiéndome a la tarima siendo ovacionados también.

—Será una foto divina —dijo Cesar cuando pasé a su lado para situarme junto a mamá.

—Sonríe, Alexander —susurró entre dientes cuando la abracé por la cintura.

La ignoré.

—¿Qué se siente tener una esposa tan talentosa? —El presentador le tendió un micrófono a papá, quien miró a mamá con una imitación de amor digna de un Oscar.

—Me hace sentir plenamente orgulloso y seguro de que elegí a la mujer indicada —le sonrió—. Felicidades, cariño, te amo.

—Te amo —respondió mi madre luciendo menos natural, acercándose hasta dejar un beso fugaz en sus labios.

La sala explotó en aplausos y ovaciones, con ella alzando en alto su premio.

—Muy merecido —habló un hombre que al parecer era amigo de mi madre, por la forma en que lo saludó cuando bajamos del escenario.

—Gracias, Jonathan —contestó la aludida sin perder la sonrisa, feliz.

—Eres admirable —dijo alguien más en el círculo.

—Tu familia es muy afortunada de tenerte.

—¡Felicidades! —Una mujer se abalanzó sobre ella, abrazándola con fuerza.

—¡Pensé que no llegarías!

—Claro que vendría, no me lo perdería por nada —sonrió la desconocida—. Mi hija no me lo perdonaría. —Detrás suyo apareció una chica esbelta, alta, de cabello claro y facciones finas—. Agnes, ella es Paula, mi hija. Es una gran fan tuya.

—Mi sueño es un día llegar a ser como usted —dijo la chica, mientras yo me sentía cada vez más asfixiado por la aglomeración que rodeaba a mamá, desesperados por llegar hasta ella.

—¡Pero mira qué bonita eres! —sonrió mi progenitora—. ¿No es preciosa, Alex?

La chica pareció reparar en mí por primera vez, y decidí que ya había esperado suficiente. Envalentonado por el alcohol, supe que ese era mi momento.

—Lo es. —La escaneé de arriba abajo esforzándome porque la lascivia fuera evidente en mi cara, entonces me acerqué a ella hasta tomarla del brazo con brusquedad y encarar a mamá—. ¿Ella sí es suficiente? A ella sí puedo follármela sin problema, ¿cierto?

—¿No estaba casado? —escuché decir a alguien.

—¿Qué dices? —chilló Paula alterada, intentando liberarse.

—Cállate —ladré ofuscado, alzando un montón de murmullos dentro del círculo—. No me has respondido, mamá. ¿A ella sí la apruebas? ¿O también vas a inducirle un aborto si la embarazo?

Toda la felicidad en su semblante desapareció.

—¿De qué hablas? —soltó una risita nerviosa.

—Alex, ya fue suficiente, has bebido demasiado —intervino papá.

—¡Suéltame! —berreó de nuevo la chica, y aflojé mi agarre cuando caí en cuenta de que la estaba lastimando.

—Agnes, controla a tu hijo —dijo la madre de la chica.

—¿Ahora no sabes de qué hablo? —seguí, ignorando a la mujer—. ¿Por qué no les cuentas a todos tus fans el tipo de persona a la que idolatran? ¿Por qué no les dices todas las cosas enfermas que has hecho?

El murmullo de voces se elevó mucho más, ansiosos por descubrir de qué mierda estaba hablando.

—Alex, no hagas esto.

—¿Por qué no? Tú puedes hacer toda tu mierda, ¿y yo no puedo siquiera reprochártelo?

—¡Alex! —insistió mamá, alterada, pero el alcohol en mi sistema me alentaba a seguir.

—¡No, no me voy a callar! ¿Por qué no les dices a todos tus sucios secretitos, mamá?

Papá se acercó y me tomó del brazo.

—Fue suficiente, nos vamos —sonrió nervioso hacia los demás—. Ha bebido demasiado, no sabe lo que dice.

—Sí sé, sé lo que digo —siseé.

—Alexander —insistió él, intimidante. Solté a la chica por fin, que corrió hasta su madre, y papá me tomó del brazo, arrastrándome fuera del lugar.

Mamá se despidió de todos con prisa y nos siguió de cerca hasta salir.

Lucía alterada, asustada y devastada.

—¿En qué mierda estabas pensando? —preguntó con voz tensa mamá, dándome un empujón en el pecho en cuanto pusimos un pie dentro de casa.

—¿Yo? ¿En qué estabas pensando tú cuando hiciste todo aquello?

—¿De qué hablas? —cuestionó papá entrando al estudio también.

Mamá negó desconcertada, aún temblando de rabia.

—No sé de qué estás hablando, lo único que les pedí fue que no...

—¡Pues lo siento! ¡Lo siento si arruiné tu noche, pero te lo merecías!

—¡Claro que no! —bramó ella también, dándome otro empujón—. ¿Qué clase de hijo malagradecido eres? ¡Todo lo que eres es por mí!

—¡Mentira! ¡Yo no soy un desquiciado como tú!

—Paren ya este numerito, que bastante espectáculo montaron en el evento —pidió papá hastiado.

—¿Por qué estás actuando así? —me reclamó ella—. ¿Por qué me atacas? Es por esa tipa, ¿no? Por la hija de esa prost...

—¡No! Ella no tiene que ver un carajo con esto, ¿sabes por qué? —la reté y me cerní sobre su figura, furioso—. Ella me dejó, ¡me dejó por tu culpa!

Dio un respingo por la fuerza de mi voz y cuando miré a papá, estaba pálido.

—¿Ella te qué?

—Nos divorciaremos —siseé—. ¿No era eso lo que querías? ¿Que nos separáramos?

Mamá pareció recuperar la compostura, con una nueva emoción irradiando de sí.

—Es lo mejor que puedes hacer. Ella no es digna de ti, hijo, eres un heredero y ella es una... No está a tu nivel —reformuló—. Hay muchas mujeres en el mundo y una puede...

—¡No quiero a otra! —la corté, provocando que diera un paso hacia atrás, pero la seguí—. ¿Por qué mierda le hiciste todo eso a Allison? ¿Qué estabas pensando?

Su rostro se desencajó de inmediato y todo el color lo abandonó.

—¿De qué estás hablando? —volvió a preguntar papá, ahora más insistente.

—¿Pensabas que nunca sabría el tipo de persona que eres? ¿Qué esperabas lograr con eso?

Negó lentamente.

—Fue un...

—¡Mis huevos! —la corté, colérico—. ¡Todo lo que hiciste nos trajo hasta aquí, tu mierda nos arrastró hasta aquí!

—Alex...

—Te daré una oportunidad. —Alcé un dedo cerca de su cara para estar seguro de que me comprendería—. Una puta oportunidad para que me expliques por qué intentaste practicarle un aborto a Allison en contra de su voluntad para después desaparecerla —expliqué despacio, observando la forma en que su cara se descomponía con horror cada vez más.

—¿Que ella qué? —intervino papá, con el susurro de sus pies indicando que se había incorporado.

—¿Y bien? —la presioné impaciente, cruzándome de brazos.

—Fue hace mucho tiempo, Alex. Era por el bien de nuestra familia, de Chelsea, de Leo, de...

—¡Ibas a matar a una madre y su hijo por tus estupideces! —bramé, sintiendo la vena en mi cuello hincharse—. ¡Estás loca!

—¡Leo me lo debía! ¡Estaba haciéndole un favor!

Tomé a mi madre del brazo con brusquedad, impulsado por la furia y la decepción, mientras mi padre maldecía sin parar.

—Estabas cometiendo un puto crimen, ¿y para qué? ¿Qué ibas a ganar con eso?

—¡Venganza! —rugió también, sin perder su fortaleza—. Leo fue un hijo de puta conmigo, me quitó algo que yo amaba, era justicia divina que yo hiciera lo mismo. No me arrepiento de nada, excepto de no haberlo logrado, de no haber desaparecido a esa maldita puta para que se casara con Chelsea.

—Estás loca —dijo papá, impactado.

—¿Y para qué? —cuestioné con voz cruda—. ¿Qué ganabas tú con eso?

—¡No era justo que él fuera feliz con esa prostituta! —explotó, quebrándose por fin—. ¿Yo lo perdí todo y él ganó todo? ¡No era justo! Tenía que mostrarle cómo se sentía, quería que experimentara la misma infelicidad que yo, esa desesperación e impotencia de estar atado a alguien que detestas —dijo con amargura, su maquillaje corriéndose mientras lloraba—. Se lo merecía, se lo merecía tanto.

—Muy emotivo tu discurso —se quejó papá, ofendido.

La miré con la boca abierta mientras se descargaba, sus manos frotaban sus mejillas una y otra vez para enjugarse las lágrimas.

—¿Quieres lo mismo para mí? —pregunté dolido.

Negó.

—No, no, no. Eres lo único valioso que tengo, te amo con todo mi corazón. Quiero que seas feliz más que nada en el mundo. —Sus ojos abandonaron su perpetua dureza para dejar al descubierto la vulnerabilidad que había detrás.

—¿Entonces por qué insistes en separarnos? ¿Le harías a Leah lo mismo que a Allison?

Tomó una bocanada de aire y volvió a construir esa fortaleza impenetrable que la rodeaba siempre.

—Sí, sí lo haría —confesó y mi corazón terminó de romperse—. Ella no es suficiente para ti, no te merece, mucho menos merece cargar a tus hijos en ese vientre vulgar suyo.

—¿Qué es lo que quieres entonces? —dije acechándola hasta tomarla del brazo para evitar que volviera a alejarse—. ¿Quieres que sea un infeliz toda mi vida?

—¡No! —respondió alterada, buscando liberarse.

—¿Quieres que sea como tú? ¿Que esté vacío y resentido eternamente con la vida?

—¡Suéltame, Alexander! —ordenó, pero la ignoré y sacudí con ímpetu.

—¿O quieres que odie a mi mujer, que la deteste con todas mis fuerzas y me coja a otras porque estoy frustrado con mi vida? ¿O que le pague a una prostituta para sentir que a alguien le importo? ¿Eso quieres?

Mamá logró zafarse y me asestó una bofetada.

—¡No tienes idea de todo lo que haría por ti! ¡Eres igual a tu padre! ¡Son unos malagradecidos los dos!

La miré impresionado por su fuerza y por la manera en que estaba confesándolo todo. Me sentí perdido en esa situación, desconcertado por la persona que tenía frente a mí y que por años creí conocer erróneamente. Estaba pasmado por los alcances de mi madre, por todo el odio, el resentimiento y la tristeza que llevaba dentro de sí.

Una parte de mí quería abrazarla por lo rota que estaba, pero la otra, la que tenía mayor partido, quería alejarse tanto como fuese posible, al menos por ahora, al menos hasta que yo pudiese asimilar las cosas.

—Ya fue suficiente, Agnes. —Papá se posó junto a ella tomándola del brazo y se soltó con hastío.

—No te odio por lo que hiciste —dije sereno, centrándome en mamá. No quería escuchar más justificaciones—. Te reprocho las consecuencias de tu actos y cómo me afectaron a mí. Yo no tengo nada que perdonarte, pero Allison y Leo sí, y tú primero que todos.

—Alex... —susurró intentando llegar hasta mí, pero alejé sus manos.

—Leah tomó su decisión, no la obligaré a estar conmigo si no lo desea. Yo no soy como tú. —Clavé mis ojos en los suyos—. Nos divorciaremos.

—Deberíamos contratar a un abogado para que lleve el trámite y la separación proporcional de los bienes y ganancias —sugirió papá, nada conforme con ello.

Negué con decisión.

—Puede quedárselo todo. No quiero ni necesito ese dinero.

Alzó la cabeza, alarmado.

—Estamos hablando de millones.

—Me importa un carajo —dije tajante, y miré a mamá, que estaba hecha un mar de lágrimas—. En cuanto termine el año en la universidad, me largo. Ya he mandado mi proyecto de admisión a Suiza.

—¿Qué? —susurró perpleja—. No puedes irte, no pue...

—Puedes visitarme cuando quieras en Suiza o Inglaterra, pero no pienso volver.

—¡Sabes que no puedo entrar a esa casa!

Me encogí de hombros con indiferencia.

—Ese no es mi problema, ingéniatelas.

Soltó un amargo sollozo.

—Felicidades, mamá, lo lograste esta vez.

—Alex, escúchame, esc...

—Te veré después. No puedo hacerlo ahora. —Me giré hacia papá—. A ti también, nos pondremos de acuerdo para el abogado.

Salí de allí escuchando los sollozos de mi madre y sintiendo el peso de la cruda realidad sobre mis hombros. Exhausto de un pasado que no me pertenecía, pero que hizo pedazos el presente que había construido con Leah. Uno del que solo quedaban los vestigios.

Un buen bolígrafo era siempre un misterio.

Y nunca era tu bolígrafo, era el de alguien más. Era la pluma del banquero en la ventanilla, o la del dependiente cuando firmabas tu compra.

La ironía de encontrar el bolígrafo perfecto era que la satisfacción era finita.

Mi bolígrafo no estaba funcionando. Intenté de nuevo, pero la tinta no salía. Pensé que quizás estaba roto.

Gracias a mi carrera, había adoptado la costumbre de siempre traer uno conmigo, pero quizás la vida del que solía usar había llegado a su fin.

Lo agité y traté de escribir mi nombre otra vez, sin éxito.

Miré a Leah, que permanecía junto a mí, pulcra y elegantemente vestida. La tristeza estaba cincelada en su bonita cara.

Yo podía haberme afeitado, pero mi bolígrafo era una extensión de mi persona: roto, vacío y sin palabras.

Ella me miró de vuelta entonces.

«Bueno, lo intentamos. Intentamos divorciarnos, pero no funcionó. Vamos a casa y olvidemos que esto pasó» le dijeron mis ojos, pero permaneció impasible.

—Aquí tiene, señor Colbourn, use el mío —habló Druman, mi abogado.

Atolondrado, miré el fino y pesado bolígrafo dorado en mi mano, y jugué con él entre mis dedos para comprobar el balance —y perder tiempo—. Pero no cabía duda: escribiría brillantemente.

Era ese tipo de bolígrafo, el que terminaba guerras y firmaba tratados de paz.

—Señor Colbourn —habló Druman—. ¿Necesita un minuto?

«Necesito una vida», pensé con ironía.

Estuve casado con Leah por siete meses, pero sí, incluso un minuto más con ella habría sido una bendición.

Tomé el bolígrafo, firmé y llené todo lo que se suponía que debía. Mi nombre completo era muy largo, y habría dado lo que fuera porque lo fuese aún más para nunca terminar.

—Y justo ahí —indicó Druman, señalando un espacio que había olvidado.

—¿Eso es todo? —preguntó el enjuto abogado de Leah al hombre del juzgado que permanecía tras el escritorio.

—Aparentemente... Aún quedan algunas gestiones internas judiciales que...

—¿Es todo? —presionó Leah; su voz fuerte, imponente y ronca.

Me tomó un momento percatarme de que sus ojos estaban rojos e hinchados.

—Sí, lo es —dijo el empleado.

Leah se puso en pie y yo hice lo mismo. Tenía modales, después de todo, aunque era muy selectivo con quién utilizarlos. No todos los merecían.

Por unos momentos permanecimos de pie mirándonos el uno al otro en miseria mutua. Ella salió del estupor primero, recogió su bolso, su copia de la sentencia y se irguió.

—Buena suerte, Colbourn —dijo sin más.

Quise reírme, aunque en mi pecho solo latiera un corazón herido que el maldito bolígrafo apuñaló con saña.

15
CAUTIVA
Leah

—Aquí tienes.

Papá tendió la sentencia de divorcio y Abraham la tomó sin disimular la sonrisa de satisfacción que se extendía por su cara.

—Veo que tu hija es una mujer inteligente, después de todo.

Lo miré hastiada.

—Lo único que sé es que estaba harta de tus amenazas —aseveré—, y que quien no actuó con inteligencia fuiste tú.

Giró su cuello rígido hasta posar su atención en papá.

—La impertinencia es un defecto que debemos erradicar de los hijos, Leo.

—Yo no consideraría impertinencia decirte las cosas como son, más tratándose de gente como tú.

El gesto de Abraham se tornó agrio.

—Ya veo de dónde lo ha sacado.

—De su padre, por supuesto —respondió con orgullo dedicándome una corta ojeada—. Espero que esto sea suficiente para que retires la demanda y nos dejes en paz.

Abraham dio golpecitos impacientes sobre la sentencia, como si estuviera considerándolo. A juzgar por su hambre de dinero, estaba casi segura de que la sanguijuela encontraría otra forma de exprimirnos.

—Sí, es suficiente —aceptó, para mi sorpresa.

—Bien, porque no recibirás nada más.

—Lo único que busco con esto es que ella comprenda la importancia de respetar y cumplir los compromisos —dijo severo, y fruncí el ceño.

—Los cumplo, solo que no con tu hijo.

Estrechó los ojos, ofendido.

—Dejaste ir la oportunidad de pertenecer a una gran familia.

—Tú la dejaste ir, más bien —aclaró papá, hosco.

Chasqueó la lengua y pareció disgustado con esto último. Había tocado una fibra sensible: para nadie era un secreto que las acciones de esa familia estaban impulsadas por el mero interés. No tenía idea de qué esperaba lograr, pero mirara por donde mirara, quien más perdía era su familia.

—Como sea, aún tenemos cosas que discutir —cambió de tema el señor Pembroke, haciendo un gesto con la mano.

—Sí, empezando por la disolución de nuestras relaciones comerciales. —Mi padre palmeó su rodilla con impaciencia y adoptó esa pose predatoria que usaba siempre en sus reuniones, y que lo hacía lucir intimidante.

—Pensé que continuaríamos trabajando juntos.

Papá soltó una risa seca y sarcástica, que hizo ver a Abraham como un imbécil.

—No seas idiota, Abraham. No perdamos el tiempo y pongámonos de acuerdo sobre cómo repartir las utilidades, ¿quieres? No estoy de humor.

—Bien —cedió entre dientes.

—Creo que por ser el inversionista mayoritario me corresponde un...

—Te veré en casa —corté a papá y lo miré desde mi altura cuando me puse en pie.

—¿Estás segura?

Asentí. Lo último que quería era quedarme a escuchar su aburridísima charla y mucho menos estar en presencia de mi exsuegro.

—De acuerdo, te veo un rato, cariño.

—Fue un gusto verte, Leah —dijo el idiota.

—No puedo decir lo mismo.

Salí del estudio mientras escuchaba despotricar a Abraham sobre mi falta de educación y mi rebeldía, y crucé la familiar sala de estar de la casa de los Pembroke rogando porque el universo estuviera de mi lado, los planetas me sonrieran y Buda alineara mis chakras para llegar al auto sin ningún incident...

Ah, gracias por nada, Buda.

Paré en seco frente a la puerta, a solo un palmo de distancia de Jordan, que me miraba con una mezcla de sorpresa y espanto en la cara.

—Pensé que ya no estarían aquí —habló primero, saliendo de su estupor.

—Bueno, si te quitas puedo cumplirte ese deseo.

Jordan sonrió con melancolía, y mi estómago escoció con ira. Los últimos días habían sido difíciles; reconstruirme lo suficiente para encarar a Abraham después del divorcio había sido complicado, pero necesitaba enfrentarlo, necesitaba verlo a los ojos cuando por fin tuviera su codiciada sentencia. Su hijo, sin embargo, era otra historia muy diferente. Sabía que había sido él quien estaba detrás de toda esa presión ejercida por los Pembroke, y mis dedos hormigueaban ansiosos por quitarle esa sonrisa de una bofetada.

—Estás de mal humor —dijo con ese tono de reconocimiento que había usado siempre conmigo.

—Y tú de muy buen humor, curiosamente —lo recriminé.

—Estaba con Grace.

Apreté los dientes, enojada. ¿Él podía ser feliz con Grace, pero yo debía renunciar a Alexander solo porque estaba dolido?

—Qué bien.

Nos mantuvimos en silencio, uno incómodo y tenso. Crucé los brazos y miré mis pies, impaciente por salir de ahí.

—Te lo dije —su voz se escuchó de pronto, segura y profunda, haciéndome alzar la cabeza.

—¿Qué cosa?

—Te dije que iba a dejarte —completó con suficiencia—. Sabía que no tardaría en separarse de ti para continuar con su vida de siempre. Conozco a Alexander, sé que tiene problemas con el compromiso.

Solté una risita para disimular el pinchazo que sentí en el pecho cuando habló de él.

—Te sorprenderías. Yo lo dejé.

Enarcó las cejas.

—No me digas, ¿lo encontraste poniéndote el cuerno?

Negué despacio, cada vez más colérica por esa faceta de idiota.

—Es muy molesto que intentes disimularlo, ¿sabes?

—¿Cómo?

—Sé que presionaste a tu padre para que nos divorciáramos —solté con crudeza, apuñalándolo con la mirada, y él me miró incrédulo.

—¿Tú también crees que fui yo?

—Nadie tenía más motivos que tú para vernos divorciados.

Dio un paso hacia mí y yo retrocedí otro por inercia. Jordan era una persona tranquila en esencia, pero tenía malas experiencias con su furia.

—Yo no le dije a mi padre que interpusiera esa demanda. Te defendí siempre que habló pestes de ti. Jamás te haría algo tan bajo, incluso si eso significara permitir que te arruines la vida. Te quise muchísimo, Leah; te tengo cierto respeto por ello. No soy como tu esposo. —Mi corazón se compungió, y quizás lo notó porque se apresuró a rectificar—. Exesposo.

—Estás disfrutando de esto, ¿verdad? —le reproché resentida.

—Estoy más tranquilo, sí —admitió—. No es alguien bueno para ti. Esa relación iba a terminar por desgastarte.

—Eso es algo que yo debía decidir, no tú.

Se encogió de hombros.

—Es mejor que estés lejos de él, antes de que terminara haciéndote algo peor.

—Y tú eres perfecto, ¿no? ¿Tú sí eres una buena opción?

Me dedicó una ojeada dolida.

—No estoy diciendo que lo sea. De hecho... —se aclaró la garganta, como si estuviese reuniendo valor—, quiero disculparme por la forma en que actué contigo cuando... —Hizo una mueca—. Cuando me enteré de lo suyo. No debí reaccionar así. Estaba enojado.

—Por decir lo menos —respondí con frialdad; no estaba dispuesta a aceptar sus disculpas—. Me sorprende que no me golpearas.

Me observó como si lo hubiese abofeteado, ofendido.

—¿Lo hice alguna vez? —preguntó.

—No.

—He sido rudo contigo, pero nunca te puse una mano encima.

—Eso no quita que quisieras hacerlo.

—Más veces de las que te imaginas —confesó apenado—. Eres la mujer más terca y demandante que conozco.

Resoplé por la nariz, indignada, aunque debía darle créditos por su sinceridad.

—Es difícil lidiar contigo, Leah. Joder, es difícil quererte. Eres demasiado, y no es sencillo estar a tu nivel.

—¿Estar a mi nivel?

—Algunas veces solo quería gritarte que lo entendía, que sabía que eras mejor que yo en todo, que comprendía que eras más inteligente, fuerte y preparada. Siempre caminabas como si fueras de otra dimensión, como si yo debiera sentirme bendecido porque me dieras un poco de tu atención. —Exhaló—. He tenido tiempo para pensar, y creo que con Grace todo es mejor, más fácil. No me hace sentir como si tuviera que esforzarme constantemente para merecerla, ni me hace sentir insuficiente, porque ella no considera que lo sea.

Permanecí en silencio, impactada por todo lo que sentía hacia a mí, por todo ese resentimiento del que se estaba desprendiendo por fin. No tenía idea de que pensara lo mismo que Alex sobre mi arrogancia y soberbia desmedida.

—Jordan, no tenía idea de...

—Supongo que Alexander podía seguir tu ritmo, cumplir con tus demandas, podía hacerlo porque tiene una personalidad fuerte, parecida a la tuya, pero no todos tenemos esa capacidad.

—Vaya, pues gracias por tu sinceridad —ironicé.

—Necesitaba decírtelo. —Se rascó el cuello—. No tuve nada que ver con tu divorcio. No estaba feliz con lo suyo, pero no iba a entrometerme más, por mi bien.

Asentí, asimilando la información. Si Jordan no había orquestado todo aquello para separarnos, ¿entonces quién había sido? Nadie más tenía tantos motivos, ni esa influencia en Abraham para convencerlo de sacrificar una próspera relación comercial.

Era una situación muy extraña.

Se hizo a un lado para permitirme el paso, por fin.

—Cuídate, Leah —dijo solemne, y no encontré nada más que decir, así que solo avancé y lo dejé atrás, donde esperaba que permaneciera.

La fiesta era... justo lo que pensé que sería.

Edith y Sara habían insistido en llevarme para despejar la mente de los problemas y Alexander, sobre todo de él.

Accedí a regañadientes, pero al llegar no me pareció tan buena idea. Quería regresar a casa, pero sabía que era imposible. Estábamos a las afueras de la ciudad en una de las villas de la familia Morgan. No había cómo escapar, así que solo me dejé llevar.

El lugar estaba atestado de personas, el aire estaba cargado de sudor, tabaco y marihuana; la música era estridente, con una extraña mezcla de trap y electrónica, pero no era mala, después de todo. El alcohol aparecía de la nada, y quizás los *shots* de vodka que había tomado en casa de la rubia ayudaron bastante a sentirme bien en ese denso ambiente.

Edith regresó con nosotras sosteniendo un vaso de alcohol para cada una. No tenía idea de qué estaba bebiendo, porque era noventa por ciento alcohol, cinco por ciento jugo y cinco por ciento de algo que no tenía ni puta idea.

Pero se sentía tan bien. Era liberador moverme al compás de la música sin nada que me atormentase en ese momento.

Cuanto más bebía, mejor parecía bailar, más parecía flotar y más sepultado dentro de mi mente parecían estar Alexander, mis padres, Louis y todos mis problemas.

Moví mis hombros con ritmo, subí los brazos sin ningún tipo de conciencia, reí, salté y brindé junto a ellas.

La música parecía guiarme y el alcohol me daba valor para enfrentar mi nueva y patética vida.

Aquello era precisamente lo que necesitaba: una noche en la que vaciara mi mente de todo, en la que pudiera olvidarme del mundo entero. Y justo cuando me sentía así en mi solo de baile, en el círculo improvisado que me habían hecho Sara y Edith para demostrar mis magistrales —y nada coordinados— pasos, alguien me tomó de la cintura y me pegó a su cuerpo, que era fibroso y duro.

Alcé la vista hacia el chico, y tardé en enfocarlo. Joder, ¿cuánto había bebido?

Me deshice de su agarre por inercia cuando empezó a moverse junto a mí.

—Estoy casada —dije arrastrando las palabras, alzando mi mano para mostrarle mi anillo de matrimonio.

—No veo ningún anillo en ese dedo, preciosa —dijo en mi oído. Fruncí el ceño y miré mi mano; me llevé una sorpresa cuando, en efecto, no había nada ahí.

¿Dónde lo había dejado?

¡Oh!, cierto, ya no estaba casada.

Volvió a tomarme de la cintura, y no opuse resistencia esta vez.

—¿Cómo te llamas?

—¡Leah! ¿Tú?

—Dominik —respondió, sonriéndome.

Tenía una bonita sonrisa, aunque un poco extraña. De hecho, había algo raro en él, aunque no sabía qué, y no quería pensar en ello en ese momento.

Seguimos bailando por más tiempo, mientras yo me terminaba el sexto vaso que tenía en la mano entre paso y paso.

La atmósfera se estaba cargando, el aire se volvía más pesado con el sudor y la cercanía de los demás, aunado al calor que irradiaban nuestros cuerpos tan unidos.

—Ven. —Me tomó de la mano y lo seguí entre un mar de brazos y piernas, hasta llegar a una mesa donde había varias personas alrededor, bebiendo y besándose.

—¡Beso o *shot*! —gritó una chica sonriente que nos ofreció unos tragos.

Los que estaban alrededor comenzaron a animarnos entre gritos y aplausos.

Nos miramos y sonreímos. Había cierta emoción en hacer algo así, o quizás era solo el alcohol impulsándome a hacer estupideces.

Tomamos el *shot* al mismo tiempo, y me tomó del mentón para levantar mi rostro y besarme.

Justo cuando nuestros labios se rozaron, lo empujé del hombro y agaché la cabeza. Una ola de abucheos se alzó alrededor de la mesa.

—Espera, espera, espera —intervine—. ¿Puedo usar tu móvil?

Su cara se desencajó.

—¿Para qué?

—Quiero llamar a mi esposo, lo extraño —expliqué en su oído, y cuando lo miré de nuevo, no parecía feliz con lo que acababa de decirle.

—¿Hablas en serio?

—¡Sí! —sonreí entusiasmada con la idea.

Tensó la mandíbula y su buen humor pareció desvanecerse.

—Te dejaré usarlo en mi auto, estoy seguro de que le encantará escucharte gemir mientras lo llamas. —Me tomó del brazo y me arrastró consigo un par de pasos, antes de que yo me soltara bruscamente, a punto de caer, pero ¡oh! Logré mantenerme. Tenía muy buen equilibrio, felicidades a mí.

—No quiero ir, quiero llamarlo aquí. Dame tu móvil —exigí, intentando llegar a los bolsillos de su pantalón.

—En mi auto —insistió, volviendo a llevarme consigo.

—¡No quiero ir contigo, quiero a mi esposo! —grité, golpeando los dedos que se cerraban como grilletes en torno a mi brazo.

—Ya te dije que...

—¡Llámalo!

—No, no voy a...

—¡Leah! —Edith me interceptó junto a la puerta.

—¡Edith! —chillé contenta y sonreí como idiota.

—¿A dónde vas? —preguntó preocupada, sin dejar de mirar al chico que estaba tenso junto a mí.

—A ningún lado, este tipo no quiere llamar a mi esposo. —Me solté de su agarre con facilidad, indignada, y pareció incómodo de pronto.

Mi amiga le dedicó una última mirada de muerte antes de tomarme de la mano y llevarme de vuelta a la fiesta con ella.

El tipo desapareció, Edith volvió a darme otro vaso de alcohol y yo me perdí de nuevo en el universo junto a mis amigas. Flotando sobre las estrellas donde nada dolía, ni siquiera la ausencia del hombre al que amaba.

Iba a morir.

Mi cabeza me martilleaba sin piedad mientras luchaba con todas mis fuerzas por abrir los ojos.

¿Qué mierda había pasado ayer?

Estiré el brazo buscando mi móvil, sin encontrarlo.

Giré el cuerpo y reconocí una de las habitaciones de huéspedes de la casa de Edith. Al menos supe que no había cometido ninguna estupidez ayer.

Bajé con pasos temblorosos las escaleras al tiempo que me tomaba la cabeza con las manos para intentar aminorar el dolor.

—Miren quién decidió honrarnos con su majestuosa presencia —se burló Sara, que estaba sentada en la barra de la cocina. Edith preparaba algo en la estufa.

—Buenos días, bella durmiente.

—¿Alguien ha visto mi móvil? —pregunté sentándome junto a Sara y masajeando mis sienes.

—No, creo que ayer dijiste que lo habías perdido en la fiesta —acotó la morena e hice una mueca.

—¿En serio?

—Sí, y eso no es nada. De verdad eres un peligro cuando bebes —rio Edith.

—¿Qué? ¿Por qué? —cuestioné alarmada.

—Ayer estabas ligándote a un tipo —explicó, al tiempo que un pesado bloque de hierro se instalaba en mi estómago.

—¿Un... un tipo? ¿Quién?

—Ni idea. —Se encogieron de hombros.

—¿Lo... lo besé? ¿Hice algo?

—No, pero él quería llevarte a su auto —la rubia puso los ojos en blanco—, y tú no dejabas de insistir en que te prestara el móvil.

—¿Para qué?

—Querías llamar a Alexander.

Abrí la boca, impresionada y aterrada a la par.

—Dime que no lo hice.

Hizo una mueca.

—De hecho..., sí lo llamaste desde mi móvil. Me lo arrebataste.

—¡Oh, Dios! —Dejé caer la cabeza entre mis manos, ahogándome en mi miseria.

¿Qué cosas tan estúpidas y reveladoras le había dicho estando ebria hasta el culo?

—Pero logré quitártelo a tiempo. Tuve que taclearte —explicó alzando la espátula con la que volteaba los *waffles*—, así que la dignidad de nadie salió herida.

—Salve a la gran Edith. —Sara fingió una reverencia.

—¿No hablamos?

—Ustedes no, yo hablé con él. Le expliqué lo ebria que estabas, y se puso furioso. Dios, Alex es de cuidado cuando está enojado.

—Ni me lo digas.

—Quería venir a cerciorarse de que estabas bien, pero se lo prohibí rotundamente.

—¿Por qué? —me quejé haciendo un puchero

—¿Cómo que por qué? —Se llevó las manos a las caderas—. ¡No es sano! Acaban de divorciarse.

Volví a doblar mi labio en un puchero. Tenía razón, pero no significaba que no muriera por verlo.

—Lo superarás, estoy segura. —Sara me puso una mano sobre la espalda en un gesto reconfortante, pero yo no estaba tan convencida.

Edith colocó un plato de waffles con fruta frente a mí, y yo sentí el vómito subir hasta mi garganta. Rodeé mi estómago con los brazos y me doblé por el lacerante dolor que me inundó.

—No me siento bien —me quejé sin aliento.

—No me sorprende, estabas muy ebria, debes tener una resaca monumental.

—Con unas aspirinas estarás bien —aseguró Sara.

—No creo —discrepé, sintiendo la boca seca y mi lengua hinchada.

—¿Quieres que te llevemos al médico? —Edith parecía preocupada.

Negué.

—Solo necesito descansar. Creo que me iré a casa.

—¿Segura? —preguntó decepcionada.

—Sí, realmente no me siento bien.

—De acuerdo —accedió al final, y se acercó a tocar mi frente para cerciorarse de que no tuviera fiebre—. Yo no puedo irme, mamá vendrá hoy por la tarde a recoger unas cosas y le dije que estaría aquí cuando llegara, pero no quiero que vayas sola.

—Yo iré con ella —se ofreció Sara.

—Me parece bien.

—Lo siento, sé que no querías que el fin de semana fuera así.

Chasqueó la lengua, restándole importancia.

—Tenemos más fines de semana para estar juntas —sonrió para reconfortarme, y una ola de cariño hacia ella me invadió.

—Te lo compensaré.

—Oh, claro que lo harás. Me comprarás ese *set* de Victoria's Secret que me muero por tener.

Reí, antes de que un latigazo de dolor amenazara con explotarme la cabeza, y agradecí que Edith me diera un par de analgésicos para aminorar el dolor de cabeza antes de despedirnos.

—Llámenme al llegar a casa, ¿de acuerdo? Y vayan con cuidado.

Asentimos y nos subimos a mi auto. Sara no había llevado el suyo, así que yo la llevaría.

Encendí el motor y emprendimos el camino, ella perdida en su móvil y yo en las ansias de volver a casa y refugiarme en mi confortable habitación.

¿Cuánta mala suerte podía tener una persona?

Siendo objetivos, a mí lo único que me faltaba era que me cayera un puto rayo para ganar el récord Guinness.

—Ya he llamado a la grúa, pero dijeron que tardarían al menos una hora en llegar hasta acá —me informó Sara, cubriéndose el rostro del sol con la mano sobre la frente.

—Genial —dije mordaz, observando la llanta ponchada como si con el simple gesto pudiera hacerla inflarse de nuevo.

Debí haber puesto más atención a Alexander cuando intentó enseñarme a cambiar una llanta, en lugar de estar concentrada en lo sexy y varonil que se veía haciendo el trabajo, y en lo mucho que quería follármelo en ese momento.

Maldije una vez más, con mi dolor de cabeza aumentando por el sol abrasador del mediodía.

En una hora estaríamos derretidas en el asfalto.

Había perdido mi móvil en la fiesta y por lo tanto no podía llamar a Erick para que me auxiliara, y Edith ni siquiera respondía. Pensamos en llamar a Ethan, pero tardaría lo mismo en llegar que la grúa, así que nos resignamos a esperar.

Cuando el sol se había elevado más, a tal punto que pensé que me asaría, se acercó un auto, justo como un ángel salvador enviado del cielo, y de él emergió un chico con gorra que me resultó vagamente familiar.

—¿Necesitan ayuda? —se ofreció amable.

—No.

—Sí —contradije a Sara y ella me echo una extraña mirada que ignoré. Necesitaba salir de allí—. Mi llanta se ponchó, y estamos esperando la grúa, pero dijeron que tardarían una hora.

—¿Hace cuánto que llamaron?

—Algunos veinte minutos —respondió mi amiga sin dejar de escanearlo con descaro.

—Tardarán más que eso, pero es su día de suerte, yo puedo ayudarlas —su acento marcado y su sonrisa aumentaron la sensación de familiaridad.

—Genial.

—¿Qué llanta es?

Señalé la que estaba dañada y él se puso en cuclillas para revisarla.

—Es extraño porque no recuerdo sentir algo en el camino que pudiese haberla perforado —expliqué con los brazos cruzados sobre el pecho, a su lado.

—Para no sentir nada es un hoyo bastante grande. —Alzó la vista hacia mí y sus ojos verdes centellearon por el sol.

No emitió palabra después, pero su perfil me resultaba muy conocido; sus rasgos, su complexión.

—Perdón..., ¿nos hemos visto antes?

El chico sonrió y se puso en pie.

—Sabía que me reconocerías, preciosa.

—¿Disculpa? —Retrocedí un paso, crispada.

—Soy Dominik.

Fruncí el ceño y mi cerebro empezó a trabajar a marchas forzadas para conectar el nombre con la cara y las circunstancias de modo, tiempo y lugar, hasta que algo en mi mente hizo clic.

Era el chico de la fiesta.

—Oh —reí nerviosa—. Qué suerte encontrarte, en ese caso.

—Qué suerte encontrarte a ti —replicó, y me inquietó la mirada intensa que me dedicó, pero el sentimiento se desvaneció cuando me pasó de largo para posarse frente al maletero—. ¿Tienes llanta de repuesto?

—Sí. —Me apresuré a ir junto a él para abrirlo, y comenzó a extraer la llanta, una palanca, el gato y un montón de cosas más.

—Estará listo antes de que digas pío.

—Pío —dijo Sara cerca de nosotros a modo de broma, pero a Dominik pareció no hacerle ninguna gracia.

El chico comenzó a trabajar en cambiar la llanta, mientras Sara y yo nos resguardamos bajo un árbol a la orilla de la carretera.

—¿Lo conoces de la fiesta? —preguntó estrechando los ojos.

—Eso parece, aunque no recuerdo mucho de ayer.

—Mmmm... No lo sé, no me da buena espina. Digo, es guapo y todo, pero hay algo raro.

—También lo sentí, pero quizás solo estamos siendo paranoicas. —Me encogí de hombros, restándole importancia.

—Tiene acento extranjero.

—Lo sé, ¿y qué?

—Solo digo. —Una sonrisa felina se extendió por su rostro de la nada—. Aunque está buenísimo. ¿Has visto su...?

Estaba tan concentrada en la conversación de Sara que no lo vi acercarse, y después de eso todo pareció suceder tan rápido, que no fui consciente del momento en el que tomó impulso y estrelló la palanca de metal en el cráneo de Sara, haciendo que se desvaneciera al instante.

Mi corazón dio un vuelco, y mi cuerpo se paralizó por el miedo y la impresión, provocando que mi rostro recibiera de lleno el golpe que me asestó con el mismo artefacto metálico.

Caí sobre mi estómago en la tierra plana, con mis sienes punzando por el terrible dolor que las recorría sin tregua. Me coloqué sobre mi espalda justo a tiempo para evitar otro golpe con la palanca, posando mi cuerpo de costado.

Pateé su rodilla con todas mis fuerzas, haciendo que se doblara, y volví a golpearlo hasta hacerlo caer.

Intenté moverme para ganar distancia, al tiempo que él intentaba incorporarse. Mi corazón martilleaba en mi cabeza, la adrenalina corría por mis venas y mis sentidos estaban alertas, pero él fue más rápido y se abalanzó sobre mí, inmovilizando mis piernas con su cuerpo y su puño estrellándose contra mi nariz. Lancé un quejido de dolor y sentí la sangre caliente corriendo por mi labio superior, antes de que me asestara otro golpe.

Forcejeé, sin éxito, hasta que logré colar mi codo en el espacio entre sus brazos, encajándoselo en su articulación, de tal manera que su brazo derecho se dobló, dándome tiempo para golpearlo de lleno en la cara con todas mis fuerzas.

El golpe lo desconcertó por un momento, y tomé esa oportunidad para levantar su cuerpo del mío y liberar mis piernas.

Me arrastré hasta ponerme sobre rodillas y brazos, y me incorporé sobre mis pies sintiéndome mareada y con náuseas.

Cuando me giré, Dominik tenía la nariz llena de sangre y parecía dispuesto a atacarme de nuevo.

Adopté una posición defensiva con mis oídos zumbando y mi pecho subiendo y bajando con pesadez.

¿Quién mierda era esta persona y qué demonios quería lograr moliéndome a golpes?

—Será mejor si no te resistes, preciosa —dijo con voz cruda.

Esbozó una sonrisa mezquina y arremetió contra mí una vez más. Logré esquivar los primeros tres golpes con éxito, e incluso le asesté uno en el costado derecho, pero a la cuarta intromisión tuvo éxito y acertó en mi hombro.

Siseé de dolor y se acercó una vez más. No me dio tiempo de reaccionar cuando me giró, abrazándome del cuello para evitar que pudiera respirar. Tomé bocanadas desesperadas de aire, impaciente por liberarme, y golpeé su torso, pero no funcionó.

Entonces pisé su empeine con todo mi peso y pateé su rodilla con mi suela; asesté un golpe con mi puño en su ingle y cuando se dobló, giré la mitad de mi cuerpo para darle un codazo en la nariz que lo mandó al pavimento.

Corrí hacia Sara, que permanecía inconsciente a un costado de la carretera, y le di unos leves golpes en la cara para hacerla reaccionar.

—Sara, ¡despierta!, ¡despierta! ¡Tenemos que irnos! —Frunció el ceño como si comenzara a despertarse, luchando por volver a estar consciente—. ¡Tenemos que llamar a alguien! ¡Sara! ¡Sar...!

Un fuerte dolor en mi cráneo me hizo chocar los dientes con fuerza, e intenté soltarme de su agarre en mi cabello, sin éxito. Me arrastró por el asfalto sin consideración ni piedad.

—Eres una perra difícil de atrapar —dijo con ese acento marcado—. Debí pedir más dinero por el trabajo.

—¡Suéltame!

Me soltó de pronto, dejándome caer sobre mi espalda y cerniéndose de nuevo sobre mi estómago, el miedo se asentó en mi pecho cuando noté sus manos en torno a mi cuello para cortarme la respiración.

Aruñé sus dedos, moví mis brazos y pies intentando liberarme, con el aire abandonando mis pulmones y sus ojos verdes clavándose en mí como dagas de jade, desquiciados.

Comenzó a maldecir en una lengua que no reconocí, y giró el rostro hacia Sara cuando pareció recuperar la conciencia, momento que yo aproveché para golpear su mandíbula y quitármelo de encima.

Me arrastré un par de metros, sin embargo, no llegué muy lejos. Se puso en pie y me incorporó consigo sin soltarme las manos. Me preparé para atacar otra vez y, justo cuando me giré para hacerlo, su puño se proyectó directo a mi rostro. Todo se volvió negro, y percibí cómo el suelo desaparecía bajo mis pies.

Lo último que pensé fue que Sara seguía en la orilla de la carretera, desangrándose por la herida en la cabeza. Que necesitaba ayuda… Una que yo ya no podía darle.

16
AISLADA
Leah

Abrí los ojos a una oscuridad densa, tan profunda que por un momento pensé que seguía sin abrirlos.

Palpé una superficie plana bajo mi estómago y caí en cuenta de que había dormido mucho tiempo de lado, sobre mi brazo, porque lo sentía entumecido. Con un gruñido de protesta, arrastré mi mano por el suelo y me senté.

De acuerdo… La carretera, mi auto, la llanta, el tipo de la fiesta, Do... Da... D... joder, ¿cuál era su nombre? Coloqué la mano sobre mi frente cuando mi cabeza punzó por el esfuerzo y un persistente dolor se anclaba a mis sienes.

Había sido él, el maldito psicópata. Me había golpeado hasta dejarme inconsciente para... Levanté mi cabeza tan rápido que mi cuello crujió y una llamarada de dolor la invadió sin remedio, pero la angustia pareció absorberla por completo.

Sara. Sara, ¿dónde estaba Sara? ¿La había traído también? ¿Dónde... dónde...?

—Sara —mi voz salió ronca y seca, como si fuese de cartón.

Tragué saliva y comencé a gatear por el lugar, buscando a tientas algo que pudiera guiarme hacia ella o me diera señales de vida.

—Sara —repetí más alto, esperando que pudiera escucharme—. Sara, respóndeme. ¿Estás bien? Sar...

Ahogué una maldición cuando mi hombro chocó con algo sólido a mi lado derecho. Cuando lo toqué con mayor insistencia, fui consciente de que era una especie de caja de tamaño considerable, cerrada y sin nada sobre la tapa.

Mis ojos se adaptaron a la oscuridad eventualmente, y cuando anduve a gatas un par de metros más allá, noté el delgado hilillo de luz que se colaba por lo que asumí era la puerta.

Maldije para mis adentros, intentando deducir algo a partir de las pocas piezas que había logrado reunir: uno, al parecer estaba sola en ese hoyo de mierda porque no había encontrado señales de vida de nadie más, y dos, posiblemente el tipo era un enfermo mental que vivía con su madre y me dejaría encerrada en su sótano por décadas, mientras abusaba de mí sin que su familia se enterara de mi existencia, y... y...

El pánico floreció en mi interior igual que un huracán, arrastrando consigo cualquier pensamiento lógico y coherente. Me puse en pie impulsada por el miedo, que sabía amargo en mi boca; me dirigí a la puerta y comencé a aporrearla con todas mis fuerzas.

—¡Déjame salir! —grité golpeándola con mi puño—. ¡Déjame salir enfermo de mierda! —insistí con la desesperación apretándome la garganta.

La angustia por estar en ese lugar, desolado, oscuro y sola, amenazaba con quebrarme.

—¡Estás muy mal de la cabeza si crees que te permitiré hacerme algo! —bramé sin desistir—. ¡Te arrancaré los huevos antes de que me pongas una mano encima! ¡Déjame salir!

Pateé la puerta de mera desesperación, pero como era de esperarse, esta no cedió. El nudo en mi garganta era cada vez más grande, ahogándome, y las ganas de llorar me escocían tanto los ojos que tuve que parpadear para detenerlas.

Estaba preocupada por mí, por toda esta situación, por Sara, que no tenía ni puta idea de dónde podía estar, o si alguien la había encontrado en la carretera, o si seguía viva, o si el imbécil le había hecho algo peor, algo como torturarla, o descuartizarla, o...

—¡Déjame salir! —rugí, golpeando la puerta con todas mis fuerzas—. ¡Ven y enfréntame! ¡¿Tienes miedo de una chica?! ¡¿Tienes miedo de que te rompa tu asquerosa cara otra vez?!

No me detuve hasta que mis músculos estaban punzando, mi piel escociendo, mis pulmones ardiendo por oxígeno y la cabeza a punto de estallarme. Recargué mi frente sobre la superficie, contando hasta mil para recuperar la templanza.

Nada ocurrió, solo silencio, sin embargo, sabía que estaba ahí detrás, escuchándome.

—¡Déjame salir o seguiré golpeando la puerta hasta tirarla! ¡Entonces te voy a...!

—Cállate —amenazó una voz tensa y profunda del otro lado. Lo podía escuchar con claridad, así que debía estar justo detrás—. Vuelve a intentar lo mismo y te romperé el cuello, ¿entendiste?

Le asesté otro golpe a la madera en reacción, colérica por su advertencia.

—¿Por qué no entras y lo intentas, hijo de puta? ¡Anda, entra e inténtalo! ¡Te dejaré inconsciente antes de que levantes un brazo!

—No va a gustarte si entro ahí —dijo con el mismo tono de muerte, provocando que un escalofrío me recorriera el cuerpo—. Por tu bien, es mejor que yo permanezca de este lado de la puerta y tú de ese, preciosa.

Mi piel se erizó por el temor.

—¿Quién eres? ¿Por qué haces esto? ¿Qué mierda quieres de mí?

Esperé, pero no hubo respuesta.

—¡Respóndeme! —bramé, pateando lo único que nos mantenía separados.

—No vuelvas a hacer eso. Ya te lo he advertido, no lo haré una tercera vez.

—¡Jódete! —grité, dándole otra patada.

Respiré el aire viciado y enmohecido, esperando por una reacción que jamás llegó. En su lugar, lo escuché alejarse y ascender, llevándose consigo la poca luz que se colaba por el espacio entre el suelo y la puerta, dejándome completamente a oscuras otra vez.

Esperé en la penumbra a que alguien volviera a aparecer para cumplir la amenaza, para que se internara conmigo y pudiera pelear por mi libertad, pero nada ocurrió.

Esperé por lo que pareció una eternidad, hasta que perdí la noción del tiempo.

Pasaron horas —o días— antes de que escuchara algo más.

Había más de una persona en el lugar, a juzgar por el sonido de voces distintas. Estaban discutiendo algo y era importante, considerando la forma en que alzaban la voz de vez en cuando.

Pegué la oreja a la puerta para tratar de distinguir las palabras y formar alguna oración coherente, pero estaba demasiado lejos para lograrlo.

Me toqué el estómago cuando gruñó en protesta por la falta de comida.

¿Cuánto tiempo llevaba encerrada en ese lugar?

No había ventanas, pero sí una bombilla que había tocado a ciegas cuando buscaba una trampilla o una escalera que llevara al piso superior. Lástima que mis dedos no encontraron ningún interruptor dentro de la habitación.

Las voces cesaron, o se alejaron, porque por más que agudicé el oído no logré captar una sola palabra. Entonces la madera volvió a crujir bajo el peso de otra persona que bajaba los escalones. La luz inundó la estancia, iluminándola con un enfermizo amarillo, y cubrí mis ojos por el cambio brusco.

Di un paso hacia atrás por inercia cuando la puerta se abrió de pronto, revelando al mismo tipo de la carretera mirándome con dureza, con un vaso de agua y un plato de comida en las manos.

Tenía la nariz enrojecida y amoratada, y un feo hematoma en su pómulo derecho.

Flexioné mis piernas y subí mis brazos, adoptando mi mejor pose defensiva en caso de que se le ocurriera atacarme de nuevo.

—Tranquila, no estoy aquí para lastimarte.

Se inclinó para dejar la comida sobre el piso justo en el momento en que había tomado la decisión de atacarlo mientras tenía las manos ocupadas, y me reprendí por la oportunidad que había desperdiciado.

Tomó la pera que había en mi plato y se incorporó en toda su estatura, que era mucho más que la mía.

—Come.

Observé la comida con desdén y me llené de toda la voluntad que poseía para no probar bocado, a pesar de que mis entrañas amenazaran con comerse entre sí dentro de mi estómago.

—¿En serio harás esa estúpida e inútil huelga de hambre? —se burló cerrando la puerta, luego tiró de la caja que yo había lanzado contra ella para colocarla como obstáculo.

Después, tomó algo de su bolsillo trasero que me puso alerta. Me sentí idiota cuando extrajo un pañuelo y me lo tendió.

—Límpiate. Tienes sangre seca en la nariz.

Lo tomé con cautela y se alejó enseguida para sentarse sobre la caja de madera que acababa de situar.

Hice una mueca cuando comencé a limpiarme. Ni siquiera me había percatado de lo mal que estaba mi nariz, hasta que percibí el creciente dolor cada vez que la rozaba.

—Come —repitió, extrayendo de su mágico bolsillo trasero una navaja.

—No tengo hambre —mentí.

—Bueno, yo no soy el que se morirá de hambre. —Cortó un pedazo de pera y lo escruté realizar la acción, calibrando las posibilidades que tenía de quitarle el arma con éxito.

—¿Quién eres? ¿Qué quieres de mí? —demandé saber.

El tipo me ignoró olímpicamente.

—¿Por qué me tienes aquí? —insistí—. ¿Tú planeaste esto?

Cortó otro pedazo tarareando una canción, y eso me irritó sobremanera.

—No pareces muy inteligente —acoté intentando otro acercamiento—. ¿Para quién trabajas?

Se mofó.

—Respóndeme.

—Eres una de las bonitas. —Alzó la vista hacia mí y su mirada me produjo escalofríos—. Nunca había tenido que trabajar con alguien así. Es una lástima.

Fruncí el ceño sin comprender.

—¿Por qué es una lástima?

Sus comisuras volvieron a elevarse y detuvo el pedazo de pera a un centímetro de su boca.

—Olvídalo, solo come. Te necesitamos viva.

—¿Necesitamos? —recalqué y avancé un paso—. ¿Quiénes? ¿Quiénes más están en esto contigo? ¿Quiénes son? ¿Qué...? —Entonces una idea horrenda se me vino a la cabeza—. ¿Trabajas para Fejzo? ¿Él está haciendo todo esto?

Volvió a ignorarme, centrándose en su tarea de engullir la fruta.

—Sabes que cualquier estúpido plan de extorsión que tengan en mente no funcionará, ¿verdad? Alexander y yo nos divorciamos, le importa un carajo lo que pase conmigo. Están perdiendo el tiempo.

Suspiró y me apuntó con la navaja.

—No voy a repetírtelo, preciosa. Come.

Tensé la mandíbula y me crucé de brazos, negándome a ceder. Hasta que cambié de parecer.

Me incliné y tomé el plato junto con el vaso de agua que había sobre el piso. Respiré, conté hasta tres y le lancé el plato a la cara.

Levantó el brazo para cubrirse el rostro, tirando la pera en su camino, y usé esos momentos para acercarme y tirarle el vaso de agua, nublándole la vista durante otros valiosos segundos.

Me abalancé sobre él con mi cuerpo, mi peso lo desequilibró y cayó de lado. Me coloqué encima, asestándole un puñetazo en la cara. Tomó mis manos, forcejeé y logré dar otro golpe con la base de mi mano justo bajo su barbilla, provocando que soltara un aullido de dolor y rechinara los dientes.

Localicé la navaja un par de metros más allá de su cabeza, a través de la bruma de la adrenalina y el miedo, y me abalancé sobre ella.

Mis dedos la rozaron antes de que él halara de mis piernas, alejándome de mi oportunidad. Me giró y encajó un golpe en el rostro que hizo mi sien palpitar. Sus manos se dirigieron hacia mi cuello, ejerciendo presión para obstruir mis vías respiratorias.

Levanté los brazos desesperadamente, buscando un hueco en el que pudiera golpearlo. Toqué su cara apuntando hacia los ojos, pero no dejó de mover la cabeza para evitarlo, hasta que, dentro de mi desesperación, me percaté de que mis piernas estaban libres. Doblé mi rodilla y golpeé su ingle. Maldijo, su agarre se aflojó, y golpeé su articulación con mi codo, seguido de su mentón con la base de mi mano.

Respiré con desesperación saboreando el oxígeno, con mi corazón palpitando en mi cabeza y mi vista nublada. Me abalancé a ciegas hacia donde pensaba que estaba el arma, buscándola a tientas hasta que mis dedos se cerraron en torno a algo sólido, delgado y letal, justo en el instante en que volvía a tomarme de las piernas y me giraba.

Su mano voló hacia mi garganta al tiempo que yo apuntaba con la navaja y lograba encajársela en su palma. Soltó un aullido de dolor, la saqué de nuevo y me apresuré a clavarla en su costado.

Me miró con ojos desquiciados, pero no podía darme el lujo de perder el tiempo.

Me lo quité de encima y corrí hacia la puerta. Empujé la caja de madera sacando fuerzas de donde no tenía y la abrí lo más rápido que pude. Subí los escalones esperando llegar a la superficie, hasta que algo tomó mi pierna y me hizo perder el equilibrio. Caí de frente y mi barbilla se estrelló contra un escalón, provocando un dolor horrible que me estremeció todo el cuerpo.

Miré hacia atrás y noté los dedos del tipo cerrados en torno a mi pierna. Intenté patearlo para alejarlo y estaba a punto de lograrlo, entonces un dolor lacerante se extendió por mi otra pantorrilla. La navaja estaba hundida en ella.

Grité por la sensación y aprovechó ese momento para atraerme hacia sí. La extrajo bruscamente, se cernió encima de mí tomando mis muñecas con su mano, para luego colocarlas encima de mi cabeza y posar la hoja de la navaja sobre la piel de mi garganta, ahí donde mi corazón latía como loco.

La presionó un poco más, ocasionando que siseara cuando la percibí cortándome ligeramente.

—Eres una perra dura —acotó con voz cruda—, debería matarte ahora mismo.

—¡Hazlo! —lo reté, sin dejar de forcejear para liberarme—. ¡Hazlo de una vez!

—Créeme, si pudiera, hace mucho que lo habría hecho.

Lo miré clavándole estacas con mis ojos.

—Joder, podrás ser preciosa, pero eres un puto dolor en el culo. No me pagan lo suficiente para esto.

—Muérete.

—Bien, lo haremos por las malas entonces.

Frunció el ceño sin entender, antes de que su puño se estrellara una vez más en mi cara y me sumiera de nuevo en la oscuridad.

Decidí que lo mejor que podía hacer era observar y aprender.

Al menos durante un tiempo, hasta que lograra formular otro plan de escape que pudiera funcionar.

Dominik no se acercó al lugar al menos durante las siguientes cuatro ocasiones en las que un hombretón entró para dejarme agua, comida, gasas y alcohol justo a la entrada, sin acercarse demasiado a mí.

Dejó la luz encendida al salir, así que asumí que era para que pudiera curarme. Sin embargo, lo primero que hice fue comer.

Mientras desinfectaba la herida en mi pierna, que lucía bastante profunda, observé a mi alrededor: no había nada dentro de la habitación, solo un par de cajas viejas cubiertas de una pesada capa de polvo, una sábana que cubría un viejo buró y mucha humedad en las paredes. El techo estaba sostenido por vigas, pero no encontré ninguna trampilla que indicara que hubiera alguna forma de subir de nivel.

Gruñí con frustración y seguí curándome.

No tenía idea de cuánto tiempo había pasado; no sabía si era de día, de noche o de madrugada. No había ningún reloj o ventana que me indicara el paso del tiempo, ni tampoco tenía muchas esperanzas de que respondieran mis preguntas sobre la hora o el clima.

Apreté la mandíbula, negándome a llorar, pero parecía una tarea imposible. Estaba atrapaba en la incertidumbre de la situación, aplastada entre la inseguridad y el miedo.

No tenía idea de quiénes eran estos tipos, ni qué querían de mí, porque ninguno se había dignado a aclarar mis dudas.

A veces venía el tipo que parecía una montaña caminante, a veces era otro de barba cerrada y oscura; él se llamaba Fitz, o eso había escuchado en una ocasión mientras bajaba las escaleras. El que parecía La Roca, curiosamente, se llamaba Bob. Era un nombre muy común para alguien que tenía el cuerpo y la cara de un verdugo. Sabía que no tenía oportunidad contra él en un duelo de cuerpo a cuerpo, pero con un poco de ingenio quizás podría dejarlo fuera de combate.

Un sollozo rebelde se escapó de mi garganta y me limpié una lágrima mientras mi mente seguía analizando todos los elementos que había logrado reunir en las últimas horas, o días, no tenía idea.

Otro quejido desesperado salió de mi boca y lloré… Lloré por toda la mierda que me caía encima y que parecía hundirme más cada minuto que pasaba. ¿Cuánto tiempo más tardarían en encontrarme?

Me puse en pie de un salto cuando la puerta se abrió de pronto, alertando mis sentidos.

Casi perdí el equilibrio al reparar en la cara que me miraba desde el marco.

—¿Tú? —espeté atónita, percibiendo la sorpresa y la ira luchando por quedarse con el primer lugar en mi mente.

—Está bien —se giró para decirle al tal Bob—. Puedes quedarte afuera, no me hará daño.

El tipo asintió, obediente, y cerró la puerta para dejarnos dentro a ambos.

—Hola, Leah.

Apreté los puños, mis uñas encajándose en la piel de mis palmas mientras luchaba por mantenerme templada. Pero era una tarea muy difícil teniéndolo enfrente.

—¿El ratón te comió la lengua? —se burló, sentándose también sobre la caja que estaba cerca de la puerta—. Teníamos tiempo sin vernos.

—¿Qué mierda pretendes al traerme aquí? —cuestioné con voz tensa; su boca se estiró en una sonrisa de suficiencia, al tiempo que se acariciaba la barba grisácea.

Rick parecía divertido con toda esta situación.

—Vi lo que le hiciste a Dom —rio—, sí que eres de cuidado. Lo dejaste bastante mal.

Levanté la barbilla y me crucé de brazos, adoptando mi mejor pose predatoria.

—Él se lo buscó.

—No me imagino por qué —negó con diversión, irritándome más—. Es sorprendente que estés al nivel de un exmilitar serbio.

—¿Exmilitar?

—Problemas para seguir órdenes. —Se encogió de hombros—. Encontró un trabajo que le gusta más.

—No me digas, me imagino que secuestrar mujeres debe ser divertidísimo —escupí mordaz.

Rick soltó una carcajada.

—No me sorprende que Alexander te eligiera. Dura, bonita y sarcástica, eres su tipo de mujer, definitivamente. Siempre ha tenido una inclinación por las mujeres difíciles.

Tensé la mandíbula en el momento en que mencionó su nombre, algo se removió en mi interior al recordarlo.

—Sabes que nos divorciamos, ¿no? Si este es tu intento por extorsionarlo u obtener dinero de él, créeme, estás perdiendo el tiempo. No le interesa lo que pueda sucederme —argumenté, sin poder ocultar la agriedad en mi tono.

Me dedicó una mirada sagaz.

—Yo no estaría tan seguro de eso. Sé que trató de mantenerte tan alejada de esto como le fue posible —explicó, con sus ojos pardos analizándome—. Pero esto no es un ataque directo hacia Alexander. Podría sufrir daño colateral, sin embargo, esto tiene un enfoque distinto.

—¿De qué hablas?

Todo ese tiempo había pensado que la única razón para mi secuestro era precisamente ese: coaccionar a Alexander para que les entregara más dinero del que ya habían conseguido de él.

—No es nada personal, al menos no de mi parte. Lo único que queremos es saldar la deuda con Fejzo.

Parpadeé un par de veces para entender lo que me decía.

—¿Quieres decir que aún no liquidan esa deuda? —cuestioné preocupada, no por mi seguridad, sino por la de Alex.

—Así es. Y para eso necesitamos dinero.

Lancé un quejido.

—¿Y yo qué se supone que tengo que ver en esto? ¿Cuál es el punto de secuestrarme?, ¿que Alexander pague por mi libertad? —insistí, cada vez más alterada.

—No realmente.

—¿Entonces qué mierda pretendes?

—Eres una carta bastante valiosa, Leah. Teníamos que usarte con sabiduría.

—¿Una carta? Déjate de tantos acertijos y habla claro. No estoy de humor para tus juegos.

—Toda una pantera. —Se relamió los labios—. No sé si Alexander pagaría por ti, pero tu padre seguro lo hará.

—¿Mi... padre? —repetí, perpleja y asustada a la vez.

—Pagaría tu peso en oro si con eso pudiera asegurar que regresaras hasta él; sana, salva y completa —explicó.

Enarqué una ceja, desafiante.

—Si mi peso es su parámetro para el pago del rescate, ¿no deberían alimentarme mejor? —ironicé.

Echó la cabeza hacia atrás en una risotada.

—Vaya, compartes más rasgos con tu esposo de los que me imaginaba.

—Exesposo —aclaré—. Si lo que querían era conseguir dinero de esa forma, ¿por qué no secuestrarlo a él? —cuestioné, aunque una parte de mí se sentía tranquila al saber que al menos no correría peligro. No, no era el mejor momento de mi vida, pero al menos así Alex permanecía seguro.

—Pensamos que tú serías igual de redituable, y mucho más fácil de controlar —aclaró y enarqué ambas cejas. Sus comisuras se elevaron—. Claramente nos equivocamos contigo, has dado una buena batalla hasta ahora, pero me temo que no podré asegurarle a tu padre regresarte completa si continúas con esa actitud. —Sus ojos se tornaron oscuros—. Quizás necesitamos arrancarte algo para controlarte. ¿Un dedo? ¿Una oreja? ¿Una mano quizás?

Algo pesado se instaló en mi estómago tras su amenaza, y descarté cualquier posibilidad de atacarlo. No estaba dispuesta a probar mi suerte.

—¿Ves? —dijo feliz cuando agaché la mirada—. Solo tenemos que hablar para entendernos.

—¿Ya han hablado con mi padre?

Una llama de esperanza se encendió en mi interior al caer en cuenta de que quizás no duraría mucho tiempo en ese lugar. Sabía que papá no tardaría en tomar cartas en el asunto apenas se enterara.

—No.

—¿Por qué no?

—No es el momento, pensamos que primero es necesario... quebrarte un poco el espíritu, y eso no ha resultado nada sencillo.

—¿Quebrarme el espíritu? ¿De qué mierda estás hablando? —ladré con la ira escociéndome la piel.

—Eres bastante peligrosa ahora, podrías estropear las cosas y no estoy dispuesto a correr ese riesgo. —Se puso en pie y empezó a acercarse a la puerta—. Necesitamos convertirte en alguien más... manejable.

—¿Manejable? —repetí frustrada—. ¿Qué dem...? —Dejé caer los brazos a modo de rendición y suspiré—. ¿Cuánto tiempo llevo aquí?

—¿Justo ahora? —Sonrió con mezquindad—. Cuatro días.

Santa mierda. Llevaba encerrada cuatro malditos días.

Tomé la cabeza entre mis manos y comencé a respirar para no tener una crisis.

—¿Y cuándo llamarán a mi padre?

—Eso depende de ti, linda. —Tomó el pomo de la puerta—. Entre más rápido comiences a comportarte y cooperar, más rápido llamaremos a tu papi. Eres alguien bastante difícil de quebrar, Leah, pero todo está en tus manos.

Salió del lugar sin apagar la luz, pero dejándome con un esquema completamente desolador frente a mí.

Sus últimas palabras resonaron en mi cabeza como un estruendo, golpeándome de lleno en el estómago.

Me puse de cuclillas, apretando mi cabeza para intentar serenarme y no hiperventilar.

Llevaba cuatro días aislada del mundo, a merced de aquellos imbéciles, y aún no sabía cuánto tiempo más iba a permanecer cautiva en ese hoyo de mierda.

Inhalé y exhalé una y otra vez, hasta recobrar la racionalidad y el sentido. No era el momento para venirse abajo. Papá y Alex vendrían por mí, y mientras tanto, debía ser fuerte como siempre lo había sido, debía resistir esa tortuosa batalla para poder ganar la guerra.

17
PUNTOS CIEGOS

Alexander

Rick fue quien me recibió cuando llegué al departamento de Louis.

—Llegas tarde.

—Me estaban siguiendo —le informé sin perder tiempo en entrar.

—¿Quién? —preguntó Louis, apareciendo en el minúsculo espacio.

—¿Quién crees? —respondí mordaz, quitándome la chaqueta de cuero para colocarla sobre el respaldo del sofá.

Por su agria expresión, no le había hecho gracia mi comentario.

—¿Cómo lo sabes? No puedes estar seguro.

—Prácticamente estaba olfateándome el culo por lo cerca que estaba de mi auto —me quejé sentándome con pesadez.

Rick se sentó junto a mí y compartió una mirada extraña con Louis, que permanecía frente a nosotros en una silla del comedor.

—Lo más probable es que a ustedes también los estén siguiendo.

—No he notado nada extraño —respondió Rick.

—No creo que tengas la capacidad de notar algo en general —me burlé.

—Yo no tendría esa actitud si fuera tú. No te conviene.

—¿No me conviene? —dije hastiado—. Estoy metido en esto por ustedes dos. No pretenderán que les guarde el respeto que no tienen, ¿o sí?

—Sería bueno para ti que lo hicieras —acotó Louis—. Podría ser benéfico.

—¿Para quién? —inquirí irónico.

Guardaron silencio por un momento, y volví a hablar antes de que el ambiente se volviera más denso.

—Solo díganme que tienen el dinero.

—Lo tenemos —el tono de alegría de Louis no pasó desapercibido.

—Bien, en ese caso se lo entregaré a Fejzo.

Rick carraspeó.

—Aún hay algunas gestiones que debemos realizar antes, pero lo sabrás cuando lo tengamos.

Enarqué una ceja.

—¿Qué gestiones?

—Eso no importa. —Louis hizo un gesto con la mano para restarle importancia—. El punto es que lo tenemos.

—¿Por qué tan ansioso? —La boca de Rick se estiró en una sonrisa extraña.

—No lo sé, ¿quizás porque no quiero morir? —respondí como si fuera idiota y soltó una risita.

—Ninguno de nosotros quiere eso —intervino Louis golpeando el piso con su pie—. Por eso intentaremos entregarte el dinero lo más pronto posible.

—Bien, porque no pienso regresar a este hoyo de mierda.

—No tendrás que hacerlo, y con un poco de suerte, yo tampoco —dijo Louis.

—¿Por qué? ¿Te mudarás a uno diferente?

—Mi padre murió hace tres semanas —confesó, pero no había ningún atisbo de emoción en su cara o su voz que denotaran que sentía algo—. Su abogado se está encargando de los trámites. Yo soy su único hijo, y si el viejo decrépito no donó todo a la caridad, me quedaré con su casa y algo de dinero.

Lo miré perplejo.

—Qué bien. Te será muy útil —musité a falta de algo mejor que decir.

Sonrió divertido.

—No te imaginas cuánto.

Salí de su departamento con una sensación de inquietud bajo mi piel.

Algo no se sentía bien. No se sentía para nada bien.

Mamá entró en el estudio justo cuando terminaba de leer la carta por enésima vez. Me ofreció una de las tazas que llevaba en las manos y le agradecí con un gesto de la cabeza. Seguía siendo incómodo estar en su presencia. Las cosas entre nosotros no se habían arreglado del todo, ni se habían limado todas las asperezas, pero lo estábamos intentando. Ella hacía un esfuerzo por no mencionar a Leah, o explotar cuando su nombre aparecía en la conversación.

Una parte del rencor hacia mamá seguía ahí, no era algo sencillo de erradicar después de todo, pero era mi madre y la amaba sin importar qué. Además, no podía castigarla más de lo que ella misma lo había hecho.

—Me aceptaron —dije cuando se sentó frente a mí.

—¿Qué? ¿Dónde? —inquirió confundida.

—Me admitieron en Vevey, el instituto de fotografía en Suiza. —Le tendí la carta y se apresuró a tomarla para leerla—. Me iré al terminar el ciclo.

Sus ojos brillaban con una mezcla de emociones que no pude definir.

—Estoy orgullosa de ti, hijo —me dedicó una sonrisa triste—. Estaba segura de que te aceptarían, sé que lo harás excelente.

—Gracias —respondí y di un sorbo a mi café.

Volvió a fijar la vista en el papel, como si observándolo pudiera cambiar las palabras en él. Era evidente que le dolía el que hubiera tanta distancia entre nosotros.

—También me ofrecieron un espacio para una exposición —continué—, antes de irme, aquí en Washington.

Sus ojos se iluminaron con genuina alegría.

—Por Dios, eso es espectacular. —Juntó sus manos, emocionada—. ¿Tomarás el espacio?

Me mordí el interior de la mejilla.

—Lo más probable es que sí.

—Sabía que tenías talento en eso, y es obvio que lo heredaste de mí —acotó estirando el cuello para darse importancia.

Me mofé.

—Lo que tú digas.

Charlamos por un poco más de tiempo. Las cosas volvían a ser normales entre nosotros de a poco, pero el resentimiento hacia ella aún persistía. No tan fuerte como antes, pero seguía ahí.

—Te veré luego —me despedí de mamá con un abrazo rígido y algo incómodo de mi parte, mientras ella me rodeaba con fuerza y se estiraba para plantarme un beso en la mejilla.

—Espero que no tardes tanto esta vez.

—Ya veremos. Tengo cosas que hac...

Callé cuando la puerta de su estudio se abrió de forma estrepitosa, dándole paso a un Leo furioso. Llegó hasta mamá antes de que pudiera reaccionar, la tomó del brazo y la hizo girar con brusquedad.

—¿Dónde está? —preguntó en tono bajo, letal.

—Señora, lo siento. Le dije que debía esperar a que avisara de su presencia, pero me empujó y se...

—¿Dónde mierda la tienes? —gritó cortando la mujer del servicio, ocasionando que mamá diera un respingo y yo reaccionara por fin.

—¿Qué te pasa? Suéltala, ahora —exigí, tomando a mamá del brazo también y dando un paso más cerca de Leo.

—¿Te volviste loco? No sé de qué hablas —dijo desconcertada.

—No juegues a la idiota conmigo, Agnes —siseó con sus orbes llameando—. Te conozco, conozco tus asquerosos trucos. Dime en este preciso momento dónde está.

Aumentó el agarre en el brazo de mamá, ella emitió un quejido de dolor y lo empujé con violencia para alejarlo. Me coloqué frente a ella para impedir que siguiera lastimándola.

—¿Qué mierda te metiste para entrar así? Esta no es tu casa —espeté.

—¡¿Qué mierda tienen en la cabeza ustedes dos?! —contestó alterado, intentando arremeter contra mamá de nuevo, antes de que lo detuviera con mi cuerpo, repeliéndolo con la fuerza de mis brazos—. Te lo preguntaré una última vez —amenazó alzando un dedo—. ¿Dónde está? Tienes un minuto para dejarla ir, jodida psicópata.

—¡No sé de qué demonios estás hablando! ¡Te volviste loco! —gritó mamá desde mi espalda.

—¡No permitiré que le hagas lo mismo que a mi esposa! —bramó.

—¡No sé de qué hablas! —insistió mamá—. ¡No hice nada!

—¿Por qué no te largas? —sugerí con acidez, ganándome una mirada colérica de mi exsuegro y despidiéndome de los puntos que nunca tuve—. Vienes a nuestra casa a ofendernos y exigirnos cosas de las que no tenemos idea sin ningún derecho. Vete de aquí, ahora.

—Seguramente tú también tienes que ver con esto. —Me señaló con su dedo acusador—. Sabía que no eras de fiar, hijo de puta. La sangre siempre vence después de todo. Debes ser un desequilibrado igual que tu madre, así que sé buen chico y entrégamela. Tienes diez segundos antes de que te parta tu respingada nariz.

—¡¿De qué hablas?! —exploté por fin—. ¿Qué carajo estás buscando? ¡No tenemos nada tuyo!

—¡Sé que ustedes lo hicieron! —rugió dando un paso hacia mí y yo di otro hacia atrás por inercia, llevando a mamá conmigo.

—¡No hicimos nada! —contestó mi madre con el mismo tono.

—¡Regrésenmela, ahora! —exigió.

—¡No sé qué carajo buscas! —vociferé.

—¡Regrésenme a Leah ahora! —gritó y sus palabras resonaron en toda la estancia, en cada recoveco de mi pecho.

Toda la sangre de mi cuerpo terminó en mis pies y estuve a punto de perder el balance por la impresión.

—¿Qué?

—¡No tengo a tu hija, imbécil! ¿Por qué estaría aquí? ¡Están divorciados por si no te has enterado! —escuché vagamente la voz de mi madre, y la de Leo, pero no pude discernir sus palabras.

Me giré hacia ella, desconcertado y aterrado.

—¿Le hiciste algo? —pregunté con un hilo de voz.

—¡No!

—¡Sé que tú hiciste esto, maldita perra! —gruñó Leo.

—¡No lo hice! —insistió y luego me miró con preocupación—. No lo hice, tienes que creerme. No he visto a la chica, lo juro. No le haría daño, Alex, te lo juro.

Mi boca se convirtió en una fina línea mientras intentaba decidir si creerle o no.

—Debió irse con alguien más —siguió dirigiéndose a él, con la cara de piedra—. Si tú no sabes dónde está tu hija, ¿por qué nosotros deberíamos saberlo?

—Debí deshacerme de ti también —escupió él con odio.

—No me amenaces. Estás en mi casa.

Ignoró sus palabras y se acercó con una expresión mortal.

—Si intentas algo, si la lastimas de alguna manera, juro que mataré a tu bastardo.

—¡No tengo a tu hija, por Dios!

—Espera a la policía, desmantelaré tu puta casa hasta encontrarla de ser necesario.

Dio la vuelta sobre sus talones y salió con la misma velocidad con la que entró.

Mis pies comenzaron a seguirlo por sí solos, con la preocupación ahogándome.

Mamá me tomó del brazo, deteniendo mi andar. La miré aún en mi estupor.

—Alex, no lo hice —negó—. No sé dónde está, cualquier cosa que haya sucedido, yo no tuve nada que ver, yo...

Me solté de su agarre y fui tras Leo. Lidiaría con mamá después, ahora necesitaba saber qué había sucedido con ella, necesitaba asegurarme de que estaría bien.

Aumenté el paso cuando lo divisé andando hacia su auto casi a trote y corrí hasta él, girándolo con poca delicadeza cuando llegué a su encuentro.

—¿Qué está pasando?

Se soltó como si mi tacto quemara y me dedicó una mirada de muerte.

—No tengo tiempo para ti.

Se dispuso a abrir la puerta de su auto, pero coloqué la mano encima para impedírselo.

—Leah es mi esposa, tengo derecho a saber.

—Ella no es tu esposa —gruñó con acidez—. Si quieres saber, pregúntale a tu madre. Estoy seguro de que ella está al tanto de lo que pasó.

—¿De qué hablas? ¿Qué está sucediendo? ¿Dónde está? ¿Está bien?

—No tengo por qué...

—¡Respóndeme! —vociferé, estrellando una mano en la ventana de su auto, y quizás la angustia era muy notoria en mi semblante, porque de pronto toda su furia cedió el lugar a la preocupación.

—No sé dónde está mi hija. Desapareció —comenzó, y ya podía percibir algo anudándose en la base de mi estómago—. Encontraron a la chica... a su amiga...

—¿Edith? ¿Sara? —intenté impaciente.

—Sara. Estaba junto a la carretera, desangrándose. El auto de mi hija estaba abandonado, y no había rastro de Leah.

Dejé caer el brazo que tenía sobre la puerta; mis fuerzas abandonándome y el terror adueñándose de todo a su paso a medida que asimilaba la información.

Leo no dijo nada más. Entró a su auto y arrancó, dejándome pasmado y hundido hasta el fondo en una desesperación que nunca había experimentado.

Me pasé las manos por el cabello para intentar tranquilizarme, sin conseguirlo; el nudo en mi garganta me asfixiaba y mi cabeza trabajaba a mil por hora para barajar todas las posibilidades. Pero no estaba funcionando, porque cada escenario era peor que el anterior.

Con el corazón en la garganta y la preocupación al tope, subí a mi auto y conduje a toda velocidad.

Fui al único lugar donde podría conseguir respuestas a todas mis preguntas.

El olor a antiséptico me golpeó la cara en cuanto puse un pie dentro del hospital. Esquivé a un hombre mayor en una silla de ruedas, e ignoré la mueca de disgusto que me dedicó la persona que lo empujaba para ir hasta la recepción.

—Necesito ver a alguien —dije a la mujer tras el mostrador.

Me miró con aburrimiento, como si lidiar con personas tan alteradas como yo fuera tarea de todos los días.

—Nombre, por favor.

—Sara Bonham.

Centró sus ojos en el ordenador con lentitud y comenzó a teclear incluso con más pereza. Golpeé mi pulgar contra la superficie, en un gesto de impaciencia que ignoró.

—Habitación 201, pero acaba de salir de cirugía, tendrá que esperar —me informó.

—¿Cuánto?

—No lo sé, eso depende de quién realice la intervención, pueden ser minutos u horas, no...

—Necesito saber cuándo podrá recibir visitas, es importante —insistí con un tono de voz más demandante.

Hizo una mueca de irritación.

—Es información que no tengo. Si gusta puede aguardar en la sala de esp...

—¡No puedo esperar! —bramé y la mujer dio un respingo.

—¡Alex! —me llamó una voz familiar y me giré para encontrar a Edith acercándose—. ¿Qué haces?

—¿Has sabido algo? —pregunté a mi vez, sin poder ocultar el deje de preocupación.

—No. —Su semblante se ensombreció con pesar—. Sara salió hace poco de quirófano. —Levanté la cabeza, aterrado de lo que eso podría implicar, y ella se apresuró a aclarar la interrogante que aún no había formulado—. No había más sangre, solo la de ella. Leah no estaba ahí.

El recordatorio solo sirvió para intensificar mi angustia.

—¿Cómo encontraron a Sara?

—Alguien que pasaba por la carretera la encontró y llamó a la ambulancia. Vine en cuanto me enteré.

Apenas registré la información que me daba y la pasé de largo para llegar a las escaleras.

—¿A dónde vas? —preguntó Edith tratando de seguirme el paso.

—Tengo que hablar con Sara.

Se posó frente a mí impidiéndome avanzar y quise empujarla.

—No puedes. Tiene menos de una hora que salió de la operación, nadie puede entrar, nad...

La aparté y continué andando por el pasillo, con ella despotricando detrás.

—¡No le hará bien! ¡Van a echarte si se enteran de que estás ahí dentro! ¡Alex! —siseó.

Me giré hastiado frente a la puerta y la encaré.

—No voy a permanecer sentado esperando a que alguien haga algo mientras Leah sigue desaparecida.

—Pero sus padres...

—No me importan sus padres, me importa Leah —la miré fijamente—, joder, es lo más importante para mí. Necesito saber dónde está, necesito saber que está bien. Si no vas a ayudarme, no estorbes.

Abrió la boca para replicar, pero no me quedé para escucharla. Llegué al segundo piso y ubiqué la habitación de Sara. Entré y cerré la puerta con cuidado.

La estancia era austera y pequeña, y custodiaba a una versión mucho más lívida de Sara. Su cabeza estaba vendada y permanecía inconsciente, conectada a un montón de aparatos.

La imagen no ayudó a serenar mi angustiada mente.

—Sara —susurré, tocando con gentileza su hombro en cuanto llegué a su lado—. Sara, despierta.

Suspiró entre sueños y sus párpados se movieron, arrugándose mientras yo continuaba llamándola para hacerla reaccionar.

Entonces sus orbes se abrieron de pronto, desorientados. Parecía alterada y asustada, como si tuviese miedo de algo.

—Está bien, Sara, está bien. Soy yo —intenté tranquilizarla.

—¿Alex? —dijo con voz ronca.

—Sí —sonreí apenas. Ya era algo bueno que pudiera reconocerme.

—¿Qué pasó? ¿Dónde estoy?

—En el hospital. Estás bien ahora. —Presioné su hombro contra la camilla cuando intentó incorporarse—. No te muevas, acaban de operarte.

—¿Dónde... dónde está Leah? —Sus ojos se abrieron enormemente.

—Eso es lo que quiero saber. ¿Recuerdas algo? ¿Quién estaba con ustedes? —cuestioné desesperado por información.

—Yo... nosotras... —Hizo una mueca de dolor, como si le costara evocar memorias—. Nos quedamos en la carretera... la... la llanta de su auto se ponchó, y él se ofreció a ayudarnos.

—¿Quién?

—Dominik —susurró con las lágrimas corriendo por su cara—. Él me golpeó.

Fruncí el ceño sin reconocer el nombre.

—¿Lo conoces? ¿Cómo era?

—No. Nunca lo había visto antes. Era alto, tenía cabello oscuro y... —El monitor que marcaba sus latidos y su presión comenzó a elevarse, disparando una alarma.

—¿Qué más? —presioné, porque sabía que no tenía mucho tiempo.

—Tenía ojos verdes y un acento extraño, él... —lloró con mayor ahínco y el pitido se volvió más insistente—. Dijo algo como... algo como que era el chico de la fiesta.

—¿Cómo era su auto? ¿Lo recuerdas?

—Era negro, era... —dijo con voz ahogada— ...yo...

—¡Sara! ¡Necesito que te concentres! —grité—. ¡Esto es importante! ¡La vida de Leah podría estar en peligro!

—¡No recuerdo!

—¡Sara, joder! —La tomé de los hombros y me cerní sobre ella—. Por favor, necesito encontrarla, necesito que me digas todo lo que recuerdes. ¿Viste su matrícula?

Negó con la cabeza y emitió un quejido de dolor.

—Lo siento, no recuerdo. Quizás iniciaba con un seis o un nueve, todo pasó muy rápido. Me dolía la cabeza y Leah estaba gritando, estaba... estaba...

—¡Sara, por favor! —bramé con desesperación.

—¡No puedo! —Lloró más fuerte y su vendaje reveló una mancha roja justo en el momento en que abrían la puerta y entraban una serie de personas a estabilizarla.

—Necesito que salga de aquí ahora —me ordenó un hombre alto de tez morena, jalándome del brazo.

—No puedo, necesito...

—Señor, salga de aquí ahora.

Terminó de arrastrarme fuera y me cerró la puerta en la cara. Maldije y la golpeé con el puño de mera frustración.

—¡¿Qué hacías ahí dentro?! —Una mujer me asestó un golpe en el pecho. Por el parecido con Sara, asumí que era su madre.

—Lo siento.

—Vete —insistió, con sus ojos llameando—. No sé qué pretendes, pero no te quiero cerca de mi hija.

—Está bien, señora Bohnam, ya nos íbamos —intervino Edith con una sonrisa de disculpa. Tiró de mí y no me resistí a que me arrastrara fuera del hospital.

Una vez fuera, pateé el bote de basura que había junto a la puerta en un fútil intento por amortiguar mi estrés.

—¿Qué pasó ahí dentro? ¿Conseguiste algo?

—No mucho.

—¿Qué dijo?

Le conté sobre lo del tipo, Dominik, que conocieron en la fiesta y cómo las abordó y atacó en la carretera.

—No conozco a nadie con ese nombre, ni lo recuerdo en la fiesta. Quiero decir, había muchas personas y la descripción no es la más detallada del mundo. —Suspiró, decepcionada.

—¿No te suena de algo? —insistí.

Negó y me pasé las manos por la cabeza, desesperado.

—Aunque ahora que lo pienso… estuvo en la fiesta, ¿no? —Sus ojos se iluminaron, pero no comprendí la razón.

—¿Y qué?

—Puede que me equivoque, pero creo que la casa tenía cámaras de vigilancia, quizás podamos encontrar algo ahí —sugirió y sentí unas ganas inmensas de abrazarla cuando comprendí su punto.

—Claro, ¿cómo no lo pensé antes? —Quería abofetearme por idiota—. ¿Puedes llevarme?

—Sí. —Salimos juntos del hospital para dirigirnos a mi auto—. Conozco al dueño, nos dejará revisar las cámaras.

—Excelente. Gracias, Edith —dije con sinceridad.

—No tienes por qué agradecerme, quiero encontrarla tanto como tú.

Entré a casa de los McCartney cuando la mujer de servicio atendió a la puerta.

Estaba casi seguro de que Leo no me permitiría pasar más allá del portón, e incluso llegué a considerar la idea de que llamaría a la policía si insistía demasiado. Sin embargo, ya esperaba por mí cuando entré en la sala de estar. Tenía las mangas de su camisa dobladas, los brazos cruzados igual que una fortaleza y la sombra de una barba adornando su rostro, que reflejaba el cansancio, la preocupación y la desesperación que todos sentíamos.

Era la primera vez que lo veía tan mal desde que se presentó en mi casa atacando a mamá.

Su boca era una fina línea mientras me observaba como si yo fuese una bomba que podría explotar en cualquier momento, hasta que Bastian llegó al lugar acompañado de la señora McCartney y Erick.

Si Leo se veía mal, Allison era una versión mucho más devastadora de observar.

—Alex —saludó Bastian con una inclinación de cabeza, y le correspondí con el mismo gesto de reconocimiento.

—¿Por qué estás aquí? ¿Entraste en razón por fin? —escupió con acidez el anfitrión.

—¿Sabes algo? —intervino la señora McCartney en un tono mucho más suave.

—Claro que sabe algo. Vamos, dime dónde mierda la tiene la loca de tu madre y podremos arreglar una condena menor para ti.

—Ya te lo dije, yo no la tengo, no sé dónde está, y sé que mi madre tampoco hizo algo contra ella, así que deja de perder el tiempo en nosotros y concéntrate en buscar en otro lugar.

Sus ojos flamearon con cólera, de la misma forma que sucedía con los de Leah cuando la empujaba más allá de los límites de su paciencia.

—Escúchame bien, hijo de puta, y no hagas esto más complicado.

—¡Ya te dije que nosotros no tuvimos nada que ver! —alcé la voz, harto de que continuara atacándome y perdiendo el tiempo.

—Conozco a Agnes. A ti podrá engañarte, pero no a mí. Sé que ella...

—¡No tiene ningún motivo! Ya han conseguido lo que ambos querían, ¿no? Nos divorciamos, ¿por qué mierda intentaría algo contra Leah?

—Porque es una hij...

—Tranquilos —intervino Bastian colocándose en medio de ambos—. Alex, yo no creo que tú hayas intentado algo, pero por los antecedentes de Agnes...

Gruñí con frustración.

—Por enésima vez, si me escucharan podrían entender que mi madre no tuvo nada que ver y que...

—¿Entender qué? ¿Que tu madre es una desquiciada? —lo apoyó Erick.

Lo fulminé con la mirada.

—Hay muchas cosas de Agnes que no sabes —dijo Bastian.

—Sí lo sé, sé lo que hizo —escruté de forma significativa a Allison, y ella no flaqueó—, y lo siento, ¿de acuerdo? Pero estoy aquí porq...

—¿Cómo sabemos que ella no intentó algo contra Leah porque pensó que estaba esperando un hijo tuyo? —cuestionó Leo y fruncí el ceño.

—¿Qué? No.

—Escucha, las mujeres de esta familia tienen una tendencia a ocultar ese tipo de cosas —explicó Bastian, claramente refiriéndose a Allison, que clavó su vista en el suelo—. No puedes estar seguro.

Enarqué ambas cejas.

—Sí puedo. ¿Conoces los métodos anticonceptivos? Porque eso era lo que usábamos cuando follábamos. No hay forma de que esté embarazada.

Bastian abrió la boca sin saber qué más decir mientras Leo me perforaba con los ojos. Estaba seguro de que, si daba un respiro más, me mataría, pero me daba igual.

—Bien, si no tienes nada más que decir, lárgate —ordenó autoritario—. Nos estás haciendo perder el tiempo.

—¿Yo? ¡Ustedes son los que están concentrándose en cosas que no deberían mientras Leah está desaparecida!

—¡No tienes derecho a decirme qué mierda hacer, es mi hija! Lo único que quiero es encontrarla, así que vete, ahora.

—No, no voy a irme —dije rotundo.

—Leo, por favor —intentó tranquilizarlo Bastian, sin lograrlo.

—No tienes nada que hacer aquí.

—¡Sí, sí tengo! ¡Es mi esposa!

Su rostro se compungió en una mueca de ira.

—¡Ya no es tu esposa, joder!

—¿Y qué? —grité también—. ¿Crees que un puto papel me hará dejar de quererla? ¡Tengo tanto miedo como tú de perderla! ¡Quiero encontrarla igual que tú, así que haz lo que te venga en gana porque no me iré de aquí!

Avanzó un paso en mi dirección con toda la intención de darme un golpe, pero se detuvo cuando Allison habló por fin.

—Leo, basta —musitó con cansancio—. Basta, no es el momento para esto. Él tiene razón, no podemos seguir perdiendo el tiempo.

Se giró hacia ella y sus facciones se suavizaron al instante.

—Puedes quedarte —concedió Allison mirándome fijamente—. ¿Por qué estás aquí?

Leo me lanzó una ojeada iracunda, pero no dijo nada más.

—Tengo información —solté y todos se centraron en mí.

—¿Por qué no dijiste eso antes? —preguntó Erick.

Lo ignoré, no perdería más tiempo.

—Sara dijo que quien le dio el golpe fue un tipo de la fiesta a la que asistieron con Edith —comencé a explicar.

—Sí, ¿y qué? Eso mismo le dijo a la policía, pero no han encontrado nada hasta ahora —dijo Leo con hastío.

—Revisé las cámaras de vigilancia de la casa donde fue la fiesta, Edith me llevó. Conseguí las grabaciones de esa noche y Sara reconoció al tipo que las abordó en la carretera —terminé y los ojos de Allison se iluminaron, esperanzados.

—¿Y lo conoces? ¿Sabes quién es? —Bastian se acercó ansioso.

Negué con la cabeza.

—No, pero la policía podría rastrearlo usando la matrícula de su auto. Mi padre tiene un contacto que puede ayudar.

—¿Y qué esperas? ¡Llama a tu padre! —ladró Leo ofuscado.

—Ya lo hice. Llegará en cualquier momento. —Me crucé de brazos y casi sonreí de satisfacción al caer en cuenta de que por primera vez estaba un paso más adelante que el gran Leo McCartney. Lo único que lo evitó fue la presión en mi pecho al no saber dónde y cómo estaba Leah. Haría todo por encontrarla, aunque la vida se me fuera en ello.

18
GOLPES DE REALIDAD
Leah

Me ahogaba con mi hedor cada vez que respiraba, pero me había acostumbrado a él, desafortunadamente.

Ya no sentía mis brazos ni mis piernas. Ni tenía idea de cuánto tiempo había pasado en esa posición. Podían ser horas, días, semanas.

El mal olor me había quitado el apetito por un tiempo, pero lo único en lo que podía pensar últimamente era en comer. No me importaba que fuese algo que odiara, como el atún, porque sabía que podría comerme incluso otro ser humano en ese momento. Nunca había sentido un hambre tan voraz.

Mi estómago estaba hecho nudos, tan duro que dolía moverme, y algunas veces me despertaba por el dolor.

Mi sed era distinta, pero en el mismo grado de necesidad. Mis labios estaban partidos y llenos de sangre seca. Mi saliva era lenta e inútil para amortiguarla. Incluso las paredes de mi garganta parecían hechas de cartón, y todo lo que podía probar en mi paladar era polvo y suciedad.

La mayor parte del tiempo, la oscuridad era constante como mi hambre, engulléndome. Todo lo que tenía era mis pensamientos, y algunas veces me percataba de que cada vez se volvían más irracionales.

Pensaba mucho en mamá, en todas las cosas horribles que le había hecho y dicho, y que no se merecía, porque no habría pedido a nadie mejor para criarme. Pensaba en papá, en cuánto quería disculparme por todas las estupideces que cometí a lo largo de mi vida, en todos los desastres que tuvo que limpiar a causa mía; quería pedirle perdón por todos los errores que había cometido, excepto quizás uno.

Pensaba también en Alexander, en lo mucho que lo extrañaba, en cuánto deseaba tenerlo enfrente para correr a abrazarlo y nunca soltarlo; en esa necesidad tan apremiante que sentía de hacer las cosas distintas, en mantenerme fuerte para poder resistir todo a su lado y no doblegarme a la primera adversidad.

Lancé un sollozo lastimoso. No podía llorar, no tenía el líquido suficiente para hacerlo, pero la angustia y desesperación me oprimían el pecho igual.

Tiempo, me había hecho falta tanto tiempo para poder disfrutar a mi familia; para reír con Erick y Damen, para charlar con mamá y papá de cualquier estupidez, para debatir con Alexander el tema más estúpido del mundo hasta que termináramos enojados, y reconciliarnos a los cinco minutos; para que me besara justo después de decir algo ingenioso que me arrancara una carcajada.

Me había hecho falta tiempo para escucharlo decir te amo más de una vez, y en una mejor situación.

Pensé que moriría ahí, y estaba constantemente aterrada por ello. Entonces recordaba que no podía morir, porque ellos me necesitaban viva. Solo querían quebrarme, como Rick lo había dicho.

Yo era más fuerte que esto, siempre fui más fuerte de lo que todos creían.

El agua fría sobre mi cuerpo me hizo recuperar la poca conciencia que conservaba. Fue tan repentino que mi corazón sacó fuerzas de quién sabía dónde para latir desbocado.

Levanté la cabeza con mucho esfuerzo. La acción me mareó y mi vista fue lenta en enfocar a Fitz, que sostenía otra cubeta con agua. Me la lanzó antes de que pudiera reprochar, y un siseo de dolor brotó de mi garganta por la forma en que las esposas se encarnaron a mi piel cuando intenté moverme para evitar el líquido.

—Joder, pensé que estabas muerta —logré discernir la voz de Dominik, y cuando lo miré, noté que tenía un cabestrillo sosteniendo el brazo que le había dislocado—. Apestas a mierda.

Intenté decir algo para defenderme, pero había perdido la capacidad de hacerlo.

Fitz me lanzó otra cubeta de agua gélida y lancé un lastimoso quejido.

—Desátala.

Se posó frente a mí haciendo una mueca de asco, y liberó las cadenas que mantenían presas mis manos.

Caí al suelo igual que un pesado bulto, con mis piernas demasiado débiles y entumecidas para sostenerme.

Me levantó de las muñecas, ganándose otro quejido de mi parte a modo de protesta, y me quitó las esposas. La sensación de movilidad y libertad resultaron extrañas.

Fue toda una odisea mantenerme sentada en el suelo.

—Espero que hayas aprendido la lección, preciosa —dijo Dominik, colocándose en cuclillas para estar a mi altura—. Si no obedeces, te dejaré otros cinco días sin agua ni comida, ¿entendido?

Alcé la vista y lo miré con odio. Escupirle a la cara se llevó los últimos resquicios de mi fuerza, pero valió la pena.

Gruñó y se limpió asqueado.

—Te hemos dejado agua, comida, ropa y una cubeta con agua. —Me lanzó una esponja—. Límpiate, en serio apestas. ¿Te cagaste encima?

No respondí.

—Come. Imagino que no tengo que aclararte que si no lo haces, te meteré la comida por la garganta yo mismo, y no va a gustarte, ¿de acuerdo?

Se dio la vuelta y señaló a Fitz con un dedo en el pecho.

—Quédate con ella hasta que coma y beba todo. Deja que se limpie sola. No le pongas una mano encima, ¿entendido?

El tipo asintió solemne. Dominik salió, dejándolo encargado de mí. Ni siquiera lo miré.

Comí y bebí como si fuese la última comida de mi vida. Y cuando tuve fuerzas suficientes para levantar los brazos, me aseé lo mejor que pude. Mis muñecas escocieron al primer toque del agua, pero resistí.

La ropa limpia se sintió como gloria.

Cuando terminé, Fitz y Bob entraron para volver a esposarme y colocarme en la misma posición de antes. Tampoco rechisté. No tenía fuerzas suficientes para pelear con ellos, no valía la pena.

Levanté la cabeza cuando escuché el rechinar de la puerta al abrirse. Y por un momento, deseé no haberlo hecho.

Louis me observaba desde la puerta, con su porte erguido, lleno de suficiencia y superioridad.

Me sonrió con satisfacción cuando cerró la puerta tras de sí, y mi cuerpo reaccionó por instinto.

Forcejeé para intentar liberarme, ir hasta él y matarlo. El metal me laceraba las muñecas, encajándose en ellas y lastimándome más, pero la ira que me carcomía era más grande en ese momento, tan grande que pensé que moriría de un infarto.

—¡Hijo de puta! —rugí con todas mis fuerzas—. ¡Confié en ti!

Volví a forcejear con desesperación, ansiosa por ponerle las manos encima.

Él me miraba sereno, con las manos en los bolsillos de su pantalón y el esbozo de una sonrisa. Estaba furiosa con él, pero la ira que sentía hacia mí por haber sido tan ingenua y estúpida era mil veces más grande. ¿En qué estaba pensando cuando creí en alguien como Louis Balfour?

—Eres toda una obra de arte, Leah —habló de pronto con parsimonia—. Me siento como en un museo, observando un trabajo exquisito.

—¡Vete a la mierda! —ladré—. ¡Confiábamos en ti! ¡Erick creía en ti!

—Qué tristeza por ustedes. —Hizo un patético puchero—. Lo siento, linda, así es la vida.

—Púdrete.

Se mofó.

—Me enteré de que le diste pelea a Dominik. —Chasqueó la lengua—. No me gustan esas actitudes, niña.

—Me importa una mierda lo que te guste o no, hijo de puta.

—Oh no, tú eres la hija de una puta, no yo —se burló.

—Ella tenía razón, mis padres tenían razón sobre ti. Eres una mierda.

—Es muy tarde para escuchar a tus padres, ¿no crees? —Se cruzó de brazos.

—¿Por qué haces esto? ¿Es por el dinero?

—Claro que es por el dinero. Al menos lo es para Rick. —Dio un paso más cerca, escrutándome de arriba a abajo—. Yo tengo... otros motivos para hacer esto.

—¿De qué hablas? ¿De qué demonios hablas? —cuestioné cada vez más alterada con su cercanía.

—No comprendes lo valiosa que eres, ¿verdad? —Se detuvo frente a mí y mis nervios se dispararon.

Sus dedos rozaron mi mejilla y me alejé del contacto por inercia, asqueada.

—Me agradas, Leah, pero eres una moneda demasiado valiosa para desperdiciarla.

—No soy ninguna puta moneda —siseé.

—Oh, claro que lo eres, linda. Contigo podría matar tres pájaros de un tiro sin problema —se regodeó.

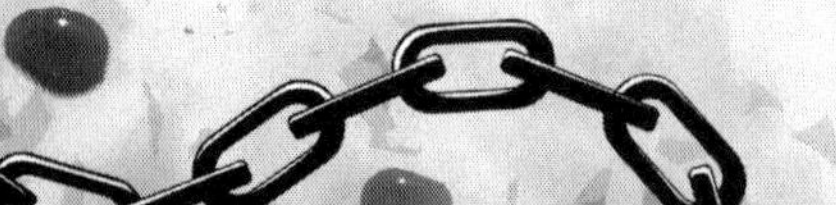

El miedo se plantó en mi pecho y extendió sus ramas como la maleza.

—No sé de qué mierda estás hablando, maldito psicópata —solté furiosa.

—Déjame explicarte. Es algo muy sencillo de hecho, y algo que había esperado mucho para que sucediera. Anhelaba esta oportunidad —empezó, tocando un mechón de mi cabello—. Eres lo más preciado que tienen tus padres. Eres su hija, después de todo, y es tan evidente porque te pareces tanto a Allison...

Me tomó del mentón con fuerza para mantenerme en el lugar y lo miré desafiante, sin demostrar el miedo que me carcomía por dentro.

—Pero tienes sus ojos. Los ojos de un depredador, de una puta bestia —dijo entre dientes y una lenta sonrisa se deslizó por su rostro—. ¿Crees que tu padre aprecie el detalle de enviarle tus ojos por correo? ¿O es algo muy cliché? —amenazó y mi corazón dio un vuelco.

—No lo harías —mi voz salió en un hilo.

—Sí, sí lo haría. —Me soltó de pronto y volvió a colocar sus manos dentro de sus bolsillos—. Tus padres me arruinaron la vida, ¿no crees que es justo que yo haga lo mismo? Algo así como... karma, justicia divina.

—¡Ellos no hicieron nada! ¡Cualquier cosa que te haya pasado, tú te la buscaste!

—¡No, yo no me lo busqué! —rebatió alzando la voz, sus ojos avellana llameando con ira—. Tu padre cree que puede tener todo a su merced, que el mundo funciona acorde a sus deseos y necesidades, y que puede pasar encima de quien sea para conseguir lo que quiere. Necesita darse cuenta de que no puede ganar siempre, de que todos podemos perder algo valioso.

—No lo hagas —pedí; el terror haciéndose más grande dentro de mí—. Erick jamás te lo perdonaría. Soy su hermana.

—¿Crees que él me importa? —inquirió con frialdad y lo miré boquiabierta—. No me interesa si es mío o no, él solo fue otra forma de joderle la vida a la perra de Allison.

—¡Eres una mierda! —grité airada.

—No, solo estoy cuidando mis intereses y buscando saldar unas cuentas pendientes, nada más.

—No lo hagas —insistí, con las lágrimas escociéndome los ojos—. Los destruiría.

—Lo sé, por eso mismo pienso matarte —sonrió con suficiencia—. Tendré el dinero de Leo, le joderé la vida a él y a la perra de tu madre, y, además, le enseñaré a Alex una lección importante.

—¡Déjalo tranquilo! —gruñí con desesperación—. Él no tiene nada que ver, Dios, déjalo fuera de esto.

—No tiene nada que ver con mis motivos, es verdad, pero te adora, y necesita aprender que no puede meterse con alguien como yo sin sufrir las consecuencias.

—Estás enfermo. Nunca debiste salir, nunca debiste...

—Llámame como quieras, me importa un carajo. Lo único que quiero es que sirvas para tu utilidad. —Se acercó más a mí y hundió su nariz en mi cuello, olfateándome y provocándome náuseas—. Realmente eres una maravilla, Leah. Tus padres debieron engendrarte con mucho amor.

—No me toques.

—¿Por qué no? Sería como recordar los viejos tiempos. —Llevó sus manos sobre la tela que recubría mis pechos y los tocó con curiosidad, siguiendo su forma y provocando que la bilis subiera hasta mi garganta. Mi cara se contrajo en una mueca de repulsión mientras mi cuerpo luchaba por alejar su tacto—. No hagas esa cara, vuelves esto algo incómodo.

—¡No me toques!

Soltó el suspiro de una risa.

—Pensé que para este punto ya habrían logrado moldearte.

—Necesitas más que eso para quebrarme, cerdo —lo desafié, jugando con mi suerte.

—¿En serio?

Chasqueó la lengua, escéptico.

—Bob —llamó alzando la voz, y el hombre de la calva apareció al segundo asomando la cabeza—. Desátala y llévala arriba.

Este obedeció y se acercó para liberarme, sin quitarme las esposas de las manos, pero sí las de los pies para que pudiera andar.

Todas mis intenciones de intentar escapar murieron cuando quitó el seguro a una pistola y me la colocó en la sien.

—No intentes nada estúpido.

Caminé con él detrás por la habitación, con el cañón presionado contra mi nuca mientras subía las escaleras del sótano y Louis daba indicaciones para girar en la cocina.

Era la casa de su padre, la que había visitado junto con Edith. Sin embargo, no vi señales que demostraran la presencia de un enfermo, ni tampoco de la enfermera que nos había atendido hacía meses atrás.

Una mano se enredó en los mechones de mi cabello y me obligó a doblarme hasta posar mi cara sobre la barra de la cocina.

—Ahora, ¿qué vamos a hacer contigo, Leah?

—Suéltame, imbécil. —El miedo escaló niveles y serpenteó debajo de mi piel, arañándome.

—No lo creo. Estoy teniendo una vista divina en este momento. —Su asquerosa mano apretó una de mis nalgas y solté un quejido de aversión, al tiempo que intentaba liberarme de su agarre en mi nuca—. ¿Qué crees que le duela más al hijo de puta de tu padre? ¿Saber que el mismo hombre que violó a su mujer violó también a su hija o que te mate luego de violarte?

El horror me impidió respirar.

—¡No te atrevas a ponerme un dedo encima! ¡Suéltame! —grité alterada, sin dejar de forcejear.

—¿Por qué no? Con un poco de suerte podrías darle un hermano a Erick —soltó una risita y un segundó después noté su mano deslizándose por mi cuerpo hasta posicionarse en mi sexo. Las náuseas y el pánico me envolvieron a la par.

—Eres un puto enfermo. Estás enfermo, ¡estás enfermo! ¡Suéltame, suéltame!

—¿Cómo te folla Alexander? ¿Cómo logra controlarte lo suficiente para metértela, si eres una jodida bestia? No me explico cómo puede dominarte.

—¡Él no necesita hacerlo! —gruñí, intentando liberar las manos que estaban esposadas tras mi espalda, con las lágrimas nublándome la vista—. ¡Déjame ir!

—Ah, claro. El amor nos vuelve seres tan idiotas. —Sentí sus dedos anclándose al elástico de mi pantalón, antes de bajarlo hasta mis rodillas junto con mi ropa interior.

Solté un grito de pavor y me moví como si mi cuerpo estuviera dentro de una sartén con aceite.

—Trata de disfrutarlo como tu madre. Te va a encantar. Lo haré mejor que tu esposo, créeme.

—¡Hazlo de frente si vas violarme! ¡Mírame a los ojos mientras lo haces! —ladré, buscando ganar tiempo y una mejor posición que me permitiera defenderme.

—¿Y arriesgarme a que me partas el tabique como a Dominik? No gracias, no soy tan idiota. —Escuché el cierre de su pantalón abriéndose y mi

sangre viajó al suelo—. Me impresiona que hayas luchado más que tu madre, Leah, pero no puedo decir que sea una sorpresa, considerando quién es tu padre. Eres una bestia, y como tal, debes ser follada, como un animal.

—¡Suéltame! —jadeé con desesperación, me removí, forcejeé y grité de impotencia—. No lo hagas, Louis, no hagas esto. Te lo ruego, por favor.

—Es justo y necesario, Leah. Cierra los ojos, imagina que soy tu esposo y disfrútalo.

Volví a gritar con desespero, rabia, ira, dolor y miedo… mucho miedo. No dejé de removerme y mis muñecas se resintieron aún más, pero todo parecía inútil y me preparé para lo inevitable.

No tenía idea de cómo mamá había logrado superarlo, cómo había salido adelante después de una violación, porque yo sentía que me volvería loca en ese momento, por todas las emociones que me desbordaban al estar a punto de tener un intruso dentro de mí.

No podría soportarlo, pero me preparé para la invasión.

«Eres más fuerte que esto, eres más fuerte que esto, eres más fuerte que esto» me repetí para poder aguantar, para armarme de valor y seguir adelante.

Y mientras Louis se preparaba para violentar mi cuerpo pese a mis gritos, mi llanto y mis protestas, deseé que Alex apareciera para salvarme, que llegara de pronto y me lo quitara de encima.

Siempre pensé que yo podía ser mi propio héroe, pero en esta ocasión, estaba completamente desarmada, a su merced.

Percibí la punta de su pene en mi entrada y el aire se atascó en mi garganta; mi cuerpo tan tieso que mi espalda dolió.

—A tu padre le encantará saber lo que le hice a su adorada princesa —rio con crueldad e intenté revelarme una milésima vez, pero estaba presa bajo su yugo. Cerré los ojos y esperé la intromisión con el llanto ahogándome, pero nunca llegó.

—¡¿Qué carajo estás haciendo?! —Alguien lo empujó de pronto, alejándolo de mí—. ¡Guárdate esa mierda ya mismo!

Levanté la cabeza hasta ver a Rick, que tenía el rostro rojo de la cólera.

—Este no es asunto tuyo, no te metas.

—Claro que es asunto mío, yo también soy parte de esto, ¿o lo olvidaste? ¿Te drogaste otra vez?

Rick me tomó del brazo y me ayudó a incorporarme. Me apresuré a subirme los pantalones como pude, aún alterada por lo que había estado a punto de suceder.

—Estoy más consciente que nunca.

—¡No parece! ¿Estás mal de la cabeza? —dijo airado—. ¿Quieres que te maten, que nos maten?

—No van a...

—¡Claro que sí! ¿Quieres tener a Leo McCartney y a Alexander cazándote? ¡Ofrecerían todo lo que tienen por tu puta cabeza si le pones una mano encima!

—Ya los tendremos respirando tras nuestra nuca después de esto, ¿qué importa?

Rick alzó un dedo amenazador.

—Eso no es parte del plan. No quiero que la vuelvas a tocar, ¿entendiste? No la toques. Pediremos el dinero, y cuando lo entreguen la dejaremos libre. Eso es todo.

Louis me miró haciendo promesas siniestras con sus orbes predatorios, llenándome de terror. Era obvio que su socio no tenía ni idea de los pérfidos planes que él tenía conmigo.

—Bob, llévala al sótano. No permitas que nadie entre sin mi autorización, ¿entendido? —ordenó Rick, tajante—. Y no la dejes sola, ni siquiera con Louis.

—Bien.

Me tomó del brazo y me arrastró hasta el sótano, encadenándome de nuevo, dejándome indefensa otra vez.

Solté un sollozo, derrumbándome por todo lo que había sucedido hacía unos minutos atrás.

Si Rick no hubiese llegado... Solo un segundo más habría bastado y Louis me habría violado igual que a mamá.

No podía creer todo lo que mamá había tenido que soportar, todo lo que había tenido que pasar antes de estar con papá. No se lo merecía, joder, no se lo merecía.

Lloré con amargura, viviendo mi catarsis.

Dios, ¿dónde mierda me había metido? ¿Cuánto más tendría que soportar?

19
TEMOR
Alexander

Había dormido cuatro horas los últimos dos días, siendo optimista, y Leah llevaba casi seis días desaparecida. Estaba a punto de perder la cordura, o quizá ya la había perdido al presentarme en ese lugar, pero estaba desesperado. La policía apenas actuaba y yo necesitaba respuestas, unas que estaba seguro Fejzo que me daría.

Entré a su oficina siguiendo el mismo ritual de siempre y acompañado por sus gorilas. Tan pronto como llegué hasta él, los dedos me cosquillaron por ponerlos en torno a su cuello y matarlo.

—No esperaba que me llamaras para verme con tanta urgencia. —Apoyó su cuerpo en el escritorio y se cruzó de brazos—. ¿Qué sucede? ¿Ya tienes mi dinero?

La manera en que mi brazo tomó impulso y se estrelló contra su cara fue puro instinto. Lanzó un quejido de dolor, al tiempo que se cubría la boca y yo agotaba la distancia entre nosotros para tomarlo de la camiseta.

—La quiero de vuelta, ahora —exigí, ignorando por completo el sonido del seguro de las armas que seguramente estaban apuntando a mi cabeza.

Fejzo sonrió de manera grotesca, con sus dientes manchados de sangre.

—Es la segunda vez que me golpeas, y aún no puedo decidir si eres muy valiente o muy idiota, chico —siseó.

El comentario solo sirvió para disparar la cólera que hervía en mi interior.

—Sé que la tienes, sé que mandaste a alguien para que la capturara. Te daré el dinero yo mismo, ahora, pero déjala ir. No tiene nada que ver con esto.

Frunció el ceño.

—¿De qué hablas? ¿Que deje ir a quién?

— No te hagas el idiota. Entre más rápido me la entregues, mejor.

—Señor —lo llamó uno de los hombres a mi espalda.

—Está bien —acotó Fejzo a sus guardaespaldas, tranquilizándolos—. No te estoy entendiendo, chico. ¿Qué es lo que quieres que te entr...?

—¡A Leah, maldito imbécil! —lo sacudí iracundo—. ¡Sé que le hiciste algo! ¡Sé que la capturaste para presionarme, así que te daré tu maldito dinero!

—¿Qué? Yo no...

—Si le pones una mano encima, un solo dedo, te mataré yo mismo —escupí con odio, la preocupación privándome de toda racionalidad.

—Lo lamento, pero no puedo entregártela.

Lo tomé con fuerza de la camisa, listo para reventarle la cara.

—Porque yo no la tengo —completó mirándome con fijeza, y mi brazo se detuvo.

—No te creo —dije, luego de un momento de considerarlo—. Será mejor que la dejes libre ahora.

—Ya te lo he dicho, no la tengo. No he hecho nada contra ella.

—¿Y pretendes que te crea? ¡¿Pretendes que te crea luego de que nos sigues como animales?! —acoté alterado, echando mano de todo mi autocontrol para no matarlo.

—A ustedes. Tu esposa no tiene nada que ver, ¿por qué la involucraría en esto? Tengo honor y clase. Ustedes son quienes me deben dinero, no ella. Si algo le sucedió, no fue mi culpa.

Lo observé pasmado por un instante, luego mi agarre se aflojó y la ira le dio lugar al desconcierto.

Fejzo alejó mi mano con brusquedad y se arregló la camisa arrugada.

—¿No hiciste nada?

—No, ¿por qué lo haría?

—¿Tú no enviaste a Dominik?

Bufó mordaz.

—¿Quién mierda es ese? —cuestionó y me sentí repentinamente perdido y decepcionado.

—Desapareció —confesé, desprendiéndome de mi faceta ofensiva.

Fejzo enarcó ambas cejas.

—¿Y mi cara por qué tiene que pagar las consecuencias?

Me pasé una mano por el cabello, sintiendo la frustración en mi pecho.

—Quizás no desapareció —sugirió luego de un minuto y levanté la cabeza para escrutarlo—. Tal vez se fue.

—No se fue.

Soltó una risita.

—Las mujeres como ella son muy codiciadas. —Se limpió una mancha de sangre con el dorso de la mano—. Tienes que cuidarlas, porque cualquiera podría robártela. Tal vez conoció a alguien más.

Negué.

—No tienes idea de lo que pasó.

—¿Y tú sí?

Lo fulminé con la mirada y él sonrió con suficiencia.

—Lo siento, chico, no tengo lo que buscas con tanta desesperación, pero puedo ofrecerte un *whisky* para que te tranquilices, parece que lo necesitas.

Gruñí y me senté en una silla con pesadez. Estaba exhausto de toparme con callejones sin salida, pero no iba a rendirme hasta encontrarla.

Habían pasado dos días desde mi encuentro con Fejzo. Oficialmente Leah llevaba más de una semana desaparecida.

El contacto proporcionado por mi padre fue un resquicio de esperanza que nos dio algunas respuestas, al menos sabíamos quién era el tipo que las abordó en la carretera: Dominik Iseni, un exmilitar que sirvió por seis años al país, antes de ser expulsado por problemas de conducta y el asesinato de un compañero. Las cámaras de la casa donde tuvo lugar la fiesta en la que Leah fue vista por última vez captaron la matrícula del auto, un Civic Honda con reporte de robo.

No era mucho, pero prometieron acceder a las cámaras de la ciudad para rastrear el auto y trazar la posible ruta que siguió ese día con el fin de encontrarla.

La policía se comunicaba con nosotros para reportar los avances y asegurarnos que seguía trabajando en nuestro caso, pero era difícil no sucumbir a la angustia y la incertidumbre.

Sorprendentemente, los McCartney me habían otorgado acceso libre a su hogar. Bastian estaba siempre ahí, como una sombra de Allison y Leo.

El deterioro era notable en todos, pero quien la pasaba peor era la señora McCartney. Lloraba todo el tiempo y estaba tan delgada que parecía a punto de desaparecer.

Leo y yo habíamos alcanzado una especie de relación civilizada los últimos días. Nos hablábamos solo cuando era necesario, pero al menos ya podíamos compartir el mismo espacio sin insultarnos el uno al otro.

Cuando pisé su casa creí que sería un día bueno, uno en el que por fin tendríamos la codiciada ruta para encontrar a Leah, pero me equivoqué.

Terminé mi llamada con el agente de policía asignado al caso cuando el teléfono de la residencia McCartney comenzó a sonar. Imaginé que se trataría de algún cliente de Leo o algún asunto relacionado con su empresa, hasta que escuché su voz desde el estudio. Mis pies se movieron por sí solos. Cuando entré, Bastian permanecía de pie frente al escritorio de ébano de Leo, mientras él decía algo al teléfono, furioso.

—Escúchame bien, hijo de puta, te arrancaré la cabeza con mis propias manos si le tocas un solo cabello a mi hija, ¿comprendes? No quedará

nada de ti para que lo caguen los perros —amenazó a su interlocutor.

Las palabras que escuché a través del teléfono, que permanecía en alta voz, me provocó un escalofrío.

—Creo que no estás en posición de amenazarme. Quiero decir, cualquier accidente podría sucederle a tu hija —respondió el tipo con tono duro.

Me acerqué aterrado y desconcertado, la voz con un marcado acento era desconocida para mí.

—No te atrevas a ponerle una mano encima —repitió el padre de Leah.

—Eso no depende de mí, sino de ti, y de cuánta disposición muestres para cooperar —sentenció el desconocido.

—¿Qué mierda quieres de mí? —inquirió Leo con voz tensa.

—¿Cuánto vale la vida de tu hija, señor McCartney?

Me puse las manos tras la cabeza, aterrado por la revelación. Sí era un secuestro, era un puto secuestro.

—Habla claro. Dime cuánto quieres y acabemos con esto cuanto antes —siseó mi exsuegro.

El tipo dijo la cifra con lentitud, como si lo saboreara en su lengua.

Bastian y yo compartimos una mirada de desconcierto, era una suma descomunal, pero Leo ni siquiera parpadeó.

—Bien, la tendrás —concedió sin pensar.

—Ese es el tipo de cooperación de la que estoy hablando —dijo con un molesto tono de alegría su captor.

—Ahora tu parte —espetó Leo—. ¿Cómo sé que mi hija está viva?

—¿No confía en mí, señor McCartney? —se burló el hombre.

—Ni un ápice. Quiero una prueba de que está viva, ahora —exigió con tono duro.

—Bien, te concederé ese deseo.

Se escuchó interferencia, un golpe seco, palabras ininteligibles y pasos.

Antes de que pudiera detenerme, ya estaba detrás de Leo ansioso por escuchar. Mi corazón aumentó en tempo; estaba más deseoso por escucharla de lo que me atrevería a admitir.

—¿Papá? —la voz de Leah emergió del auricular y ambos permanecimos pasmados por un instante, como si no pudiésemos creer que era ella.

No sabía que estaba conteniendo la respiración hasta que solté el aire, y fue como si respirara de verdad por primera vez en días.

—Cariño. —La voz de Leo flaqueó por un momento y tuvo que apoyarse del escritorio—. Dios, pensé... pensé..., ¿estás bien? Dime que no han intentado hacerte algo porque te juro que...

—Papá, estoy bien —dijo tensa. Estaba casi seguro de que tenía un cañón pegado al cráneo para no hablar más de la cuenta—. No te preocupes, ¿de acuerdo? Estoy bien.

—Te sacaré de ahí, te lo prometo. Todo estará bien, cariño. Haré lo que sea necesario para tenerte de vuelta.

—Lo sé. —Su voz se quebró—. Sé que lo harás —soltó un sollozo—. Perdóname, perdóname por todas las cosas horribles que te dije y por lo estúpida que fui. No tienes idea de cuánto lo siento. Fui una hija terrible, perdóname.

Sonrió con tristeza.

—No te preocupes por eso ahora, tendremos mucho tiempo para hablar al respecto, tend...

—Te amo, papá —lloró más fuerte—. Dile a mamá que estoy bien y que también la amo. Dios, los amo a los dos, no se imaginan cuánto.

La mano de Leo temblaba mientras intentaba mantenerse entero y yo tomé esa oportunidad para quitarle el teléfono.

—Leah, solo resiste un poco más. Te sacaremos de ahí, te lo prometo. Solo resis...

—¿Alex?

—Sí —sonreí por la nota de sorpresa.

—Alex... —Se escuchó estática, un forcejeo y después el sonido de su voz más alejado—. ¡Alex!

—El tiempo se agotó —habló entonces el hijo de puta, mientras Leah continuaba gritando algo en el fondo.

—Ponla en el teléfono, maldita sea —siseé colérico.

—Tú no tienes por qué darme órdenes.

—Hazlo.

—¿O qué?

Tensé la mandíbula y bajé mi arsenal. No conseguiría nada de ese modo.

—Por favor, déjame hablarle un segundo —supliqué—. Por favor.

Pareció considerarlo porque hubo silencio. Leo me miraba expectante y mi corazón latía en mi pecho con fuerza.

—Un minuto —habló el tipo.

—Alex... —Leah sorbió por la nariz—. ¿Qué haces en casa?

—Buscándote, obviamente —sonreí para reconfortarla—. Volverás antes de lo que te imaginas y estaré aquí esperándote.

La escuché soltar el suspiro de una risa, antes de llorar.

—Perdóname tú también por ser una imbécil. Debí ser más fuerte, debí hacer las cosas mejor, debí...

Mi corazón se compungió por su confesión.

—Leah, no nece...

—Escúchame, déjame hablar —pidió—. Estoy feliz de haberme casado contigo, ¿sabes? No pude pedir a nadie mejor. Siempre pudiste ver a través de mí, siempre pudiste leerme tan bien, me comprendías en un nivel completamente diferente. —Volvió a reír con pesar—. ¿Recuerdas cuando te vi jugar póker por primera vez? ¿Lo recuerdas?

Fruncí el ceño, haciendo memoria, sin saber a dónde quería llegar con todo aquello.

—Sí.

—¿Recuerdas lo horrible que discutimos esa vez y lo bien que nos reconciliamos después? Yo... Todo lo que dijiste en esa ocasión era verdad, que no era una persona de fiar. Tenías razón, y yo debí escucharte. Teníamos tantas dudas y la respuesta siempre estuvo frente a nosotros. Lamento que nos hayamos divorciado, lo cambiaría si pudiera hacerlo, pero no me arrepiento de ello, no me arrepiento de nada ocurrido entre nosotros —lanzó un sollozo ahogado—. Te amo, te amo muchísimo.

Mi pecho se comprimió. Sonaba como una maldita despedida, pero no podía ser, no podía ser.

—Yo también te am...

—Qué conmovedor —me cortó el tipo—. No hay nada mejor que una pareja trágicamente enamorada.

La ira se extendió como lava por mi estómago.

—Más te vale no tocarle un solo cabello, porque te mataré si lo haces.

—No prometas cosas que no puedes cumplir, niño. Nos pondremos en contacto en cuarenta y ocho horas para acordar la hora, el lugar y el modo de entrega del dinero. Esperen mi llamada. Mientras tanto, yo cuidaré de su princesa. Hasta pronto.

—¡Hijo de puta! —Leo me arrebató el teléfono y lo estrelló contra el piso en un arranque de furia, destrozándolo.

Yo permanecí un momento más apoyado sobre el escritorio, intentando asimilar lo que había sucedido segundos atrás. Al menos estaba viva y era lo único en lo que podía concentrarme.

—Tenemos que actuar rápido —habló por primera vez Bastian.

Leo se dejó caer en la silla, afligido y exhausto.

—Ya sabes qué hacer —indicó—. Comienza con las gestiones para reunir el dinero, yo hablaré con Allison.

Su amigo asintió y salió disparado del lugar, pero la sensación de incertidumbre no desapareció.

Algo me decía que eso no sería suficiente para recuperarla.

20
EL CASTIGO
Leah

Luego de haber transcurrido varias horas de la llamada, Louis entró como una exhalación a la habitación donde permanecía cautiva.

Sus orbes miel flameaban con ira y parecía un desquiciado, erizándome la piel de solo contemplarlo.

Temí lo peor. Y no me equivoqué.

—¿Crees que soy idiota? —preguntó tenso, al tiempo que Dominik entraba con las manos tras la espalda, acompañado de Fitz.

—¿Quieres la verdad? —lo reté.

—Sé lo que hiciste —confesó y juro que mi corazón se detuvo—. Muy curiosa tu elección de palabras para hablar con tu esposo. ¿Creíste que no lo notaría? ¿Creíste que me tragaría tu desesperada confesión de amor?

Entreabrí la boca, impactada porque lo hubiese deducido.

—Debo admitir que por poco se me escapa, pero tienes mucho que aprender aún, Leah. Es difícil engañar a la gente mayor.

—¡Jódete! —grité furiosa y frustrada porque mi plan no había resultado.

—He hablado con Rick, y no podemos correr el riesgo de que Alex deduzca dónde carajos estás, así que te irás a otro lugar.

—¿Qué? No saben si lo deducirá, no saben si...

—Créeme, sabemos que lo hará. Es un chico listo y no podemos arriesgarnos. —Torció la boca en una sonrisa sin humor—. Tu intento de mensaje secreto te costará bastante caro —sentenció y temí que decidiera matarme al llegar al nuevo lugar.

—¿Qué vas a hacerme?

—Yo nada. Dominik se encargará de que aprendas la lección. —Lo señaló con un gesto de la cabeza y él me saludó de forma maquiavélica moviendo los dedos.

La mera visión me erizó los vellos de la nuca.

—Tú misma lo dijiste, Leah: cada acción tiene sus consecuencias. Espero que seas lo suficientemente fuerte para afrontar estas.

Hizo una seña a Dominik antes de darse la vuelta y salir de la habitación, cerrando la puerta tras de sí. Fitz se apresuró a desatarme, mientras Dominik acercaba una de las cajas viejas de madera con su pie.

Escaneé la escena sin comprender.

—Híncate —ordenó de pronto con sus ojos verdes brillando.

—No —negué aterrada.

—¿Sabes cuál era mi castigo favorito en el ejército, Leah? —Inclinó la cabeza a un lado, y permanecí en silencio, negándome a seguir su juego.

Entonces posó sus manos al frente, que había mantenido tras su espalda todo este tiempo, revelando una larga vara de madera, delgada y sólida.

—¿Qué es eso? —cuestioné muerta de miedo—. ¿Qué vas a hacer con eso? ¿Qué...?

Fitz me tomó de los hombros e hizo presión para obligarme a ponerme de rodillas, con mis codos apoyados en la caja.

—Es un instrumento muy bonito, y útil, si me lo preguntas. La madera africana es muy flexible, ¿sabías? Y si la recubres con cuero...

Mis ojos se abrieron con terror y todas mis terminaciones nerviosas se pusieron alertas.

—Solían castigarnos así cuando cometíamos una falta. Era bastante doloroso —explicó con tono alegre—. Aún tengo algunas cicatrices.

Mi boca se secó en ese momento, y me preparé para lo peor.

—Respira, preciosa. Esto va a dolerte muchísimo, pero necesito que aprendas la lección.

Tensé todo mi cuerpo en anticipación, mentalizándome para recibir el dolor, pero lo que percibí fue agua mojando mi espalda.

No me había recuperado de la impresión cuando un sonoro *crack* rasgó el aire, la vara estrellándose en mi espalda mojada. Hubo un milisegundo en que no percibí nada, antes de que mi sistema nervioso reconociera el atroz dolor que se extendía desde mis omóplatos hasta mi espalda baja.

Mis uñas se encajaron en mis palmas, mi pecho dejó de moverse y mis cuerdas vocales actuaron por sí solas, soltando un grito que inundó toda la estancia.

Grité otra vez cuando noté de nuevo el cuero rasgando mi piel, justo cerca de mis lumbares.

Todas mis terminaciones parecían estar en llamas, y notaba humedad en mi espalda, asentándose en la cintura de mi pantalón, pero no podía estar segura si se trataba de agua o de sangre.

—Será tan divertido quebrarte, preciosa.

Otro *crack* resonó en el aire y deseé ser más fuerte para no llorar por el dolor, para resistir y mantenerme entera, pero era imposible.

La sensación era insoportable, lacerante y letal.

Asestó otro más a mis piernas y el grito logró escaparse incluso a través de mis dientes apretados.

Los bordes de la pared frente a mí se volvieron difusos y motas negras infestaron mi vista como animalillos. Me sentía débil, quizás por la pérdida de sangre o por la magnitud del dolor en sí, no tenía idea, pero era demasiado para soportarlo.

El dolor aumentó, pero no fui consciente del encuentro entre mi piel lacerada y la vara. Podría haber recibido otro golpe o podría no haberlo hecho; me costaba descifrarlo con mi mente en rojo, mi cuerpo prendido en fuego y mi corazón latiendo a un ritmo tan violento.

Luché contra el dolor y la oscuridad para mantenerme consciente, luché con todas mis fuerzas.

Asestó otro más que sí sentí crudamente y la oscuridad ganó. Hundiéndome bajo su superficie.

21
VALENTÍA
Alexander

—Alex.

Me removí ofuscado y enterré la cabeza aún más en la almohada para perseguir ese tenue aroma que se anclaba a la tela.

La esencia que envolvía el lugar había hecho maravillas con mi agitada mente, y ahora me balanceaba sobre la agradable cresta entre el sueño y la consciencia, pero seguía exhausto.

No estaba listo para despertar. Era como si por fin hubiese encontrado esa tranquilidad que había ansiado los últimos días.

—Alex.

—No molestes, Leah —murmuré cuando insistió, como hacía algunas veces cuando quería despertarme antes de tiempo—. Necesito dormir.

Una risa corta inundó mis sentidos y me percaté, demasiado tarde, de que aquella no era su risa.

—No sé qué me preocupa más, encontrarte en la cama de mi hermana o que me confundas con ella mientras estás en su cama.

Abrí los ojos de golpe y bufé cuando noté a Erick mirándome con fijeza, llevaba los brazos cruzados sobre el pecho y un atisbo de entretenimiento asaltando sus facciones. El mundo real irrumpió en el fugaz santuario creado por el sueño.

—Jódete, McCartney.

Hizo una mueca extraña cuando lo llamé de esa manera, pero no le presté atención mientras me incorporaba y recuperaba poco a poco mis sentidos.

Estaba en la habitación de Leah, otra vez, y, por segunda ocasión, no tenía idea de cómo había terminado ahí. Se estaba convirtiendo en una fea costumbre despertar desorientado en ese lugar.

Quizás era mi subconsciente, buscando y aferrándose con desesperación a aquellas cosas que sabía que podrían proveerle un poco de descanso para desconectarse unas horas y recuperarse del desgaste.

—Tienes suerte de que te encontrara yo y no Leo. No le habría agradado verte aquí.

Bufé y me froté el rostro para desvanecer los restos del letargo.

—Claro, porque mi único propósito en la vida es complacer a tu padre.

—Él no es mi...

—Ya lo sé —lo corté con fastidio—. Me sé de memoria ese rollo.

Frunció el ceño, ofendido, pero lo ignoré y acomodé el resto de las almohadas junto a la cabecera.

Una parte de mí esperó encontrársela durmiendo al otro lado de la cama, pero Leah no estaba ahí.

No estaba en ningún lugar, y la falta de su presencia trajo de vuelta con más viveza el dolor en el pecho, ese que había logrado entumecer con el sueño.

De repente, me sentí enfermo.

—¿Qué haces aquí? —dije molesto al notar que no tenía motivos para despertarme.

—La pregunta es: ¿qué haces tú aquí?

Me mantuve en silencio, porque no tenía una respuesta.

—Hay comida en la mesa, por si quieres bajar —musitó rindiéndose.

—No tengo hambre.

—Matarte de hambre no la traerá de vuelta.

Le lancé una mirada de muerte por el crudo comentario, pero tenía razón. No comer o no dormir no ayudaría en nada; mucho menos a poner a trabajar mi cerebro para descifrar qué demonios había intentado decirme Leah con ese mensaje.

Justo después de la llamada, contacté a la policía para contarles lo sucedido. Se presentaron en la casa el día en que el captor dijo que se comunicaría para concertar la entrega del dinero, e intentamos entretenerlos para darles tiempo a los técnicos policiales de rastrear la ubicación, pero al parecer no fue suficiente. Aun así, seguían intentando detectar de dónde provenía.

—¿Cómo está tu padre? —pregunté para hacer conversación mientras me ponía los zapatos—. Ayer parecía bastante mal después de la llamada con...

—Por última vez, no es mi padre —repitió con impaciencia.

Dejé lo que hacía para escrutarlo como si fuera idiota, harto de esa letanía.

—No lo sabes.

Se encogió de hombros.

—Ya lo sabría si nada de esto hubiese sucedido.

—¿Cómo?

—Íbamos a realizarnos una prueba de ADN.

Me concentré en amarrar los cordones para ocultar la sorpresa.

Louis no parecía ser del tipo paternal. De hecho, era bastante difícil creer que tuviera la voluntad suficiente para someterse a ese tipo de procedimientos, mucho más pensar que asumiría su paternidad.

Podría apostar el cuello a que eso jamás sucedería, porque no era su forma de ser. Un hijo no estaría jamás en sus planes.

—¿Íbamos? —repetí cuando me percaté del pretérito.

Asintió.

—El día que Leah desapareció. Lo llamé para confirmar la cita antes de que todo sucediera, pero me dijo que no podría hacerlo.

«Qué sorpresa».

—¿Por qué no? —pregunté con fingida curiosidad.

—Dijo que tenía cosas importantes que hacer, pidió que lo postergáramos, y cuando intenté llamarlo en más ocasiones no atendió a su teléfono.

Me crucé de brazos, inquisitivo.

Estaba tan abstraído en encontrar a Leah que ni siquiera me había tomado el tiempo de ocuparme de mis asuntos. Había olvidado por completo a esos dos imbéciles, pero si no se habían puesto en contacto conmigo era porque de seguro estaban realizando las dichosas gestiones para conseguir el dinero.

Louis no era de fiar, y el pobre idiota de Erick estaba tan cegado por lo que él representaba, que ni siquiera se había puesto a pensar si su supuesto padre merecía su confianza.

Suspiré y decidí que haría algo bueno por alguien ese día.

—Escucha, no sé qué tan cercano seas a Louis, pero espero que me escuches más de lo que me escuchó tu hermana cuando se lo dije. —Sus ojos esmeraldas relampaguearon con una curiosidad que se apresuró a ocultar—: Louis no es de fiar.

—¿Tú qué sabes?

—Lo conozco, incluso más que tú. Sé más inteligente, Erick, no es tan difícil.

—No puedes estar seguro de ello.

—Sí puedo. Se lo dije a Leah tantas veces, pero nunca escucha. Es tan terca. —Endurecí mi cara y negué—. Compartes más rasgos con tu hermana de los que te imaginas. Ambos son tan confiados. Pueden tener una puerta frente a sus narices con un letrero gigante de *Peligro*, y aun así seguirían optando por ella.

—¿Siempre eres así de imbécil? ¿O esto es como una reacción de abstinencia porque mi hermana no está aquí para controlarte?

—Este soy yo intentando que no cometas una estupidez. Ninguno de ustedes dos tiene sentido común. Leah mucho menos, es un caso perdido. Recuerdo que incluso nos peleamos luego de que me acompañara al casino la primera vez porque...

Alcé la cabeza de golpe, con mis neuronas conectando por fin, creando sinapsis, y mi cerebro trabajando a toda velocidad para esclarecerlo todo.

¿Cómo podía haber estado tan ciego, si la respuesta había estado frente a mí todo el tiempo?

—¿Porque qué? —insistió Erick, pero yo ya lo estaba pasando de largo, andando por el pasillo casi a trote para encontrar a Leo, a Bastian, o a quien fuera.

Todo era tan jodidamente claro en ese momento que sentí rabia por mi estupidez, ¿cómo no lo había deducido antes? Louis no era de fiar, no era de fiar. Se lo había dicho cuando lo conocimos en el casino, la primera vez que jugué póker contra él.

Cuanto más me acercaba al estudio, más sentido cobraban sus palabras.

Habíamos peleado muy fuerte aquella vez por su descuido, por su ingenuidad y por su estúpida valentía desmedida, porque él era peligroso.

Louis era la respuesta frente a nosotros que ninguno de los dos había podido ver, y quien tenía más motivos para realizar algo así. Solo de esa manera obtendría una suma tan cuantiosa, en tan poco tiempo, para liquidar la deuda de Fejzo.

La respuesta siempre había estado frente a nosotros.

—Sé quién tiene a Leah —dije entrando al estudio con apremio e interrumpiendo cualquier conversación que Allison, Bastian y Leo tuviesen en ese momento.

El anfitrión fue el primero en ponerse en pie, seguido de su esposa que tenía los ojos brillantes con expectación.

—¡Habla! —exigió Leo, lívido, cuando todos se recuperaron de la impresión.

—Louis Balfour.

La señora McCartney endureció sus facciones, pero no reaccionó de la manera en que habría supuesto; al contrario, parecía ya esperarlo.

—Te lo dije —habló dando voz a mis pensamientos.

Leo miró al techo como si buscara controlar su angustia.

—¿Cómo lo sabes?

—¿Qué tan seguro estás de esto? —inquirió Bastian a su vez, analítico—. Por lo que sabemos, por mucho resentimiento que Louis guarde contra ellos, un secuestro no parece algo provechoso para él. ¿Qué obtendría con eso? Si se tratara de Louis, le habría hecho daño directamente, sin tanta dilación.

—Es mi culpa —confesé y todos fijaron sus ojos en mí—. Louis tiene razones para hacerlo, y yo soy una de ellas.

—¿De qué mierda estás hablando?

Leo se acercó a paso lento, acechante, y sabía que estaba bailando con la muerte al decir todo aquello, pero necesitaban saberlo. Necesitaban estar convencidos de que era Louis Balfour quien maquinaba todo esto.

—Teníamos negocios juntos. Louis, Rick y yo. Al final, terminamos debiendo dinero a un tipo, uno peligroso. Nos matará si no liquidamos la deuda, y sé que Louis tiene poco dinero y mucho sentido de la autopreservación. No puede liquidarla por sí solo, no tiene los medios, así que esto resulta bastante provechoso para él. Sé que la tiene.

—Dudo que pudiera hacer algo así —habló entonces Erick, que había entrado detrás de mí.

Todos lo miraron como si fuera un niño ingenuo, pero la expresión dio paso al pesar y la aflicción en el semblante de sus padres, mucho más en el de Leo.

—Voy a matar a ese cabrón —dijo el señor McCartney.

—Primero debemos encontrarlo —intervino Bastian, que era el más racional de todos en ese pandemónium.

La señora McCartney se giró entonces hacia mí.

—¿Dónde está? —quiso saber ella con los ojos llenos de odio, y asentí porque haría cualquier cosa para encontrarla. Cualquier cosa.

—No está en ningún lado —espetó Leo con frustración y se dejó caer con pesadez en la silla de su estudio. El agotamiento y la preocupación hacían mella en su rostro.

Allison se rascó la ceja, estresada.

El tiempo se volvía una mezcla pesada y densa a medida que avanzaba sin obtener rastro de ella, de Rick o de Louis.

Cuando arribamos al complejo de departamentos de Louis, no había rastro de su auto, ni de algún Civic Honda o la *pickup* de Rick, lo que re-

sultaba extraño considerando que el idiota había convertido ese hoyo de mierda en su madriguera.

Sugerí que esperáramos un poco más, solo en caso de que se presentara, pero Leo se rehusó. Teníamos las horas contadas antes de entregar el dinero en el lugar que habíamos acordado, y la posibilidad de que asesinaran a Leah luego de obtener el pago era cada vez mayor.

Rick tampoco se había presentado en el casino ni estaba en casa.

El tiempo se nos agotaba y no había señales de ella. Los mataría con mis propias manos cuando los encontrara.

Jamás pensé que ansiaría con tanta fuerza escuchar el irritante tono mandón de Leah, su impulsividad, su mal genio, o la forma en que preparaba el café. Resultaba irónico que añorara todas las cosas que solía odiar de ella en un *status quo*, pero Leah se había convertido en todo para mí.

Había encontrado el amor en quien debía odiar, amistad en mi enemiga y un refugio en quien debía ser mi tormenta, pero ahora estaba a punto de perderlo todo. Me aterraba más que nada en el mundo.

—Imagino que no sabes de otro lugar en el que pueda estar —espetó Leo, sacándome de mis pensamientos.

Negué con lentitud.

—Carajo. —Se puso en pie y nos dio la espalda—. A este paso lo único que nos quedará por hacer es...

—Señor McCartney —lo cortó una de las mujeres de servicio, asomando su cabeza por la puerta—. Hay alguien que desea verlo.

—¿Quién? —inquirió con sus facciones endurecidas—. No recibiré a nadie, ya te lo he dicho.

—Oh, en ese caso le diré a la chica que...

—¿Qué chica? —Me puse en pie de un salto y anduve hasta pasar a la mujer de largo. Mi corazón dio un salto esperanzador al ver a Cynthia, el elemento de policía que nos había ayudado los últimos días con el seguimiento de Domink y el Honda.

—Dime que encontraste algo. —Llegué hasta ella en dos zancadas.

—He trazado la ruta del Civic —dijo con seguridad y mi pulso se aceleró ante la nueva posibilidad.

— ¿Dónde está? —preguntó Leo, angustiado—. Si es un complejo de departamentos, no nos hagas perder el tiempo, ya hemos...

—No es ningún edificio —lo cortó—. Es una casa a una hora y media de aquí, hacia el sur.

—¿De quién es esa casa? —intervine.

—Revisé los registros de propiedad que tenemos en nuestra base, y el nombre que arroja como dueño es Demian Balfour. ¿Les suena de algo? —informó Cynthia.

Lancé un quejido de incredulidad.

—Louis me habló de esa casa —confesé recordando la última conversación que tuvimos, en la que mencionó que su padre había dejado una casa a su nombre.

—¿Y por qué mierda no dijiste nada antes? —ladró Leo.

—Fue algo que mencionó de manera superficial. ¿Cómo demonios esperabas que supiera la dirección? ¿Crees que pensé que algo así iba a suceder? "Oye, Louis, ¿por qué no me das la dirección del lugar donde secuestrarás a mi esposa? Digo, por si acaso" —dije mordaz, logrando que me fulminara con la mirada.

—Díselo a tus colegas, que la policía se haga cargo —ordenó mi exsuegro a la chica.

—Bien. —La aludida tomó su móvil y comenzó a teclear—. Nos pondremos en movimiento.

Una sensación de incertidumbre me asaltó de pronto.

—¿Cuánto tiempo tardarán en organizarse? —inquirí. Temía que el tiempo se nos agotara.

—Horas tal vez —contestó la policía sin despegar la vista de la pantalla.

Me pasé una mano por el cabello, estresado.

—Tenemos poco más de veinticuatro horas para actuar antes de entregar el dinero —mencioné.

Cynthia me miró ante mi observación.

—Lo entiendo. Considero que será mejor abordarlos en el punto que ellos establecieron —sugirió.

—Suena bien —la apoyó Leo.

—Suena a una mierda —objeté—. ¿Y si la asesinan durante el encuentro? ¿Y si no la recuperamos a tiempo?

—Es poco probable —acotó la mujer—. La necesitan viva para que el intercambio se lleve a cambio.

—No los conoces tan bien como yo —me centré en Leo, desesperado por hacerlo entender—. No hacen esto solo por dinero, es una puta venganza. No la entregarán viva.

—Claro que lo harán. Siempre lo hacen, tengo experiencia en esto, chico —insistió Cynthia—. Deja todo en nuestras manos. Llámenme cuando se contacten otra vez.

—De acuerdo —concedió Leo y despidió a la mujer con la promesa de mantenerse atento.

Apenas estuvimos solos, lo abordé.

—Debemos actuar antes de que sepan que vamos tras ellos —insistí y la irritación afloró en el gris de sus ojos.

—La policía se hará cargo. Ellos tienen la experiencia.

—Yo tengo experiencia con Louis y Rick —atajé—. No la entregarán tan fácil. Lo sabes tan bien como yo.

Algo cambió en su expresión, pero no fue suficiente para hacerlo cambiar de parecer.

—Este no es momento para que juegues al héroe, Colbourn.

—No quiero jugar al héroe, quiero recuperarla viva, y eso no sucederá si armas un revuelo con un montón de policías. Le meterán una bala en el cráneo antes de que podamos recuperarla —expliqué aterrado.

Pareció estremecerse ante el pensamiento.

—¿Qué propones?

Esto era una locura, pero me pareció lo mejor.

—Que lo hagamos nosotros —solté y me miró como si hubiera perdido la cabeza.

—Estás proponiendo un suicidio. No podremos hacer nada contra ellos. No sabemos ni siquiera cuántos son.

—No quiero arriesgarme a que algo suceda. No quiero que le hagan daño —insistí.

El silencio se extendió por unos segundos, mientras sus ojos evidenciaban el conflicto en su cabeza, hasta que asintió.

—De acuerdo, iremos nosotros. ¿Cuántos pueden ser? —concedió.

Asentí también para convencerme de que no estaba a punto de cometer una estupidez, de que era lo correcto.

Porque, en efecto, era lo correcto. Valía la pena correr cualquier riesgo por ella.

Quise reírme. ¿Cuándo se había convertido en alguien tan importante como para poner mi vida sobre la línea? Cualquiera pensaría que estaba loco, y que necesitaba reorganizar mis prioridades, pero yo nunca me sentí más cuerdo que en ese momento.

Lo consideré, pero el pensamiento se evaporó cuando Leo me miró. Supe entonces que ya había tomado una decisión y no había vuelta atrás.

22
TROYA
Alexander

Desde el momento en que nuestros pies tocaron el suelo, comenzamos a andar. El follaje era espeso y al frente estaba oscuro, con la única fuente de luz proveniente de la luna.

La casa de retiro de Demian Balfour estaba a una hora y media de la ciudad, rodeada por un denso bosque que custodiaba un puente de concreto y permitía el paso para cruzar el río que corría por un costado.

Era un sendero escabroso, pero también el más seguro para no ser descubiertos.

Las ramas de los árboles nos golpeaban los brazos y aruñaban cualquier parte de piel que pudieran alcanzar, pero continuamos avanzando sin importarnos un carajo. Leo iba al frente, mientras Erick iba detrás de mí y Bastian cerraba la marcha.

Había llovido hacía poco, porque el suelo era más lodoso ahí dónde había menos árboles y el terreno se volvía más abierto, mostrando el patio trasero de la casa de Demian. Miré alrededor y no encontré otra edificación hasta después de varios metros más allá.

Con cautela nos asentamos en el lado lateral de la casa y agudicé el oído cuando registré nuevas voces cercanas.

—¿Es todo? —escuchamos a un hombre preguntar.

Leo se acercó al borde de la pared para observar el frente de la casa, de donde provenían las voces. Desde mi posición, lo único que podía ver era la carretera y otra extensión del bosque, que se abría oscuro y tupido hacia el fondo.

—No sé, ¿qué más da? No estaremos allá mucho tiempo —respondió otra voz masculina, aunque ninguna correspondía a Rick o Louis.

—Bien. Volvamos por la chica, quiero irme de aquí cuanto antes —dijo su compañero, y los escuché alejarse y entrar a la casa otra vez.

Mi corazón aumentó sus latidos. «La chica». Tenían que referirse a Leah.

Leo se giró hacia nosotros, pero no identifiqué la expresión en su rostro cuando habló debido a la oscuridad.

—Son dos —informó ocultándose detrás de la pared—. Están subiendo cosas al Civic. Parece que quisieran moverse, pero no tengo idea de a dónde carajos van.

—Deben saber que estamos pisándoles los talones —habló Erick a mi espalda—. Hemos preguntado por ellos en varios lugares, debieron enterarse.

—No lo sé, pero necesitamos una forma de entrar y rápido —intervine—. La puerta principal está descartada, es suicidio.

—Son solo dos —replicó Bastian—. Podríamos…

—No, tiene razón —me apoyó Leo—. Vi a dos, no tengo idea de cuántos más estén dentro. Nos pescarían uno a uno.

—¿Y qué otra forma propones? —preguntó su amigo—. ¿Ves alguna ventana?

Escaneé la pared lateral que usábamos como cubierta, sin encontrar alguna. Me apresuré a ir hasta la parte trasera, con cuidado de no ser visto, a través de la puerta que conectaba con el patio, y casi sonreí cuando comprobé que sí había una: era un pequeño marco bastante alto que ofrecía una vista del bosque y el río, pero estaba fuera de mi alcance. Era una ventana en la segunda planta de la casa.

—Podría estar cerrada —señaló Bastian, sin despegar la vista de ella.

Escuchamos el mismo par de voces salir al porche otra vez, mucho más apagadas ahora que había más distancia entre nosotros.

—No lo sabremos hasta que estemos arriba —comenté.

—¿Y cómo vamos a subir? —inquirió Erick, desconcertado.

Moví los dedos y me preparé para trepar el árbol que estaba más cerca de la ventana. La rama más larga estaba a metro y medio del marco, si los cálculos no me fallaban. Sería un salto complicado, pero no imposible.

—¿Vas a subir por el árbol? —apuntó lo obvio Leo.

—A menos que tengas una escalera en el maletero, sí.

—Es demasiada distancia —acotó Erick, escéptico.

—Sé lo que hago. Cuando era niño trepaba árboles todo el tiempo.

—También te rompías los huesos todo el tiempo, si mal no recuerdo —me recordó Erick y puse los ojos en blanco, preparándome para subir.

—Suban y entren ustedes dos —ordenó Leo—. Bastian y yo serviremos como distracción.

La cara de Erick se desfiguró con terror.

—¿Estás loco? No deberíamos separarnos, van a matarlos —le reprochó.

—Estaremos bien —le aseguró su padre colocando una mano en su hombro.

—Pero...

—Suban ya. Hagamos esto rápido —ordenó—. Entran, la toman y salen.

—¿Qué hay de ustedes? —pregunté consternado.

—Nos las arreglaremos —dijo Bastian sin más.

—Solo tráiganla de vuelta, ¿de acuerdo? —Leo tomó a su hijo de la nuca y lo acercó a él en un gesto de afecto—. Tengan cuidado.

Lo soltó y me dedicó una última mirada solemne. No tenía que decirme nada para saber lo que tenía que hacer.

Se dieron la vuelta y caminaron por el lateral de la casa para llegar al frente. No esperé a que giraran en la esquina para trepar el árbol, con mis brazos y piernas aferrándose a él y subiendo como si se tratara de escaleras. Erick iba un par de metros más abajo, pero me seguía el paso con determinación.

Recuperé la respiración mientras apoyaba mi pie sobre una rama gruesa. Desde mi posición veía el retazo de la habitación donde estaba la dichosa ventana, pero no había mucho que pudiese distinguir por la oscuridad en el lugar.

—¿Está vacía? —preguntó Erick, ansioso.

Escuchamos un par de maldiciones, unos golpes secos y algo quebrándose. Observé el terror en las facciones de mi compañero.

—¿Cómo vamos a llegar hasta allá? Está demasiado lejos —dijo luego de recuperarse.

Me mordí el interior de la mejilla, calibrando las posibilidades que tenía de llegar hasta la ventana. Recargué mi peso en la gruesa rama que estaba más cerca del marco y crujió bajo la presión, pero resistió. Coloqué mi cuerpo sobre ella hasta que estuve lo más cerca que pude de la ventana.

—¿Qué harás? Alex, es una mala idea, Al...

Salté de la rama hacia la pared y mis brazos se aferraron con todas sus fuerzas al marco mojado y resbaladizo por la lluvia de antes. Mis pies rozaron el muro liso, desesperados por aferrarse a algo sólido.

—¡Joder! —escuché maldecir a Erick, pero logré impulsarme lo suficiente para abrir la ventana y colarme dentro. Caí sobre un tocador y rompí algo que se encajó en mi antebrazo.

Siseé entre dientes y me apresuré a incorporarme para hacerle señales a Erick. Tenía que apresurarse a llegar antes de que otra persona notara que había alguien más dentro.

Se subió a la rama y anduvo sobre ella con menos gracilidad que yo. Le hice gestos con las manos para que se apresurara, con el sonido de la madera crujiendo bajo el peso de pasos cada vez más cercanos.

—No tengo tu puto tiempo, McCartney —siseé empujando el tocador para acercarme más al marco. Estiré el brazo en un intento por atraparlo en caso de que no alcanzara la ventana.

Se colocó en la punta de la rama y se preparó para saltar, justo en el momento en que escuchábamos un disparo. Dio un respingo y su salto fue mucho menos certero por la impresión.

—¡Mierda! —maldije con los dientes apretados, tomándolo de los últimos retazos de su camiseta para evitar que cayera al menos cuatro metros y se rompiera una pierna, o peor.

Lo sujeté con ambas manos e hicimos un esfuerzo mutuo para colarlo por la ventana. Una vez que estuvo dentro, ambos caímos al suelo jadeando.

—¿Qué fue ese disparo? —cuestionó preocupado.

—No sé, y no quiero averiguarlo. —Salí de la habitación y escaneé el rellano. Estaba completamente vació, así que me apresuré a abrir la primera puerta que tenía a la derecha—. Tú revisa por la izquierda.

Obedeció y abrió la siguiente habitación. Estaba vacía. Todas lo estaban. No había rastros de Leah en esa planta. Apreté la mandíbula con la frustración borboteando en lo más profundo, implacable.

—Debe estar abajo, busca un sótano o un...

Escuchamos unos pasos, pero ya era demasiado tarde. Cuando nos giramos hacia las escaleras, había un hombre enorme, calvo y feo atragantándose con sus propias palabras en un marcado acento; cortó de inmediato la llamada que hacía cuando reparó en nosotros.

Todo pareció detenerse y sofocarse por un momento: no había sonido, ni movimiento, solo era consciente de la manera en que mi corazón latía acelerado.

El hombretón atacó primero a Erick, que fue rápido en esquivarlo y salir de su rango de impacto el tiempo necesario para que yo lo golpeara en el costado con mi hombro, hasta hacerlo trastabillar.

Desgraciadamente, mi cuerpo no era suficiente para derribar a una montaña. Cuando logró recuperar el equilibrio, me tomó del cuello de la camiseta y

salí disparado por su fuerza. Choqué con un mueble de madera que había en el rellano y un intenso dolor se extendió por mi brazo izquierdo.

Salí de mi estupor justo cuando el tipo estrellaba su enorme puño en la cara de Erick. Fue rápido en tomarlo del cuello de su camiseta también, pero no tuvo la misma suerte aquella vez.

Mi excuñado lo golpeó en la sien y el hombretón soltó una maldición en un idioma que no reconocí. Erick le asestó otro golpe en la barbilla y lo hizo trastabillar otra vez.

Tomé esa oportunidad para empujarlo con mi cuerpo de nuevo. En esta ocasión perdió el equilibrio por completo y cayó rodando por las escaleras, creando un estruendo que no ayudaría a mantenernos ocultos.

—Apresúrate. —Bajé las escaleras a trote y llegamos al primer piso justo cuando otro disparo rasgó el aire.

Pasamos sobre el cuerpo del hombre y escaneamos la estancia en busca de Leah o de alguna puerta que nos condujera a ella. Erick se concentró en la sala mientras yo me dirigía a la cocina, cada vez perdiendo más los estribos por el estrés y el miedo.

¿Y si ya no estaba ahí? ¿Y si la habían trasladado a otro lugar? ¿Y si ya era demasiado tarde?

Casi pasé de largo una desvencijada puerta que estaba empotrada en el pasillo que llevaba al patio trasero. Estaba cerrada cuando moví la manija, pero algo me decía que Leah se encontraba tras esa maldita puerta.

La pateé con todas mis fuerzas, impulsado por la desesperación de recuperarla. Mi pierna dolió luego de un golpe particularmente fuerte, pero terminó cediendo de sus goznes y mostrando una escalera que llevaba más al fondo. Bajé los escalones de tres en tres, seguro de que estaría esperándome allí, mi corazón martilleando tan rápido en mi pecho que pensé que tendría un infarto en ese momento, solo para encontrar otra puerta.

—¡Joder! —La golpeé con mis puños desesperado, pero sabía que aquella no cedería por el montón de cerrojos que lo impedían.

—Leah, ¿estás ahí? —Pegué mi oreja a ella y agudicé mis sentidos para escuchar—. Leah, soy Alex. Está bien, estarás bien. —Mi corazón se compungió, ansioso por cruzar la madera—. Te sacaré, ¿de acuerdo?

—¿La encontraste? —Erick bajó entonces, pero no le presté atención porque estaba ocupado intentando tirar la puerta.

—No cede —me quejé luego de no obtener resultado.

—Las llaves —lo escuché decir y lo miré.

—¿Qué llaves?

—El tipo... El tipo debe tener llaves —explicó.

Lo hice a un lado con poca delicadeza y subí para arrodillarme junto al hombre que habíamos derribado. Tenía un charco de sangre extendiéndose bajo su cabeza.

Ignoré ese detalle mientras el alboroto afuera seguía inundando el resto de la casa. Busqué en los bolsillos de su pantalón con dedos torpes y nerviosos, hasta que encontré un llavero repleto.

Corrí escaleras abajo otra vez y empecé a probar las llaves una a una, con el tiempo respirándome en la nuca. Debía abrir tres cerrojos y descartar al menos trece llaves para ello.

—Maldición —siseé cuando casi rompí una.

¿Y si llegaba demasiado tarde? ¿Y si en mi demora por encontrar la llave correcta, Leah ya no estaba viva?

El pensamiento solo sirvió para volver mis movimientos más erráticos y fallar en introducir la siguiente.

—Dame eso, yo lo haré. —Erick me quitó las llaves con brusquedad e inspiró, desbloqueando el primer cerrojo enseguida.

—Date prisa —insistí con desespero.

—Eso intento. No quiero romper ninguna, Einstein.

Luego de lo que pareció una eternidad, logró abrir las tres cerraduras. Entré en la estancia como una exhalación y la visión que me recibió casi me hizo caer de rodillas. Emití un jadeo de terror, de angustia, porque de todas las cosas que me imaginé, aquella nunca cruzó por mi mente.

El cuerpo de Leah colgaba como el de una res en un matadero, su cabeza se balanceaba hacia el frente con la espesa cortina de su cabello oscuro cubriéndole la cara. Sentí mi corazón estremecerse, estrujarse y romperse de mil maneras distintas, hasta que reaccioné y la necesidad por sacarla de ahí disipó el estupor creado por la impresión.

—Ayúdame a bajarla —le pedí a su hermano.

Erick se movió con lentitud, como si no pudiese asimilarlo.

—¡Erick! —grité para desvanecer su ensimismamiento y pareció funcionar, porque buscó entre las llaves, hasta encontrar aquella que liberó los brazos de Leah.

La atrapé en cuanto su cuerpo cayó y me arrodillé junto a ella para quitar los mechones de su rostro, pero sus ojos estaban cerrados. Mis temblorosos dedos viajaron hasta su cuello para comprobar que seguía viva. Por un momento no percibí nada y el terror fue como una flecha atravesándome, hasta que noté el estable latir bajo la piel de su garganta.

—Leah —susurré con aprensión, deseoso por mirarla, por escucharla—. Leah, necesito que reacciones. Necesito que regreses, por favor, Dios, por favor.

Con cada segundo que pasaba, más contundente era el terror que me invadía. La mitad derecha de su rostro estaba hinchado, un hematoma morado rodeaba su ojo y se extendía hasta su sien; sus labios estaban partidos y tan llenos de sangre seca, que por un momento pensé que había imaginado el latido.

Hasta que sus párpados se removieron, su cara se contorsionó en una mueca de malestar y abrió los ojos poco a poco.

La mirada de espanto que me dedicó casi me dejó sin respiración.

—Soy yo, soy yo —repetí en mi tono más tranquilo, sin saber si funcionaría para serenarla o no.

El reconocimiento en sus orbes fue lento en asentarse, pero llegó ahí eventualmente.

—¿A… Alex?

—Sí —sonreí con el alivio arrasando con todo a su paso—. Soy yo.

La estreché contra mi pecho incluso antes de pensarlo mejor, abrazándola con toda la fuerza que poseía y pegándola tanto a mí como fuera posible. Quería mantenerla ahí para siempre; quería fundirla en mí y que nadie le hiciera daño nunca más.

Respiré en su cabello y fue como si respirara por primera vez en semanas, como si el aire al fin entrara a mis pulmones.

—¿Estoy muerta? —preguntó con un hilo de voz—. ¿Estoy soñando?

—No, estás bien, estás viva. Estoy aquí, estoy aquí —repetí una y otra vez.

Besé su coronilla sintiendo el peso implacable de las emociones que se me venían encima, enterrándome igual que una avalancha. La abracé con más fuerza, negándome a soltarla, temeroso de que se desvaneciera si lo hacía. Sentía mis ojos húmedos y mi cara mojada, pero no tenía ni puta idea si lo que corría por ella eran lágrimas o sudor.

Tampoco me importaba. Estaba bien, estaba viva. Estaba conmigo y viva.

Lanzó un quejido que no supe cómo interpretar, y la mantuve entre mis brazos tanto como me fue posible, hasta que Erick irrumpió en esa burbuja que había creado.

—Tenemos que irnos.

—¿Erick?

Su hermano sonrió.

—Claro, ¿quién más si no?

—Pensé...

—No podía dejar que nada malo te sucediera, ¿o sí?

Sonrió débil y lanzó otro sonido que pareció un sollozo.

—Tenemos que movernos. —Fijé mi vista en sus pies, que habían quedado libres gracias a Erick—. ¿Puedes caminar?

Asintió y se puso en pie con mucho esfuerzo, pese a nuestra ayuda.

Lucía tres veces más delgada que antes; su piel pegada a los huesos.

Una mueca de dolor le contorsionó el rostro cuando dio el primer paso y extendí los brazos para evitar que cayera, pero se mantuvo apoyándose en la pared.

Dio otro par de pasos que hicieron a sus dientes rechinar, entonces me percaté de la mancha oscura que se extendía sobre la enorme camiseta café que vestía.

—Espera. —Levanté la prenda para contemplar el horror que dejaba a la vista.

Su hermano se detuvo junto a mí y palideció también. La espalda de Leah era una masacre de marcas y jirones de piel.

—Va a desangrarse si no la sacamos rápido de aquí —informó, y la tomé en mis brazos incluso antes de que pudiera negarse o protestar.

—No necesito que me lleves, puedo caminar y...

—No, no puedes —la corregí, subiendo con ella las escaleras del sótano.

—Sí puedo.

—No es el momento de fingir ser fuerte, Leah.

—No quiero ser una carg...

—Ni siquiera te atrevas a decirlo. —Le eché una mirada endurecida, determinada, y fue suficiente para hacerla callar.

Erick salió primero y escaneó el lugar para asegurarse de que estuviera libre. Ya no se escuchaban ruidos del exterior, y temí lo peor; sin embargo, mi única prioridad era ella, era sacarla de ahí.

—Salgan por la puerta que lleva al patio trasero. Debe haber alguna forma de llegar al auto —indicó Erick.

—¿A dónde vas tú? —preguntó Leah, asustada.

—Necesito ayudar a papá.

—¿Papá está aquí? —Palideció aún más, si eso era posible.

—Sí, tengo que ayudar. —Se acercó a su hermana y besó su frente—. Te quiero, me alegro tanto de que estés bien. Nos veremos pronto, te lo prometo.

—¡No! —dijo alterada, tomándolo del brazo para impedir que se fuera—. ¿A dónde vas? ¿Dónde está papá?

—Llévatela de aquí —me indicó.

—¡NO! —gritó con desesperación, intentando alcanzar a su hermano antes de que yo la llevara al lado contrario—. Bájame. Bájame, ¡bájame ahora! —insistió golpeándome el pecho con sus últimos resquicios de fuerza.

—No.

—¡Bájame! —gritó otra vez, retorciéndose pese al dolor para intentar liberarse, pero no se lo permití.

—¡No! —vociferé también—. No te dejaré ir.

—Tengo que ir, es mi familia —gimoteó con desesperación.

—Me importa un carajo.

—¡Alex! —lloró sin dejar de removerse y sobreponiéndose al dolor.

—¡No voy a hacerlo!

—¡Haz lo que te pido!

—¡Estás pidiéndome que te deje morir, y no voy a hacerlo! —rugí—. No voy a perderte solo por tu estúpido complejo de heroína.

Sollozó mirándome con sus ojos muy abiertos.

—Es papá, es mi hermano —suplicó—. Tengo que ayudar.

—No me importa, voy a sacarte de aquí.

—¡¿Cómo puedes ser tan egoísta?! —Golpeó mi pecho con sus puños, pero ignoré sus alegatos.

—Llámame como quieras, dime que soy un desconsiderado y un hijo de puta —gruñí sin dejar de caminar, entrando al bosque—. Ódiame si te da la gana, no me importa, pero no voy a dejarte morir.

Lloró con mayor ahínco; con su vista fija en la casa que habíamos dejado atrás y su cara descompuesta en una mueca de terror mientras escuchaba los estruendos, golpes y sonidos provenientes de ese lugar.

Sí, era egoísta, lo había sido siempre, y no tendría una epifanía de moralidad en ese momento para dejarla ir a su muerte. Leah era mi prioridad, lo único que quería salvar, y no iba a fallar en ello.

Tendría que perdonarme algún día.

Siguió llorando hasta que llegamos al puente, ahí donde el auto nos esperaba. Estábamos tan cerca que ya me había permitido respirar, y mi preocupación por la sangre que manaba de la espalda de Leah aminoró un poco, solo porque sabía que podría llevarla a un hospital.

Inspiré, pero el aire que había colectado se atoró en mi garganta cuando nos encontramos de frente con el cañón de una pistola; la expresión de Louis era cruda, y su mirada era igual que la de un animal a punto de matar a su presa.

—Perdón, pero ¿quién dijo que podías llevártela?

La apreté más contra mi pecho, en un pobre intento por protegerla.

—Hazte a un lado antes de que te mate —siseé entre dientes, percibiendo la ira carcomiéndome desde dentro.

Lanzó una risa corta y sin humor.

—No estás en posición de exigir tal cosa. —Quitó el seguro a la pistola y siguió apuntando con ella—. Da un paso más y le volaré el cráneo a tu querida princesa.

La estreché más contra mí, negándome a entregársela.

El miedo se extendió por mi pecho y amenazó con asfixiarme, pero no me moví.

No la entregaría esta vez, no permitiría que volviera a hacerle daño, antes tendría que matarme y no planeaba morir aún.

23
EL VALOR DE UNA VIDA

Alexander

Tensé la mandíbula sintiéndome impotente ante sus demandas y la situación en sí. Todo mi cuerpo gritaba por ir hasta él para arrancarle la cabeza con mis propias manos.

—Realmente le haces honor a tu apodo, chico —dijo, al tiempo que escuchábamos las hojas secas quebrarse y el susurro de los arbustos al moverse—. Todo un príncipe encantador que rescata a su princesa.

—Vete a la mierda.

—El problema es que ese no es tu botín —clavó sus ojos en Leah y después en mí—, sino mío.

—Te mataré si la tocas —lo amenacé con mi sangre hirviendo.

—Creo que ya es algo tarde para eso, ¿verdad, linda?

La corrosiva emoción, que llevaba tiempo borboteando en lo más profundo, terminó por desbordarse, flameando por las implicaciones de sus palabras.

Estaba por dejarla sobre el suelo y recibir un tiro o dos para partirle la cara, pero mis pensamientos cambiaron de dirección al ver a Leo y Erick llegar al pie del mismo puente donde estábamos nosotros.

Leah soltó un quejido de alivio y sorpresa a la par.

—Te estabas tardando.

Por un momento pensé que Louis hablaba con Leo, hasta que noté al tipo detrás, quien tenía la cara llena de sangre y una mirada de muerte plasmada en ella.

—Son duros.

—Leah. —Su padre intentó alcanzarla, pero el tipo presionó más el cañón en su cabeza.

—Manos en la nuca. No te muevas.

Lanzó un sonido de frustración, pero obedeció a regañadientes. Cuando reparé con más atención en ellos, caí en cuenta de que Leo tenía la nariz en un ángulo extraño y su camisa estaba manchada de sangre en un costado. Erick tenía una ceja y un labio partido. Parecía respirar con dificultad.

—¿Dónde está Bastian? —pregunté temeroso de la respuesta.

—Desangrándose en la puerta —dijo con diversión el idiota que apuntaba a mi exsuegro—. Ya debe estar muerto.

Leah soltó un quejido de impresión y, por un momento, sentí que las piernas me fallaban.

—¿Y Fitz? —inquirió Louis.

—Muerto —respondió con tono más amargo—. Este hijo de puta lo mató. —Movió la cabeza de Leo con el cañón—. Bob está desangrándose en las escaleras.

—Mierda —se quejó su jefe, antes de hacerme una seña con el arma—. No estoy de humor para juegos. Bájala.

—No —dije rotundo.

—No lo hagas —me apoyó Leo.

—La verdad siento que es mi día de suerte, ¿no crees, Leo? Tengo a dos de tus hijos y ni siquiera tuve que mover un dedo —canturreó con un fastidioso tono de alegría moviendo el arma hacia Erick—. Creo que sería más satisfactorio que perdieras a dos de tus hijos en lugar de solo uno.

—¿Qué? —musitó el hermano de Leah, claramente dolido—. Pero yo soy tu...

—No te atrevas —gruñó Leo por lo bajo.

—Tú no eres mi hijo —se burló Louis, adelantándose a sus pensamientos—. Yo no tengo hijos.

—Pero...

—Sí, me follé a tu madre, ¿y qué? Si fue tan estúpida por quedar preñada por alguien como yo, fue su culpa, no mía. Ni siquiera te conozco, chico. No me importas un carajo.

Erick lanzó un quejido de incredulidad.

—Suéltala o le meteré una bala en el cráneo —me amenazó Louis determinado.

Estaba por negarme cuando Leah puso una mano en mi pecho, su rostro pálido en la oscuridad.

—Alex, bájame.

—No.

—Cinco segundos, príncipe.

—Por favor —insistió Leah.

—Cuatro.

—No lo hagas, Alex —dijo su hermano—. Está bien, no lo hagas.

—Tres.

—Es mi hermano. —Alzó sus ojos hacia mí, suplicantes—. Por favor.

—Dos.

—¡No lo hagas! —suplicó Erick, pero terminé accediendo.

Aflojé mi agarre en su cuerpo, y sus pies tocaron el suelo de manera temblorosa; mi camiseta estaba mojada con la sangre de su espalda.

—Buena elección. Siempre fuiste tan inteligente —dijo Louis—. Ven aquí, niña.

Leah nos miró sobre su hombro con solemnidad, sus ojos estaban anegados en lágrimas mientras se armaba de valor para caminar hacia él.

—Cariño, no lo hagas. No lo hagas, Leah, por favor —suplicó Leo.

—Estoy esperando. —El malnacido extendió su mano y ella avanzó con pasos torpes hacia él.

—Te mataré yo mismo —la amenaza brotó de mi boca incluso antes de ser consciente de ello—. Voy a matarte.

La tomó de la mano hasta posarla a su lado, pasándole un brazo por los hombros. Mi estómago sufría retortijones por la escena.

—Tengo que felicitarte, Leo. Tu hija es la viva imagen de tu esposa. Es hermosa. —Posó su asquerosa boca en su sien antes de que ella se retirara de su tacto con una mueca de asco—. Aunque también tengo que admitir que pelea mucho mejor que su madre.

—Debí matarte cuando tuve la oportunidad, hijo de puta. No mereces la cárcel, mereces la muerte —siseó Leo.

—Tal vez —dijo encogiéndose de hombros—, pero las cosas no siempre resultan como queremos. Yo, por ejemplo, habría preferido que esperaras hasta mañana para tener el dinero, pero creo que tendré que conformarme —sonrió triunfal—. Aunque no es un mal trato. Ahora, voy a darte el poder de la decisión. ¿A quién quieres que mate primero?

—¿Qué…? —espetó en un susurro.

—Sí, ¿a qué hijo quieres más? Te regalaré sesenta segundos más de vida para él. —Siguió apuntado a Erick y luego acarició la mejilla de Leah con su nariz—. O ella.

El terror se sintió pesado y seco en mi boca tras sus palabras. Iba a matarla, realmente iba a matarla.

—Mátame a mí —pidió Leo, derrotado—. Déjalos tranquilos. Ellos no tienen nada que ver. Déjalos ir.

—¡No! —habló su hijo—. Papá, ¿qué dem...?

—Qué conmovedor —se burló el tipo que se había movido tras nosotros—. Elige ya, que me muero por apretar el gatillo.

—Mátame a mí, mierda —insistió Leo.

—No, eso no sería para nada satisfactorio. Prefiero que vivas sabiendo que tus hijos murieron por tu culpa, es mucho más entretenido.

—No te atrevas. —Di un paso al frente para intentar llegar hasta Leah, que seguía presa en el brazo de él con lágrimas de impotencia en los ojos.

—No estoy hablando contigo, chico. —Se centró de nuevo en Leo—. El tiempo está corriendo. ¿A quién le concederás otro minuto más de vida?

—¡Mátame a mí!

—Tic, toc, tic, to...

Todo pareció suceder en cámara lenta.

Su fastidioso tono se cortó cuando Leah le asestó un golpe con el codo en la boca y le dio el tiempo suficiente para girar sobre sus talones y echar a andar por el puente de concreto.

—¡Leah, corre! —grité mientras ella avanzaba con dificultad.

Estaba tan concentrado en mi esposa que no reparé en Louis, quien se había recuperado de la impresión por el golpe y detonó el gatillo antes de que Leo lo empujara con su fuerza por el costado.

El cuerpo de Leah cayó de lado, sobre el borde del puente y se proyectó hacia el río como un misil.

—¡Leah!

No tenía idea de si ese grito había sido mío, de Erick o de su padre.

Mis piernas se movieron por sí solas para ir tras ella, muriendo por alcanzarla. Choqué los dientes para reprimir un aullido de dolor cuando sentí algo perforando mi brazo izquierdo, pero me antepuse a la sensación para saltar por el borde también.

El agua estaba gélida y la fuerza de la corriente era tal que no podía siquiera nadar o buscar un rumbo. Mi brazo izquierdo dolía como la mierda y tenía que luchar con todo lo que tenía para mantenerme a flote.

Solté un gruñido de dolor y me sumergí intentando encontrarla, sin lograrlo, porque la fuerza de la corriente era demasiada y no podía distinguir nada.

Leah no sabía nadar. De todas las cosas que podía ignorar, había elegido no saber nadar. La idea de que hubiese terminado en el fondo hizo a mi corazón acelerarse, y mis brazos y piernas se movieron con mayor ímpetu para encontrarla.

Tomé aire y me sumergí de nuevo, mi brazo izquierdo luchando contra el dolor y la corriente, dándome impulso y dirección apenas mientras me abría paso por el río.

—¡Leah! —grité con voz cruda, esperando estúpidamente que me respondiera.

La corriente me arrastró unos metros más allá. Me sumergí moviendo mis brazos con desesperación, ignorando la dolorosa herida, hasta que entré en contacto con algo sólido.

Moví mis manos para cerrar mis dedos en lo que fuera que estuviera tocando, deseando fervientemente que se tratara de ella.

Halé del cuerpo y suspiré cuando Leah emergió conmigo. Estaba inconsciente, pero no había pasado tanto tiempo desde que había entrado en el agua, así que estaría bien.

«Estará bien, estará bien» me repetí una y otra vez, soportando el dolor de mi brazo para sostenerla con fuerza y no perderla de nuevo.

No podía ser demasiado tarde.

Supliqué, sin saber en realidad por qué o para qué estaba rogando, pero supuse que Dios, o lo que sea que estuviera allá arriba, conocía la desesperación cuando la escuchaba.

Gruñí por el esfuerzo, su cuerpo pesado por la ropa húmeda en agua y sangre, pero me las ingenié para llegar a la orilla a duras penas.

Colapsé sobre las piedras que llenaban el lugar, aún sosteniendo a Leah como si mi vida dependiera de ello.

El primer respiro de oxígeno casi me hizo desfallecer. Tosí de manera violenta para expulsar los restos de agua, al tiempo que la colocaba sobre su espalda, retirando los largos mechones de cabello oscuro de su cara.

Estaba azul. Su piel tenía un color inerte y sus labios tenían un tenue color purpúreo.

La observé con terror mientras mis manos viajaban hasta su cuello para buscar pulso, cualquier cosa que me indicase que estaba viva donde mis ojos solo registraban muerte, sin encontrar nada. Parecía muerta, realmente muerta.

No podía ser.

De ninguna manera, de ninguna puta manera.

Con desespero y angustia, intenté hacer lo que había aprendido hacía tiempo en las clases de primeros auxilios que nos impartieron alguna vez en el equipo de fútbol.

Traté de hacer un masaje cardiaco para resucitarla, pero no parecía funcionar.

Siete, ocho, nueve... seguí contando mientras empujaba su pecho para hacer a su corazón latir de nuevo, con cada segundo que pasaba derrumbándome más desde dentro.

Estaba haciendo lo que se suponía que debía hacer, pero no estaba funcionando, no estaba funcionando.

Repetí el ejercicio una segunda vez, pero seguía sin dar resultado.

¿Cuánto tiempo había pasado bajo el agua? No podía haber sido tanto tiempo, no podía...

Jadeé sin detenerme, gotas de agua cayendo sobre su cara por mis mechones húmedos. Me senté a horcajadas sobre sus piernas, empujando rítmicamente en su pecho, pero mi brazo izquierdo no estaba ayudando.

—¡NO! —grité—. No, no, no —gimoteé aterrado ante la atroz perspectiva.

Incliné su rostro con mi mano útil para soplar en sus pulmones e inyectarlos de oxígeno.

—No me dejes, no me dejes. No puedes dejarme —supliqué, empujando otra vez en su pecho—. No puedo hacer esto sin ti, Dios, no puedo. Tú no, por favor, tú no.

Más palabras salieron de mi boca sin sentido ni coordinación. Más súplicas y plegarias.

El dolor en mi pecho era insoportable; era incluso peor que el de mi herida, que no paraba de sangrar.

Lo que corría por mi rostro ya no eran gotas de agua. No, eran las putas lágrimas que no dejaban de brotar. Era como si mi interior implosionase. Estaba llorando como no lo hacía desde que era un niño, pero el sentimiento era implacable, crudo e incontrolable.

Intenté contener los sollozos y quejidos que salían de manera involuntaria y que demolían mis pulmones mientras soplaba más aire en su boca. El esfuerzo a punto de matarme.

Estaba perdiéndola, Dios, estaba perdiéndola.

—¡Leah, por favor! ¡Despierta! ¡Despierta! Te necesito conmigo, te necesito tanto. Por favor.

Soplé oxígeno en su boca una última vez, resignándome con amargura a que la había perdido... A que la había encontrado y perdido en cuestión de minutos.

Era estremecedor el sentimiento de perder a alguien que amabas con tanta intensidad, era una puta agonía.

Otro amargo sollozo brotó de mi garganta, justo en el momento en que su pecho se convulsionaba; subía, bajaba y volvía a subir.

Habría parecido un espasmo de no ser por la forma en que comenzó a toser. Me apresuré a colocarla de lado para ayudarla a expulsar el agua, que manaba con rapidez de su boca.

Solté un suspiro de alivio estrangulado y la sensación era tan sobrecogedora que casi perdí el conocimiento.

—Sí, sí, sí. —Besé su frente con sosiego, antes de que tomara en un puño mi camiseta y halara de ella con cara de susto—. ¿Qué sucede? ¿Qué pasa? Leah, ¿qué sucede?

Señaló sobre su camiseta el lado derecho, al tiempo que su pecho se movía de manera errática.

—¿Qué intentas dec...?

—¡Alex! —Alcé la cabeza para divisar a Erick a unos cuantos metros, cojeando a toda prisa para llegar hasta nosotros—. ¿Están bien?

—Eso creo.

—¿Crees?

—No sé qué le sucede.

Llegó hasta nosotros y se inclinó con esfuerzo para contemplar a su hermana, que aún tenía el sutil tono morado en sus labios.

Volvió a señalar el mismo lugar en un gesto débil.

—Revisa su espalda.

—¿Para…?

—¡Solo hazlo!

Levanté la camiseta y abrí los ojos con horror cuando noté un orificio en su piel.

Mi cara debía ser demasiado reveladora, porque su hermano se apresuró a retirar la prenda y mirar el pecho.

—No tiene orificio de salida. —Su rostro se desfiguró en una expresión de angustia—. Si le dio en el pulmón, va a colapsar si no la llevamos a un hospital.

—¿Qué quieres decir? ¿Morirá?

—Seguro está respirando con el otro pulmón, pero no durará mucho si...

—¿No puedes hacer algo? —ladré con la tensión volviendo a asentarse sobre mis hombros.

—¡No soy un puto médico! Tenemos que llevarla a un hospital.

Intentó tomarla, pero alejé su tacto con un manotazo.

—¿Dónde está tu padre? No podemos tomar el auto, Louis...

—La policía está aquí —informó, al tiempo que me ponía en pie con ella en brazos, que hacía esfuerzos descomunales por respirar, de la misma manera que lo hacía yo para cargarla con mi herida en el brazo, pero me importaba una mierda. Yo la llevaría.

—¿Qué?

—Alguien debió llamarlos, mamá tal vez, no tengo idea, pero...

—Erick, no me importa —lo corté con exasperación—. Solo llévame al puto auto para ir hasta el hospital.

Asintió, andando lo más rápido posible con su pierna lastimada.

Gruñí por el esfuerzo que representaba cargarla, pero no desistí.

No iba a soltarla. No iba a dejarla ir.

24
LA AMARGA ESPERA
Alexander

La sala de espera estaba dispuesta en la habitación que era de Leah en el hospital; el problema era que no estaba allí, sino en el quirófano: el lugar donde había estado las últimas dos horas. Querían evitar que perdiera el pulmón.

Bajé la vista hasta mis manos y froté mis dedos en un patético intento por desaparecer la sangre que las manchaba. Su sangre. Estaba por todos lados, en realidad: en mis manos, mis brazos, mi camiseta, mi pantalón. Gran parte de la sangre en mi brazo izquierdo no era suya, sino mía. Le hice una breve inspección y contemplé la herida en él. No me dolía tanto como antes.

No había señales de Leo o Erick. No tenía idea de a dónde habían ido, ni tampoco sabía si Bastian seguía vivo o ya era demasiado tarde. Allison se perdió entre los pasillos del hospital tan rápido como llegó, y no volví a saber de ella.

Gruñí contra mis palmas al tiempo que el dolor de cabeza punzaba en mi cráneo.

—Pensé que estarías aquí. —Alcé la vista para contemplar a la madre de Leah frente a mí. Llevaba su uniforme y parecía tan alterada como yo, aunque lo disimulaba mejor—. Acompáñame.

Me puse en pie de inmediato, dividido entre el optimismo y la negatividad.

—¿A dónde vamos? ¿Ella está bien? —pregunté.

No me respondió. En cambio, siguió caminando hacia un pasillo con más habitaciones que parecían consultorios, en lugar de ir hacia el quirófano.

La tomé del brazo con más rudeza de la deseada, pero mi angustia por saber era más grande que mis modales.

—Responde —insistí.

—No lo sabemos aún.

—¿Qué? ¿Cómo que no sabes?

—Y tú tampoco lo sabrás si sigues desangrándote. —Señaló mi brazo con un gesto de su cabeza, e intenté ocultar la herida de su vista, pero el simple movimiento me hizo rechinar los dientes—. Necesitas que te revise, y es posible que tenga que suturarte. Te ves pálido.

—Estoy preocupado —admití.

—Lo sé, pero ese color no es por la preocupación, es por la pérdida de sangre. —Abrió una puerta e hizo una señal con su mano para que entrara, cerrándola tras de sí para ir directo a colocarse guantes—. Siéntate. Quítate la camiseta.

La miré desconcertado por un segundo, antes de ubicar la pequeña camilla y sentarme sobre ella. Quitarme la camiseta fue una tarea mucho más difícil. Tuve que inspirar un par de veces para mover el brazo y contener una maldición cuando la tela rozó la herida.

Se veía mucho peor ahora que estaba expuesta. Estaba hinchada y roja, amoratada alrededor.

Allison tomó equipo médico que tenía sobre una superficie y evaluó la lesión de cerca. Siseé entre dientes cuando tocó esa parte.

—La bala aún está dentro —informó tomando una jeringa y un pedazo de algodón—. Voy a utilizar anestesia local y la extraeré, ¿de acuerdo?

—¿Así de sencillo? —No pude ocultar mi sorpresa.

—Tuviste suerte de que no afectara una zona importante. Estarás bien.

Inyectó la anestesia y trabajó en silencio. Era alguien que sabía lo que hacía, y era jodidamente buena en ello.

—¿Por qué no la estás operando tú? —pregunté cuando estaba colocando el vendaje en mi brazo y pareció sorprendida por la pregunta.

—No podría.

Entorné los ojos, inquisitivo.

—Es mi hija, no es ético ni profesional que un médico opere a sus familiares —explicó—. Además, no es mi rama. Yo trabajo con niños.

—¿También les extraes balas? —bromeé y ella sonrió.

—Por fortuna, nunca he tenido que hacerlo. —Terminó de vendarme y alzó su cabeza hacia mí, sus ojos verdes llenos de una emoción que no pude definir—. Gracias.

—¿Por qué?

—Por no rendirte, y por traerla de vuelta.

Sentí mi pecho comprimirse por la culpa.

—No deberías agradecerme. Es mi culpa que ella terminara en esa situación, y lo siento, lo siento tanto.

Allison negó.

—No es tu culpa, Alexander. De hecho, estoy muy feliz de que mi hija te haya encontrado.

La miré sintiendo más desconcierto que antes.

—No creo que haya algo que te alegre de que Leah y yo hayamos coincidido, empezando por quién es mi madre. Sé lo mal que se tratan ustedes dos.

Resopló dándome la razón.

—Lo sé, tu madre es... difícil, y sí, sí tenemos problemas para convivir.

—¿Entonces por qué…?

—Porque no puedo anteponer mis problemas a la felicidad de mi hija —explicó, esbozando una pequeña sonrisa—. Y sé que es feliz contigo, sé lo mucho que te ama.

Me sentí expuesto y no supe qué decir, pero ella volvió a hablar.

—No es muy difícil darse cuenta de lo que sientes por ella, ¿sabes? Creo que lo dejaste bastante claro, a todos nosotros, y te lo agradezco; agradezco todo lo que hiciste por mi hija. Gracias por permanecer junto a ella a pesar de los problemas.

La escruté abrumado por todo lo que estaba diciéndome. No tenía la voluntad para procesarlo en ese momento.

—No sé qué decirte —fui sincero—. Todas las cosas que me dices... No soy un santo, lo sabes, ¿no? He hecho muchas cosas, demasiadas —recalqué—. Algunas más malas que otras. No soy el príncipe encantador que crees que soy, ni tampoco creo que sea lo que quieras para tu hija. Tengo facetas malas, y me parezco más a mi madre de lo que piensas.

Sacudió la cabeza mirándome con lo que parecía afecto.

—No es cierto, no eres como tu madre, Alexander. Te pareces a ella físicamente, nada más, pero eres una buena persona. Eso es lo que nos has demostrado y te agradezco el que ames a mi hija de una forma tan intensa, sin reservas.

La escudriñé con atención, analítico, y palmeó mi mano un par de veces en un gesto de *confort*.

—Cualquier cosa que decidas, las puertas de nuestra casa estarán abiertas para ti. Te has ganado un lugar en nuestra familia.

—No creo que Leo opine lo mismo.

Chasqueó la lengua e hizo una seña con la mano para restarle importancia.

—Te aprecia, a su manera.

Enarqué las cejas, escéptico, y ella soltó el aire, tomando distancia.

—Vístete. Te avisaré cuando salga de la operación.

—Gracias.

Sonrió antes de salir, y agradecí el gesto.

Lo que comenzó con dos horas de espera, se convirtieron en cuatro de tortuosa ignorancia.

Allison había desaparecido otra vez y con cada segundo estaba más convencido de que algo malo había sucedido, y todos conspiraban para no decírmelo.

Fijé mi vista en el vaso que pendió de repente frente a mí, y seguí el brazo hasta encontrarme con Leo.

—¿Vas a tomarlo o no? —dijo seco y sujeté el café que me ofrecía.

Se sentó con pesadez junto a mí, dando un sorbo a su bebida. Su nariz ya no tenía ese ángulo extraño de antes y supuse que su esposa le había suturado la herida, o lo que fuera que tuviera en el costado, porque la mancha de sangre ya se había secado.

—¿Qué sucedió con Bastian? ¿Está bien?

—Está bien —confirmó sin despegar la vista de enfrente—. Aunque creo que Malika no me dejará acercarme mucho a él de ahora en adelante.

Resoplé.

—Buena decisión. Solo quiere mantenerlo vivo.

Leo soltó una risita.

—Supongo que sí. Está bien que ella decida por él, nosotros somos demasiado idiotas. Quizá por eso las mujeres viven más.

—De hecho.

Observé el vaso que sostenía con atención. Se sentía extraño hablar con él sin discutir, o sin que se colara un insulto después de cada palabra que manaba de su boca.

—¿No hay noticias de ella aún?

Movió la cabeza.

—No, pero estará bien, ella...

Desviamos la atención hacia el insistente repiquetear de los tacones que se movían con rapidez sobre el suelo del hospital.

Me reprendí mentalmente por no reconocer el caminar de mamá. Llegó a la sala de espera mirando a todos lados, con sus ojos muy abiertos, alertas mientras escaneaba el lugar.

—Mamá —la llamé poniéndome en pie. Palideció al verme y su semblante se llenaba de terror a medida que acortaba la distancia entre nosotros.

Abrió la boca para decir algo, pero se lo pensó mejor y prefirió echarme los brazos al cuello, abrazándome tan fuerte que me cortó la respiración.

Escuché el sollozo ahogado que se esforzó por contener, y la abracé de vuelta con mi brazo útil.

—¿Estás bien? —Tomó mi cara entre sus manos cuando se separó—. ¿Qué pasó? ¿Por qué estás sangrando?

Me soltó y se giró hacia la recepción, airada.

—¡¿Es que nadie piensa atenderlo?! —gritó a las pobres enfermeras que permanecían tras el mostrador, quienes la contemplaron como si se hubiera vuelto loca.

—Mamá, estoy bien. —La tomé del brazo para tranquilizarla—. No es mi sangre.

—¿De quién es?

—De Leah.

Sus ojos se explayaron con sorpresa.

—¿Está...?

—No —habló Leo entonces, poniéndose de pie junto a mí—. No está muerta, si es lo que esperabas escuchar.

—¿Por qué todo lo que termina mal siempre tiene que ver contigo? —escupió mi madre con la ira ganando el lugar a la angustia—. ¡Casi matan a mi hijo por tu culpa!

—¡Yo no lo obligué a nada! ¡Fue su decisión!

—Primero fue Chelsea, ahora él... Tienes suerte de que esté vivo —lo señaló con un dedo, colérica—, o me habría encargado de arruinarte hasta que no quedara nada de ti.

—No me digas, quiero ver que lo intentes —la desafió, y los ojos de mamá llamearon.

—Mamá, ya basta —la detuve tocándole el hombro con suavidad—. Este no es el lugar ni el momento.

—No lo es, pero cuando todo esto pase te juro que...

Leo gruñó con mal humor y negó.

—Todo sería perfecto si esta no fuera tu madre, por Dios —dijo por lo bajo antes de alejarse con pasos furiosos.

—¿No te dije que debías alejarte de ellos? —me reprochó mamá entonces.

—Leo tiene razón. Fue mi decisión.

Negó con ímpetu, sobrecogida.

—¿Por qué siempre tienes que meterte en problemas? —susurró de una forma tan vulnerable que me pareció extraño en ella—. ¿Tienes idea del miedo que sentí cuando Allison me llamó para avisarme que estabas en el hospital?

—Estoy bien.

—¡Por poco! ¡Mírate! No lo entiendes, nunca lo entiendes. —Sus ojos se llenaron de lágrimas y soltó un sollozo—. ¿Por qué siempre tienes que preocuparme así?

—Lo siento.

—No, no lo sientes porque no comprendes, porque no tienes hijos aún. Eres mi único hijo, ¿sabes lo importante que eres para mí? ¿Sabes el miedo que tengo de perderte?

Lloró entonces, las lágrimas brotando como lluvia de sus ojos.

—Mamá, lo siento, pero tenía que hacerlo. Iban a matarla, no podía perderla, no podía...

—¡Es solo una chica! ¡Hay un montón de mujeres en el mundo! ¡Ninguna merece que pongas tu vida en riesgo, Alexander!

—Ella lo merece —dije con seguridad—. La amo, ¿me escuchas? La amo, y volvería a hacerlo todo otra vez sin pensarlo, solo para asegurarme de que estuviera sana y salva.

Negó de nuevo mientras asimilaba mis palabras, con una emoción similar a la comprensión asomándose tras sus orbes.

—Perdóname, en serio, pero no voy a retractarme —le aclaré.

—De todas las mujeres en el mundo, ¿por qué ella? —Se enjugó las lágrimas, mirándome con reprobación.

Esbocé una sonrisa acariciándole la mejilla.

—No sería tu hijo si no te hiciera enojar con cada decisión que tomara, ¿o sí?

Sus facciones se relajaron y se dejó envolver por mi toque.

—No, no lo serías.

La contemplé sin premura y con avidez, como si mis pupilas estuviesen ansiosas por grabarla a fuego en mi cerebro, registrar y guardar cada línea, sombra y ángulo de su bonita cara. Habían pasado tres días desde el desastre con Louis.

Toda la prisa y desasosiego me abandonaban cuando entraba en esa habitación, aunque en realidad no había salido mucho. Me había acostumbrado tanto a ese lugar que ya no me sentía incómodo ni entumecido, abstraído en la esperanza de que despertara.

Lo haría eventualmente, eso habían dicho los médicos. El problema era que su cuerpo estaba tan mancillado que buscaba recuperarse antes de volver a funcionar. Las heridas en su espalda estaban curándose, igual que su pulmón, que fue salvado por poco, aunque seguía conectado a un respirador, y posiblemente lo estaría por un tiempo más, hasta que sanara por completo.

Lucía como Leah ahora. Su cara en forma de corazón estaba recuperando su silueta normal, con los últimos rastros de los hematomas apenas visibles. Sus labios ya no estaban partidos, ni tenían ese feo tinte púrpura.

Parecía normal, y yo no podía dejar de contemplarla. Incluso en ese lugar, incluso con esas marcas que sabía que jamás se irían, era perfecta. Leah era perfecta.

La amaba, y ahora podía admitirlo sin reservas. Sentirse tan empoderado y vulnerable al mismo tiempo, en ese punto medio entre la sensatez y la locura, solo podía ser algo tan retorcido e implacable como el amor.

—Deberías ir a ducharte de nuevo antes de que despierte, harás que se desmaye otra vez si te encuentra así —escuché la voz de Damen al tiempo que entraba en la habitación.

Solté una risita y me incorporé para sentarme mejor en la silla.

—Sé que me encontrará atractivo sea como sea —bromeé también, siguiendo su juego.

—En eso tienes un punto. Es miope —bromeó.

Reí.

—Espero que despierte mañana. La extraño —un toque de añoranza se filtró en su voz.

Mi corazón se estremeció por su confesión. Me sentía igual.

—Yo también —admití.

Me dedicó una ojeada curiosa.

—Te saldrán raíces del trasero por todo el tiempo que llevas sentado ahí. —Señaló la silla.

Mi risa se convirtió en una carcajada.

—Te avisaré cuando suceda.

Mis mejores conversaciones eran con Damen, sin duda.

—Déjalo tranquilo, hijo. —Leo entró entonces en la habitación.

Lucía mucho mejor que antes, más fuerte y descansado.

—No lo hice enojar, así tiene la cara, lo juro —se defendió el chico.

—Tu madre está buscándote. Ve con ella.

—Pero quiero quedarme con Leah un poco más —pidió el hermano de Leah haciendo un puchero.

—Ahora —ordenó Leo, estoico, y su hijo puso los ojos en blanco.

—Nunca me dejan hacer lo que quiero —renegó mientras llegaba a la puerta; se giró para despedirse—. Te veré después, Alex.

Le hice una seña con la mano a modo de despedida antes de que desapareciera por el pasillo.

Leo se acercó hasta colocarse frente a la cama, cerca de mí.

—Despertará pronto —dijo sin más.

—Lo sé.

—Será difícil para ella.

—También lo sé, pero es extraordinariamente fuerte, estará bien. Se recuperará pronto.

Sentí la mirada de Leo atravesarme como el acero.

—Ya está decidido, ¿cierto?

Asentí despacio sin despegar mis ojos de ella, absorbiendo su imagen.

Suspiró.

—Bien.

—Es lo mejor —dije para convencerme de ello.

—No creo, pero es tu decisión.

Me sentía egoísta por quitarle la capacidad de decidir, por tomar esa decisión sin ella, sin consultarla.

Pero como decía Leo, la decisión ya estaba tomada y no había vuelta atrás.

—Te veré mañana en la galería entonces —atajó.

Eso captó mi atención y levanté mi cabeza hacia él.

—¿Irás?

—Por supuesto —esbozó el amago de una sonrisa, antes de que se desvaneciera y sus rasgos volvieran a endurecerse—. A menos que no quieras que asista.

—No, está bien. Te veré ahí.

Asintió y pareció a punto de irse, antes de cambiar de opinión.

—No tienes que hacerlo —insistió, y sabía que no estaba feliz, pero no cambiaría de parecer.

Solté el aire y mis ojos regresaron a ella sin que pudiera evitarlo.

—Es lo mejor, para ambos.

Leo se mantuvo en silencio, hasta que habló de nuevo.

—Es normal cometer errores, Alexander. El problema viene cuando nos concentramos tanto en arreglarlos que descuidamos lo que es realmente importante.

Lo escuché con atención, pero me mantuve impasible.

—Te veré mañana.

Salió de la habitación dejando sus palabras aún resonando dentro de mi cabeza. Fijé toda mi atención en Leah otra vez, en esa arrogante, neurótica, exasperante e increíble mujer que tenía frente a mí.

Haría lo mejor para ella, para mantenerla a salvo. No sería un egoísta en esta ocasión.

25
DEUDAS PAGADAS
Alexander

El segundo en el que puse un pie dentro de la sala, la atmósfera caló hasta mis huesos y algo se retorció en mi estómago. La casa de Demian Balfour era inquietante, como entrar en una habitación donde deambulaba la muerte.

Tuve que contener la bilis que subía por mi garganta. Era difícil entrar ahí sin volver el estómago.

Escaneé el resto del vestíbulo, hasta que fijé mis ojos en la mancha oscura que teñía la alfombra en una esquina. Esa era la fuente de la que manaba la mayoría del fétido olor. La sangre de Dominik. Le había faltado poco para escapar, pero terminó muerto igual que Fitz y el otro gigante.

Bastian me esperaba al pie de las escaleras que llevaban al sótano. Anduve hasta él aún abstraído en mis pensamientos, en la erosiva cólera que llameaba en mi interior.

Me hice un camino por el angosto pasadizo que terminaba en la minúscula estancia. Leo ya estaba ahí, pero mis ojos se clavaron en el cuerpo que permanecía sentado y atado contra la pared contraria.

Fue la falta total de remordimiento en lo que quedaba de la cara de Louis lo que me hizo enfurecer. Percibía la ira corriendo como un torrente dentro de mis venas.

Louis lucía apacible y sereno, casi aburrido con nuestra presencia, aunque era difícil descifrar sus emociones con el rostro masacrado: tenía un ojo amoratado que no podía abrir y el más sano estaba a nada de dejar de serlo; tenía la nariz desecha y silbaba de dolor cada vez que respiraba, posiblemente por alguna costilla rota.

Su cara era un maravilloso mosaico de verde, azul, morado, amarillo y rojo, coronado con múltiples abolladuras y violentas deformidades en su cuerpo que yo había creado.

Continué admirándolo con sádica fascinación, reparando en su ropa hecha jirones, en el largo corte extendiéndose por su abdomen que se tornaba de un color extraño. Esperaba que estuviera a nada de sufrir un choque séptico.

Una de sus piernas se torcía en un ángulo antinatural y doloroso. Su brazo izquierdo tenía una pinta similar, como si se lo hubiesen dislocado para después acomodarlo incorrectamente. Esa había sido obra de Leo.

Después de días de constantes y brutales golpizas propinadas por mí y por mi exsuegro, su cuerpo había terminado por ceder, había dejado de sanar, y faltaba poco para que dejara de responder.

Estaba fracturado, roto; la patética imagen de un semihumano cuyo cuerpo nunca volvería a funcionar.

Era mi arte, y él era mi obra maestra.

—Vaya, volvieron pronto —la voz de Louis salió forzada—. ¿Me extrañaban?

Leo se puso en cuclillas frente a él. Bastian permaneció de pie a su lado y le tendió a su amigo una carpeta oscura de plástico duro.

—Firma esto —ordenó Leo, impertérrito, tendiéndole un bolígrafo.

—¿No quieres que te chupe la verga también? —dijo Louis, mordaz.

—No voy a repetírtelo. Vas a firmarlo y ya está.

—¿O qué? —lo retó de nuevo—. ¿Amenazarás con matarme? Porque creo que eso se... —gruñó y apretó los dientes cuando tuvo que inspirar por aire para seguir hablando—. Jódete, Leo. Ya estoy muerto igual, ¿por qué tendría que acceder a tus demandas?

—Porque te romperé los putos dedos dc la mano uno a uno si no lo haces —amenazó.

—¿Los mismos dedos que quieres que te meta en el culo? —rio por su propio comentario, pero se detuvo con un quejido de dolor.

Leo suspiró con fuerza.

—Traté de hacer esto de la forma civilizada. —Alzó la vista hacia su amigo, que puso una mano al frente para tranquilizarlo.

—Louis, te recomiendo que firmes —le sugirió Bastian.

—Puedo firmarte el culo, si quieres —siguió insultando.

Leo agachó la cabeza, antes de tomar una de las manos esposadas de Louis frente a su estómago y romper un dedo con la misma facilidad con la que rompías una varita de madera.

El sonido del hueso quebrándose y el aullido que emitió Louis al segundo siguiente fueron música para mis oídos. Bastian cerró los ojos y giró el rostro para no contemplar la escena.

—Firma —insistió Leo.

—¿Para qué mierda quieres esta casa? Tienes mucho más dinero que esto —siseó el tipo, preso del dolor.

—Es para saldar tus deudas —respondí acercándome y pareció percatarse de mi presencia por primera vez—. Se la entregarás a Fejzo.

—No lo creo. Con suerte te matará si... —se cortó y soltó un alarido cuando Leo quebró otro dedo.

—Hijo de puta —susurró Louis con voz tensa, doblándose para tolerar el dolor.

—*Tic, tac*, Louis —lo presionó Leo en tono burlón—. Estoy perdiendo la paciencia.

Tomó aire, su cara pálida con el sudor corriéndole por las sienes mientras luchaba contra las implacables sensaciones.

—Seguiré quebrándote los dedos hasta que firmes.

—Louis, solo firma —pidió Bastian con tono frío—. Es lo mejor que puedes hacer.

El aludido soltó una risa seca que sonó como uñas contra una pizarra.

—Rompe todos los huesos que quieras, van a recuperarse tarde o temprano. Voy a recuperarme, justo como la primera vez, ¿pero sabes quiénes nunca van a recuperarse? Ellas. Yo quebré a la puta que haces llamar esposa y quebré a tu hija. —Elevó la comisura de la boca que no estaba reventada en un patético intento de sonrisa—. ¿De verdad crees que se recuperarán?

La cólera se avivó en mi interior como el ojo de una hoguera. Caminé hacia él para partirle el cráneo, pero Bastian me lo impidió. Estaba por hacerlo a un lado cuando el sonido de más huesos quebrándose combinados con los gañidos de dolor de Louis rasgaron el aire.

Fue tan perturbador que me hizo estremecer.

El bastardo maldijo entre dientes, respirando con más dificultad, su frente y sus sienes llenas de sudor.

—No voy a repetírtelo —el tono de Leo fue bajo pero inquietante. Parecía una advertencia que escondía la promesa de algo mucho peor.

Louis se mordió el labio inferior para contener el grito y con una mano temblorosa, la que aún no había sido destrozada, tomó el bolígrafo que Leo le tendía. El silencio reinó en el lugar mientras terminaba de colocar su firma sobre el pie de todas las hojas con pulso trémulo y desprolijo, como un niño que aprendía a sostener un lápiz.

Alzó los ojos hacia mí cuando terminó, curioso.

—Has estado muy callado, chico. ¿Fue por algo que hice? —inquirió el imbécil con inocencia y mis manos hormiguearon por matarlo.

Inhalé y conté hasta contenerme para no romperle el cuello.

—¿Puedes terminar con esto ya? —inquirí, impaciente por volver al lado de Leah.

Leo se puso en pie y le entregó la carpeta con la documentación a Bastian, que la recibió con gesto solemne.

Pero antes de dirigirse a la salida le dedicó una mirada de muerte a nuestro invitado, mientras yo me preparaba para hacer una nueva combinación de colores en su cara.

—¿Te vas tan rápido? —La voz de Louis lo hizo detenerse y girar su cuello para mirarlo sobre su hombro—. Pensé que te quedarías para hablar de Leah.

—Cierra la puta boca —ladré costándome horrores el contenerme—. No puedes decir su nombre.

Estiró el cuello con dificultad para mirarme desafiante con los últimos resquicios de voluntad que aún le quedaban.

—Así está mucho mejor —musité doblando las mangas de mi camisa mientras agotaba la distancia entre los dos, cuando por fin estábamos solos—. Podemos comenzar el espectáculo ahora sin interrupciones.

—Te ves tenso, príncipe —se mofó—. ¿Y cómo está Le...?

—¡Cállate! —Estrellé mi puño en su mandíbula, creando un sonido sordo—. Te dije que no podías decir su nombre.

Louis no perdió el destello de diversión en su ojo a pesar del dolor, así que asesté otro golpe, y otro, y otro más.

Aumenté el ritmo de los impactos hasta convertirlos en un atizar frenético y brutal. Quería desaparecer su cara, mezclar todas sus facciones hasta que no quedara nada del rostro que atormentaría a Leah de por vida.

Hice presión con mi pie sobre sus dedos rotos, arrancándole otro grito ahogado. Pateé de nuevo su abdomen y observé otra costilla salir de su lugar, clavándose en su piel y apuñalándolo desde dentro.

Había un atisbo de miedo, pero no era suficiente.

Le asesté otro golpe más, hasta que alguien me detuvo al momento de intentar plantar el segundo. Era Leo, que hacía un esfuerzo descomunal para contenerme.

—¡Para! —Me empujó con toda su fuerza para alejarme y ganar un poco de distancia.

—¡Haré lo que...!

—¡Alto, ya basta! —Se posó frente a él para protegerlo—. Fue suficiente, Alex. Vas a matarlo.

Bastian se apresuró a levantarlo y sentarlo de nuevo en el mismo lugar, arrancándole otro gañido lastimoso por el martirio que representaba moverse.

—¡Quiero matarlo! —grité.

—¡No puedes! ¡No te lo permito! ¡Para ya!

—¡Me importa una mierda si me lo permites o no! —rugí arremetiendo contra él y topándome con su fuerza.

Logró alejarme otra vez y paré en seco cuando miré la sonrisa deforme de Louis.

—¿Es todo lo que tienes, chico? —su voz surgió áspera, extraña—. Hasta tu esposa peleó mejor cuando me la follé.

—Alex —susurró Leo de forma tentativa con las manos al frente, y quizás mi cara se había contorsionado en una mueca de aversión pura, porque parecía preparado para lo peor.

—Leah McCartney tiene un tesoro entre sus piernas —siguió Louis, relamiéndose los demacrados labios—. Estoy seguro de que me la cogí mejor que tú.

—Solo está provocándote. No lo escuches —dijo Leo.

Fue entonces cuando el ápice de autocontrol que había logrado conseguir se fue a la mierda. Algo hizo clic en mi cerebro, incinerando cualquier resquicio de racionalidad y tiñéndolo todo de rojo a su paso.

Leo se interpuso e intentó detenerme, pero estaba tan decidido a matarlo que ni siquiera él pudo lograrlo. Lo empujé con violencia hasta quitarlo del camino, ocasionando que perdiera el equilibrio y cayera en el suelo, impulsado por el odio abrasivo que me corroía desde dentro.

—¡Bastian! —gritó a su amigo.

Cuando me disponía a sacarle los putos ojos, Bastian coló sus brazos entre los míos, inmovilizándome y forcejeando conmigo para impedirme avanzar, luchando horrores para lograrlo.

—¡Suéltame! ¡Voy a matarlo!

Louis me miró sin que su semblante de satisfacción mutara. Leo acudió al segundo para auxiliar a su amigo y mantuvo mi brazo izquierdo cautivo con esfuerzo. Forcejeé y luché por liberarme; la ira rugiendo igual que un animal en mis entrañas, pero estaban decididos a no dejarme ir.

—Esta no es la manera. —Leo se plantó frente a mí y me tomó de la nuca para obligarme a mirarlo—. Escúchame. Está intentando que lo mates para no sentir más dolor. No lo hagas.

—¡Él la violó!

—Estos no son mis planes para él. Basta. Necesitas controlarte.

—Espero que me recuerdes cada vez que la folles. Estoy seguro de que ella no me olvidará —habló Louis con petulancia.

—¡Jódete! —vociferé, forcejeando de nuevo—. ¡Espero que te pudras aquí!

—¡Y yo espero que la verdad te destruya!

Gruñí desesperado por ponerle las manos encima. A la mierda los planes de Leo; tenía que matarlo.

—¡Dije que pares! —rugió él con una mirada mortal en la cara—. Para, o te sacaremos de aquí.

Su amenaza me hizo enfurecer más, pero lo obedecí a regañadientes porque no quería que me sacaran de ahí. Quería saber, necesitaba saber cuáles eran los dichosos planes de Leo para mantener a tal alimaña viva.

Me tranquilicé poco a poco, la ira fue apaciguándose lo suficiente para que me dejaran libre sin bajar la guardia.

Leo me miró con cautela, desconfiando de mi reacción, pero terminó girándose hacia lo que quedaba de Louis para ponerse de cuclillas otra vez frente a él.

—¿Desde cuándo eres tan blando? —graznó el imbécil—. ¿Es que acaso lo he conmovido, señor McCartney?

—No voy a matarte, no mereces esa salida, es demasiado compasiva —explicó el padre de Leah con dureza—. Voy a mantenerte vivo, aquí, pudriéndote en tu propia mierda hasta que el idiota al que le debes dinero decida sacar a la basura lo que quede de ti. Te mantendré vivo, solo para ver cómo te conviertes en algo menos que un mueble, hasta que no seas una amenaza para nadie. Eso es lo que mereces. No debiste tocar a Allison, y ciertamente tocar a mi hija fue la peor decisión que pudiste tomar.

Louis permaneció impasible. Parpadeó una vez, dos, tres.

—Esto es lo que en verdad eres —susurró entonces, tan bajo que fue apenas audible—. Puedes jugar a la casita con la puta de tu esposa todo lo que quieras, pretender que son la familia perfecta, pero no estás tan lejos... —Pareció ahogarse con su sangre—. No estás tan lejos de ser como yo.

—No soy como tú. Yo hago lo que sea necesario para proteger a mi familia, y lo seguiré haciendo sin pensarlo. ¿Pero tú? Tú no tienes nada, Louis. No tienes nadie por quién luchar, y no lo tendrás nunca.

—Todo esto por una prostituta —escupió con desdén.

—Sí, y lo volvería a hacer todo por ella mil veces más.

El ojo más sano de Louis lo miró con resentimiento crudo, pero no dijo una palabra.

En cambio, inspiró y alzó su destrozada barbilla con dignidad.

Le dediqué una última mirada letal antes de darme la vuelta y subir las escaleras del sótano. Mis piernas estaban débiles después de que la adrenalina abandonara mi sistema y la bilis subió por mi esófago, hasta que no pude contenerla.

Corrí a la cocina y vacié mi estómago en el lavaplatos, preso del montón de imágenes que se sucedían como una mala película en mi cabeza sobre la violación de Leah. Lo veía encima suyo, sujetándola y tomándola a la fuerza. Lo imaginaba invadiendo su interior, tocando esos lugares que no debía tocar, diciendo cosas que no debía decir mientras ella lloraba con desesperación.

Era tan vívido que una serie de arcadas se apoderaron de mí, hasta que me controlé lo suficiente.

Me sostuve del material de metal para que mis débiles piernas no cedieran, dando paso a la ola de culpa, resentimiento y odio que me inundó, violenta e implacable, privándome de todas mis fuerzas, mis sentidos y mi racionalidad.

—Alex.

Abrí la llave del agua cuando Leo apareció en la cocina. Enjuagué mis nudillos reventados e hice una mueca de dolor cuando moví el brazo izquierdo.

Seguramente la herida se había abierto de nuevo. Allison iba a matarme porque era la tercera vez en los últimos tres días.

Me enjuagué la boca para desaparecer el amargo sabor del vómito y escupí en el fondo, limpiándome con el dorso de la mano antes de mirarlo.

—¿Qué?

—¿Estás bien?

—¿Que si estoy bien? —reí sin humor—. ¿Tú estás bien?

—Al...

—¡No, no estoy bien! —rugí con mi voz reverberando en todo el lugar—. ¡Él la violó! ¿Entiendes lo que es eso? ¡La violó!

—Lo sé, sé lo que dijo.

Lo miré incrédulo por su absurda serenidad.

—No estoy seguro de que lo hayas hecho, ni tampoco estoy seguro de que lo entiendas. ¿Cómo puedes estar tan tranquilo? —espeté iracundo.

—No lo estoy, y créeme, te comprendo mejor que nadie.

—Vaya, pues lo disimulas muy bien.

Me fulminó con la mirada por mi sarcasmo.

—Le hizo lo mismo a Allison. Si hay alguien que sabe por lo que estás pasando, soy yo, y créeme, perder los estribos no va a ayudarte.

—Claro —dije sin creerle.

—No podemos estar seguros hasta que despierte y lo confirme. Louis pudo haberlo dicho solo para hacernos perder la cabeza.

Negué, escéptico.

—No lo sé. —Me pasé las manos por el cabello, exhausto con esta situación que me superaba con creces—. No sé si quiero saber la puta respuesta.

Parpadeé un par de veces para mantener a raya las lágrimas de impotencia, frustración y furia, pero las emociones eran implacables.

—Es mi culpa. Todo el infierno que pasó es mi culpa.

Leah no habría sido secuestrada si no hubiese sido encontrada gracias a mí. No habría sido torturada, ni mancillada, ni violada si no la hubiesen relacionado conmigo.

—Culparte no sirve de nada —replicó serio—, afrontar las cosas e intentar arreglarlas sí.

—¿Cómo voy a arreglarlas si no me permites matarlo? —gruñí frustrado.

—Louis no merece que te hagas esto. No merece que te arruines la vida matándolo. Yo me ocuparé de él.

—Pero...

—Dije que yo me ocuparé de él.

Cerré la boca y me abstuve de discutir cuando sus orbes se tornaron mortales, aunque el sentimiento de culpa era más grande y consumidor que nunca, y no tenía ni puta idea de cómo manejarlo o apaciguarlo.

26
LA DECISIÓN MÁS DIFÍCIL
Alexander

Entré a la oficina de Fejzo por lo que esperaba fuera la última vez. Sus gorilas me recibieron con rostros serios, a diferencia de su jefe, que sonreía de oreja a oreja.

—Siempre es un placer verte, Alexander —saludó cordial.

Me posé frente a su escritorio, lo ignoré y deslicé el fólder sobre la madera. Lo detuvo en un ágil reflejo de su mano, colocando la palma encima. Lo tomó sin dejar de escrutarme, hasta que lo abrió y leyó los documentos que contenía.

Habían transcurrido tres días desde el encuentro con Louis y dos desde que visité a Rick en la cárcel. Presentó menos resistencia para entregar su casino y saldar su deuda con él.

—Veo que se acabó el juego —dijo alegre.

—No sé de qué juego hablas, ni tampoco me interesa saberlo —lo corté tajante—. Todo lo que necesitas está en esa carpeta. Tus deudas están liquidadas.

—Ciertamente lo están —dejó el fólder sobre el escritorio y entrelazó los dedos a la altura de su boca, pensativo—, aunque creí que la competencia duraría un poco más. Era entretenido.

—¿Qué competencia? —pregunté perplejo.

—Estaba seguro de que cobrarían el rescate y la matarían —confesó con lentitud, como si saboreara las palabras—, pero veo que falló mi predicción, ahora le debo cinco mil dólares. —Hizo un gesto con la barbilla para indicar que se refería a uno de sus guardias y me sentí desfallecer con la revelación.

—¿Tú lo sabías? —inquirí con voz tensa.

—Claro que lo sabía. Tenía ojos en todos lados, la mayoría puestos sobre ustedes —contestó como si fuera una obviedad.

—¿Y por qué no me lo dijiste? ¡Vine aquí a preguntártelo!

—No, viniste aquí a exigir que te regresara algo que yo no tenía —sonrió con burla a medida que mi semblante se transformaba en otro muy lejos de la indiferencia—. No podía decirte quién tenía a tu querida esposa, había una apuesta que ganar.

—Eres un...

—Además me golpeaste en la cara, por segunda ocasión —enarcó sus cejas—, no es algo que aprecie.

—Será una tercera si continúas —lo amenacé.

—Me agradas, Alex. Ya estarías muerto hace tiempo si no lo hicieras —dijo serio—. No tienes miedo de decir lo que piensas, y eso es algo que, por el contrario, sí aprecio.

—Bien —me incliné sobre el escritorio hasta posar mis manos sobre la madera y estar cerca de él—, porque yo, por el contrario, no aprecio a hijos de puta con un enfermo sentido de la diversión.

Soltó una carcajada.

—Todos tenemos nuestras manías, qué te puedo decir.

—Unas más enfermas que otras. —Me puse de pie para largarme, pero su voz me detuvo.

—¿Seguro que no quieres seguir haciendo negocios conmigo? Creo que nos llevamos bastante bien.

Convertí mi boca en una fina línea.

—Lo único que quiero es que me dejes tranquilo. Ya he pagado tus deudas, ya no hay nada que garantizar, y te quiero lejos de Leah, a ti y a todos tus buitres.

Se mantuvo en silencio, quizás considerándolo, hasta que respondió.

—Bien, como quieras. Te lo concederé por los buenos momentos que tuvimos.

Sus ojos titilaron con reconocimiento, y supe al instante cuáles eran esos buenos momentos.

Un escalofrío me recorrió el cuerpo solo de pensar en Michael.

—Espero no tener que verte otra vez.

—Oh, yo espero todo lo contrario —sonrió de manera felina poniéndose en pie—. Fue un placer hacer negocios contigo, Alexander.

Estiró su mano entre nosotros con la intención de que la estrechara, pero la contemplé con repulsión. Ignoré el gesto y salí del lugar abriéndome paso entre los monolitos que eran sus guardaespaldas, atravesando el minúsculo pasillo para llegar hasta el vestíbulo de la oficina.

Me marché del lugar sin detenerme a mirarlo un solo segundo.

No quería volver ahí jamás.

Había vuelto a mi lugar habitual. A la silla de hospital que se había convertido en mi residencia por los últimos ocho días.

Me dolía la espalda por las horas interminables en la misma posición, esperando con paciencia a que ella reaccionara, aunque la evidente inmovilidad de su cuerpo no demostraba señal alguna de que eso sucedería en un futuro cercano.

Las marcas en sus muñecas por la laceración del metal aún estaban ahí, pero no había ninguna otra indicación notoria de que algo malo le sucedía. Parecía estar inmersa en un profundo sueño.

Apoyé los codos en mis muslos y coloqué la barbilla sobre mis manos entrelazadas, observándola con atención. La había mirado durante tanto tiempo esos días, que podría describirla a la perfección sin temor a equivocarme. Había aprendido sus colores, formas e incluso el lugar donde se asentaban sus lunares.

Era difícil dejar de contemplarla.

—Alex. —Me erguí para encontrar a Erick en el umbral, las manos dentro de sus bolsillos y uno de sus pies moviéndose, ansioso—. ¿Has comido algo hoy?

—Sí.

—¿Necesitas algo?

—Estoy bien.

Se acercó con serenidad.

—Se ve mucho mejor. Estoy seguro de que despertará pronto.

Me crucé de brazos y asentí.

—Eso espero.

Erick suspiró derrotado, y se mantuvo en silencio por un largo tiempo a mi lado, hasta que volvió a hablar.

—Claire está embarazada —comentó con orgullo, mezclado con un toque de miedo—. Pensé que deberías saberlo.

Mis comisuras se elevaron en el amago de una sonrisa.

—Felicidades.

—Gracias —correspondió el gesto—. Leah perderá la cabeza cuando se entere. Sé que querrá organizar todo, desde la despedida de soltera hasta la bienvenida del bebé.

Resoplé por la nariz con un dolor agudo en el pecho. No tenía ni puta idea de quién sería Leah cuando despertara; no sabía si me reconocería, o si ella sería capaz de reconocerse a sí misma.

Estaba aterrado por lo que me encontraría.

—Es probable.

—Adora a los niños, ¿sabías? Creo que comenzará a exigirte hijos desde el momento que conozca a su sobrino —rio, pero el gesto se perdió con rapidez, quizás porque notó la tensión en mis hombros o la expresión en mi cara—. Lo siento.

—Está bien.

Solo Dios sabía cómo reaccionaría Leah al verme otra vez; no sabía si me permitiría tocarla de nuevo después del infierno vivido con Louis, y aquello me aterraba más que nada en la vida.

Hijos era lo último en lo que quería pensar en ese momento, pero me abstuve de decir algo en el afán de no arruinar su buen humor.

—¿Seguro que no necesitas nada más?

—Seguro.

—De acuerdo. —Palmeó mi hombro y salió de la habitación con pasos rápidos.

Volví a mi posición habitual apenas se fue. Masajeé mis sienes y estiré mis brazos para aligerar la tensión en mis músculos. Había dejado la silla para darme duchas rápidas y usar el baño, nada más.

No quería ser el último en enterarse que había despertado. Necesitaba saber, cerciorarme de que no habían fragmentado esa brillante mente suya de la misma forma en que habían fragmentado su cuerpo.

Así que permanecí en el mismo lugar, haciendo nada a excepción de observarla, embelesado en el rítmico subir y bajar de su pecho, que se había vuelto más estable los últimos días, lo cual era indicación de que su pulmón estaba sanando.

Estaba bien ahora, pero sabía que las imágenes de Leah colgando de una viga como un animal lastimado y moribundo no me abandonarían, y me atormentarían por años.

Solo la observaba, hora tras hora.

Estaba tan abstraído en mis pensamientos que por un instante creí ver sus párpados moverse. Mi sentido común había aprendido a no hacerse falsas esperanzas con esos movimientos de mero reflejo, así que lo dejé pasar, como había dejado pasar muchos otros durante los últimos días.

Entonces sucedió de nuevo, y perdí la capacidad de respirar.

Lentamente, muy lentamente, perdió el pronunciado gesto que surcaba su entrecejo y abrió los ojos. Parpadeó un par de veces más, como si buscara adaptarse a las luces de la habitación, y en su rostro se cernió el pánico por un instante; sus orbes frenéticos mirando a todos lados, buscando ubicarse, hasta que desapareció poco a poco y observó el techo.

Entreabrió los labios para tomar una bocanada de aire que le hinchó el pecho, y yo permanecí petrificado en el mismo lugar.

No quería asustarla. No quería romper su esfera de serenidad y que se sumiera en otros ocho días de oscuridad.

Sus ojos dejaron el techo con pereza, hasta que giró el cuello y los fijó en mí.

La evalué con una máscara de impasibilidad, aunque era un manojo de nervios, ansias y otras sensaciones estrepitosas. No podría soportar que no me reconociera. Me arruinaría por completo.

Me escrutó con esos ojos siempre curiosos, implacables, y no me atreví a mover un dedo.

—¿Alex?

Su voz salió ronca, áspera, pero fue el mejor sonido de mi vida: mi nombre en sus labios.

Cerré los ojos con la ola de alivio inundándome y respiré por lo que pareció la primera vez en días.

—¿Qué sucede? —susurré apenas, aún envuelto por el sosiego, con mis piernas reaccionando por fin para llegar hasta ella—. ¿Cómo te sientes?

—Cansada —musitó. Sus párpados se movieron con pesadez y se pasó la lengua por los labios resecos—. ¿Cuánto tiempo llevo aquí?

—Ocho días.

—Ocho días —repitió. Intentó removerse en la cama e hizo una mueca de dolor; un siseo escapó de su boca—. Mala idea. Me duele la espalda.

—Descansa un poco más, lo necesitas.

—No quiero —se quejó, pero su cuerpo estaba rindiéndose otra vez ante los sedantes—, he dormido demasiado.

—Necesitas recuperarte.

Esbozó una pequeña sonrisa, pero no supe si fue a consciencia. Alejé mi mano por reflejo cuando sentí sus dedos acariciándola, y cuando la miré, parecía dolida.

—No hagas eso.

—¿Qué cosa?

—No te alejes de mí —pidió con tono somnoliento. Volvió a tocar mi mano, sus pequeños dedos enredándose en torno a ella para apretarla con los resquicios que tenía de fuerza.

Percibí a mi corazón estremecerse.

—Alex —susurró a punto de ceder al sueño.

—¿Qué?

—Tengo frío en los pies, ¿podrías cubrirlos?

Solté una risa por el ridículo comentario y caí en cuenta de que la sábana no cubría esa parte.

—¿Por qué debería? Tienes bonitos pies.

Rio también.

—Siempre dices que tengo feos pies.

—Eso no es cierto, me encantan.

Me miró con curiosidad.

—Pensé que yo era la que tenía el fetiche con los pies.

Solté otra risa tonta, no de diversión, sino de alivio.

Era Leah, era mi Leah.

—Duerme.

—¿Estarás aquí cuando despierte? —preguntó cerrando los ojos sin dejar ir mi mano.

Me incliné hasta posar mis labios en su frente.

—Por supuesto.

—Genial —susurró, emitiendo un sonido de satisfacción—, te eché mucho de menos.

No tenía idea de si sus palabras eran un efecto secundario de los sedantes, o si las decía de manera consciente, pero fuese cual fuese la fuente, las aceptaría todas.

—Y yo a ti. —Apreté su mano y besé de nuevo su frente.

Louis había roto a Leah. No sabía de qué manera ni hasta qué extremo, pero lo había hecho.

La había roto, pero era reparable.

Ahora, todo lo que quedaba por hacer era asegurarme de que no corriera ningún peligro a causa mía, que se recuperara por completo hasta ser la misma de siempre.

Haría lo que fuese necesario para lograrlo, aunque implicase un largo tiempo y la toma de decisiones que acabarían destruyéndome.

Nunca fui bueno para las despedidas, ni para enfrentar las cosas más dolorosas. Apreté el bolígrafo en mi mano, con cada latido de mi corazón recordándome que el tiempo en su presencia se agotaba.

La contemplé en la camilla de hospital, sumida en su sueño, y reprimí el impulso de suavizar el surco que se formaba entre sus cejas. Esperaba que no tuviera pesadillas, y que lo sucedido con Louis no afectara su descanso.

Los ojos me escocieron cuando las lágrimas se agolparon en ellos. No importaba cuánto me repitiera que esto era lo correcto, porque seguía destruyéndome cada vez más.

Esperaba que Leah me perdonara por lo que estaba a punto de hacer, porque yo jamás podría perdonarme a mí mismo.

Comencé a escribir sobre el cuaderno, tomándome mi tiempo para nunca llegar al final y tolerando el nudo en mi garganta.

Lo siento.

No sé cómo empezar esto porque no quiero terminarlo, pero tengo que hacerlo.

Sé que no te mereces este acto de cobardía que estoy usando para no enfrentarte, pero es lo mejor, porque también sé que no podría irme de tu lado si te lo digo cara a cara, y tengo que hacerlo de alguna manera.

Te amo, Leah, te amo tanto que me cuesta un mundo encontrar las palabras correctas para decírtelo, porque creo que simplemente no las hay.

No quiero arrastrarte más en mis problemas, no quiero ser tan egoísta como para permitir que te hagan daño otra vez a cambio de tenerte junto a mí. Conservarte nunca será más importante que tu bienestar; es así, por mucho que me duela.

Estaré bien si tú lo estás, y sé que eso solo sucederá si te mantengo tan alejada de mí como sea posible.

Nunca fuiste mi debilidad, Leah, tú fuiste siempre mi fortaleza; fuiste la respuesta a las preguntas que siempre tuve, y aquellas que ni siquiera me imaginé formular.

Gracias por todo lo que hiciste por mí, por hacerme sentir que la vida, más allá de los vicios y el juego, valía la pena, y por mostrarme que el matrimonio era algo especial, solo porque era contigo. Gracias por amarme de la forma en que lo haces. Sabías que yo era un problema, y, aun así, me amaste por completo sin dudas o reservas.

Creo que es hora de dejarte ir, y es jodidamente difícil, porque sé que no importa a dónde vaya, qué haga o con quién esté, mi corazón siempre será tuyo y te amará.

Casarme contigo no fue un error. Fue, quizá, el único acierto en mi vida.

No sé qué más decirte, así que solo cortaré la cuerda de una vez por todas, por tu bien.

Eres increíble, Leah McCartney.

Gracias por ser mi esposa.

Tu Siempre Fiel Esposo

Alexander

Doblé la hoja con manos temblorosas y la metí dentro del sobre para después dejarla en el buró al lado de su cama. Estaba seguro de que Leo o Allison la tomarían para entregársela. Ellos ya conocían mi decisión.

Contemplé a Leah como quien miraba un tesoro que tuvo y ya no podía recuperar. Entonces sentí la primera lágrima correr por mi mejilla. No la retiré, dejé que le siguiera otra, y otra más.

Me puse en pie, tomé su mano y la apreté como si con ese gesto pudiera impedir lo inevitable. Sentía que estaba arrancándome el corazón para dejarlo latir a la intemperie. No quería irme. No quería dejar a lo único en mi maldita vida que en realidad valía algo, pero quedarme no era una opción. No después de haber sometido a Leah a tal tortura, no después de casi perderla por completo.

Prefería verla en la distancia, sana, salva y viva, a mantenerla en peligro constante.

Deposité un beso en su frente, seguido de otro y otro más, y, con el corazón destrozado, la dejé ir.

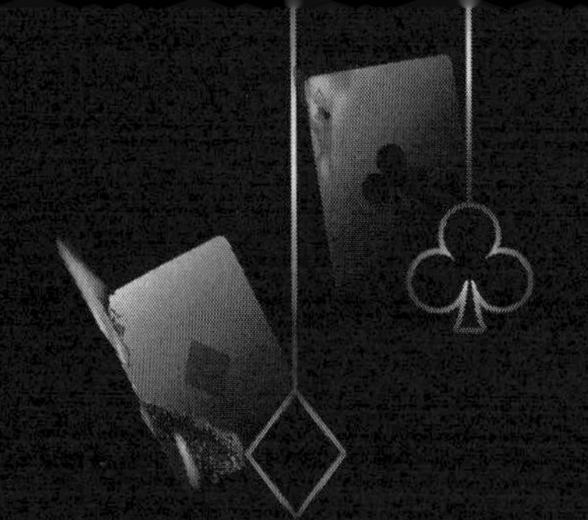

27
CAÍDA EN PICADA
Leah

Arrugué los párpados cuando un latigazo de dolor recorrió mi cabeza desde las sienes hasta la nuca. Intenté colocarme de lado, pero desistí cuando mis piernas se mostraron renuentes a cooperar, igual que mi espalda, que parecía prendida en fuego. Abrí los ojos al tiempo que recuperaba todos los sentidos de golpe. Sentí el terror nacer en lo más profundo al notar el techo blanco sin textura, que no era para nada como el techo del viejo sótano en la casa de la familia Balfour.

Habría gritado si mi garganta no se hubiera sentido tan acartonada, y habría tenido un ataque de pánico de no ser por mi olfato y mi vista, que me indicaban la presencia de antiséptico y las luces características de un hospital.

La memoria fue la última en comenzar a funcionar; los recuerdos venían en masa, en recreaciones violentas y vívidas que me hacían estremecer, cada una peor que la anterior. Estaba tan inmersa en ellas que tardé en notar la presencia de alguien más en la habitación. Mi corazón dio un vuelco dentro de mi pecho mientras giraba el cuello.

—¿Alex? —mi voz salió como un graznido.

Casi solté un quejido de desilusión cuando no lo encontré junto a mí. En cambio, papá se acercó para colocarse al borde de la cama.

—Lo siento, no soy Alex —dijo con tono suave.

—Perdón. Es solo que creí escucharlo decir que estaría aquí cuando despertara. Quizás lo soñé.

—Lo dudo. Estuvo aquí.

—¿Y dónde está ahora?

—Volverá pronto, tiene cosas que hacer. ¿Cómo te sientes?

Me pasé la lengua por los labios, la espalda me mataba y mi cuerpo se sentía pesado, así que decidí responder con otra pregunta.

—¿Cuánto tiempo llevo aquí?

Recordaba vagamente a Alexander diciendo ocho días, pero no estaba segura.

—Nueve días. Habrías despertado antes, pero te mantuvieron sedada para una mejor recuperación.

—¿Por qué?

—Por tu pulmón y tu espalda —dijo con el pesar filtrándose en la inexorabilidad de su cara—. Casi lo pierdes, y tu espalda... —pareció atragantarse con las palabras—, tu espalda estaba destrozada, así que entre menos movimiento hicieras, más rápida sería la recuperación. Eso dijeron los médicos.

La información me pilló por sorpresa y el dolor se volvió más nítido cuando fui consciente de él.

Apreté los dientes y me llené de determinación. Dolía, y las memorias eran más traumáticas y dolorosas aún, pero no iba a permitir que me rebasaran. Había sobrevivido y lo último que quería era actuar como una víctima devastada.

Yo era más fuerte que eso, no sería frágil ni débil. Estaría bien.

—¿Me ayudas? Quiero sentarme.

Papá se acercó para ayudarme y me ofreció su mano para que la tomara como apoyo. Solté un grito por el esfuerzo físico que representó, por la sensación de quemazón en mi parte más lacerada, pero me sostuvo sin flaquear. Me acomodé contra las almohadas y esperé paciente a que el dolor amortiguara.

—¿Recuerdas algo? —cuestionó cauteloso, sentándose al borde de la cama.

Lo evalué en silencio, absorbiendo todos los detalles que habían cambiado desde la última vez que lo vi. Nos habíamos peleado. El remordimiento me comía viva mientras aprendía las nuevas líneas y sombras de su rostro. Estaba más delgado que la última vez, una barba incipiente cubría su fuerte mandíbula y el desgaste estaba plasmado en la forma de sus hombros.

—Recuerdo todo —respondí lento—, al menos durante los lapsos en los que estuve consciente.

—¿Qué es lo último que recuerdas?

Arrugué los labios, pensativa, con los pérfidos recuerdos asaltándome sin tregua, pero me esforcé por mantener las emociones bajo control.

—Recuerdo sentir un dolor en mi espalda antes de caer por el borde del puente. El agua estaba fría, no podía mantenerme a flote. Me dolía respirar. Eso es todo. No sé cómo llegué aquí, no sé quién me sacó del río. ¿Fuiste tú?

—Fue Alex.

Mi corazón dio un vuelco, y habría sonreído por el deje de apego que me asaltó de no ser porque se sentía fuera de lugar. Claro que tenía que ser él. Era siempre él.

—No lo recuerdo —dije sin que la ola de afecto desapareciera.

—Me sorprendería que lo hicieras. Tuvo que resucitarte, casi te perdemos.

La noticia provocó una serie de escalofríos que viajaron por todas mis extremidades. No me sentía muerta, ni parecía que algo hubiera cambiado después de esa aterradora experiencia.

—No te preocupes, estoy bien ahora. —Estiré mi mano para posarla sobre la suya—. Mírame, estoy aquí, estoy viva.

—Por poco. —Puso su palma encima de la mía y acarició mis nudillos con cariño—. Necesito que me respondas algo, pero no sé si sea el momento adecuado. No sé si estés preparada para afrontarlo.

El terror reptó por mi pecho.

—¿Qué cosa? ¿Alex está bien? ¿Mamá y tú están bien? ¿Es sobre Er...?

—Es sobre ti —indicó tajante, y mi acelerado latir se apaciguó.

—¿Qué cosa?

Me escudriñó en silencio, con sus ojos mostrando el conflicto que se desarrollaba dentro de su cabeza.

—Solo dímelo —insistí.

—¿Louis intentó hacerte algo?

El nombre de esa bestia estremeció mi corazón.

—Louis me hizo muchas cosas.

—Seré más claro: ¿te violó?

Debió notar la forma en que mi cuerpo se crispó porque todo el color abandonó su cara, y me apresuré a contestar en consecuencia.

—No. Lo intentó, sí, pero no pudo hacerlo. Quiero decir..., no... —Por la expresión que estaba adoptando su semblante podía apostar a que lo estaba empeorando—. No me violó. Rick me lo quitó de encima antes de que pudiera hacerlo. Estoy bien. —Apreté su mano para transmitirle seguridad.

—Gracias al cielo. —Volvió a suspirar, el alivio evidente mientras recuperaba su color normal—. Tenía miedo de la respuesta. Me aterraba que ese hijo de la gran puta te hubiese hecho algo.

Negué para convencerlo, hasta que una perspectiva mucho más siniestra reventó la burbuja de tranquilidad que me envolvió desde que desperté en el hospital.

—¿Dónde está? ¿Escapó? —cuestioné, sin ser capaz de ocultar el terror que me estrujaba las entrañas.

—No te preocupes por él. Ya no puede hacerte daño.

—¿Por qué? ¿Está muerto?

Emitió un sonido mordaz, como si la pregunta le hiciera gracia.

—Faltó poco para que muriera, pero lo impedí.

El terror me asaltó.

—¿Por qué?

—Porque Alexander casi lo mata, en más de una ocasión —comenzó a explicar con seriedad—. Ya estaba casi muerto cuando intervine, fue difícil quitárselo de encima. El chico tiene mucha fuerza. Bastian y yo pudimos contenerlo apenas.

—Ni me lo digas, Alex es difícil de controlar.

Hizo un gesto con la cabeza para restarle importancia.

—No te preocupes por Louis, yo me encargaré.

—¿Por qué no lo dejaste matarlo? —lancé la interrogante antes de pensarlo mejor; no quería que Alex se ensuciara las manos de su repulsiva sangre y tuviera que vivir con ello. Ya tenía más que suficiente con las culpas por la muerte de Michael. Aunque Louis, sin duda, merecía morir.

—Alexander es demasiado joven para enfrentar las consecuencias de algo así. No necesita cargar con eso en su conciencia.

—¿Y tú sí?

Tomó mi mano entre las suyas, abarcándola con sus cálidas y confortantes palmas.

—Haría cualquier cosa para protegerte. A ti, a tus hermanos, a tu madre. Es lo menos que puedo hacer después de haber cometido tantos errores.

Sentí mi corazón estrecharse dentro de mi pecho por la sinceridad que impregnaba sus palabras. Mis hombros se hundieron ante el peso de mis culpas, de mis errores, que eran mucho más grandes y avasalladores que los de mi padre.

—Papá —comencé, armándome de valor—, perdóname. Perdóname por todas las cosas estúpidas que hice; perdóname por no escucharlos, a mamá y a ti. Lo siento, lo siento tanto. Jamás pensé que las cosas pudieran tornarse tan mal, fui una imbécil, fui necia y egoísta, no tenía idea de... —Suspiré con pesadez—. Debí ser más inteligente, más comprensiva, debí... debí...

Su boca estaba tensa y sus ojos no dejaron mi cara en ningún momento mientras hablaba, hasta que noté la aflicción impresa en todos lados.

—Me enamoré de ti incluso antes de conocerte, ¿sabes? —dijo con un hilo de voz—. Estaba tan ansioso por verte que contaba los días, y cuando por fin te conocí, cuando por fin te tuve conmigo, no podía dejar de pensar en lo hermosa que eras, en que no podía haber nada más perfecto que tú. Eras mi pequeña, Leah.

Sonrió con tristeza, mirando nuestras manos entrelazadas.

—Pero nunca fuiste frágil. Llorabas siempre tan fuerte, no sabías caminar, pero dabas cada paso con la seguridad de quien ya sabe hacerlo, balbuceabas como si supieras exactamente qué querías decir, aunque no supieras hablar, y no podía hacer otra cosa más que admirarte. Estaba cautivado por tu determinación, tu fortaleza.

Su mandíbula tembló y su voz se quebró.

—No le temías a nada, enfrentabas todo sin pensarlo dos veces hasta superarlo. Me sentía tan orgulloso, tan feliz de tener una hija como tú, que sabía cómo hacer el mundo suyo y tenerlo en sus manos.

Agachó la cabeza, sus hombros temblaron, y cuando volvió a mirarme, estaba llorando. Mi pecho se comprimió al tiempo que las emociones me rebasaban también.

—Estaba tan cegado por mi confianza en ti, que no pude protegerte. No te cuidé como debía hacerlo —soltó un quejido amargo—. ¿Qué soy si no puedo protegerte? ¿Qué clase de padre soy si no puedo cuidarte? No sé si puedas perdonarme algún día, no sé si deberías, no sé si yo pueda perdonarme.

Me abalancé sobre él sin pensar, rodeé su cuello con desesperación y cedí a la contundencia de las emociones. Lloré con todas mis fuerzas, engullida por sus palabras, su tristeza y su pesar. Él me estrechó tanto contra sí que las heridas en mi espalda dolieron, pero no me importó.

—Eres lo que más amo en la vida, Leah. No habría podido soportar que algo te sucediera, ni a ti ni a Erick, Dios. —Puso su mano sobre mi cabeza y me apretó más contra sí, como si temiera que me evaporara si me dejaba ir.

—No es tu culpa, papá —dije enjugándome las lágrimas cuando recuperé la capacidad para hablar, separándome—. Fuimos unos idiotas, Erick y yo. Estábamos tan enojados con ustedes por habernos ocultado la verdad tanto tiempo, que preferimos escuchar a Louis por resentimiento. Fue estúpido e infantil, pero debí haberlo sabido. Debí ver las señales, la forma en que mamá se aterraba solo por escuchar su nombre, lo mal que reaccionó cuando volvió a verlo...

Otra ola de llanto me asaltó y puse la cara en mis manos, doblegada por la emoción.

—Lamento tanto haber lastimado a mamá llevándolo a casa.

—Eso es algo que debes hablar con ella. —Posó sus dedos sobre mi mentón para levantar mi rostro—. Habla con tu madre, cariño.

Asentí intentando respirar con normalidad para que el dolor en mi pecho y mi espalda cesara.

—Por favor, no te culpes —insistí—. Yo tomé esas decisiones. Fui víctima de mí misma, de mi testarudez. No es tu culpa, fue mi forma de aprender.

Me miró con atención y un atisbo de algo más antes de atraerme hacia sí de nuevo, llenando mi sien y mi mejilla de besos.

—Te amo tanto.

Sonreí, permitiendo que su fuerte y confortante esencia me envolviera de pies a cabeza.

—Yo también te amo, papá.

Alex no estaba en casa cuando llegamos del hospital.

Tuve que portar mi mejor máscara de impasibilidad para que la decepción no fuera evidente.

Una parte de mí creyó que me recibiría con los brazos abiertos mientras me decía al oído aquellas cosas que solo él sabía decir para volverme un manojo de sensaciones y tener a mi corazón al borde de un infarto por lo rápido que latía.

Pero no, en casa solo estaban y mis hermanos y Claire.

—Nos alegra tenerte de vuelta —Erick sonrió.

—Sí, aunque ya me estaba acostumbrando a ser el hijo consentido —dijo Damen y sonreí también. Se sentía bien volver a casa.

Me detuve en el recibidor cuando noté el enorme cuadro que colgaba sobre la pared principal, y algo aleteó en la boca de mi estómago, agradable y esperanzador.

—¿Eso es...?

—Es un obsequio de Alexander —explicó papá a mi lado, admirando la obra conmigo—. Lo guardó para ti, el resto de las fotografías se vendieron.

—¿Se vendieron? ¿De qué hablas?

—Estuve en su exposición. Fue todo un éxito.

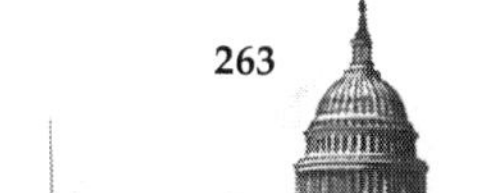

—¿Ese cuadro estaba en su exposición? —Lo señalé, sintiéndome expuesta y decepcionada por no haberlo acompañado en algo que era tan importante para él.

—Tú fuiste toda su exposición —aclaró, y la vergüenza afloró con mayor fuerza—. Vendió todas las fotografías, aunque no me sorprende, eran muy buenas. El chico tiene talento, sabe lo que hace.

Esbocé el amago de una sonrisa.

—Sí, lo tiene.

Seguí contemplándome, embelesada por la forma en la que había logrado capturarme. No me reconocía. Si alguien me hubiera mostrado esa fotografía asegurando que se trataba de mí, no le creería. Alex me transformaba en alguien diferente, alguien mejor.

—Te ves feliz —dijo papá con cariño—, muy feliz.

—Lo estaba.

Era una de las fotografías que me había sacado a la orilla del lago al amanecer en Rockport, el día de mi cumpleaños, cuando caí en cuenta del alcance de mis sentimientos hacia él.

—¿Sabes cuándo vendrá?

Lo miré expectante y después al resto de los ocupantes de la sala cuando ninguno dijo nada. Una estela rara se instaló en la habitación. Mi padre carraspeó y algo en su expresión cambió.

—Leah, hay algo que debes saber.

Sus palabras me llenaron de temor y pensé lo peor.

—¿Qué cosa? ¿Qué pasa? ¿Dónde está Alex?

—No vendrá —soltó de repente y lo miré sin comprender. Los demás permanecían callados, como simples espectadores de una escena de suspenso.

—¿Qué?

—No vendrá —repitió con el semblante lleno de preocupación.

—¿Qué quieres decir con eso?

Papá tardó en responder, y con cada segundo que pasaba en espera de una aclaración, mi corazón se hacía más pequeño.

—Se fue. Ha tomado la oportunidad en Suiza.

El impacto de la noticia se sintió igual que una bofetada, corta y dolorosa.

—¿Cuándo se fue?

—Ayer.

No supe qué decir mientras intentaba no venirme abajo con la noticia.

Me sujeté con fuerza al bastón que usaba de apoyo y parpadeé para mantener las lágrimas a raya.

—¿Por qué no me lo dijiste antes?

—No sabíamos cómo ibas a tomarlo, pensamos que era mejor decírtelo cuando estuvieras en casa —explicó con un deje de tristeza.

Inspiré con esfuerzo, sintiendo mi garganta cerrada y mi pecho oprimido.

—Habría sido mejor saberlo antes.

Al menos así no me sentiría tan estúpida por esperar algo que nunca iba a llegar.

—Dejó esto para ti. —Tardé en enfocar el sobre que me tendía, mientras la ira tomaba el lugar de la impresión.

Me debatí entre tomar la oportunidad de leer lo que sea que hubiese escrito o cerrarme por completo, pero al final, mi lado masoquista ganó la partida. Tomé el sobre con mano temblorosa y lo arrugué en un puño, aprisionándolo con fuerza.

—No quiero ese cuadro. Tíralo o véndelo, no me interesa.

—Te ves preciosa, cariño.

—No me importa. No quiero nada suyo —dije con acidez, girando sobre mis talones para ir hasta la habitación de huéspedes en la primera planta, que sería mi lugar de descanso hasta que pudiera subir escaleras.

—Déjame ayudarte —se ofreció Erick llegando a mi lado, pero retiré su tacto con hastío.

—Puedo hacerlo sola.

Todo pareció pasar a segundo plano y un aturdimiento agudo se apoderó de mis sentidos al tiempo que me concentraba en llegar a la habitación para no venirme abajo ahí, en el recibidor.

«Uno, dos, uno, dos, uno, dos. Respira. Inhala, exhala. Respira, Leah. Uno, dos, uno, dos».

No recordaba el momento en que llegué al umbral, ni tampoco recordaba cómo había logrado sentarme sobre la cama yo sola.

Respiré un par de veces más a conciencia, inmersa en lo distorsionado que parecía mi entorno. Se había ido. Después de todo lo que habíamos pasado, lo que habíamos superado, se había ido. No me había elegido a mí.

Con dedos trémulos, tomé el sobre que yacía inerte sobre la cama y lo abrí.

Estuve a punto de romperme al contemplar su pulcra caligrafía; parecía una de las notas que tanto adoraba escribirme. Con el corazón como un peso muerto en mi pecho, comencé a leer.

Las palabras se mezclaban sin ningún sentido mientras leía, al tiempo que entraba en una especie de aturdimiento mucho peor que el anterior.

«Nunca fuiste mi debilidad, Leah, tú fuiste siempre mi fortaleza; fuiste la respuesta a las preguntas que siempre tuve, y aquellas que ni siquiera me imaginé formular».

No sabía que un corazón podía romperse más de una vez y que una persona podía morir en más de una ocasión, pero ahí estaba yo, muriendo con cada palabra de esa maldita carta. Cuando terminé, doblé el papel y lo guardé dentro del sobre, haciéndolo con tanta concentración que me tomó más tiempo del que debería, pero estaba bien, porque era mi desesperado intento por retrasar lo ineludible.

Clavé mis ojos en el tocador que había frente a la cama, absorta en los detalles de la madera, buscando apaciguar el dolor que iniciaba en mis entrañas y se extendía por todas mis extremidades. Cuanto más pensaba en sus palabras y las digería, más vívido y lacerante era el dolor.

—¿Por qué la dejaste sola? Por Dios, no sabes cóm...

Mamá detuvo su carrera en el umbral de mi habitación.

—Cariño, ¿estás bien? —preguntó acercándose cautelosa.

—Sí, estoy bien. —No reconocí la voz que salió de mi boca.

Se sentó al borde de mi cama, con sus ojos inundados por la preocupación.

—Sé lo de Alexander.

—Fue su decisión. No podía obligarlo a quedarse —expliqué intentando convencerme de ello—. Tal vez era lo mejor, para ambos. Tenía sus razones.

Mamá se mantuvo en silencio. Inspiré una vez e intenté pasar saliva para luchar contra el nudo en mi garganta, que se volvía cada vez más intolerable.

—Era lo mejor, ¿cierto? Era lo mejor —repetí una vez más en un susurro, antes de ceder por fin.

Mis emociones no explotaron, implosionaron. Me vine abajo desde dentro, derrumbándome por completo. La catarsis que tanto había luchado por evitar estalló en lo más profundo, arrastrándome de manera violenta.

Lloré como nunca lo había hecho antes, la impotencia comiéndome viva, impidiéndome pensar con claridad. El nudo en mi garganta era doloroso y la quemazón en mi pecho inaguantable.

Mamá me abrazó tan fuerte que el dolor en mi espalda se combinó con el emocional y se sintió mucho peor. Estaba susurrándome un montón de cosas que apenas podía registrar en medio de mi llanto.

No era consciente de nada, solo de las emociones, que se presentaban crudas e implacables como un huracán que me arrastraba con él hacia el ojo de la tormenta.

—Leah, necesito que respires. Vamos, cariño: inhala, exhala. —Mamá me tomó del rostro e intenté concentrarme en la tarea que me encomendó, pero no pude. Mi pecho no dejaba de moverse errático por los espasmos del llanto.

Arrugué el cobertor en un puño, con una nueva oleada de emociones revolcándome, haciéndome perder el sentido otra vez de todo lo que había a mi alrededor.

—Vas a lastimarte, Leah. Necesito que respires profundo, por favor —insistió más alarmada, pero no pude conseguirlo.

Sollocé alto, sin que el dolor apaciguara. Se sentía como morir, pero peor.

Mamá desistió a su intento por hacerme respirar con normalidad, así que, en su lugar, me abrazó mientras yo me rendía a las emociones sin oponer ningún tipo de resistencia. De la misma forma en que me había rendido a Alexander.

Ahora se había ido, y con él, se había ido también aquello que era mi fortaleza.

El tiempo era imparable, así que siguió su curso, arrastrándome con él.

Los primeros dos días después de la partida de Alexander pasaron en blanco. No recordaba mucho sobre ellos, tan inmersa en mi aturdimiento que me costaba trabajo ser consciente de las cosas que hacía.

La mayor parte estuve en cama, con la herida aún muy abierta y punzante. Mamá dormía conmigo para no dejarme sola, aunque en realidad ninguna de las dos podía dormir.

Las noches eran crueles. Me despertaba gritando casi siempre, con las sensaciones de sueños vívidos a flor de piel, anclados a mi mente e impresos en mi memoria.

Dominik estaba siempre en ellos, acechándome. Fitz lo acompañaba también. Louis solía no aparecer. Tuvieron que sedarme para conciliar el sueño al tercer día.

Edith se presentó al día siguiente, acompañada de Ethan y Jordan. Mi amiga me abrazó por lo que pareció una eternidad, hecha un mar de lágrimas y pidiendo un montón de disculpas por no acompañarme en el viaje de regreso de su casa de descanso. Le dije que no tenía nada de qué disculparse, porque en realidad no era su culpa, ni de Sara.

Jordan fue amable, igual que Ethan, y agradecí su compañía. No hablaron de Alexander, solo de lo aburrida que era la universidad sin mí y, en general, de las estupideces de Matt y de la reintegración de Sara en la vida normal después de salir del hospital.

Luego de su visita, pasaron dos semanas desde mi alta del hospital en un parpadeo.

El tiempo ya no era un espectro repleto de horas vacías con las actividades que realizaba para llenarlas. Intentaba ponerme al día con la universidad antes de regresar para mi graduación, ayudaba a mi madre a organizar su agenda mientras estaba en casa y charlaba mucho con Claire sobre su preciado embarazo mientras ayudaba con los últimos detalles de su boda.

También comencé mi terapia en ese tiempo.

El terapeuta era joven, tal vez cinco o seis años mayor que yo, pero era atento y paciente. Las primeras sesiones fueron un desastre, considerando que lo único que podía hacer era llorar. Eventualmente la catarsis cesó y pudo atenderme con diligencia; me ayudaba a visualizar aspectos de mí que no sabía que necesitaban ser reparados, y gracias a él, estaba empezando a reconstruirme poco a poco.

Las noches aún eran difíciles. Los eventos eran vívidos y me asaltaban sin tregua en la tranquilidad de mi habitación, cuando me emboscaban sola. Mis padres solían quedarse conmigo hasta que era capaz de conciliar el sueño, pero era complicado lograrlo. Algunas veces papá permanecía sentado en la silla velando mi sueño, hasta que lo encontraba dormido en una incómoda posición, pero a él no parecía importarle. Otras veces era Damen quien se quedaba conmigo.

Era difícil construirse desde cero luego de la devastación, pero al menos no tenía que hacerlo sola. Toda mi familia se encargaba de pegar una pieza a la vez con su cariño y su apoyo. Aunque aún había una pieza perdida que nadie podía darme, solo una persona que no iba a regresar. Dolía, pero mi familia se encargaba de mitigar la sensación de vacío.

—¿Hortensias u orquídeas? —preguntó Claire.

Me mordí el labio analizando ambas opciones.

—Orquídeas, son más elegantes y van mejor con la decoración.

—¿Tú crees? —Evaluó la flor en cuestión—. ¿Serán adecuadas para la temporada?

—Claire, la boda será en mayo, las orquídeas son de temporada.

—Tienes razón —sonrió—. Me encantan. Muero porque ya sea mi boda y por conocer a este pequeño. —Tocó su vientre con cariño.

—O conocerla —aclaré ilusionada.

—Serás una tía estupenda, pero por favor, no lo consientas demasiado.

Hice un gesto para simular que lo consideraba.

—No lo sé, lo pensaré.

—Leah —la voz de papá interrumpió nuestra charla y su semblante serio hizo que mi buen humor se desvaneciera.

—¿Qué sucede?

—Hay alguien que quiere verte.

—¿Quién?

—Será mejor que vengas. —Hizo un gesto con la cabeza para que lo siguiera.

Me incorporé impulsada por la curiosidad, le hice un gesto de disculpa a Claire y seguí a papá por el recibidor, hasta llegar a la sala de estar, donde Agnes me esperaba con una expresión en el rostro que no pude descifrar.

—¿Qué quieres? —fue lo primero que se me ocurrió preguntar luego de que mi corazón se compungiera solo de verla.

—Necesito hablar contigo.

—Yo no tengo nada que hablar contigo, y cualquier cosa que quieras decirme, no deseo escucharla, así que lárgate.

Las venas en su cuello se marcaron cuando inspiró para mantenerse calmada.

—Por favor —pidió—, es importante.

Miré a papá buscando orientación, pero su semblante era indescifrable. Una parte de mí se moría por saber qué era lo que mi exsuegra tenía que decirme, mientras la otra solo quería dar la vuelta y no volver a verla nunca más, pero al final, la curiosidad ganó.

—Cinco minutos —dije sin más, alzando el mentón—. Es lo único que voy a darte.

—De acuerdo. —Se centró entonces en papá, que seguía de pie junto a mí—. Quiero hablar con ella a solas.

Papá hizo una mueca, pero accedió.

—Estaré cerca, así que ni se te ocurra ponerle un dedo encima porque te...

—Ya lo sé, tranquilízate. No le haré daño, puedes bajar todo tu maldito arsenal.

Papá inspiró una última vez para después girarse hacia mí.

—No dudes en llamarme si algo sucede. —Besó mi coronilla en un gesto protector, no sin antes dedicarle una mirada de advertencia a Agnes.

—¿Y bien? —la presioné cuando nos quedamos solas.

Arrugó los labios y se limpió motas inexistentes de polvo de su impoluto blazer color perla.

—Vine a hablarte sobre Alexander.

Ahí estaba de nuevo, el pinchazo en mi corazón que no desaparecía a pesar de las semanas, y que posiblemente no desaparecería nunca, así transcurrieran cien años.

—No quiero escuchar sobre él, ni saber nada sobre él. Se fue, ya está. —Me encogí de hombros—. Tomó su decisión.

—Sé que te dolió que lo hiciera. Yo tampoco termino de entenderlo.

—Bueno, tú eres su madre, si tú no lo entiendes, entonces nadie lo hará. ¿Eso es todo?

Volvió a tomar aire y extrajo algo de su bolso.

—Su cumpleaños es la próxima semana.

—Lo sé.

—Estaba pensando en visitarlo y pasar un tiempo con él, pero creo que le gustará más recibirte a ti. —Me tendió el sobre—. Te he comprado un boleto a Suiza sin fecha de retorno, tómalo.

La miré perpleja. ¿Había escuchado bien? ¿Había perdido la cabeza? Agnes Colbourn ofreciéndome un boleto para ir tras su hijo. Sí, seguro estaba teniendo alucinaciones.

—¿Perdón? —balbuceé cuando nada acudió a mi mente.

Hizo una mueca de exasperación, sus ojos decisivos, dolorosamente parecidos a los de Alexander.

—No me hagas repetirlo. Solo tómalo.

—¿Me estás pidiendo que vaya tras él? ¿Por qué?

Arrugó los labios de nuevo, displicente.

—Porque tú lo haces feliz. Te ama.

Mi corazón se oprimió con esa oración.

—Te equivocas. Si yo lo hiciera feliz, si me amara —repetí mordaz—, no me habría abandonado.

Bajó el sobre, armándose de paciencia.

—Los hombres suelen hacer cosas estúpidas cuando están enamorados.

—No solo fue estúpido, fue cobarde. Tu hijo tomó su decisión, Agnes. Si él hubiera querido que estuviera a su lado, se habría quedado, o me habría llevado consigo. No pienso ir tras él.

Me miró de forma extraña, curiosa.

—Sé cómo te sientes.

—¿Tú? —siseé—. ¿Desde cuándo tienes corazón?

—Estoy diciéndote que no seas una imbécil orgullosa. Eso no te llevará a ningún lado, solo te llenarás de resentimiento y frustración hacia ti misma. No le des la espalda a esto.

—¿Para qué quieres que vaya detrás de tu hijo? ¿Para que vuelva a abandonarme cuando le venga en gana? —dije con amargura y negué—. Me quiero más que eso.

Pareció dolida.

—Las personas que amamos también se equivocan. —Noté el deje de tristeza en su voz—. Somos seres falibles, pero tenemos la capacidad de corregir errores y de ayudar a nuestros seres queridos a corregirlos también.

La contemplé impresionada. Si fuera más idiota, quizá le hubiera creído, pero ya no.

—¿Por qué estás haciendo esto?

—Porque quiero que sea feliz.

—Déjate de cursilerías. Ni siquiera me toleras.

Sus ojos flamearon con molestia.

—No, realmente no te tolero —concedió con acidez—, pero quiero que mi hijo sea feliz. Anda, tómalo antes de que entre en razón. —Volvió a tenderme el boleto y lo miré un momento, considerando hacerlo.

—¿Por qué debería?

—Solo hazlo. —Lo sacudió—. Tú decidirás si usarlo o no.

Lo tomé con recelo. Se acomodó mejor el *blazer* y alzó la cabeza con altivez.

—Bien, eso es todo. Espero que tomes la decisión correcta.

—¿La decisión correcta? —repetí, desconcertada.

—Dejar el orgullo atrás duele, pero duele más perder algo valioso a causa de él. Yo ya cometí ese error una vez, no quiero que mi hijo lo cometa también, ni quiero que tú lo hagas —explicó con una seriedad que me caló hasta los huesos.

Quería replicar algo más, buscar claridad en sus palabras, pero no pude decir nada más cuando sus tacones ya repiqueteaban hacia la salida principal. Permanecí de pie en el centro de la sala con el boleto arrugado entre mis dedos y un montón de emociones conflictivas batallando en mi interior. Tomar la decisión correcta. ¿Cuál era la decisión correcta?

Una parte de mí moría por ir tras él, hacerle ver el error que estaba cometiendo al alejarse y permanecer a su lado. Esa era la parte idílica, la idealista.

La otra parte demandaba que me quedara justo donde estaba, que no fuera más una masoquista y guardara los fragmentos de mi dignidad para repararla con el tiempo. Esa era mi parte lógica, la racional.

El problema radicaba en que no tenía ni puta idea de qué hacer.

Me pasé la mano por el cabello, estresada. ¿Quería estar con él? Sí. ¿Quería que me rechazara? No. ¿Quería tomar el riesgo? No lo sabía.

Puse las manos en mi cara, angustiada por la falta de dirección.

—¿Hablas en serio? ¿De verdad Agnes Colbourn te dio este boleto? —Edith agitó el sobre que contenía mi vuelo a Suiza.

Dejé de caminar cuando la herida que atravesaba mi espalda baja me molestó y contemplé a mi amiga sentada en mi cama.

—Sí, por increíble que parezca, así es.

—¿Qué demonios se metió? —Frunció el ceño—. Creí que haría una fiesta para celebrar que su adorado hijo estaba finalmente lejos del alcance de tus garras.

—Gracias por hacerme ver tan linda —dije mordaz—. Yo también lo pensé, incluso creí que estaba soñando cuando la vi en casa.

—¿Por qué crees que te dio el boleto?

Encogí un hombro, sin dejar de sentir la opresión en mi pecho y la indecisión ahogándome.

—Porque está loca. Quizá sea bipolar.

—Hablo en serio, Leah. —Mi amiga me miró con seriedad—. ¿Crees que Alexander le pidió entregarte el boleto?

El pinchazo en mi corazón se hizo más nítido al escuchar su nombre, pero negué con decisión.

—No es ese tipo de hombre. Alexander hace las cosas por sí mismo. Si hubiera querido que viajara hasta Suiza, él mismo me habría entregado el boleto o…

Me atraganté con las palabras, negándome a admitirlas. «O habría venido hasta mí» quise decirle, pero me abstuve, aunque no tenía caso negarlo. Conocía a mi exesposo. Era el tipo de hombre que iba tras lo que quería, sin reservas y con determinación, justo como me había perseguido a mí hasta hacerme caer a sus pies. Y cuando finalmente me tuvo donde quería, él solo…

—Esto es idea de Agnes, ella quiere que vaya tras él. Alexander no tiene nada que ver —dije con amargura—. Puede que ni siquiera sepa de los planes de su madre y no pienso humillarme yendo hasta allá para que me cierre la puerta en la cara.

Edith hizo un mohín.

—Dudo que Alexander te cierre la puerta en la cara. En todo caso, si te encontrara, creo que se arrodillaría frente a ti para pedirte perdón por irse.

Bufé displicente.

—Nunca se ha arrodillado por nada, ni siquiera para suplicar por su vida. No lo haría por mí.

—Yo creo que lo haría —objetó—. Él hizo cosas por ti que alguien cuerdo jamás haría por nadie. Eres tan importante para Alex, que fue detrás de ti para salvarte, puso su vida sobre la línea por ti, Leah, más de una vez. Si eso no es amor, no sé qué sea.

Me mordí el labio mientras miraba el boleto, mi corazón compungido y las lágrimas llenándome los ojos. Edith tenía razón, pero no quería reconocerlo porque entonces mi determinación por dejarlo ir se debilitaba.

—Y aun así se fue —respondí cortante.

—Porque es un idiota que tiene miedo de exponerte otra vez, él mismo lo dijo en la carta que te escribió —explicó mi amiga con un deje de frustración en la voz—. Ve tras él, hazle entender que no estás en peligro, que no eres ninguna damisela en apuros que necesita protección.

—Edith…

—Él te ama, Leah. Todos lo sabemos —insistió, agitando el boleto—. Es tan obvio que solo basta con ver la devoción con la que te mira para darse cuenta. Ya quisiera yo que alguien me amara la cuarta parte de lo que Alex te ama a ti.

—No exageres, no es para tanto.

—Lo es.

Negué, tragándome el nudo que se formaba en mi garganta para hablar.

—Él tomó su decisión.

—¡Entonces tú toma la tuya! —elevó la voz, se alejó de la cama para llegar hasta mí y me tomó de los brazos con delicadeza—. Agnes te lo dijo, tú lo haces feliz, él te hace feliz. No lo dejes ir. No seas una idiota orgullosa.

—No es tan fácil, Edith.

—Sí lo es. —Apretó el agarre en mis brazos y miré la determinación en sus ojos, clara y nítida—. Quiero ver a mi mejor amiga feliz. Te lo mereces luego de lo que pasaste, ambos se lo merecen luego del infierno al que sobrevivieron.

La indecisión se plantó profundo en mi pecho, igual que maleza. No sabía qué hacer. Quería ir tras él, pero también quería quedarme. Lo amaba, pero también estaba furiosa con Alexander por abandonarme. Quería dejar mi orgullo y también aferrarme a él.

Me mordí el labio, considerando todo lo que Edith me decía, analizando los pros y los contras.

Miré el sobre que contenía el boleto sobre la cama y, de pronto, la decisión se mostró clara y concisa en mi mente.

Si Alexander no quería ser un egoísta, lo sentía por él, porque yo sí que lo sería en esta ocasión.

28
CICATRICES
Leah

Tomé otro sorbo de café para entrar en calor. El espacio en el minúsculo establecimiento estaba repleto de pasajeros que luchaban por conseguir una bebida antes de su salida.

Tuve suerte de encontrar una mesa disponible. Debía esperar al menos una hora más para abordar, y no me apetecía hacerlo en el centro del aeropuerto, donde el bullicio del lugar era más ensordecedor.

Me cubrí mejor con mi chaqueta y moví mis dedos entumecidos por el frío aire que circulaba en el complejo; mi anillo desplegó un delicado destello cuando las luces sobre mi cabeza se reflejaron en él.

Estaba por dar otro sorbo más cuando alguien puso una bolsa marrón de papel frente a mí.

—¿Me extrañaste? —susurró suave contra mi oído y giré el cuello para sonreírle.

—No tardaste tanto.

Me besó en los labios para después dejar la bolsa sobre la mesa y ocupar la silla de enfrente.

—No quería dejar tanto tiempo sola a la cumpleañera. —Señaló la bolsa con la cabeza—. Tuve que enfrentarme a bestias para conseguirlo, y con eso me refiero a rogarle al guardia de la puerta para que me dejara pasar esto. Espero que te guste tu regalo: muffins a la Collin.

—Por favor, Collin, no hagas chistes, no son lo tuyo —reí mientras abría la bolsa para sacar un muffin.

Se tocó el pecho en un gesto exagerado de ofensa.

—Pero te enamoré con mis chistes.

Negué mientras intentaba no ahogarme con el pedazo que tenía en la boca.

—Tienes muchas virtudes, pero esa no es una de ellas. Dios, está delicioso —me deleité.

Sus pálidos ojos azules brillaron y tomó mi mano para besar los nudillos con afecto, su barba incipiente me hizo cosquillas. Acarició con su pulgar el lugar donde estaba el anillo de compromiso.

—Lo mejor para mi futura esposa. —Algo se asentó en la boca de mi estómago ante sus palabras, una sensación que nunca podía decidir si era amor o nerviosismo—. Feliz cumpleaños, cariño.

—Gracias.

Era extraño volver a casa después de tanto tiempo, pero era aún más raro regresar del brazo de una persona diferente, acompañados de un montón de planes de boda. No podía deshacerme de la sensación de ajenidad, como si no fuera realmente yo quien estuviera a punto de casarse, otra vez.

Habían transcurrido tres años desde la última vez que estuve en una situación similar, usando un anillo distinto: aquel que me unía a Alexander Colbourn.

Domé mis pensamientos de forma diestra para alejarlos de él. Me había vuelto muy buena con el paso del tiempo. Sonreí y decidí disfrutar de mi cumpleaños, aunque fuese en un ajetreado aeropuerto, con una serie de escalas desde Sudáfrica hasta Washington.

—Lo siento, tengo que atender esta llamada —dijo de pronto. Se puso en pie de un salto y se alejó unos cuantos metros para atender. Estaba casi segura de que era de trabajo.

Solía trabajar mucho, lo que me venía perfecto porque así podía concentrarme en mis propios proyectos.

Observé su espalda con atención, la chamarra ciñéndose a ella y tensándose ahí donde le quedaba ajustada por sus anchos hombros, con el cabello color arena naciendo en la base de su nuca.

Collin Montague era mi complemento perfecto. O al menos eso me gustaba pensar.

Él fue mi primer terapeuta. Me atendió durante los primeros meses, hasta que tuvimos que dejarlo porque me confesó que comenzaba a sentir cosas por mí y seguir con el tratamiento no sería profesional. Fue uno de los momentos más incómodos de mi vida.

No tuve otra opción más que comenzar de cero con alguien diferente, esa vez con una mujer. Hizo maravillas conmigo durante el primer año, antes de que decidiera emprender mi viaje en búsqueda de lo que realmente quería hacer en la vida.

Decidí que podía hacer algo mejor con todo lo que aprendí como sobreviviente, y lo usé como base para impartir conferencias en diferentes países donde el acceso a una justicia eficaz era precario, y la violencia era pronta y elevada. Me sumergí tanto en ese tema que creé mi propia institución de apoyo y orientación.

Fue durante una de mis conferencias que me encontré de nuevo con Collin, esta vez en Mozambique, luego de meses del desastre en su consultorio.

Estaba ahí por una oportunidad en una asociación de psicología. Él decía que era el destino; yo decía que era una simple coincidencia, pero trabajamos juntos para un proyecto de tesis con matices sociológicos que yo estaba realizando.

Comenzamos a salir después de eso. Fue incómodo y extraño al principio; las conversaciones eran torpes y los silencios largos, pero lo hicimos funcionar.

No supe en qué momento llegamos al año de relación, ni mucho menos podía imaginar qué pasó por su cabeza para proponerme matrimonio en uno de nuestros viajes por Ucrania, durante el recorrido de un túnel hecho por una arboleda en Klevan.

Tampoco supe qué pasó por mi cabeza para darle el sí, pero lo hice.

Me agradaba porque no era alguien complicado; su personalidad era sencilla, su romanticismo era sencillo, y era aún más fácil leerlo. Sabía qué haría incluso antes de que lo hiciera, y eso me parecía perfecto, porque me llenaba de seguridad. Sabía que no se despertaría un día y se iría así sin más.

Sí, Collin Montague era mi complemento perfecto. Era atractivo, encantador, leal, inteligente y tenía solo bondad en su corazón. No había matices oscuros o puertas cerradas; todo él era un campo abierto y estaba más que dispuesta a explorarlo sin obstáculos.

Di un respingo cuando mi prometido me tocó el hombro.

—Tranquila, soy yo. No voy a robarte —sonrió—. Aunque pensándolo bien...

—¿Quién era? —ignoré su pobre intento de broma.

—Eider. Quería saber si ya habíamos abordado.

—Tu hermano debe estar muy ansioso por volver a verte.

Se encogió de hombros y entrelazó sus dedos con los míos.

—Tu familia igual. ¿Cuándo fue la última vez que los visitamos? —Frunció el ceño, con un cabello rebelde claro pegándose a su frente.

—Hace siete meses.

—Cierto —concedió con tono afable—. Aunque no sé si cuente como visita si solo tuvimos una cena con tus padres en un restaurante y nos fuimos al día siguiente. Ni siquiera conozco su casa y ya estamos a punto de casarnos.

—Lo siento, pudimos haber pasado más tiempo con ellos, pero tenía que atender esa emergencia en Portugal. No quería perderme la oportunidad de ofrecer mi conferencia en Lisboa.

—Lo sé. —Besó mi mano y sentí un atisbo de calidez en mi pecho—. Será perfecto pasar una temporada en casa, al menos hasta después de la boda. Son solo unos cuantos meses, planearemos todo y después estaremos casados.

Asentí con un nudo formándose en mi estómago.

—Claro, nos vendrá bien un tiempo en casa.

—¿Hablaste con tu padre? ¿Sabes para qué te buscaba con tanta urgencia?

—No. Dijo que era algo importante y prefería hablarlo en persona.

Collin no pareció satisfecho con la respuesta, pero lo dejó pasar.

—No sé si les agrade —confesó.

—No te preocupes por mi familia, te amarán —traté de alentarlo cuando noté la forma en que movía las manos en señal de nerviosismo.

—No estoy seguro, tu padre me miraba como si quisiera acribillarme.

—Mira así a todo el mundo. Es su forma de ser. Papá es difícil.

—No me digas —se burló elevando las cejas—. No sé si fue buena decisión enredarme con una niña de papi.

Lo empujé en el hombro y él soltó una risa corta.

—Bueno, tendrás que lidiar con el padre de esta niña de papi —lo imité—. Es muy importante para mí.

—Ya lo sé, cariño. Haría cualquier cosa por ti —afirmó con afecto—, hasta soportar sus miradas matadoras.

—No seas exagerado. Le agradas, mi padre solo es duro contigo porque no se conocen. Estoy segura de que te amará en cuanto conversen.

Alzó las comisuras de su boca en el atisbo de una sonrisa.

—Lo que tú digas.

Se inclinó para besarme al tiempo que yo alzaba la cabeza para poner atención a la mujer que hablaba a través de los altavoces del aeropuerto, anunciando el abordaje del próximo vuelo.

—Parece que es el nuestro —susurré y mi prometido me ofreció su mano para ayudarme a ponerme en pie.

—Es hora de volver a casa.

Intenté sonreír, pero no lo logré. Estaba demasiado nerviosa, y ni siquiera sabía por qué.

Tomé su mano y caminé junto a él hacia la puerta de abordaje convertida en un manojo de sensaciones y anticipación, pero me antepuse a las emociones.

Era momento de regresar a casa y planear una boda.

—¿A qué dijiste que te dedicabas? —inquirió papá con tono duro, como si le preguntara por la veracidad de una coartada en lugar de su trabajo.

No sabía dónde meter la cabeza de lo avergonzada que estaba. Apenas habíamos vuelto a casa, ni siquiera habían pasado dos horas, y papá ya estaba interrogando a mi prometido. No creí que se tomaría la noticia tan mal, pero a juzgar por su expresión, no le hacía ninguna gracia que volviera a Washington con planes de boda.

Collin dejó el tenedor sobre el plato, encuadró los hombros y se irguió para parecer seguro, aunque sabía que la aplastante mirada de papá terminaría por doblegarlo.

—Soy psicólogo. Mi especialidad es...

—¿Con qué hospital trabajas? —siguió sin desistir, con el mismo tono agresivo.

—World Medical Association, pero estos meses estaré...

—¿Qué haces dentro de la asociación?

Collin inspiró para llenarse de paciencia luego de ser interrumpido tantas veces, pero me adelanté.

—Está delicioso, ¿quién lo preparó? —Forcé mi mejor sonrisa.

—Yo misma —respondió mamá, ansiosa por aligerar la tensa atmósfera tanto como yo—. Aunque Ana tiene una mano increíble para calcular las espe...

—¿Has estado casado antes? —la interrumpió mi padre con tono despiadado.

Collin negó con la cabeza.

Papá inspiró sin quitarle los ojos de encima, como si tuviera miedo de que me clavara el cuchillo en la mano si lo descuidaba un segundo. Pensé que su interrogatorio al estilo de la maldita Inquisición había terminado y mi prometido no acabaría en la hoguera, pero me equivoqué.

—¿Y qué te hace pensar que mereces a mi hija?

—¡Papá!

—¡Leo, por Dios! —lo reprendió mamá.

Ambas chillamos horrorizadas, pero no se inmutó, siguió perforando con la mirada a mi prometido, como si quisiera llegar hasta su médula.

—La amo —musitó Collin, seguro y sereno.

—¿Eso es todo? —espetó sin impresionarse.

—¡Dios! —me quejé, cubriéndome la cara con las manos, pero sabía que no iba a detenerse.

—No, no es todo, también...

—¿Cuándo vendrá Erick? —interrumpí por mi salud mental. No podría soportar otra pregunta incómoda más.

Hice mi mejor mohín de súplica.

—Mañana —respondió papá, por fin, dándole tregua a Collin con su despiadado ataque—. Vendrá con Nathan.

—¿En serio? —sonreí emocionada—. Muero por ver a mi sobrino, debe estar enorme.

—Lo está —confirmó mamá—. Es precioso, tienes que verlo; y hace tantas tonterías, no dejarás de reírte.

—No puedo esperar. ¿Qué hay de Damen?

—Tu hermano estará aquí para tu evento de beneficencia. No pudo escapar de la universidad antes.

—Lástima, me emocionaba verlo.

—Lo verás pronto, cariño —respondió mamá sin perder su tono feliz.

Terminamos de comer entre silencios incómodos y conversaciones forzadas. Mi madre, siempre la heroína, charló con Collin la mayor parte del tiempo sobre los nuevos avances médicos en la psicología y sus tratamientos alternativos en niños. No sabía mucho sobre el tema, pero parecía genuinamente interesada, y le agradecí su esfuerzo por integrarlo a la familia.

No fue tan mal como imaginé, fue mucho peor; papá nunca dejó de mirarlo como si fuera un intruso.

Inspiré para apaciguar el malestar y me encaminé a su estudio. Iba a escucharme.

Se giró justo cuando entré, su expresión era inescrutable mientras yo pisaba fuerte para tratar de intimidarlo, aunque hacerlo era imposible. Tenía un vaso de licor en la mano, las mangas de la camisa dobladas y la corbata floja.

—¿Por qué lo hiciste, papá? —cuestioné cruzándome de brazos y lazando misiles con mis ojos.

—¿Qué cosa?

—Tratar así a Collin.

—No hice nada. Si lo asustaron un par de preguntas, no es mi culpa —se excusó indiferente y dio un sorbo a su licor.

Moví el músculo de mi mandíbula, molesta.

—No tenías por qué tratarlo de esa forma, es mi prometido.

Dejó el vaso sobre su escritorio y se cruzó de brazos, escrutándome.

—No tienes por qué apresurarte en tomar esa decisión. Cariño, no tienes que casarte, eres demasiado joven aún.

Lancé un quejido de incredulidad.

—No soy una niña. Crecí. Sé lo que hago.

—Sí, también eres impulsiva y terca. Buscas las respuestas antes de hacer las preguntas.

—Papá...

—No, escúchame —me cortó rotundo—. ¿Cómo sabes si él es lo que necesitas? ¿O si es lo que quieres?

—¿Es en serio? ¿Volveremos a tener esta conversación como lo hicimos hace años? —pregunté enojada—. Él es lo que quiero.

—Leah, por Dios —espetó exasperado.

—Hemos estado juntos por un año y comprometidos por dos meses. Sé que lo quiero —contesté impregnando mis palabras de toda la convicción posible.

—No lo conoces —argumentó—. No sabes si planea dejarte luego de conseguir lo que sea que quiera de ti —soltó con rudeza y sentí un pinchazo en el pecho que me hizo escocer el estómago.

Había tocado una fibra sensible.

—Collin no es Alexander —siseé enojada y pareció percatarse de su error, pero no desistió.

—Él sería mejor para ti. Al menos conocía sus verdaderas intenciones. Tal vez debiste ir hasta Suiza tras él después de todo.

Lo miré ofendida, dolida y enojada, porque estaba escarbando en heridas que llevaban mucho tiempo abiertas, pero anestesiadas.

—Él me dejó. Tú estabas ahí —había más amargura en mi voz de la que deseaba, pero ya era tarde para controlarlo—. Se fue cuando más lo necesité, y no puedo creer que prefieras verme con un cobarde solo porque lo conoces, que darle la oportunidad a alguien que no ha hecho otra cosa que apoyarme y estar ahí para mí.

Abrió la boca para hablar, pero no me detuve.

—No fui tras Alexander porque no tenía razón para hacerlo. Me dejó —repetí—. Cualquier cosa que tenga que ver con él, no me interesa en lo absoluto.

—Leah, tú lo amabas —replicó—. Y yo sé que Alexander...

—No lo menciones de nuevo. Lo nuestro terminó el día que me abandonó en el hospital. Él murió para mí hace tiempo, y lo he superado —continué severa, aunque había cierta vacilación detrás.

Su expresión se suavizó cuando volvió a centrarse en mí.

—Sé que lo has superado, pero también te conozco. Eres mi hija, te conozco mejor que nadie. Sé que no olvidas con facilidad.

Levanté la barbilla para aparentar templanza y convicción, aunque era todo un chiste. No podía engañarlo a él.

—Créeme, Alexander Colbourn dejó de existir para mí. Todo lo que siento hacia él es pena.

—Yo solo percibo resentimiento.

—Ya no soy una niña idiota. Sé lo que quiero y lo que no.

Pareció considerar mis palabras el momento que tuvimos en silencio.

—Bien, de acuerdo —accedió al final, sentándose en su silla tras el escritorio—. Le daré al chico una oportunidad.

—Gracias.

—A cambio de que me ayudes con algo —sentenció ahogando mi suspiro de alivio.

—¿Con qué?

—Siéntate.

Lo obedecí y esperé a que se explicara.

—Estoy a la cabeza de un proyecto que ha resultado bastante complejo. Se conjugan muchos sectores comerciales, y sobra decir que hay un sinfín de inversiones en juego esperando rentabilidad.

Fruncí el ceño sin comprender.

—¿Cómo se supone que figuro yo en eso?

—Quiero que te encargues de la logística comercial y las relaciones diplomáticas —explicó, con sus ojos de hierro evaluando mis reacciones.

Abrí la boca sin saber qué decir.

—Sé que te quedarás unos meses y sería muy benéfico que tú me ayudaras en ese aspecto.

—No lo sé, papá, quiero decir...

—Tú te encargas de tu propia fundación y de tus negocios, ¿cuál es la diferencia?

—Sí, una fundación donde la especulación comercial no es de dimensiones macroeconómicas —rebatí—. Deberías contratar a alguien más capacitado para hacerlo.

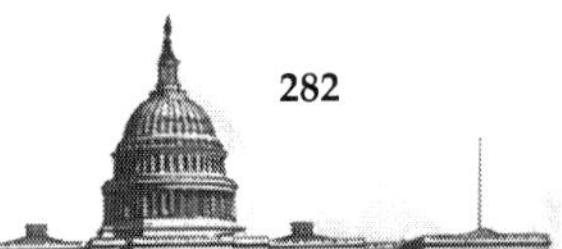

—Creo que tú eres el mejor perfil para ese puesto en este proyecto. La ejecución debe ser impecable y no conozco a nadie mejor que tú para eso.

Me mordí el labio, indecisa.

—¿Qué empresas estarán participando además de la tuya?

—Masterson, Creed, Pott, Colbourn, Cormac, Flint...

—Espera, alto ahí —lo detuve sintiendo el miedo asentarse en mi estómago—, ¿dijiste Colbourn?

Su rostro era una máscara de impasibilidad.

—Sí, hemos trabajado siempre juntos. Tenemos una buena relación laboral.

Parpadeé un par de veces, incrédula.

—¿Por qué me pides que haga esto cuando los Colbourn están involucrados?

—¿Por qué no lo haría? ¿Qué relevancia tiene que ellos participen?

Lo miré como si le hubiera crecido otra cabeza.

—¿Qué tal si a Byron se le ocurre enviar a Alexander como representante? —inquirí horrorizada—. Solía hacer ese tipo de cosas para su padre.

—Por lo que sé, Alexander es quien está dirigiendo la empresa, no su padre —aclaró, y la fea sensación solo cobró más fuerza—. Lo que quiero decir es que Alex no se inmiscuirá en algo así porque tiene muchas responsabilidades más apremiantes. Delegará la tarea en alguien más, justo como lo he hecho yo contigo.

—¿Estás seguro?

—Sí.

Hice una mueca sin estar convencida aún.

—Sé que puedes manejar esto. —Se inclinó apoyando sus antebrazos en el escritorio—. Tienes mucha capacidad.

Lo miré vacilante, antes de inspirar y asentir.

—De acuerdo, yo me ocuparé de ese departamento.

Papá me dedicó una enorme sonrisa.

—Sabía que no me decepcionarías.

Intenté sonreír, pero no lo logré. La presión había desaparecido, pero todavía notaba una rara sensación en el pecho. Esperaba que no fuera nada, solo mi paranoia.

29
LO QUE FUIMOS
Alexander

Quería tomar un baño, uno muy largo, y dormir por lo menos tres días seguidos hasta recuperar la energía que había perdido en el largo viaje de Sudáfrica a Londres. Creí que podría encontrar un vuelo directo y sin escalas, pero el maldito clima no jugó a mi favor.

Entregué mis maletas a las personas de servicio y subí las enormes escaleras de caracol de la mansión de mi abuelo. Se había convertido en mi residencia desde que regresé de Suiza, dos años atrás.

Extrañaba mi cama y mi regadera. Lo primero que haría al entrar en mi habitación sería tomar mi preciado baño y después…

—¿Tía Chelsea?

La aludida se giró en mi dirección y dejó caer el retrato que sostenía en las manos.

—Lo siento, no sabía que regresarías tan temprano —dijo recuperándose de la impresión.

Hizo el ademán de inclinarse para recoger el retrato, pero me adelanté y mi corazón se apretó cuando miré la fotografía: era la que tenía en el buró junto a mi cama, cuando Leah había visitado Londres conmigo. Ella sonreía feliz mientras yo rodeaba su cintura con mis brazos por detrás en el London Bridge.

Parecía que habían transcurrido décadas desde ese momento y que nunca existió en realidad, que solo fue un sueño que tuvo un Alexander de otra vida.

—Lo siento, no pretendía que me atraparas mirándola. Estaba buscando algo en tu habitación y…

—No te preocupes. —La puse de nuevo en su lugar—. Si no quisiera que nadie la viera, la habría escondido hace tiempo.

Noté el pesar en sus ojos.

—Me gusta mucho. Confieso que también la veo de vez en cuando.

Elevé una ceja.

—¿Y eso por qué? No apareces en ella.

—Lo sé, pero me gusta verte feliz —sonrió—. Supongo que de alguna manera me recuerdas a mí cuando era joven.

El comentario, en esa ocasión, me hizo elevar ambas cejas, curioso.

—¿Eso es un halago o un insulto?

—¡Un halago! —se defendió—. Era muy bonita cuando era joven.

Solté una risita.

—Aún eres bonita.

Mi tía sonrió con afecto.

—Lo digo porque… Leah y tú eran un reflejo de lo que Leo y yo fuimos alguna vez. —La melancolía se apoderó de su semblante y sus ojos azules se volvieron más claros—. Me enamoré de él y yo… no luché lo suficiente por lo nuestro. Supongo que debí ser valiente, aferrarme más a lo que teníamos en lugar de dejarlo ir.

La contemplé en silencio, sin saber qué decir, y luego de un momento, suspiró con pesadez.

—Lamento que hayas cometido los mismos errores que yo, cariño.

—¿Por qué lo dices?

—Sé que amabas a Leah. —Miró la fotografía con tristeza—. Lamento que las cosas entre ustedes no funcionaran.

Algo pesado se instaló en mi estómago.

—Yo también.

—Supongo que los McCartney sí son la perdición de los Colbourn después de todo.

—Y que lo digas. No le des más ideas al abuelo para atormentarnos por no haber conservado a un McCartney.

Soltó una risa, pero sonaba vacía. De alguna manera, mi tía tenía razón. Quizá las circunstancias de nuestra relación con ellos fueron diferentes, pero compartíamos el mismo dolor por haberlos perdido.

A veces me sorprendía la cantidad de tiempo que había transcurrido desde que me separé de mi esposa por su bien, no porque hubiese sido rápido, sino todo lo contrario. Porque había sufrido y contado cada día en espera de que el dolor y el vacío desapareciera, pero no había funcionado. Seguía ahí, vivo y lacerante como el primer día.

Decían que el tiempo curaba las heridas y hacía olvidar, pero había llegado a la conclusión de que era una vil mentira. Me había concentrado en mis viajes, en la fotografía, en dirigir la empresa..., pero nada había funcionado para arrancar a Leah de mi memoria.

Había intentado estar con más mujeres, pero la arpía seguía siendo el centro de todos mis deseos, incluso después de tantos años.

A veces me preguntaba si mi vida sería tan triste como la de mi tía Chelsea, si al final Leah se convertiría en ese anhelo que tendría siempre y la única pieza capaz de completarme. La idea no me agradaba, pero parecía mi destino, por mucho que intentara huir de él.

—¿Le has dicho a tu abuelo que regresaste? —preguntó mi tía luego de un momento en silencio.

—Se lo haré saber apenas me duche. Huelo a selva.

—Son los gajes de tu oficio —se despidió con una sonrisa y salió de mi habitación sin hacer ruido.

Contemplé la fotografía que aún conservaba en el buró. Sí, pertenecía a otra vida, una en la que otro Alexander fue realmente feliz y pleno.

—¿Tienes todo?

Ben Simmons se rascó la cabeza, su cabello pelirrojo reluciendo con la luz que se colaba por mi ventanal.

—Sí —contestó sin despegar la vista de los informes que revisaba—. Si todo está en orden, podré partir mañana.

—Bien. Te consignaré un monto considerable para los viáticos —informé.

—Más te vale. La última vez casi termino durmiendo en una banca del metro —dijo a mitad de la broma y el reproche.

—¿Vas a empezar a lloriquear otra vez?

Me hizo una grosería con el dedo.

—Es porque nunca has tenido que ingeniártelas para saber dónde mierda vas a dormir —se quejó.

—Te sorprenderías si supieras dónde he tenido que dormir durante mis viajes.

—Pobre niño rico —siguió burlándose.

—Creo que percibo un poco de envidia en tu voz.

Me lanzó una mirada de muerte cuando no encontró algo mejor para lastimarme, y solté una risa corta. Ben tenía poco tiempo trabajando en la empresa, pero era un buen elemento, además de un bocón y un insolente. Quizás esa era la razón para que nos lleváramos tan bien.

—Mi secretaria se encargará de reservar tu habitación de hotel. ¿Tienes un estimado de cuánto tiempo te quedarás?

—Aún no tengo la agenda de las reuniones de seguimiento, pero...

—¿Aún no? —inquirí con dureza, y el estrés tomó el lugar de la diversión—. ¿Quién estará a cargo de la logística? La distribución empezará pronto y esas reuniones son imprescindibles, ¿quién mierda está al mando del departamento?

Buscó en el papeleo del fólder al tiempo que yo golpeaba mi pulgar contra la madera, en espera de una contestación. ¿A qué inepto había puesto Leo a cargo?

Esperaba que no fuera alguno de los Masterson. Odiaba a esos incompetentes hijos de puta.

—Leah McCartney —respondió Ben de pronto.

El golpeteo de mi dedo se congeló a medio camino. Mis pulmones parecieron colapsar y toda la sangre se concentró en mis pies.

Mi corazón latió tan rápido que podía percibirlo palpitando en mi cabeza.

—Tengo entendido que es la hija de Leo —la voz de Ben se escuchó lejana. Mi brazo se movió por sí solo para arrebatarle el fólder y comprobar que no me había vuelto loco, que de verdad había escuchado su nombre.

Pero no, no estaba sordo y seguía cuerdo. Para mi mala suerte, su nombre estaba ahí como la coordinadora de logística y relaciones comerciales. ¿Era broma? ¿El universo estaba conspirando para ponerla en mi camino?

Esto no era algo repentino, tenía semanas sucediendo, como si el universo o cualquier otra fuerza superior se burlara de mí y me colocara vestigios de Leah aquí y allá, como pequeñas migajas de ella que debería seguir. La había visto en el televisor dando una de sus conferencias mientras estaba en un hotel en Kenia y creí haberla visto en un establecimiento de café en el aeropuerto de Sudáfrica durante la espera de mi vuelo. Después estaba el haber encontrado a Chelsea mirando la fotografía y ahora esto. ¿Qué significaba? ¿Era el karma regresando por mí? ¿Dios juzgándome por mis decisiones de mierda?

Sentí mi boca seca y algo más nacer de mis entrañas, una rara anticipación que no había percibido en muchísimo tiempo. Los recuerdos se agolparon en mi mente como una avalancha, todo lo que viví con Leah a punto de sepultarme junto al arrepentimiento y el pesar.

—Hablaré con ella para pedir la agenda de las reuniones.

Tardé un par de segundos en registrar lo que decía Ben.

—De acuerdo —musité, aún sumido en los recuerdos.

—¿Qué te pasa? Parece que viste un fantasma.

Parpadeé.

—No es nada. Ya puedes irte —ordené sin alzar la vista, abstraído en evaluar todos los detalles que Leah había organizado.

Ben suspiró. Me conocía bastante y sabía que era mejor no contradecirme.

—De acuerdo, pero necesito el fólder.

—Yo me quedaré con él.

Levantó las manos a modo de rendición.

—Como quieras.

Se levantó de su asiento y salió justo en el momento en que Sabine entraba, no sin antes dedicarle una mirada de muerte a mi secretaria, quien estaba de pie cerca de la puerta.

—Recuérdame por qué tu secretaria sigue siendo tu secretaria —preguntó con acidez.

—Porque es muy eficiente, en más cosas de las que te imaginas —respondí con tono sugerente.

Como pensé, eso la hizo enojar más.

—Es una oportunista.

Me encogí de hombros.

—Solo quiere crecer.

—Acostándose contigo.

—No veo el problema.

Sabine recorrió la distancia que nos separaba para asestarme un golpe en el hombro. Emití un quejido de dolor y ella aprovechó ese momento para abrazarme. Le correspondí de inmediato y agradecí su familiaridad.

—Podría ahorcarte ahora mismo por preocuparme tanto. —Se separó y retrocedió un paso—. ¿No puedes dejar de cogerte a tu secretaria por cinco minutos?

—Me cortaría la inspiración —la molesté y volvió a lastimar mi hombro, pero seguí—. Tú eras quien estaba ocupada follándote a tu nuevo marido. ¿Qué tal está Israel? —inquirí al notar su tez bronceada.

Su expresión cambió y sus ojos se iluminaron.

—Es un buen lugar para una luna de miel. —Se puso un mechón de cabello rojizo tras la oreja—. Nicholas está encantado con las fotografías que sacaste en la boda. Son increíbles.

Me puse en pie y apoyé mi cuerpo en el escritorio sin quitarle mi atención.

—Me alegro. Fue una boda de locos.

—Lo sé, pero fuiste un excelente apoyo.

—Porque soy el único que te soporta.

—Por eso fuiste mi madrina de honor —sonrió—. Te llamé para agradecerte por las fotos cuando las recibí, pero nunca respondiste.

—Lo siento, no estaba en Londres. —No quería entrar en detalles, pero sus ojos reflejaban una exigencia muda, así que me rendí y suspiré—. Me contactó una revista para realizar unas capturas. Estuve en El Cairo unos días y después volé a Kenia. Para el final de la semana estaba tomando fotografías en Sudáfrica. Regresé hace dos días.

—Eso explica el hedor a camello. —Posó los dedos sobre su nariz e hizo una mueca a modo de broma—. Otro viaje más y serás el nuevo Indiana Jones.

Solté una risa ronca por el tonto comentario.

—Pronto me verás con el sombrero.

Rio apenas, pero el gesto se desvaneció poco a poco para ser reemplazado por la vacilación. Parecía que un conflicto se desarrollaba dentro de su cabeza.

—No sabía si decirte esto, pero... —Calló con la vista fija en el piso antes de alzarla de nuevo—. Invité a Leah a mi boda.

Sentí la tensión construirse en mis hombros. Como decía, su fantasma me estaba persiguiendo. Era ese aspecto de mi vida que apreciaba más que nada, pero dolía más que todo.

Debió notar mi expresión de angustia, porque se apresuró a decir más.

—No asistió, como pudiste notarlo —siguió con un deje de desilusión—. Pero me mandó buenos deseos y un regalo de bodas.

Me mantuve en silencio, sin comprender para qué la había mencionado. Sabine era consciente de lo que Leah significaba para mí; todo lo que había significado en su momento y lo que todavía representaba en mi vida a pesar de los años.

Era esa parte que no quería tocar, porque me parecía pura, impoluta y la única que había tenido un poco de sentido en la locura que fue mi vida en ese momento.

—Su cumpleaños fue hace tres días —dijo después y sentí un dolor agudo en el pecho.

—Lo sé. —Me crucé de brazos.

¿A qué venía esto ahora? ¿Por qué el mundo se empeñaba especialmente hoy en recordarme lo estúpido y cobarde que había sido?

—Sé que lo sabes. El punto es que también le envié un regalo, y... somos amigas. —Enarqué las cejas, sin poder creerlo—. Bueno, quizás amigas es un término muy fuerte, pero somos algo cercano a eso.

Asentí con lentitud, sin que la desagradable sensación de arrepentimiento desapareciera.

—De acuerdo.

Se mordió el labio, yo miré una mancha en el piso por lo incómodo de la atmósfera.

—Lamento que no asistiera —confesó al final—. Intenté todo, pero se negó. Lo siento, de verdad lo intenté.

Sacudí la cabeza, desconcertado.

—¿De qué hablas? ¿Por qué me pides perdón por eso?

—Quería que fuera para que se reencontraran.

Fruncí el ceño, cada vez más perdido.

—¿Por qué? Lo nuestro terminó hace tres años, ya no queda nada. Ella ya me superó. —El pesar se filtró en mi voz aunque traté de ocultarlo.

—¿Y tú ya la superaste?

La acribillé con la mirada. Para ella, más que para cualquiera, era obvia esa respuesta, pues fue la única que me acompañó en mi momento más bajo, justo cuando llegué a Suiza. Sabine era la única que sabía lo mal que la pasé los primeros meses, cuando ni siquiera podía dejar la cama o probar bocado porque el dolor emocional era tan fuerte que me entumecía el cuerpo y le impedía funcionar. Todo lo que podía pensar era en Leah y en cómo llevaría su duelo, si estaría bien, si estaría llorando, riendo o maldiciendo. Si me odiaría.

Quise regresar con ella en el instante en que puse un pie en el avión, pero tuve que ser fuerte y resistir, porque yo era una mancha en su vida, ese error que necesitaba olvidar para continuar.

—¿Ves? A esto me refiero. —La voz de mi amiga me trajo de vuelta al presente.

—¿De qué hablas?

—Odio verte así, Alex.

—¿Así cómo? Sigo siendo atractivo —intenté bromear, pero no se inmutó.

—Esto no eres tú. Dejaste de ser tú hace años, y pensé que si lograba que ella apareciera, si hablaban…

—Sabine, ¿de qué mierda estás hablando? Te afectó el calor de Israel.

—Quiero decir que pareces muerto —aclaró y puse los ojos en blanco por su dramatismo—. Y ya no lo soporto. Es como si hubieras perdido una parte de ti cuando dejaste a Leah, como si te hubieras quedado estancado en ese momento.

—No es cierto —rebatí. Di un paso hacia ella con seguridad—. Estás exagerando. Viajo, socializo, hago lo que me apasiona, dirijo una empresa, como bien, hago ejercicio. Nada está mal en mi vida.

Traté de sonar convencido, pero ni siquiera ante mis oídos parecía real. Era como si algo me hiciera falta para estar completo.

—¿Por qué no hablas con ella? —insistió.

Me alejé para darle la espalda, hastiado, y me senté en la silla de cuero.

—¿Y decirle qué, exactamente? «Perdóname, fui un idiota, ¿quieres regresar conmigo?» —dije con tono exagerado, tocándome el pecho.

—¡Sí!

—Estás loca si crees que voy a hacerlo, y estás aún más demente si crees que ella me aceptará de vuelta —acoté con acidez—. Han pasado tres años, Sabine. Debe tener una familia a estas alturas, con tres niños y un esposo gordo y feo pero millonario.

La imagen fue tan perturbadora que me hizo estremecer.

—¡Claro que no! Ya lo habríamos sabido, ese tipo de cosas siempre son noticia, y ni siquiera he sabido de alguna pareja. —Adoptó un semblante serio—. Tal vez está esperando por ti.

Me puse las manos en la cara, preguntándome por qué no podía tener una amiga normal.

—Escucha, te quiero muchísimo, pero a veces pienso que tienes alucinaciones. —La miré fingiendo preocupación—. Todo estará bien, te lo prometo. Te haré una cita con un psiquiatra.

—¡Hablo en serio! —Sus mejillas se sonrojaron con su acalorada aclamación. Posó sus manos sobre mi escritorio mientras se inclinaba para escrutarme el alma con sus ojos jade—. Estoy harta de ver cómo te revuelcas con lo que sea con tal de intentar olvidarla.

—No me revuelco con lo que sea —rebatí ofendido.

—¡Sí lo haces! —Señaló a la puerta, alzando tanto la voz que podía apostar a que todo el piso la había escuchado.

—Estás comportándote como mi madre —espeté avergonzado y molesto por su insistencia en un tema que no tenía solución. Solo lastimaba más la llaga.

—Quiero a mi Alexander de vuelta —dijo con pesar—. No este intento de persona. Esto no eres tú.

—¡Ya basta! —gruñí, cada vez más fastidiado.

—No eres un cobarde. La valentía es tomar el riesgo a pesar de saber que las cosas pueden salir mal.

—Para ya con tu patética charla motivacional, me estás dando jaqueca.

—Alex, estoy preocupada por ti.

—¿Por qué? —interrogué exasperado—. Estoy bien, Sabine. Estoy. Bien.

—¡Pero estás solo!

Fruncí el ceño, perplejo.

—No estoy solo. Te tengo a ti, a Ben y a todos los amigos que he hecho en mis viajes.

—Sí, pero estás solo cuando llegas a casa —replicó con tono triste, sus esmeraldas brillando—, y estarás solo cuando tengas cuarenta, o cincuenta, o sesenta.

La escruté con dureza.

—Dejaré que mi yo de sesenta años se preocupe por eso.

Agachó los hombros, derrotada.

—Han cometido tantos errores en su relación... No quiero que tú cometas otro.

—Ya casi rompemos el récord —dije con amargura.

—Espero que no seas tú el que lo rompa.

La miré serio. Sin darse cuenta, Sabine avivó una herida que había permanecido anestesiada por años, y ahora que Ben había mencionado a Leah como integrante del proyecto, su presencia parecía más una realidad que un sueño lejano.

Y yo no estaba seguro si deseaba o no que el sueño de tenerla cerca se volviera realidad.

—Necesito que regreses a Washington para la fecha —dijo mamá por el auricular y lo sostuve entre la oreja y mi hombro mientras revelaba las últimas fotografías que había tomado en Sudáfrica.

Suspiré.

—No creo lograrlo. La empresa está empezando un proyecto importante y debo supervisarlo.

—Mi evento también es importante —rebatió—. Hace años que no vuelves.

Tensé la mandíbula apenas lo mencionó. Había un millar de razones por las que no me había atrevido a regresar, y la principal me asediaba como un fantasma de ojos grises y cabello oscuro que se aparecía por las noches en mis sueños.

—Sabes la razón —dije sin más, saliendo del cuarto oscuro que usaba para revelar las fotos.

—Alexander, por favor —suplicó—. Es un evento muy importante, me entregarán un reconocimiento y será deprimente recibirlo sin que nadie de mi familia esté ahí para acompañarme.

Llegué a la habitación que había ocupado durante mi infancia en la casa de mi abuelo.

—¿Qué hay de papá? ¿No puede acompañarte él? —intenté disuadirla. Haría todo lo que estuviera en mi poder para no regresar a Washington.

No quería correr el riesgo de encontrarme con Leah. No lo soportaría.

La escuché bufar por el auricular.

—Sabes que dejé de existir para tu padre desde que se mudó oficialmente con su secretaria. Él no es una opción.

Suspiré cansado y me detuve frente al buró, donde aún tenía el retrato de Leah y yo sonriendo en el London Bridge.

No recordaba ser tan feliz como lo fui en ese momento. Mi corazón se estremeció al evocar la memoria y algo cálido se asentó en la boca de mi estómago.

—Cariño, por favor. Hazlo por mí —insistió mi madre, y quizá fue la añoranza que sentí al contemplar la fotografía o un simple instante de debilidad, pero terminé por acceder.

—Bien —acepté reticente—. Te acompañaré a tu evento. ¿Cuándo tengo que volar?

Mamá no ocultó la sonrisa en su voz.

—Te enviaré los boletos ya mismo.

—¿Ya tenías los boletos listos?

—Claro, ¿quién crees que soy? Mujer precavida vale por dos.

Sacudí la cabeza sin contener la sonrisa. Una parte de mí no estaba segura de que regresar a Washington fuera una buena idea. Un presentimiento extraño reptaba por mi pecho y había aprendido hacía tiempo a confiar en mis instintos.

Sin embargo, luché por mitigarlo. Nada saldría mal en mi regreso, no lo permitiría.

30
REENCUENTROS
Alexander

Regresar a Washington después de tres años fue extraño. Se sentía como estar en un lugar al que no pertenecía y la ciudad era más fea de lo que recordaba, escondiendo tras sus edificios altos memorias de días más oscuros.

Mamá esperaba por mí con los brazos abiertos cuando llegué a casa. La veía dos veces al año e incluso más cuando estaba en Suiza, pero al regresar a Londres, sus visitas fueron mucho más cortas y limitadas al vivir en casa de mi abuelo.

No había rastro de algún amante en casa. De hecho, se sentía bastante vacía, a excepción de los diseños y telas que tenía regadas por todos lados, y me pregunté si mamá realmente se sentía tan sola como parecía estar.

Para el quinto día que estuve en casa, apareció con el traje que debía usar durante la gala a la que asistiríamos. La obedecí y emprendimos el camino.

—Me alegra que volvieras al fin —sonrió, las luces de los autos que pasaban la carretera iluminaban su rostro—. Te he extrañado.

—Y yo que pensé que estabas feliz por haberte librado de mí —bromeé.

—Por supuesto que no. Eres mi hijo, Alex. —Posó su mano sobre la mía y le dio un apretón—. Eres lo más preciado que tengo, tenerte cerca siempre será un regalo.

—¿Desde cuándo te volviste tan blanda? —pregunté mordaz, pero apreté su mano con cariño.

—He tenido tiempo de pensar en muchas cosas. —El conductor detuvo el auto en un semáforo en rojo y creí ver un atisbo de remordimiento en los ojos de mamá, aunque bien pude solo imaginarlo por la falta de luz—. Creo que he hecho muchas cosas mal en el pasado y ahora quiero remediarlas.

—¿Hablas sobre lo que le hiciste a Allison? ¿Te has disculpado con ella? —Una capa de tensión se instaló en la atmósfera al tocar ese tema.

Mamá permaneció impasible, pero luego de un momento, asintió.

—Hemos hablado, y llegado a ciertos acuerdos.

—¿Acuerdos? ¿Cuáles?

Palmeó mi mano.

—Te lo diré después. Por ahora, solo concéntrate en esta noche —pidió y capté el destello de sus dientes en la oscuridad cuando sonrió.

—¿Por qué lo dices como si fuera algo de vida o muerte? Es solo un evento de gala.

—Tal vez sí sea de vida o muerte —atajó, pero no dije nada más.

Guardamos silencio después de eso, y no entendí la razón, pero sus comentarios se quedaron atascados en mi mente. Una sensación de anticipación afloró en mi estómago, como si estuviera a punto de subir a una montaña rusa. No pude deshacerme de ella en todo el camino.

El evento al que mamá me pidió que la acompañara era, en realidad, algo parecido a una gala benéfica. En las pancartas de la entrada se mostraba solo el nombre de la asociación que la organizaba y cuál era el monto mínimo que podíamos donar.

Caminé por el espacio del salón de eventos del hotel Four Seasons sintiéndome perdido y fuera de lugar cuando mi madre se mezcló con el montón de invitados. Algunas personas se acercaron a saludarme e incluso tuve charlas con algunos socios, pero no dejaba de percibir esa sensación de ajenidad, como si no encajara en ese nuevo esquema en absoluto.

Había transcurrido una hora desde nuestra llegada y ya quería salir corriendo. ¿Se consideraría grosero irme ahora? Di otro sorbo a la copa que tenía en la mano, resignándome a esperar un poco más antes de huir.

—Mira quién regresó del fin del mundo. —Erick se acercó con los brazos abiertos, sonriéndome.

Le correspondí el gesto y me palmeó la espalda en un corto abrazo.

—He estado en el fin del mundo. No te lo recomiendo, llueve once meses de doce —mencioné.

Soltó una risa sonora ante el comentario.

—No has cambiado ni siquiera un poco.

—Sigue igual de feo —intervino una voz que me pareció bastante conocida, y cuando me giré, Damen estaba a mi lado con gesto divertido—. Regresaste de entre los muertos.

—¿Qué? —dije sin comprender.

—Es un chiste familiar —informó el menor de los McCartney y le lanzó una mirada cómplice a su hermano.

—No pensamos que vendrías. Me sorprendió mucho cuando papá me lo dijo —confesó Erick y pareció atragantarse con su trago cuando se dio cuenta de algo al mismo tiempo que yo.

—¿Tu padre sabía que estaría aquí? —pregunté, confundido—. ¿Cómo es eso posible?

Damen soltó una risita maliciosa mirando su copa, sus facciones acentuándose con el gesto.

—Mi padre sabe muchas cosas.

No dije nada más, aunque me resultaba extraño que Leo, de todas las personas posibles, supiera sobre mi regreso.

Me centré en Damen cuando habló otra vez. Había cambiado mucho durante los últimos años y alcanzado la mayoría de edad. Su estructura era más fibrosa, sus hombros anchos y el cuerpo atlético. Era tan alto como yo, y podía ver a Leo labrado en cada gesto que hacía.

—No puedo esperar para ver la reacción de Leah. Seguramente va a desmayarse. —Sus ojos verdes relucieron con malicia.

—No lo dudo —lo apoyó Erick.

—Te apuesto quinientos dólares a que lo golpea.

—¿Disculpa? —hablé, indignado.

—Acepto. —Erick le estrechó la mano sonriendo.

Damen se encogió de hombros con indiferencia cuando lo fusilé con la mirada.

—Conozco a mi hermana. Está loca.

—¿Es en serio? ¿Tu hermana está aquí? —pregunté al caer en cuenta de lo que eso significaba.

Debía estar bromeando. Leah no podía estar aquí, ¿cierto? No podía. Un nudo se formó en mi estómago.

—Sí, tu exesposa. ¿Ya la olvidaste? —inquirió Damen.

No supe qué decir, tan afectado como estaba por la posibilidad de verla después de tantos años. Mentiría si dijera que no me hacía ilusión, que no me moría por saber si había cambiado durante los últimos años, o si conservaba esa belleza radiante y pasmosa, pero también me aterraba. ¿Y si le hacía mal verme? ¿Y si tenía un arranque de ira contra mí y terminaba ahorcándome? No sería muy elegante de mi parte morir ahorcado por un mantel.

—¿Ya tienes Alzheimer, abuelo? —siguió burlándose e hice una mueca.

—Sigues siendo el mismo niño insolente de siempre, pero más grande.

—Mira quién habla. Eres el mismo, pero más viejo. ¿Ya usas Viagra?

Le di un golpe en el hombro y comenzó a partirse de risa.

Pensé que la relación con los hermanos de Leah se fragmentaría con los años, justo como sucedió con la nuestra, pero me recibieron como si nada hubiera pasado. Entonces, de un momento a otro, sentí cómo algo tiraba de mi pantalón y me sorprendí al encontrar a un niño prendido de él.

—¿Este es tu hijo? —Me puse de cuclillas para apreciarlo mejor, y el pequeño dio un respingo cuando me tuvo frente a frente.

—¿Ves? Te dije que eras feo. Lo asustaste. —Damen chasqueó la lengua con reprobación.

—Cállate.

—Sí, es Nathan, mi hijo —respondió Erick con orgullo.

No cabía duda de que era suyo. Sus ojos verdes tenían la misma intensidad que poseían todos los McCartney. Me sostuvo la mirada sin flaquear, serio y curioso, y después me regaló una sonrisa brillante.

—Le agradas —afirmó mi excuñado.

—A mí también me agrada más que el otro… —Escuché un golpe amortiguado y Damen no terminó la oración.

—Es idéntico a ti —me dirigí a Erick cuando me incorporé.

—Lo sé. —Miró a su hijo con cariño.

—Podría haber sido tu sobrino, pero dejaste escapar el privilegio. —Damen negó con pesar.

Dijo algo más, pero sus palabras se perdieron junto al resto de conversaciones que quedaron en segundo plano cuando la localicé por fin. Después de tanto tiempo, mi mente la había imaginado y recreado de una y mil maneras distintas. Sin embargo, en ese momento, Leah McCartney era la prueba viviente de que la realidad superaba la ficción.

Su delicado atractivo logró embelesarme justo como la primera vez, cautivándome sin que nada pudiera hacer para evitarlo. Ella tenía ese encanto silencioso que te envolvía de manera furtiva y no te dejaba ir después.

El vestido color sangre que vestía abrazaba sus suaves curvas de manera exquisita, ciñéndose a ellas como si hubiese sido diseñado para su cuerpo, que seguía manteniendo la misma silueta definida. Llevaba el cabello más corto que antes, bajo los hombros, pero le quedaba bien. Todo en ella era perfecto.

Mi corazón aumentó el ritmo de sus latidos. Tuve que pasar saliva para humedecer mi boca, que se había secado con su simple imagen. Leah era siempre un manjar para los sentidos, un festín que demandaba ser apreciado a través de cada uno de ellos. Mis dedos hormiguearon y resultó doloroso no ser capaz de tocarla.

Seguía siendo pequeña y pareciendo frágil, pero sabía que había acero y fuego debajo de ese delicado exterior. Lo había comprobado yo mismo.

Damen y Erick dijeron algo más, pero fue complicado prestarles atención cuando estaba ensimismado absorbiendo cada nuevo detalle de su hermana. Entonces la vi: la mano que rodeaba su cintura en un gesto inequívoco de posesividad y de confianza. ¿Quién mierda era ese hijo de puta?

Percibí la bilis subir por mi esófago y quemarme la garganta. El montón de personas que se congregaba a su alrededor no me permitía distinguirlo bien, pero asumí por la madurez de su cara que estaba al inicio o mediados de sus treintas, no era tan alto como yo y... ¿Quién en su sano juicio usaba un Stuart Hughes con esos zapatos?

Algo en mi pecho se tensó y mi estómago se revolvió cuando el tipo la besó en los labios. Mi corazón aumentó en tempo y la adrenalina corrió por mi cuerpo preso de la ira. Conté para controlarme, pero me sentí desfallecer cuando volvió a besarla.

—Alex. —Erick me tocó el hombro, sacándome de mis turbios pensamientos—. ¿Estás bien?

«No. Creo que voy a vomitar».

—Sí —contesté, aunque se escuchó falso incluso para mí.

La visión de ambos, juntos, me retorció las entrañas. Lo mejor era irme. No quería armar una escena, y no estaba seguro de lograrlo si seguía mirando.

No era como si no hubiese considerado la posibilidad de que Leah estuviera con alguien más; habría sido estúpido no hacerlo, pero saberlo no significaba que verlo doliera menos.

Mi exesposa escogió ese preciso momento para mirar en mi dirección y su sonrisa se evaporó al instante mientras yo me congelaba. Su expresión relajada desapareció para dejar un semblante en blanco, que se convirtió poco a poco en uno de impresión pura.

Le sostuve la mirada el tiempo suficiente para notar cómo todo el color abandonaba su bonito rostro, la sorpresa labrada en cada una de sus facciones. Quizá mi cara reflejaba lo mismo. Así no era como nuestro improbable reencuentro sucedía en mi cabeza, pero pocas veces las cosas sucedían como nosotros deseábamos.

Alguien la golpeó en el hombro cuando pasó a su lado y por poco perdió el equilibrio. Di un paso hacia ella por instinto, listo para atraparla, pero fue el otro tipo quien se encargó de impedir su caída y la ayudó a incorporarse.

Leah parpadeó un par de veces para recuperarse y fijó de nuevo su vista en mí, tal vez para comprobar que no era una alucinación. Pero no lo era, justo como ella no lo era para mí.

El idiota empezó a hablarle sobre algo y ella desvió su atención sin recuperar el color aún.

Las náuseas volvieron a asaltarme y el atestado salón me asfixiaba. Necesitaba aire.

Dejé que mis pulmones se llenaran de oxígeno y mi pecho se hinchara con el aire gélido que circulaba por el jardín trasero del hotel. El ajetreado ambiente no había hecho más que empeorar mi sensación de náuseas.

Agradecí que estuviera particularmente frío esa noche, tanto que incluso había una fina capa de hielo formándose en la piscina que tenía enfrente. Diciembre siempre era así en Washington. El helado clima contrastaba con el calor que manaba de mi piel, quizás a causa del arrebato de ira que había tenido dentro del salón.

Hice una mueca y me sentí estúpido. ¿Qué pensaba realmente? ¿Que Leah esperaría por mí? Había pasado demasiado tiempo, y yo no era tan egoísta para pedir algo así. Luché por erradicar las imágenes enfermizas que se amontonaban en mi cabeza, pero no estaban dispuestas a irse.

—¿Qué haces aquí? —Percibí los vellos de mi nuca erizarse y mi suspiro de cansancio se quedó a medias cuando escuché su voz.

Me giré en su dirección. Era incluso más hermosa de cerca, aun con esa expresión de enojo impresa en su cara. Tardé un par de segundos en reaccionar.

—Vine a hacer donaciones. ¿No es por eso que estamos todos aquí?

Su semblante se endureció más.

—No tienes nada que hacer aquí. Vete. —Su tono era tan frío que podía competir con el de esa noche.

Luché contra el dolor agudo que se instaló en mi pecho por su severidad.

—Sí tengo. Quiero donar.

—No quiero tu dinero ni nada que venga de ti —siseó con más desprecio del que esperé—. Vete.

Se mantuvo impasible y la pregunta brotó de mi boca antes de que pudiera detenerla.

—¿Es tu nueva pareja?

—Si lo es o no, no es algo que te importe.

Me dio la espalda con la intención de marcharse, pero mis pies se movieron por sí solos y la alcancé hasta rebasarla e impedir su paso.

—Solo responde —pedí, tratando de parecer compuesto, aunque la incertidumbre estaba a punto de aplastarme.

Leah entornó los ojos.

—¿Para qué?

—Quiero saber.

Su boca se convirtió en una fina línea y luego de un momento, levantó su mano izquierda y me mostró el anillo que relucía en su anular.

—Es mi prometido.

Todo el aire abandonó mis pulmones y fue como recibir una bofetada de su parte. Retrocedí un paso y parpadeé dos veces para componerme. El dolor en mi pecho era agudo e insoportable, pero decidí ser racional, lo más que pudiera en esa situación al menos.

—Entiendo. —Asentí con el cuello rígido—. Qué bien. Estoy feliz por ti.

Soltó una risita sin humor.

—¿Realmente lo estás?

—No, pero es lo que quieres que te diga, ¿o me equivoco?

Su semblante volvió a endurecerse y sus ojos lanzaron fuego. En su rostro había una mezcla de emociones que no podía identificar.

—Lo que quiero de ti es que desaparezcas como hasta ahora. ¿A qué has venido? ¿A arruinarme la vida otra vez?

El pinchazo en el pecho se impuso aún más.

—No tenía planeado estar aquí. Vine porque mi madre me lo pidió.

—Ya. —Se cruzó de brazos—. Podrías inventarte una mejor excusa. Antes eras un mejor mentiroso, como cuando me dijiste que siempre te quedarías.

Ese fue otro golpe que dio en mi patética armadura.

—Lo siento —dije como una pobre disculpa y sus ojos llamearon.

—Después de tres años, ¿es lo único que vas a decirme? —espetó furiosa.

—No sé qué más decirte. —Me encogí de hombros—. Sabía que reaccionarías así.

Me miró como si fuera idiota. Y sí lo era, uno muy grande.

—¿Y qué esperabas? ¿Que me olvidara del pasado, te recibiera con los brazos abiertos y te perdonara que te largaras cuando más necesitaba de ti? ¿Eres así de imbécil?

—Lo siento —repetí, pero de nuevo, fue patético.

Dio un paso más cerca y me fusiló con sus ojos de hierro.

—Tu disculpa llegó tres años tarde, Colbourn. Simplemente despertaste un día y te fuiste así sin más.

—Te expliqué por qué lo hice.

—¡En una maldita carta de mierda! Eso no era suficiente.

—Lo sé, pero tenía que hacerlo, tenía que irme.

—Bien, ahora puedes irte a la mierda otra vez. —Me pasó de largo dispuesta a marcharse.

Caminó cerca de la piscina y mientras la contemplaba alejarse, me percaté de que quizá no tendría otra oportunidad como esta para explicarme. Jamás la recuperaría, pero al menos quería limar las asperezas del pasado. Impulsado por esa idea, la alcancé y cerré mis dedos alrededor de su muñeca, impidiendo su andar. La electricidad que provocó el contacto me avivó los sentidos e hizo hormiguear la punta de mis dedos.

Leah debió tener la misma sensación, pues parecía afectada, hasta que su gesto se endureció otra vez.

—Tienes dos segundos para soltarme si no quieres que te rompa la nariz —amenazó.

—Solo dame un segundo, déjame explicarte.

Intentó zafarse, pero se lo impedí y clavé mis ojos en los suyos.

—Por favor, solo dame un momento. Escúchame.

Dejó de forcejear y me miró con atención, sus ojos muy abiertos. Su rostro me hizo bajar la guardia lo suficiente para que estrellara el puño que tenía libre en mi nariz, fuerte. El impacto casi me hizo perder el equilibrio y el dolor se extendió desde el tabique hasta mi boca con el sabor de la sangre impregnándola. No tenía idea de que Leah pegara tan duro.

—¡Estás loco! ¿Me escuchas? ¡Loco! Prefiero quedarme sorda de por vida a tener que escucharte un segundo más, Colbourn.

—Creo que me rompiste la nariz —siseé con dolor y la solté para tocarme la zona afectada.

—Genial, me encantaría que hubiese sido el cuello —dijo con suficiencia—. Tienes un minuto para irte o haré que te saquen los de seguridad.

Me recuperé justo a tiempo para volver a apresar su brazo.

—No te irás de aquí hasta que me escuches —pedí, esta vez con más autoridad, anteponiéndome al dolor.

—Te romperé la mano si no me sueltas ahora.

—Correré el riesgo. Escucha lo que tengo que decirte.

—No.

—Leah...

—¡No!

Se soltó con tanta fuerza que la gravedad hizo su trabajo: sus talones giraron y su cuerpo cayó de lleno a la piscina. Me tenías que estar jodiendo. Fue como tener un jodido *déjà vu.*

Me lancé justo detrás, sin pensar, y mis manos fueron rápidas en encontrar su cuerpo. Mis dedos se enredaron en su cintura para mantenerla a flote. Tomó una bocanada de aire cuando salimos a la superficie y se retiró el cabello de la cara en un gesto desdeñoso.

Sus ojos parecían diamantes con el reflejo del agua, su boca estaba ligeramente abierta para recuperar la respiración y su aliento chocaba con mi cara, haciendo una invitación a la que me costaba negarme. Cada nervio de mi cuerpo cobró vida para sentirla.

—Suéltame —me exigió de pronto y me dio un manotazo en el pecho, salpicándome de agua.

—Te ahogarás si te suelto.

—Claro que no. Aprendí a nadar.

Logró zafarse de mi agarre entonces y fue hasta la orilla nadando con agilidad. La seguí de cerca, con los pedazos de hielo flotando a nuestro alrededor. Comenzó a temblar tan pronto salimos, con el aire gélido erizándole la piel expuesta de los hombros y sus dientes chocando. Sentía cada una de mis extremidades entumecidas. Moriríamos de hipotermia si no encontrábamos algo para secarnos rápido. Estaba por proponerle ir a la recepción cuando se adelantó y comenzó a caminar con pasos torpes. La seguí a duras penas.

—Leah, ¿a dónde vas? Qué mierd...

—Cállate —gruñó tiritando, sin dejar de avanzar—. Ya hiciste suficiente.

—Neces...

—¡Ya lo sé! —elevó la voz, que enronqueció por el esfuerzo—. Solo sígueme, no pueden vernos así. No quiero que haya malentendidos.

Rodeamos la entrada al jardín y entramos por una de las puertas laterales que daba a un pasillo. Leah entró a la primera habitación de la pared izquierda, dejando un camino de agua por su paso. Encendió la luz y me percaté de que era un camerino de preparación parecido al que usó Erick en su fiesta de compromiso. Había ropa colgada en una percha y asumí que este debía ser el lugar donde Leah y el tipo se prepararon para el evento.

Me quité el pesado saco que cayó con un ruido húmedo al suelo, seguido de la camisa. Caminé hacia ella y estiré los brazos con la intención de ayudarla a retirar su vestido, pero me dio un manotazo.

—¡¿Qué haces?! —preguntó alterada y me dio la espalda.

—Evitar nuestra muerte por hipotermia —expliqué y noté el camino de piel erizada en su espalda que mi voz dejó a su paso.

—Vístete, ahora —exigió.

—Es mejor desvestirme. Mi ropa está mojada.

—Hay ropa seca en el…

—Y que tú lo hagas también. —Tomé el inició del cierre de su vestido para abrirlo, antes de que se alejara de mi tacto.

—No te atrevas —amenazó chocando los dientes—. No me toques.

—Necesitas quitarte el vestido. Estás empapada.

—No.

—Vas a enfermarte si no te lo quitas —insistí y pareció pensárselo.

Luego de un instante, ella misma alcanzó el cierre y lo bajó a tirones lo más que pudo, hasta que se atascó. Yo la observé con paciencia y una sensación de añoranza me invadió. Esta era la Leah que yo conocía, la independiente y testaruda. Cuando se dio cuenta de que el cierre no avanzaría más sin ayuda, me miró resignada, me dio la espalda e hizo a un lado su cabello.

—Podrías bajar el cierre, ¿por favor? —pidió en un susurro tan bajo que creí haberlo imaginado.

Me acerqué con lentitud e hice lo que me pidió en silencio, la simple acción reviviendo un montón de memorias en una situación similar, en un lugar distinto, con una Leah diferente.

Detallé la curvatura de su cuello, radiante con la tenue luz de la habitación, tan apetecible que la boca se me secó de mera necesidad. Me pegué a su cuerpo casi por instinto, mi pecho y mis dedos saboreando cada retazo suyo de piel descubierta que pudiesen tocar. Noté cómo se relajaba mientras mi mano se abría sobre su estómago para ejercer presión, intentando desvanecer cualquier resquicio de distancia entre nosotros, absorbiendo la calidez que manaba de su piel.

Entonces su conciencia pareció volver al cuartel. Se separó como si mi cuerpo quemara, su semblante fragmentado en varias emociones conflictivas y sus ojos como una fortaleza derrumbada, expuesta. Parpadeó un par de veces y el destello de vulnerabilidad desapareció para dejar a la hermética Leah.

—No hagas eso.

—Necesitamos entrar en calor.

Elevó una ceja mientras deslizaba los tirantes del vestido por sus hombros para retirarlos por completo. Fue como recibir un *shot* de adrenalina. Incluso con las cicatrices que adornaban sus piernas, Leah era la personificación de Afrodita en la Tierra. Mi miembro punzó de tal forma que resultó doloroso, con el deseo quemándome las entrañas y escociéndome el pecho.

Me dio la espalda y noté por fin en todo su esplendor las cicatrices que la salpicaban como rasgaduras atroces a una fina tela. Sentí el nudo en mi garganta tensarse y un dolor intenso reptando por mi pecho otra vez. Me petrifiqué y, por primera vez en mi vida, no supe qué hacer o decir, porque nada de lo que hiciera o dijera sería suficiente para compensar el infierno que la hice pasar.

Fue por mi culpa. Esas marcas que adornaban su espalda como señales de guerra, eran a causa mía y me odié por ello. Lo había hecho por años, incapaz de perdonarme u olvidarlo, pero verlo ahora era devastador.

—Perdóname —comencé vacilante, con la culpa rebasándome—. Sé que nada de lo que diga o haga será suficiente para que me perdones por lo que te pasó, pero te pido perdón, Leah, por haberte hecho pasar ese infierno en casa de los Balfour.

Sus hombros se tensaron y creí que estaría llorando cuando me encarara, pero no fue así.

—No te culpo por lo que sucedió en esa casa, te guardo resentimiento por haberme dejado.

Tensé la mandíbula y tuve que luchar con el nudo en mi garganta para hablar.

—No podía quedarme. No después de todo lo que viviste por mi culpa. —Las palabras eran endebles, pero sentía que me ahogaría con ellas si no las decía.

—Primero, no fue tu culpa, fue culpa del hijo de puta de Louis, y segundo, no morí. Mírame, estoy aquí. —Se giró con los brazos cruzados sobre el pecho.

—Por poco. Moriste en mis brazos, Leah. No tienes idea de lo que eso me hizo sentir —le dije con pesar, el recuerdo torturándome hasta la fecha—. ¿Cómo esperabas que me quedara después de eso? ¿Y si alguno de ellos volvía a atacarte para vengarse de mí? No podíamos vivir así. Yo no podría.

—Sí podíamos, no quisiste.

—Porque iba a consumirme, y no te merecías eso.

—¡No merecía que me dejaras! ¡Eso era lo que no merecía! Prometiste que te quedarías, y no lo hiciste —su voz se quebró al final e inspiró para controlarse.

—Hice lo que tenía que hacer para protegerte. No quería que te relacionaran conmigo de ninguna manera, no quería que pasaras de nuevo por la misma situación a causa mía —expliqué dando un paso más cerca—. No podía quedarme, no habría funcionado.

—¡No lo sabes! —bramó dolida.

—No habría podido estar contigo, la culpa me habría devorado.

Me miró con un montón de emociones corrosivas reflejadas en el rostro: resentimiento, ira, sorpresa... Odio.

—Eres increíble —siseó con desdén—. Ni siquiera me lo dijiste a la cara, todo fue en una maldita car...

—¿Qué está pasando aquí?

Ambos miramos al mismo tiempo hacia la puerta, donde el hombre que había visto acompañarla durante la velada nos escrutaba desde el marco.

—Leah, ¿estás bien? —preguntó el imbécil entrando e interrumpiendo el momento con su indeseable presencia.

—Collin, ¿qué haces aquí? —inquirió mi exmujer, sorprendida.

Me dedicó una mirada recelosa antes de acercarse a ella.

—Estaba buscándote —dijo tenso—. Te desapareciste por mucho tiempo. Vi el camino de agua y me preocupé.

—Solo estábamos...

—Entrando en calor —completé y sonreí al ver la cara de impresión del idiota.

—¿Qué?

Leah me dedicó una mirada mortal. Su prometido se apresuró a quitarse el saco para ponérselo encima y cubrir su ropa interior de mi indigna vista.

—¿Quién es este? —le preguntó mirándome con desprecio.

—Él es...

—Lamento mi rudeza, perdona que no me haya presentado antes. —Le dediqué mi mejor sonrisa y le tendí la mano—. Soy Alexander Colbourn, su exesposo.

La cara del cretino no tenía precio.

31
MUROS
Leah

Cerré los ojos y rogué porque esto fuera una horrenda pesadilla de la que despertaría en cualquier momento. Cuando reuní la valentía suficiente para abrirlos, sentí una oleada de decepción al comprobar que estaba despierta, Collin aún tenía la conmoción escrita en toda la cara y Alexander continuaba extendiendo su mano con una sonrisa llena de satisfacción.

—Veo que no tienes modales. Lástima —dijo con desdén retirando el gesto por fin.

—Es una broma, ¿no? —fue lo único que salió de la boca de mi prometido, aún conmocionado.

De todos los escenarios posibles, ¿por qué tenían que sucederme siempre los peores?

—Sé que suelo causar cierta impresión en las personas —respondió Alexander con jovialidad, sin perder su característica arrogancia—. Pero no soy ninguna broma.

—¿Por qué no me dijiste que estaba aquí? —cuestionó Collin, ofendido, ignorándolo para centrarse en mí, y sentí el pánico correr por todo mi cuerpo.

—Yo no...

—No me digas que no te lo dijo —me interrumpió Alexander con un fingido tono de sorpresa que rozaba la burla—. Después de todo, la comunicación es la base para un feliz matrimonio, ¿verdad, señora Colbourn?

Un escalofrío me recorrió el cuerpo al escucharlo referirse a mí de esa manera.

—Cállate. Ya no soy tu esposa —escupí furiosa y me enfoqué en mi prometido, que tenía la cara desencajada—. Collin, cariño, te juro que...

—¿Qué hacías aquí con él? —demandó iracundo y tragué saliva.

—Solo estábamos...

—En medio de algo importante —completó Alexander, de nuevo, irguiéndose en toda su estatura y luciendo aún más intimidante que antes—. ¿Serías tan amable de retirarte? Nos estás interrumpiendo.

Lo fusilé con la mirada. ¿Era en serio? Mi exesposo había tenido siempre una habilidad extraordinaria para conseguir de las personas las reacciones que deseaba con solo un par de palabras, y Collin no fue la excepción. Mi prometido se acercó a él con su cuerpo adoptando una postura ofensiva, listo para partirle la cara.

Nada me habría hecho más feliz, en verdad, nada, pero la mente humana era extraña, porque mis pies se movieron como si fuesen una parte diferente de mi cuerpo, con una vida y conciencia propios para colocarme frente a él, impidiéndole a Collin concretar cualquier violenta acción que maquinara su cerebro. Me repetí que lo hacía solo para prevenir una escena innecesaria que pudiera arruinar mi evento y nada más.

—Para. —Puse las manos en alto para frenarlo. Bajó su brazo y su ceño se frunció aún más—. No hagas un escándalo, no necesitamos arruinar más esto, solo...

—Hazte a un lado, Leah.

—¡No! No van a arruinar esta noche, ninguno de los dos.

—¡Entonces explícame qué demonios hacías aquí con él! —rugió.

No era la primera vez que perdía los estribos, pero sí la primera ocasión en que lo veía tan alterado.

—Ya te lo dije. ¿Eres sordo? —acotó Alexander sin perder el semblante serio, y quise abofetearlo para callarlo. Estaba empeorando todo.

—No estoy hablando contigo —escupió Collin, despectivo—. ¿Está chantajeándote? ¿Te está amenazando? —dijo áspero, su cuerpo temblando de rabia—. Solo dime y voy a...

—¿Y se supone que esto es lo mejor que pudiste deducir?, ¿de verdad? —lo molestó Alexander y mi novio intentó arremeter contra él. Tuve que hacer acopio de mi fuerza para detenerlo.

—¡No estoy hablando contigo! —explotó—. ¡No te lo repetiré otra vez!

—¡Ya basta! ¡Collin, basta! Solo estábamos hablando, estaba a punto de irse.

Logré alejarlo un par de pasos. No despegó la vista de Alexander en ningún momento, sus ojos tan intensos que parecían prendidos en fuego. Luego de un momento me miró de arriba abajo, como si se percatara apenas de mi desnudez, incluso después de darme su saco.

—Sí, ya veo que solo estaban hablando —siseó y salió por la puerta con un caminar furioso.

Mi corazón se comprimió y fui tras él casi por inercia, antes de que el férreo agarre de Alexander sobre mi brazo me detuviera, interrumpiendo mis pasos. El tacto me quemaba y era consciente de él incluso a través de la gruesa tela del saco, como si mis terminaciones nerviosas hubiesen cobrado vida y se concentrasen solo en ese punto donde sus dedos me tocaban.

—¿A dónde vas? —preguntó con dureza, perdiendo todo rastro de diversión—. No te irás hasta que me escuches.

—No quiero escuchar nada que venga de tu maldita boca —siseé enojada, intentando zafarme, pero su agarre siguió firme.

—Nunca te molestó que mi boca fuera tan maldita —musitó en tono sugerente, y decidí que ya había tenido demasiado.

—Suéltame.

—No hemos terminado.

Logré deshacerme de su agarre en un movimiento brusco y tomé distancia para alejarme lo más posible de su avasalladora proximidad.

—Sí, ya lo hemos hecho. Tú y yo terminamos hace tres años —objeté con desdén, acomodándome el saco para cubrirme sin dejar de percibir su mirada sobre mí, siguiéndome con atención. Cuando levanté la cabeza, sus ojos estaban tan abatidos como el mar tempestuoso—. Debiste quedarte en el hoyo donde estuviste todo este tiempo, Colbourn.

Le di la espalda sin decir nada más y salí casi trotando del estudio, en parte para encontrar a Collin y en gran parte para huir de Alexander; para colocar tanta distancia y tantos muros entre nosotros como fuera posible.

Avancé por el pasillo con piernas temblorosas y una electricidad ajena recorriéndome el cuerpo, haciéndolo vibrar como si hubiese sido traído de vuelta a la vida con una descarga.

Llegué al vestíbulo del hotel y localicé a Collin a punto de salir por la puerta principal. Me apresuré a alcanzarlo y lo tomé del brazo para detener su andar.

—Tenemos que hablar —dije con voz ahogada.

—No quiero hablar. —Dio otro paso y apreté más mi agarre.

—Por favor. Sé que no fue el mejor escenario, pero no es lo que parece. Te lo juro —le aseguré y me evaluó con cautela.

—¿Y qué vas a decime, exactamente? Porque no encuentro ninguna explicación lógica para que estuvieras en esa situación con tu exmarido.

Un escalofrío me recorrió el cuerpo cuando una ventisca se coló por la puerta y apreté los dientes.

—Acompáñame.

—No.

—Collin, por favor, me estoy congelando aquí —pedí y me escaneó de nuevo, sus facciones volviendo a ensombrecerse por el resentimiento, pero era alguien prudente y accesible, así que subió conmigo a la habitación que habíamos rentado esa noche para la gala.

Una vez que llegamos, cerré la puerta, me quité el saco y abrí mi maleta para extraer un nuevo vestido. No podía recibir a los invitados en pijama.

—¿Me explicarás qué pasó o tendré que esperar hasta que se te ocurra una mentira convincente? —cuestionó con acidez, los brazos cruzados sobre el pecho y su semblante severo.

Dejé de rebuscar entre mi ropa.

—Lo siento. No es lo que crees.

—¿No? Porque no creo haber bebido tanto para que mi sentido de la vista me juegue tan mala pasada.

—Sé que se vio mal —admití y enarcó una ceja—. Pero no...

—¿Cómo pudiste siquiera casarte con él? —Señaló hacia la puerta, airado—. Es un imbécil, Dios. No dijo más de cinco oraciones y ya no lo soporto.

—¡Yo tampoco lo sé, Collin! —alcé la voz también, perdiendo la paciencia.

No necesitaba que me gritara luego de todas las emociones tumultuosas que corrían por mi sistema.

—Es que no lo entiendo. ¿Por qué estabas con él en primer lugar? —atacó otra vez sin bajar el tono—. ¿Lo viste y decidiste olvidar los últimos años para volver a su lado?

—¡Claro que no! —Puse las manos en mis caderas, ofendida—. ¡No voy a perdonarlo!

—¿No? Porque parecías más que dispuesta a eso cuando los encontré.

—¡Solo estaba ayudándome!

—¡¿Ayudándote a qué?! ¡¿A quitarte las malditas bragas?! —vociferó iracundo y abrí la boca ligeramente, sorprendida por su crudeza.

Incluso él se dio cuenta de que había cruzado una línea, porque se pasó las manos por el cabello para tranquilizarse e inspiró.

—Solo quiero que me expliques por qué estabas con él de todas las personas posibles, y así. —Señaló mi desnudez y reprimí el impulso de cubrirme.

—Caí en la piscina, estaba congelándome. Solo me quitó el vestido para...

Su cara se desencajó y paré.

—Hablamos, eso es todo —dije al final, derrotada.

—No entiendo por qué estaban hablando, por qué fuiste a buscarlo —dijo con amargura—. Después de tantos años, después de lo que hizo, ¿por qué fuiste tras él?

Miré al techo con exasperación, las lágrimas amontonándose en mis ojos, y después me concentré en él de nuevo.

—Le pedí que se fuera.

—¿Por qué? —insistió Collin, luciendo aún dolido y traicionado—. Él no te merece. No merece ni siquiera que lo mires, que le dirijas la palabra. No merece ni siquiera que lo escuches, o que te importe por un segundo o... nada, no merece nada de ti.

Algo escoció en mi interior, y dolió, un montón de sentimientos abatidos agolpándose dentro.

«Ya lo sé, ya lo sé» repetía mi conciencia una y otra vez, aunque eso no implicara que sus palabras y el recordatorio que las acompañaba doliera menos.

—Lo sé. Por eso le pedí que se fuera.

—Más bien parecía que querías que se quedara.

—¡No! Collin, ya no siento nada por él. Tú mejor que nadie lo sabes. —Estreché su brazo—. Confía en mí.

Miró mi anillo de compromiso con atención y después al piso, sus ojos concentrados en algo en específico.

—¿Entonces por qué lo conservas aún?

—¿Qué cosa?

—La pieza de rompecabezas. El tatuaje en tu tobillo. —Me lanzó una ojeada de reproche y moví el pie por inercia para intentar ocultarlo—. Me contaste que te lo hiciste en Las Vegas, pero nunca me dijiste quién tenía la otra pieza. Muy curioso que el imbécil de tu ex la conserve también, ¿no crees?

Inspiré, asustada. El tatuaje fue lo primero que noté cuando se quitó la camisa, y saber que lo mantenía aún, desató una serie de emociones que no quería desentrañar. Sin embargo, que Collin se hubiese percatado de eso también, no me parecía buena señal.

—No significa nada.

—Claro, por eso no te lo has quitado —dijo con sorna.

Me mordí el interior de la mejilla, indecisa. Ese tatuaje era mi único recordatorio de que lo vivido con Alexander no había sido producto de mi errática mente, y que, en efecto, habíamos compartido un vínculo en algún momento de nuestra vida. Él había sido mío, y yo había sido suya. Era el último vestigio de Alexander que permanecía conmigo.

—No lo he borrado porque olvidé que lo tenía. Le presto tan poca atención que lo olvidé.

Movió la cabeza negando, sin perder esa mueca agria y burlesca.

—¿Cuándo vas a crecer, Leah?

—¿Perdona?

—¿Cuándo vas a superarlo?

—¡Ya lo superé!

—¡No sé si quiero casarme con una mujer que no puede superar al imbécil de su ex después de tanto tiempo! —bramó, con la vena saltándose en su cuello.

—¡Te he dicho que ya lo superé! ¡No me casaría contigo si no lo hubiese hecho!

—No parece. Demuestras todo lo contrario —rebatió.

—¡Tú lo sabes!

—No te creo —atajó con severidad—. Tienes que tomar una decisión, asumir el asunto con el compromiso que amerita, y debes darte prisa porque yo no esperaré por siempre.

Mi corazón se empequeñeció.

—Collin...

—Necesito que madures. ¿Esto es algo que se repetirá cuando nos casemos? Porque yo no toleraré tantas tonterías.

—¡No! No sé qué está haciendo aquí, y no me interesa saberlo tampoco. Tienes que creerme.

—¿Cómo pretendes que te crea si los encontré hablando desnudos?

—¡Fue un accidente!

Tensó la mandíbula y su cara enrojeció. Nunca lo había visto tan enojado. Pensé que seguiría discutiendo, pero, en su lugar, solo exhaló.

—Eres increíble, simplemente increíble, Leah —acotó desdeñoso y salió de la habitación azotando la puerta.

Gruñí con frustración y me retiré el cabello de la cara con violencia, en un vano intento por liberar la ira que me corroía la sangre. Me duché lo más rápido que pude y bajé luego de una hora para continuar con la gala de beneficencia. Collin no estaba por ninguna parte.

Los invitados se mostraron encantados con el nuevo atuendo, y quienes presenciaron la escena en el vestíbulo no hicieron ningún comentario al respecto, gracias al cielo.

La presión en mi pecho aminoró al no encontrar rastro de Alexander. Agnes seguía en la fiesta, charlando, ajena a las estupideces de su hijo. Era mejor así.

Me sentía abatida con todo lo que había sucedido, estaba más concentrada en repasar los acontecimientos de la última media hora, que en presidir un evento altruista, así que al final le pedí a papá que se hiciera cargo.

—¿Por qué te cambiaste de ropa, cariño? —mamá preguntó con disimulo.

—Tuve un percance.

—¿Qué percance? —Sus ojos me escrutaron curiosos.

—Alexander.

Se sorprendió lo suficiente para no poder ocultarlo, y pudo haber sido mi imaginación, pero juraría que esbozó el amago de una sonrisa.

—Ya veo. Eso explica por qué Collin no está aquí.

Estreché los ojos y mitigué el impulso de preguntarle si ella sabía que él se presentaría, puesto que no parecía tan sorprendida como esperé, considerando la gravedad de la situación.

Rogaba por no volver a verlo. Suplicaba porque el mensaje hubiese quedado claro y volviera a Inglaterra, donde era su lugar y donde un mundo entero nos separaba.

Era irónico, satírico incluso, que terminara de la manera en que empezó, aunque no podía negar que resultaba adecuado. Me gustaba cuando las cosas circulaban de esa manera. No quería concederle el poder de lastimarme otra vez.

Hoy sería un mal día. Lo supe desde el momento en que la alarma de mi reloj no sonó y desperté media hora antes de la cita acordada para la primera junta de supervisión en el proyecto que lideraba mi padre.

Por suerte, tuve el tiempo justo para llegar por un café y prevenir que mi estómago se comiera a sí mismo. No supe nada sobre Collin el resto del fin de semana, pero él solía ser así. Lidiaba con las cosas que lo molestaban solo y las resolvía por sí mismo. Era usual que lográramos superar nuestros problemas en menos de tres días; esperaba que el problema «Alexander» no fuera la excepción.

Tampoco supe nada de él desde el fiasco vivido en la fiesta y lo agradecí. No estaba lista para enfrentarme a él otra vez.

Di un último sorbo a mi café antes de entrar al enorme complejo de la corporación de papá, revisé el reloj en mi muñeca y casi me atraganté con el líquido cuando caí en cuenta de que, al final, se me había hecho tarde. Si mi memoria no me fallaba, la primera junta de supervisión sería con los accionistas de papá y Ben Simmons, el representante que habían enviado los Colbourn.

Mierda. Apreté el paso mientras subía por las escaleras. Los ingleses eran muy estrictos con la puntualidad, y yo no estaba causando una buena impresión el primer día. Abrí la puerta de la sala de juntas con brusquedad y comencé a balbucear un montón de disculpas al tiempo que dejaba mi maletín en el suelo para empezar a quitarme la pesada gabardina.

—Lo siento tanto, señor Simmons, lamento la tardanza. Mi despertador no sonó —reí nerviosa peleando con la manga de mi prenda—. Y la verdad es que no soy el tipo de persona que ama las mañanas, de hecho, me cuesta bastante despertarme en...

—Lo sé.

La respuesta me hizo parar en seco y me congeló en el lugar. Una descarga eléctrica me irguió para comprobar con mis ojos lo que mis oídos ya sabían.

Reconocería esa voz en cualquier lugar.

Alexander me miraba desde una de las sillas dispuestas alrededor de la mesa con el gesto relajado, casi entretenido por mi perorata. Un lado de su cara se iluminaba por la luz del sol que se colaba por el ventanal, dándole a su cabello ese tono dorado que lo hacía parecer hecho de oro. Llevaba las mangas de su camisa dobladas, exponiendo sus brazos, la prenda ciñéndose a él de tal manera que los músculos se marcaban bajo la tela cada vez que hacía algún movimiento.

—¿Te quedaste dormida de pie? —preguntó con diversión. Se incorporó y acortó la distancia entre nosotros, dejando solo unos cuantos pasos de separación.

Su aroma era embriagador y me reprendí tan rápido como lo noté.

—¿Qué haces aquí? —exigí saber—. Tú no eres Ben Simmons.

—Gracias al cielo. Yo soy mucho más agradable a la vista. —Me dedicó su mejor sonrisa.

—¿Dónde está él?

—¿Justo ahora? —Miró el reloj en su muñeca y casi sufrí un infarto cuando vi que era el mismo que yo le había regalado hacía tanto tiempo atrás—. En Londres, saliendo de su jornada de trabajo, ¿por qué?

—Tú no deberías estar aquí. Él es quien se encargará de la logística.

—¿En serio? Creí que sería yo —dijo con tono jovial y estiró el brazo para tomar el café que dejé sobre la mesa.

Se lo llevó a los labios y le dio un sorbo.

—Sigues tomándolo igual —apuntó, al tiempo que apoyaba su cuerpo sobre la enorme mesa de juntas y me permitía detallarlo con más facilidad.

Seguía conduciéndose con la misma arrogancia y seguridad, pero ya no era un chico, era un hombre. Había cambiado con el tiempo. Su cuerpo era más fibroso, su pecho construido, sus brazos más anchos. Definido, grande y... ¿era mi imaginación o se había vuelto más alto?

—Es mi café —mi voz salió fría—. Regrésamelo.

—Podemos compartirlo.

Enarqué ambas cejas y me crucé de brazos, sus ojos fijos en mi cara. Me negaba a tener detalles tan íntimos con él.

—No quiero compartir nada contigo. Quiero que te vayas.

Sus comisuras se elevaron.

—Ese deseo no puedo cumplírtelo, princesa.

Mi sien punzó cuando se refirió a mí de esa manera.

—No me llames así.

Se encogió de hombros.

—¿Y cómo debo llamarte? ¿Señora Montague? —espetó con acidez, como si el nombre le escociera la lengua.

—Veo que no perdiste el tiempo en investigarlo.

Dio otro sorbo a mi café con gesto sombrío.

—Leah, ¿recuerdas cuando tuvimos esa charla en mi balcón? Sobre el rey Midas y lo que seríamos si no fuéramos herederos.

Pasé saliva para tragarme el nudo que se formaba en mi garganta a causa del montón de recuerdos que se agolparon en mi mente: el balcón, las charlas, las burlas, el café, el Rey Midas, el "te amo" que yo le había dicho. Lo recordaba todo y dolía igual que el primer día de su partida.

—Sí —contesté con un hilo de voz.

—Estaba bromeando cuando dije que era bueno follarse a tu terapeuta, ¿comprendes? Bromeando —enfatizó con deje amargo.

Fruncí el ceño, molesta.

—Con quien me acueste no es asunto tuyo.

—¿En serio es lo mejor que pudiste conseguir? ¿Esa copia barata de mí? —Se señaló con la mano, a mitad de la burla y la indignación.

—Collin no es una copia de ti. —La furia corrió por mis venas.

Algo destelló en el azul de sus ojos, oscuro.

—No, claro que no. Es solo una imitación mucho más pequeña, vieja y patética.

—Él no es como tú —objeté—. Es mucho mejor.

Una sonrisa de satisfacción se deslizó por mi cara cuando su rostro se endureció, sus ojos implacables y escrutadores.

—Al menos yo sí sé qué zapatos usar.

Tuve que contener la respiración para no permitir que su aroma me envolviera e impedir a todas las sensaciones intensas que él despertaba en mí emboscarme. Era increíble que conservara esa capacidad incluso después de tantos años. ¿De qué me habían servido todas aquellas sesiones de terapia? Me habían robado mi dinero.

—Lástima que eso no compense el resto de tus defectos, Colbourn —logré replicar sin perder el piso a pesar de su cercanía.

—No, pero tengo otras cualidades que pueden hacer que los olvides —respondió con deje oscuro y sus ojos adquirieron el mismo tono que sus palabras.

Inspiré para ganar templanza. Entonces las palabras de Collin terminaron de hacer el trabajo que mi sentido común no pudo. Alexander no me merecía. No merecía nada de mí, mucho menos que sintiera algo por él además de odio.

—No lo creo —objeté recuperando firmeza—. Hay defectos que no pueden pasarse por alto, como la cobardía, la traición, la...

Callé cuando papá entró en la sala de juntas acompañado de su séquito de inversionistas, listos para iniciar la junta. Detuvo su andar al reparar en nosotros. Me preparé para la escena de reclamaciones que le montaría a Alexander.

Mi exesposo se alejó un paso sin despegar los ojos de papá y torcí la boca con satisfacción. Ya podía imaginarme la forma en que se lo comería vivo por tener las agallas de aparecerse luego del desastre que dejó tras su partida. Sin embargo, papá solo nos dedicó una mirada de curiosidad, puso los ojos en blanco después y procedió a sentarse.

Abrí la boca sin poder creerlo. ¿Qué demonios había sido eso?

—¿Comenzamos? —nos instó estoico.

Algunos inversionistas ya habían tomado su lugar, mientras que otros se apresuraron a obedecerlo en cuanto emitió la orden, dejándome sin opciones de asientos disponibles. Localicé uno que estaba junto a... Sí, exacto. Qué sorpresa. Suspiré con pesadez y me acomodé en el asiento que había junto a Alexander, repitiéndome una y otra vez que yo era una mujer madura y profesional, y él un simple idiota.

—Los inversionistas están de acuerdo con que la distribución comience tan pronto como se generen las proyecciones de ganancias de los próximos meses —habló un hombre calvo que no reconocí.

—Entiendo, para eso se hará el balance interno. —Discerní la voz de papá, clara y potente.

—¿Tú te encargarás de la logística y las relaciones comerciales? —murmuró Alexander cerca; su aliento cálido contra mi nuca me puso los vellos en punta.

Me reclíné más en la silla para no interrumpir el discurso sobre proyecciones financieras que un hombre daba en ese momento.

—Sí —susurré—, aunque estoy comenzando a cuestionarme si fue la decisión correcta aceptar el cargo, considerando que tendré que ver tu horrenda cara todos los días.

El sonido de su risa baja me hizo estremecer.

—Yo lo veo como una ventaja —respondió, y domé el impulso por girar el cuello y mirarlo—. Eres muy inteligente, Leah. Sé que tomas buenas decisiones para tus negocios. El que yo te confíe mis fondos es una muestra de lo mucho que valoro tu trabajo.

Fruncí el ceño.

—Entonces, ¿te gusta tener mi aprobación en tus decisiones empresariales?

Se acercó un poco más, su brazo rozando con el mío.

—Yo soy bueno para conseguir dinero. Tú eres buena para hacerlo crecer. Somos un buen equipo.

Me mofé por su excesiva seguridad en sus habilidades. Algunas cosas sobre Alexander no cambiaban. Había perdido ese deje de juventud flameante e impetuosa que desaparecía con el tiempo, sus acciones se habían vuelto más calculadas y sus movimientos más certeros. Era un hombre en toda la extensión de la palabra, pero seguía siendo Alexander. Mucho más peligroso incluso.

Su intuición, su astucia, su ambición se habían vuelto más afiladas. Era obvio que con el tiempo y la edad había obtenido aquello para lo que estaba destinado: poder, paciencia y más riqueza. Quizás todos esos rasgos eran los que me mantenían cautiva en ese momento, repasando su crecimiento en lugar de prestar atención a la junta.

—¿Qué hiciste con el anillo? —registré la pregunta varios segundos después.

—¿Qué?

—El anillo de compromiso, Leah. ¿Qué hiciste con él?

Fruncí el ceño sin comprender de dónde venía la interrogante, hasta que giré la cabeza y noté el diamante en el anillo de compromiso de Collin brillando por el reflejo de la luz.

Debía molestarlo y me deleité. Quería hacerlo enojar.

—Lo vendí —dije indiferente, pretendiendo estar concentrada en lo que un hombre fofo balbuceaba.

—¿Hiciste qué? —elevó su voz una nota más de lo debido y alguien se aclaró la garganta.

Le sostuve la mirada por varios segundos, retándolo a que hiciera otra estupidez para exhibirse.

—¿Hay algo que quieran compartir? —inquirió papá, severo.

Se mostró reacio a despegar sus ojos de mí, hasta que negó con la cabeza.

—Continúen —pidió mi exesposo.

—El incremento en los insumos es inevitable, considerando la inflación de la bolsa y...

Volví a concentrarme en la aburrida junta, absorta en los informes que hacían los inversionistas de papá respecto a las proyecciones mensuales.

—¿Por qué lo vendiste? —susurró tan cerca de mí que su nariz estuvo a punto de acariciar mi oreja—. Era una joya real, Leah.

Apreté mi agarre sobre mi café para evitar que mi corazón sufriera un vuelco.

—Y sí que era de la realeza —me burlé—. Me dieron muy buen dinero por él. Tendrías que haber visto a los coleccionistas peleándose por el anillo en eBay.

Escuché el quejido de incredulidad que lanzó.

—¿Qué hiciste con el dinero?

Apreté la mandíbula, pensando en lo que más lo haría enfurecer.

—Se lo regalé a Collin por su cumpleaños. No sé qué hizo con él, creo que compró un auto.

Esperé por la explosión, el grito o la escena que montaría a continuación, pero nada llegó. Lo único que podía escuchar era el rítmico tamborileo de su dedo pulgar contra la mesa. La verdad era que aún conservaba el anillo. Estaba enterrado entre un montón de cosas suyas que había en mi mesita de noche, en casa de mis padres, pero tenía ese deseo sádico de herirlo al menos un poco luego de lo mucho que me había lastimado a mí.

—Me alegro que lo usaras en algo que te hiciera feliz —dijo al final, sin un rastro de ira.

Lo miré entonces y fruncí el ceño. Esta no era la reacción que esperaba.

—Gracias —contesté decepcionada.

—Entonces, ¿tendré tu atención especial para supervisar la logística de mi empresa? —preguntó con una mezcla de seriedad y travesura.

Lo acribillé con la mirada.

—No tienes tanta suerte.

—Mmm... —musitó tan cerca de mí que el calor de su cuerpo se transmitió a través de la manga de mi blusa y una de sus piernas rozó la mía—. Te he contemplado mientras vives un orgasmo, Leah. Creo que eso me hace un hombre con mucha suerte.

Mis manos se movieron torpes en reacción por la crudeza de sus palabras y derramé el café que tenía enfrente, esparciéndose sobre la mesa y mi falda. Solté un chillido al tiempo que me ponía en pie. Alexander me miraba con esa falsa inocencia que usaban los niños cuando cometían una travesura y quise matarlo.

—¿Está todo bien? —inquirió un hombre, ocasionando que todos los demás pusieran su atención sobre nosotros.

Papá me escrutó implacable.

—Disculpen, tengo que limpiarme.

Salí de la sala con toda la dignidad posible y caminé con la misma actitud por la empresa, ignorando las miradas de los otros empleados. Me encerré en el baño apenas crucé la puerta, coloqué las manos sobre el lavabo y esperé a que mi furioso respirar se ralentizara. Sentía la cara ardiendo, la estancia caliente y mi sangre bullendo por las reacciones que mi cuerpo tenía a ese imbécil a pesar de no desearlo. Eso era lo que más me enojaba.

Cerré los ojos y comencé a enfriar mi cabeza.

«Él no te merece. No te merece».

Mi resentimiento y voluntad eran más fuerte que sus artimañas.

No caería de nuevo en sus garras para que me abandonara. No otra vez.

32
VIEJAS HERIDAS
Leah

Entré a la oficina de papá azotando la puerta la mañana siguiente.

—¿Por qué está aquí? —demandé saber, cruzándome de brazos.

—¿Quién? —Levantó la cabeza del papel que leía y me miró con genuina curiosidad.

—Alexander —aclaré con hastío.

—Para supervisar la operación.

—¡Dijiste que no vendría! Dijiste que delegaría la tarea a alguien más.

Soltó el aire con fastidio y dejó el papel sobre el escritorio para prestarme atención.

—No delegó.

—Obviamente. —Pasé mi peso de un pie al otro—. Eso es un problema.

—¿Por qué?

—¿Sabías que estaría a cargo?

—No.

Había algo que no me dejaba creerle, pero no repliqué por ello.

—Bien. —Tomé aire—. Renuncio.

Papá me miró como si estuviera loca.

—¿Por qué?

—Porque no tolero verlo, y porque...

—Quieres darle el control.

—¡No! —refuté airada—. No tiene el control sobre mí.

—Estás renunciando por él. —Enarcó las cejas—. A mí me parece que sí lo tiene.

Emití un quejido de frustración y dejé caer los brazos a los costados, derrotada.

—No lo tiene, pero no quiero verlo. Jamás pensé topármelo de nuevo luego de tantos años, y ahora resulta que hasta somos colegas de trabajo. No me parece que seamos una buena combinación.

Era un hecho, real y con fundamentos, porque nuestra unión siempre había terminado en desastre, no importaba el ámbito o el escenario.

—Leah, tienes mucha capacidad para el puesto. ¿Por qué abandonarlo por alguien que ya no te importa?

—No me importa, es solo que...

—¿Qué mejor manera de demostrarlo que trabajar con él? —propuso—. Debes ser profesional, no puedes mezclar tu vida personal con tus negocios, cariño. Las condiciones para desarrollar un proyecto no siempre serán las mejores, pero debes adaptarte.

Lo miré con fijeza, vacilante. Era verdad que no deseaba entregarle el control y retirarme tan fácil, pero la convivencia con él me estaba volviendo loca, y apenas era el principio. No sabía si mi mente y mi corazón resistirían el turbulento viaje que era estar en la cercanía de Alexander Colbourn.

—Dibuja un límite. Sé que puedes —agregó. Fruncí los labios, poco convencida, y él sonrió—. Te pareces mucho a tu madre cuando haces eso.

Quise sonreír por el comentario, pero el nudo de emociones en mi interior lo impidió.

—¿No hay nadie más que pueda reemplazarme? —cuestioné como última salida.

Negó con lentitud y suspiré con pesadez. Esto era una locura, debía serlo, pero había una vocecita en mi cabeza que me impedía renunciar. No sé si se trataba de orgullo o algo más, pero estaba ahí, alentándome a seguir a pesar de las consecuencias que podría traerme tal decisión.

—Bien, seguiré adelante con el proyecto —acepté entre dientes.

—Podrás con esto, y no hablo solo del proyecto.

Me hubiese encantado tener la misma seguridad que mi padre, o la determinación de mi madre, pero no sabía qué tan resistentes serían los muros que construí alrededor de mi corazón para mantener a mi exesposo lejos. Esperaba que no fueran tan endebles como yo creía.

Hoy sería un día especial. O, al menos, eso esperaba. Me di una última ojeada en el espejo y sonreí. El lazo amarrado en mi cintura le daba un toque al vestido y lo volvía bastante práctico para llevar a cabo los planes que tenía para esta noche. No sabía cómo resultaría nuestra cita improvisada, pero había cierta emoción y entusiasmo de mi parte.

Collin y yo necesitábamos pasar más tiempo juntos, se lo debía luego de estar tan enfocada en el proyecto. Además, nuestra boda sería en unos cuantos meses y necesitábamos afinar los detalles. Así que, con eso en mente, le propuse una cita romántica en el departamento que compré en Washington años atrás.

Desde nuestra discusión en la gala de beneficencia habían pasado quince días. Alexander no regresó a Londres como esperé, sino que se quedó para supervisar todo de cerca. O esa era su excusa. Decidí que lo mejor era concentrarme de lleno en mi trabajo para evitar otro incidente. Casi no salía de mi oficina, y cuando me veía obligada a abandonar el cuartel, me sentaba tan alejada de él como fuera posible, aunque eso no impedía que le dedicara una mirada furtiva de vez en cuando.

Las cosas con Collin se habían resuelto poco después. De alguna manera, volvimos a nuestra dinámica habitual y lo agradecí, pues mantenía mi mente lejos de temas y personas indeseables.

Abrí la puerta al escuchar el timbre y mi prometido me recibió con una sonrisa.

—Te ves hermosa.

—Gracias. —Le correspondí el gesto—. Pasa.

Me hice a un lado para permitirle el acceso y en cuanto estuvo dentro no perdió tiempo para admirar el lugar, desde las pesadas cortinas hasta las costosas alfombras, deteniéndose en la mesa decorada al estilo más cursi que pude encontrar. Era un fiasco en esto, pero me había esforzado, hasta había colocado velas para crear una atmósfera mucho más romántica.

—¿Tú hiciste todo esto? —Se giró y señaló el circo que había montado.

—Sí.

Silbó, impresionado.

—¿De quién es este lugar? —inquirió sin dejar de apreciarlo—. ¿De tu padre?

—No, es mío. Lo compré hace unos años, pero nunca estoy, así que no suelo usarlo.

—¿Por qué no me lo dijiste antes? Podríamos venderlo o rentarlo. —Tomó asiento y yo dejé de servir el vino un instante para mirarlo vacilante—. ¿No te gusta la idea?

—Prefiero conservarlo.

—¿Por qué? No viviremos aquí luego de casarnos. —Aceptó la copa que le ofrecía.

—No, pero quiero conservarlo igual.

Entornó los ojos, poco convencido con mi respuesta, pero no presionó.

—De acuerdo —concedió y dio un sorbo—. Estoy ansioso por instalarme contigo de forma permanente en nuestra casa.

Me senté a su lado y sonreí.

—Yo también. Podemos planearlo después de la boda.

La verdad era que no me había puesto a pensar en eso. Viajaba mucho por mi trabajo, así que la idea de asentarme en un lugar fijo me resultaba extraña, pero prefería no ahondar en el tema ahora.

—Por nosotros. —Levantó su copa, sonriendo.

Le correspondí con menos convicción de la que deseé.

—Por nosotros.

El choque de los cristales resonó en la estancia justo antes de que ambos tomáramos para sellar el brindis.

—¿Sobre qué querías hablar hoy por la tarde? —Estiré mi mano y acaricié el dorso de la suya con mi pulgar.

Su semblante relajado cambió y se rascó la barba incipiente que le crecía alrededor del mentón.

—Te hice una cita para que te removieran el tatuaje.

Retiré mi mano casi por instinto, sorprendida por la noticia. Creí que olvidaría el tema luego de la discusión.

—¿Por qué? —Traté de que no sonara como un reproche, pero no lo logré.

—¿Por qué? —repitió, incrédulo—. ¿Quieres conservarlo?

—Sí. Quiero decir, no, pero ¿crees necesario retirarlo?

—Creo que deberías deshacerte de todo lo que tenga que ver con tu exmarido, por tu salud mental —explicó con un deje clínico.

—Pero...

—Leah, vas a ser mi esposa —recalcó con paciencia, inclinándose más cerca de mí—. No quiero ver el jodido tatuaje en tu tobillo cada vez que follemos, o estés en la cama, o camines por ahí. No quiero recordar al imbécil de tu ex siempre que vea tu pie.

«Entonces no lo veas», pensé decirle, pero fui sensata.

—Entiendo tu punto —dije con calma—, pero el retirarlo es algo que yo debo decidir, no tú.

Logró mantenerse tranquilo a pesar de que la sorpresa lo asaltó por un momento.

—Lo sé, pero es lo mejor para ti, por tu salud mental. Retíratelo, por favor. —Sus ojos azules brillaron con súplica y me tragué la renuencia que me picaba en la garganta.

Él tenía razón. No podía seguir aferrándome a Alexander, ni siquiera a través de cosas tan banales como un tatuaje.

—De acuerdo —asentí—, me lo retiraré, pero yo decidiré cuándo.

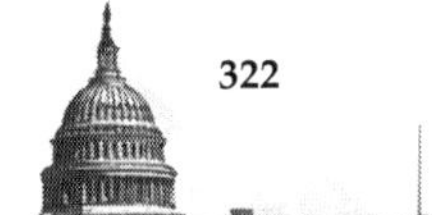

—Leah…

—No te hablo de hacerlo en años, solo en unos días o meses, no más.

Me miró con fastidio.

—Necesito asimilarlo y hacerme a la idea, eso es todo —expliqué con firmeza.

—¿Me lo prometes? —preguntó con los ojos brillantes.

—Te lo prometo.

Sonrió y se apresuró a plantarme un beso en los labios.

—Gracias —susurró sobre mi boca.

Intenté sonreír también, pero no lo logré.

—De acuerdo. ¿Eso es todo? ¿Podemos cenar y relajarnos ahora? —pedí.

Arrugó el rostro, con una mueca de disculpa.

—De hecho, hay algo más que quiero hablar contigo. Más bien es una propuesta.

—¿Qué cosa?

Su semblante se tornó serio.

—Alexander sigue aquí, ¿cierto?

Mi estómago se apretó con la sola mención de su nombre y mi cara le dio a Collin la respuesta.

—¿Está trabajando con tu padre todavía?

—Sí, pero...

—Bien, es todo lo que necesitaba saber. —Puso una mano al frente para detenerme—. Quiero proponerte que nos casemos en Bali en dos meses.

—¿Qué? ¿Por qué?

—Prefiero no retrasarlo por más tiempo. Además, una boda mucho más íntima y con pocos invitados es mejor.

—Pero dos meses es demasiado pronto. —La idea me parecía descabellada—. Se supone que nos casaríamos dentro de seis meses, aún hay mucho que debemos organizar, contratar, planear…

—Sí, y se suponía que venir a Washington sería bueno para nosotros, pero fue un error.

Me rasqué la mejilla, nerviosa. Sabía por qué lo decía, pero para mí esa no era una razón suficiente para cambiar por completo los planes que teníamos.

—Yo quiero tener la boda aquí, donde están nuestros padres.

—Lo sé, pero si igual nos casaremos, ¿qué importa si lo hacemos aquí o en China? Tus padres pueden viajar para acompañarte y los míos igual.

La incredulidad no me abandonó.

—Es demasiado pronto. Aunque aceptara tu propuesta de adelantar la boda, no tenemos nada, ni siquiera el lugar.

—Ya lo tengo —informó—. Mis padres se están encargando de eso ahora, ya están en Bali. Será en un hotel frente a la playa, todo será precioso.

Estiró su brazo para tomar mi mano, pero la retiré por instinto. Era mucha información para asimilarla tan pronto. ¿Dos meses para casarnos? Era una locura, imposible. Además, no sabía si estaba lista para dar ese paso tan grande por segunda vez. No quería admitirlo, y no se lo había dicho a Collin, pero las dudas me asaltaban de vez en cuando. Esperaba que el planear la boda durante los próximos meses me ayudara a disiparlas y a convencerme de que estaba lista para casarme otra vez, pero dos meses…

—Tengo que pensarlo —confesé y la decepción se asentó en su rostro.

—¿Por qué? ¿No quieres casarte conmigo?

—Sí quiero, es solo que es muy apresurado. No sé si quiero que nuestra boda sea así.

—Será increíble, cariño. —Tomó mis dos manos entre las suyas y besó mis nudillos—. Mi familia y yo nos encargaremos de que así sea, y tú puedes aprovechar estos días para elegir tu vestido, los colores de los manteles, de la decoración… Será el mejor día de nuestras vidas.

La vacilación se instaló en mi pecho y las dudas me supieron amargas, pero no tuve el corazón para decírselo porque mataría la ilusión en sus ojos.

—Lo pensaré, te lo prometo.

—Esa es mi chica. —Plantó un beso en mis labios—. Le diré a mi madre que te envíe todos los detalles del hotel, sé que terminarás accediendo. Es un lugar de ensueño.

—Ya, te creo —dije, e intenté sonreír tan ampliamente como él, pero no lo conseguí.

Era evidente que había más razones que solo su deseo por casarse conmigo para su premura, y también sabía que uno de esos motivos tenía ojos azules como el cielo y una personalidad arrogante. Di un largo trago al vino para apaciguar mi inquietud y me concentré en mi prometido. Esta era nuestra noche, nada ni nadie iba a arruinarla.

—Entonces, ¿tú hiciste la cena? —Fijó la vista en los platos que había dispuestos en la mesa.

—No, la ordené.

Rio.

—Me imaginé. Sé que eres un desastre para la cocina. ¿Qué ordenaste?

—*Sushi.* —Quité la tapa de metal al plato más próximo y descubrí la comida.

—Es mi comida favorita.

—Lo sé. —Sonreí al percibir una oleada de apego provocada por su emoción—. Por eso la ordené.

—Eres increíble, ¿ya te lo había dicho?

Me acerqué a él hasta quedar a un palmo distancia.

—No, no lo has hecho.

—Bueno, pues te lo repito: eres increíble. —Algo cambió en su expresión, tornándose mucho más oscura—. Estoy agradecido porque seas mi prometida.

—Tampoco me lo habías dicho. —Mi respiración se volvió más pesada cuando sentí el rozar de sus dedos en mi clavícula, subiendo por mi cuello—. Pero demuéstramelo.

Sus ojos brillaron maliciosos.

—¿Cómo?

—Se me ocurren un par de ideas. —Acaricié su muslo con lentitud y contuve la sonrisa que casi se formó al ver su erección tensar su ropa. Enredó su mano en mi cuello e intentó besarme, pero me alejé.

Me puse en pie y apoyé mi cuerpo en la mesa para que pudiera admirarme. Sin despegar mis ojos de los suyos, deshice el moño que ataba el vestido y revelé la sorpresa que tenía para él: llevaba un delicado conjunto de lencería oscura que dejaba muy poco a la imaginación, rematado con medias que apretaban mis muslos y unidas a unos ligueros que se ajustaban a mi cintura.

La forma tan lasciva en que me miró inició una llamarada en mi interior.

—Espero que no te importe comer el postre antes de la cena —lo molesté y tardó un par de segundos en despegar los ojos de mi cuerpo para enfocarse en mi cara. Solo bastaba ver su pantalón para saber lo feliz que este atuendo le había hecho.

—Por mí encantado. —Hizo el ademán de levantarse, pero se lo impedí colocando mi tacón entre sus piernas.

—¿Qué? —preguntó con cierta decepción—. ¿No puedo tocarte?

—No. —Sonreí maliciosa—. No a menos que yo te lo diga, ¿entendido?

Abrió la boca un poco, todavía sorprendido por mi orden, pero su erección tensaba más su pantalón, así que lo tomé como una buena señal.

Asintió sin salir de su ensimismamiento. Me acerqué hasta sentarme a horcajadas sobre él. Le dediqué una mirada de advertencia cuando sus caderas me embistieron sobre la ropa y mascullló un tenso «lo siento».

Era inteligente para obedecerme, y mucho mejor para seguir órdenes de lo que era Alexa... «¿Por qué piensas en él cuando estás a punto de follarte a tu prometido? ¡Espabila!», me regañó mi conciencia, aunque me humedecí solo con el pensamiento. Me froté contra su polla y su suspiro de satisfacción me trajo de vuelta a él, a nosotros, a este momento que tanto necesitábamos.

Dejé que la excitación flotando en la estancia nos envolviera y que el pesado halar de la lujuria nos engullera a ambos. Desabotoné su pantalón en un movimiento rápido, y, sin despegar mis ojos de los suyos, liberé su turgente erección, que se sentía dura y caliente en mi mano.

Gimió grave cuando le di un apretón, acariciándola con lentitud, y me gané otro tirón violento de sus caderas. Sus manos rozaban con disimulo la forma de mis glúteos. Lamí la palma de mi mano para lubricar su polla y enredé mis dedos en ella: los movimientos eran largos, yendo desde la base hasta el glande, recolectando más líquido preseminal con cada recorrido deliberado y jodidamente tortuoso.

Podía notar su respirar errático, su boca abierta para sobrellevar el placer, y me excitó aún más saber que yo tenía el control, saber que era yo quien lo desarmaba.

Aumenté la velocidad de mis caricias. Su cabeza cayó hacia atrás en reacción y los tirones de su cadera se volvieron más violentos. Me detuve cuando clavó sus uñas en mis nalgas.

—Dije no tocar.

Jadeó, recuperando el aliento, sus ojos consumidos por el placer.

—Cariño...

—¿Quieres tocarme, Collin? —Me contempló en silencio, jadeando aún—. ¿No? Porq...

—Claro que quiero tocarte, Dios —contestó con voz estrangulada y sonreí triunfal—. ¿Tendré que pedírtelo por favor?

Lo miré con intensidad.

—Puedes tocar una. —Le concedí y sus dedos fueron rápidos en liberar uno de mis pechos.

La estrujó en su mano y me preparé para montarlo, cansada del juego previo. Necesitaba que apagara el fuego que llevaba días ardiendo furioso dentro de mí, y que solo se había avivado con el paso del tiempo. Sabía que Collin podría mitigarlo si era yo quien tomaba lo que quería de él, en lugar de esperar a que él me lo diera. Me froté un par de veces contra su erección, la delgada tela de la tanga empapada por mis fluidos. Estaba lista para que mi deseada liberación me golpeara, la necesitaba, la deseaba...

—¡Al carajo! —Se levantó conmigo en brazos y me colocó sobre la mesa, besándome con premura. Hizo las bragas a un lado y, sin vacilación, entró en mi interior. Un fuerte gemido brotó de mis labios mientras acomodaba mis piernas alrededor de su cintura para tomarme.

—Leah... —susurró grave contra mi oído mientras invadía mi interior una y otra vez.

Cerré los ojos e intenté concentrarme en las sensaciones que me provocaba cada envite para tratar de conseguir mi anhelado orgasmo en esta posición, que no era una de mis favoritas. Prefería montarlo, al menos así podía controlar el compás y alcanzar por mí misma mi anhelada cima.

—Me encantas —dijo sobre mi cuello para después deslizar su lengua sobre mi piel y me apreté contra él.

Me gustaba el sexo con Collin. Era bueno por regla general, aunque al inicio de nuestra relación fuera un desastre: no congeniábamos en nada en la cama. Era dulce y gentil, pero eso nunca fue suficiente para mí. Así que decidí ser paciente y enseñarle. Era un buen alumno y aprendió rápidamente cuáles eran los lugares en los que me gustaba ser tocada, la forma en que debía mover sus dedos y su polla dentro de mí para provocarme un orgasmo.

Sabía todo lo que me gustaba y cómo me gustaba, y, aun así, sentía que algo faltaba. Había alcanzado un orgasmo con él incontables veces, pero no eran tan fuertes ni consumidores como sabía que podían llegar a ser, como los experimenté otras veces en el pasado.

Una fuerte embestida me regresó al momento y besé su cuello mientras su cuerpo temblaba debajo de mí, avisándome que estaba por terminar. Coló sus dedos al punto en el que nuestros sexos se encontraban sin tregua y comenzó a frotar mi clítoris con ahínco. Gemí e hice mi mejor esfuerzo por evaporar pensamientos intrusivos de alguien más, un fantasma del pasado que debería permanecer enterrado en lo más profundo de mi mente, encerrado en un lugar donde sus ojos azules no pudieran atormentarme, ni el recuerdo de su piel contra la mía me alcanzara, ni...

«Maldito hijo de puta», pensé justo antes de que mi cuerpo se convulsionara para alcanzar el orgasmo con el recuerdo de Alex en mi interior. Me mordí la lengua cuando su nombre por poco se escapa de mis labios y abrí los ojos para encontrarme con el azul de la mirada de Collin.

Tenía esa sonrisa perezosa de satisfacción plasmada en el rostro, así que asumí que había terminado también. Me dio un beso lánguido en los labios, pero colé mi lengua en su boca para profundizar el encuentro. Quería que todo sobre mi ex desapareciera, incluido sus recuerdos.

—No sabes cuánto necesitaba esto —dijo sobre mi boca cuando nos separamos y salió de mi interior.

—Yo también. —Bajé de la mesa mientras él se acomodaba los pantalones—. ¿Cenamos? —Sonreí sin que el recuerdo de Alexander abandonara mi mente.

—Claro, pero solo si me prometes que después repetiremos el postre —sugirió con tono lascivo.

—Te lo prometo. —Me puse de nuevo el vestido y me apresuré a servir la comida.

Cenamos entre charlas banales del trabajo y planes de boda. Intenté evadir la realidad, pero lo cierto era que nunca me sentía completamente satisfecha con Collin después del sexo. Era como si, de alguna manera, nunca llegara con él al nivel que sabía que podía con Alexander.

Me maldije cuando se coló otra vez en mi mente. Quería huir de él tanto como lo quería Collin, pero ¿lo conseguiríamos?

Estaba de malhumor. Había despertado de maravilla después de la noche que pasé con Collin, hasta que recordé su propuesta y el cambio de planes tan repentino que eso representaba para nuestra boda. No me gustaba ceder el control de las cosas, mucho menos si era algo tan importante.

Le había prometido pensarlo, pero aún no estaba lista para tomar una decisión. Mi plan para evitarlo era enterrarme en el montón de trabajo que tenía pendiente y me centré en ello. Tomé mi fólder y me dirigí a la sala de juntas para esperar al resto de inversionistas que participarían en la reunión. Creí que el lugar tranquilo y silencioso me ayudaría a calmar mi temperamento. Qué ingenua. Mi humor empeoró cuando encontré al protagonista de mis pesadillas ocupando una de las sillas.

Me miró curioso y azoté la puerta para demostrar mi ánimo. Con un poco de suerte, sería inteligente y me ignoraría, como lo había hecho las últimas semanas. El universo, sin embargo, decidió que mi día no estaba lo suficientemente jodido porque habló apenas me senté frente a él.

—Estás de malhumor —dijo con suavidad.

Levanté mis ojos en su dirección.

—Qué observador —dije con sarcasmo. Sonrió.

—¿Qué te sucedió? ¿Tu despertador no sonó? ¿No tomaste tu café? O… ¿tiene que ver con Montague?

Lo fusilé con la mirada cuando dijo el apellido de mi prometido, pero eso solo sirvió para que sonriera triunfal.

—Sí, tiene que ver con él. —Su voz se llenó de suficiencia—. ¿Problemas en el paraíso?

—¿Qué te importa?

—Me importa porque tiene que ver contigo.

La declaración removió algo en mi interior por un momento, antes de que los amargos recuerdos aplastaran la estúpida mariposa.

—Te habría creído eso tres años atrás, ahora ya es tarde.

Creí distinguir el pesar en sus ojos por un instante, pero desapareció tan rápido como llegó.

—Nunca me perdonarás, ¿cierto?

—No lo sé, pregúntamelo en una carta y espera mi respuesta —solté molesta.

—Te has vuelto más malvada con los años —dijo con un toque de orgullo—. Creo que te enseñé bien.

Su comentario me hizo enojar más.

—Tú no me enseñaste nada. Lo único que me demostraste es que no sabes luchar por lo que quieres.

Ni siquiera sabía a qué venía esto, me había propuesto ignorarlo y, si me provocaba, estaba decidida a contenerme, pero ahí estaba, dejándome llevar por mis emociones.

—Yo lucho por lo que quiero —rebatió severo.

—Vaya, entonces no me querías tanto, porque no luchaste por mí.

Sus ojos me perforaron y supe que lo había hecho enojar. Incluso después de años, podía reconocer esa expresión.

—¿En verdad necesitas que te responda eso, Leah? —Su tono era suave pero contenido.

Provocarlo más era una mala idea, pero supe entonces que era justo lo que necesitaba para mejorar mi humor. Este enfrentamiento era lo que había esperado por años, para gritarle a la cara todas esas cosas que no pude cuando se fue.

—Ya sé la respuesta, lo dejaste muy claro.

Sus ojos se volvieron letales y se incorporó. Dio unos cuantos pasos y se detuvo cerca de mí.

—Tú y yo sabemos la respuesta de cuánto me importas, ahora y en ese entonces. Sabes bien todo lo que hice por ti. Te adoraba como si fueras una maldita deidad.

—¿Y qué importa si te fuiste? —escupí iracunda y me puse en pie para enfrentarlo—. Acababa de salir viva de un secuestro, te necesitaba, a ti. Necesitaba que me apoyaras.

—Tenía que irme —declaró y mi estómago ardió, lleno de furia.

—¡No dejas a la persona que se supone que amas luego de algo así! ¡Se supone que te quedas y la ayudas a superarlo!

—¡No podía quedarme! —me gritó de vuelta, perdiendo los estribos.

Su mandíbula se tensó y contemplé el pesar reflejado en sus ojos en todo su esplendor, y de nuevo, reconocí esa expresión afligida en su rostro: era la misma que vi en su balcón, luego de la muerte de Michael.

—Nunca quise dejarte —admitió luego de un momento, recuperando la templanza—. Eras lo único en mi vida que valía la pena conservar, que tenía valor, pero estaba aterrado.

—¿Aterrado de qué? ¡Todo había pasado! ¡Te fuiste porque eres un cobarde, porque no me quisiste lo suficiente para luchar por nosotros! —bramé y mi voz se quebró en la última palabra.

No quería llorar, pero controlarme estaba costando demasiado. Creí que este tema lo había superado con los años de terapia, pero ahora entendía que era solo una vieja herida que nunca cerró.

—Estaba aterrado de perderte definitivamente. —Su voz estaba tan afectada como la mía, pero lejos de aminorar mi enojo, lo encendió más.

—Bien, noticia de última hora para ti, Colbourn: ¡Tu miedo se hizo realidad!

—¡No lo entiendes! ¡Tenía que ser así!

—¡No es cierto! ¡Tú tomaste esa decisión! ¡Solo te importaba salvarte a ti mismo, nunca te importó lo que yo pudiera sentir! —bramé, con el nudo en la garganta tan apretado que apenas podía hablar.

Dio un paso hacia mí y sus ojos se clavaron en los míos, llenos de frustración.

—Tal vez si me dejaras explicarte…

—¿Ahora quieres explicarme? Creo que llegaste tres años tarde para eso, es muy tar…

—¡Temía que Rick o Fejzo hicieran algo más en tu contra si seguían relacionándote conmigo solo para destruirme! —gritó con la voz en cuello y tan alto que reverberó en la estancia—. Sabían que atacándote a ti acabarían conmigo, y por eso fueron tras de ti en primer lugar.

Negué con la cabeza, mi cuerpo vibrando de rabia. Quise hablar, pero me cortó.

—Louis te reconoció por mi culpa, porque yo te llevé al casino. Te secuestraron porque sabían lo importante que eras para tus padres, para mí, y luego, cuando te tenían, Louis te...

Se atragantó con las palabras e hizo una mueca, como si tuviera un dolor físico.

—Lo que te sucedió fue mi culpa, por eso me fui, porque no te merecía. ¿Cómo podía estar contigo después de todo lo que te hice pasar?

—Lo que me sucedió no fue tu culpa. Deja de excusarte con eso —solté con desdén y sus ojos me incineraron.

—¿Crees que es una excusa? ¿En serio? —dijo con los dientes apretados.

—¡No fue tu culpa! ¡Eras solo otra víctima! ¿Por qué no admites que simplemente no querías estar conmigo?

Soltó una risa mordaz que me caló como un cuchillo en las costillas.

—¿De verdad crees que me fui porque no quería estar contigo?

Mi mandíbula tembló, el nudo en mi garganta a punto de explotar y las lágrimas nublándome la vista.

—Sí, eso es lo que creo.

Negó, con la amargura, la ira y el pesar desbordándose de su mirada. Parecía que estaba a punto de estallar, igual que yo, pero se esforzaba por mantener un precario control.

—Eres increíble, no puedo creer que pienses que me fui por eso.

—¡Eso es lo que me hiciste pensar! ¿Acaso me explicaste por qué te ibas? No. ¡Ni siquiera me diste la maldita cara!

—¡Me fui porque creí que no soportarías verme! ¡Porque Louis te capturó y te violó por mi culpa! —gritó, engullendo mis palabras con su voz.

—¿Qué? —Fruncí el ceño—. Louis jamás me violó. Lo intentó, pero nunca lo hizo. ¿De qué demonios hablas?

La sorpresa se reflejó en su rostro, cruda y pura.

—¿No lo hizo?

—No. —Me crucé de brazos.

—Pensé...

—Pensaste mal.

Miró al techo para controlarse un momento, y después se enfocó en mí otra vez.

—No quería que te lastimaran de nuevo por mi culpa, no quería ser un peligro para ti.

La ira volvió a avivarse en mi interior, esta vez con tanta fuerza que ni siquiera fui consciente de lo que decía.

—¡No era solo tu decisión! ¡Yo también tenía derecho a saber y a decidir! —Le clavé el dedo en el pecho un par de veces y, como si fuese una bomba, exploté. Me percaté demasiado tarde que estaba llorando—. ¡Ni siquiera me preguntaste qué pensaba yo! Lo que me sucedió hace años NO fue tu culpa, ¡pero nunca hablaste conmigo al respecto! Solo te cerraste y te largaste —reproché con amargura y tan consumida por el llanto que mi pecho dolió y fue difícil alcanzar la respiración.

Jadeé con desespero y me limpié el rostro, aunque las lágrimas no dejaban de caer, una tras otra; mi fortaleza destruida por completo.

—Una mañana simplemente ya no estabas —dije con voz estrangulada—. ¿Qué se suponía que debía pensar?

Noté el dolor cincelado en su cara, tan claro que me hizo enojar más.

—Fue un error —acotó—. Sabía que si te lo decía, harías que me quedara. Nunca he podido negarte algo, Leah. Me habrías convencido, y nos habríamos destruido.

—¡No es cierto! ¡Yo quería estar contigo, quería una vida contigo y la mandaste al carajo por tu maldita cobardía! —Lo empujé presa de la ira y el dolor, supurando como pus de una herida que jamás cerró—. ¡Nunca te importó una mierda lo que yo pudiera sentir! ¡Siempre tienes que ser tú primero, el puto centro del mundo! Maldito idiota, imbécil. —Golpeé su pecho, una y otra vez, con la rabia llenándolo todo y el dolor apoderándose de cada parte racional.

—Leah…

—¡Eres un egoísta de mierda, un cabrón, un maldito cobarde! ¡Te odio, te odio, te odio! —Lo golpeé con más fuerza.

—¡Para, para! —Me tomó de los hombros y me miró a los ojos—. ¡Basta, Leah, ya basta!

Intentó llevarme a su pecho para abrazarme y detener la catástrofe, pero me solté de su agarre y le planté una bofetada antes de pensarlo mejor. Sucedió tan rápido que ni siquiera tuve tiempo de procesarlo y fue solo cuando me miró otra vez, con la mejilla roja y los ojos desbordando dolor que me di cuenta de lo que estaba haciendo. Esta no era yo, o al menos, no era la mujer que pretendía mostrarle que era. No, corrección, era yo, en carne viva, con las heridas al descubierto y con las emociones a flor de piel, harta de mantenerlas cautivas dentro de una caja de fingida indiferencia. Alexander me había roto el corazón, era justo que lo supiera y viviera con las consecuencias de sus actos.

Intentó tocarme y me alejé por inercia.

—No me toques —dije, con el cuerpo temblando de ira y los ojos todavía llorosos.

—Perdóname. Sé que no puedes entenderlo, pero te pido perdón por las cosas que hice mal. —Sus palabras eran pesadas, impregnadas de sinceridad—. No podía quedarme y esperar que algo peor te sucediera. No podía soportar la idea de perderte otra vez.

—Bien, pues sí me perdiste —sentencié y fue como si se apagara de pronto. Sus ojos se nublaron con el dolor, tanto que creí que también lloraría.

—Leah, por favor…

Me recompuse lo mejor que pude, me limpié la última lágrima y lo miré con dureza.

—No te acerques a mí otra vez —le advertí.

Creí que diría algo más, pero pareció pensárselo mejor porque su rostro se endureció. Mi corazón volvió a romperse como la primera vez, pero me tragué el nudo en mi garganta y seguí firme. Estaba por decir algo más cuando alguien abrió la puerta de la sala de juntas.

—¿Interrumpo algo? —preguntó el empleado con cara de susto.

—No, ya hemos terminado —contesté y le dediqué a Alexander una mirada de muerte.

Comprendió el mensaje y se alejó para volver a tomar su asiento en la punta de la mesa contraria a la mía. El hombre entró con vacilación y lo único que rompió el tenso ambiente fue el ruido de su silla arrastrándose por la alfombra.

Alex no me quitó los ojos de encima el resto de la junta. Podía sentir su mirada sobre mí, el aire era pesado y bullía entre nosotros incluso después de la discusión, pero me sentía drenada, como si, después de años, al fin me quitara esa espina que me pinchaba el corazón.

Ahora que nos habíamos enfrentado y finalmente le había dicho todas las cosas que mantenía guardadas, debía sacarlo de mi vida para no darle la oportunidad de joderme, de destruirme otra vez.

33
SALIR DEL LABERINTO
Leah

Como ya era costumbre desde que entré al proyecto, había sido un día de mucho trabajo, lo que, de cierta forma, me ayudaba a no pensar de más en esa conversación que tuve con mi ex. La sensación de que me faltaba más por decir no desapareció, pero seguía decidida a mantenerme alejada, así que tendría que conformarme con haberle gritado a la cara todas sus verdades y aferrarme a mi digna retirada. Conseguí no toparme con él los días siguientes, pero toda la tranquilidad que había tenido hasta entonces se desvaneció tan pronto como entré a la oficina de papá y me encontré a Alexander dentro, ambos esperando por mí.

Me gustaba pensar que mi padre estaba de mi lado y que odiaba a mi exesposo tanto como yo. De verdad me gustaba pensarlo, pero él seguía haciéndome dudar, y estaba cada vez más convencida de que apoyaba al enemigo.

—¿Qué sucede? —pregunté con los hombros tensos.

Alexander me escrutó sin vergüenza e hice mi mejor esfuerzo por no mirarlo de vuelta.

—Los Masterson —dijo mi padre.

—¿Qué pasa con ellos?

—Quieren abandonar el proyecto. Creen que no será lo suficientemente redituable —habló Alexander por primera vez.

No habíamos cruzado palabra desde la acalorada discusión que mantuvimos en la sala de juntas tres días atrás, y mantenía la esperanza de que así continuara por el resto del mes, el año y la vida entera; aunque claro, papá, el trabajo y Alexander mismo no lo hacían una tarea sencilla de cumplir.

—Quiero que los convenzas de seguir invirtiendo en este proyecto —me pidió papá con gesto serio.

—¿Yo? Ese no es mi trabajo.

—Tú eres la encargada de las relaciones comerciales, ¿no? —recalcó y me sentí idiota. Tenía razón.

—Sí, pero ¿qué sucedió? ¿Por qué quieren abandonarlo?

—No están seguros de que genere tantos ingresos como previmos si el gobierno acepta el apoyo de otras compañías. No tendríamos la totalidad del presupuesto federal, sino que se repartiría entre más empresas. Eso nos generaría más competencia y, por lo tanto, menos dinero —explicó Alexander—. Y su empresa es de las que aporta más material, así que convencerlos de seguir es imprescindible.

Traté de seguir firme en mi postura de no verlo, pero conforme hablaba, tuve que hacerlo para asimilar lo que decía, y cuando al final lo comprendí, sentí la presión caer sobre mis hombros como bloques de concreto. El panorama no lucía bien.

—Sería mejor que te acompañara alguien que conozca el balance empresarial y el reparto de utilidades —sugirió papá—. Convencerlos con números será más fácil.

—Yo iré contigo —se ofreció mi exesposo y se puso en pie. Un nudo se formó en mi estómago.

—Si tú conoces más del tema, ¿por qué no vas en mi lugar? —le hablé por primera vez.

—No soy tan bueno para convencer a los demás como lo eres tú. —Sus comisuras se elevaron en el esbozo de una sonrisa que no se concretó.

—Yo diría que sí tienes esa capacidad.

—¿Acaso es un halago lo que escucho salir de tu boca, McCartney? —Enarcó una ceja, audaz, para molestarme. Idiota.

—Tal vez esté dispuesta a mentir con tal de no compartir el espacio contigo, Colbourn.

—Necesito que vayan los dos —nos cortó mi padre y ambos nos enfocamos en él. Tenía una mueca de impaciencia.

—Yo no tengo problema —habló el imbécil y me miró—. Pero Leah no parece muy dispuesta a... ¿cómo dijiste? —Frunció los labios, como si pensara—. Ah, ya. "Compartir el espacio conmigo".

—Primera cosa en la que tienes razón —siseé, molesta por su sarcasmo.

—Paren ya, los dos. —La advertencia era clara en la voz y los ojos de papá cuando me enfoqué en él—. Será mejor que trabajen en equipo y sean profesionales. No quiero que regresen aquí hasta que hagan cambiar a los Masterson de opinión.

Me removí incómoda y di un paso para alejarme de mi pesadilla.

—Bien —acepté reticente. No tenía caso discutir con papá si ya había tomado una decisión.

—Los estarán esperando. El señor Masterson nos concedió una cita dentro de dos horas. Será mejor que se vayan de una vez.

—Pero su empresa no está tan lejos —apunté.

—No los citó en la empresa, sino en su casa —contestó papá.

—¿Por qué?

Se encogió de hombros.

—No lo sé. El chofer los está esperando, váyanse ya.

Solté el aire que contenía, aliviada. Al menos no pasaría las siguientes dos horas sola en compañía de Alexander. Mi corazón y mi salud mental lo agradecían.

Mi exesposo abrió la puerta y me hizo una seña cordial para salir primero. Lo fusilé con los ojos mientras pasaba a su lado. Si esperaba ganarse a papá o a mí con esas pequeñas cosas, estaba muy mal de la cabeza.

—¿Por qué te ofreciste? —le recriminé en cuanto estuvimos solos.

—Conozco a los Masterson. Son difíciles de persuadir, pero puedo lidiar con ellos. Te seré de ayuda.

Me detuve en el pasillo que llevaba a mi oficina y él me imitó.

—Bien, espero que sea rápido. No quiero pasar el resto de mi día lidiando con el líder de esa familia.

Me miró suspicaz.

—¿Con él o conmigo?

—Ambos escenarios suenan como una pesadilla si me lo preguntas.

Sonrió y el hoyuelo que recordaba se marcó en su mejilla, aunque sus ojos no brillaban tanto como antes.

—Tal vez pases más tiempo conmigo del que crees. No sabemos cuánto nos tomará convencer al señor Masterson de regresar al proyecto y tu padre nos ordenó no regresar hasta que lo consigamos.

—Créeme, haré todo lo que esté en mi poder para persuadirlo. —Me crucé de brazos—. Lo que menos quiero es tener que convivir contigo más de lo estrictamente necesario.

Esta vez, un rayo de travesura cruzó el azul de su mirada.

—¿Por qué? ¿Qué te da miedo que haga, Leah?

Apreté los dedos sobre mi brazo, negándome a creer que me afectaba de alguna manera la perspectiva de pasar tiempo con él, aunque, muy en el fondo, sabía que así era.

—Algo indebido —respondí seca.

—¿A qué te refieres?

—Sabes de lo que hablo.

—No, no sé.

Fruncí los labios, molesta.

—Intentar algo conmigo —dije al final.

Ladeó un poco la cabeza, curioso.

—¿Te asusta que llegue a funcionar?

—No, pero la idea me repugna, así que haznos un favor a ambos y abstente de cometer alguna estupidez —atajé y seguí mi camino, temerosa de que escuchara el loco latir de mi corazón al pasar a su lado.

Mierda, ¿por qué dije eso? Básicamente admití que su presencia me afectaba. Esperaba que al menos escuchara mis palabras y no intentara nada.

El viaje hasta la mansión de los Masterson fue incómodo y tenso, con un pesado silencio instalado entre nosotros. Una mujer de servicio tomó nuestros abrigos al llegar y nos guio hasta el patio trasero, donde una mesa redonda con mantel y cristalería nos esperaba bajo un quiosco, frente a un lago artificial.

—El señor Masterson los recibirá cuando haya terminado una reunión previa a la de ustedes —nos informó la mujer—. Pueden sentarse a esperar si desean.

Y sin decir nada más, entró de nuevo a la casa, dejándonos solos en el enorme lugar.

¿Qué demonios? ¿Por qué nos citó a una hora en la que ni siquiera estaría disponible? Qué falta de respeto.

Dejé el maletín que llevaba en una de las sillas y Alexander hizo lo mismo. Estaba por sentarme a esperar cuando habló.

—Esta vista me recuerda al lago en Rockport —mencionó mirando hacia el lago y mi corazón se aplastó bajo el recuerdo.

Pensé en ignorarlo y fingir que no existía, justo como en el auto, pero mi curiosidad ganó. Me puse a su lado, dejando una prudente distancia entre ambos. Era mucho más pequeño que el de Rockport y el agua más clara, por lo que asumí que era menos profundo.

—Tomé muchas fotografías a diferentes lagos los últimos años. Traté de conseguir una que fuera tan buena como la que saqué esa vez, pero nunca lo conseguí.

—Qué lástima.

De nuevo, el hoyuelo en su mejilla apareció cuando sonrió sin dejar de mirar al frente.

—Encontré lagos con vistas preciosas en viajes, pero sentía que las fotografías eran insípidas o estaban incompletas. —Había una nota de melancolía en su voz que no pasó desapercibida para mí, y culpé a mi curiosidad por lo siguiente que pregunté.

—¿Por qué?

Metió las manos en los bolsillos de su pantalón y fijó su vista en mí.

—Alguien les hacía falta —contestó con voz suave, pero sus palabras fueron como un mazo que golpeó mi determinación y la hizo temblar.

De repente, me di cuenta de lo que estaba haciendo y me sentí furiosa conmigo misma por casi caer en su juego. Otra vez.

—¿Por qué lo haces? —pregunté de pronto.

—¿El qué?

—Esto… —Nos señalé a ambos—. Volver, estar cerca de mí, lanzar esos comentarios.

—¿Qué comentarios? —Hizo una mueca de confusión, pero no le creí—. Leah, yo no planeé…

—Sí lo planeaste —lo corté—. De lo contrario, te habrías ido tan pronto como te lo pedí, pero no, sigues aquí. Si no es para joderme la vida otra vez, ¿para qué es?

Algo se extendió por su rostro y desmoronó la muralla de calculada indiferencia que recubría sus ojos la mayor parte del tiempo, dejando al descubierto una emoción que no pude definir. ¿Arrepentimiento? ¿Tristeza? ¿Culpa? Nunca sabía a qué me enfrentaba cuando se trataba de Alexander y era justamente eso lo que me sacaba de quicio, en ese entonces y ahora.

—No estoy aquí para joderte la vida otra vez —recalcó las últimas palabras como si le doliera decirlas—. Estoy aquí por trabajo.

—¿Esa es tu excusa? —Reí con ironía—. Antes eras un mejor mentiroso.

—No te estoy mintiendo.

Entorné los ojos, tratando de controlarme para no gritarle e iniciar una escena en casa de los Masterson.

—¿No? ¿Entonces por qué sigues apareciéndote a donde sea que voy?

—Leah, trabajamos en la misma empresa, soy socio de tu padre, los Colbourn y los McCartney siempre lo hemos sido. ¿Qué quieres que haga? ¿Que trabaje en el baño para que nunca nos topemos?

—O podrías simplemente regresar a Londres de una vez —espeté cada vez más airada—. ¿Por qué no dices la verdad?

—¿Qué verdad? —Hundió más su ceño.

Un nudo se formó en mi garganta, pero me obligué a tragarlo.

—Sigues aquí porque quieres probar que puedes recuperarme incluso después de tantos años, incluso después de abandonarme, pero estás mal de la cabeza si crees que eso pasará.

El impacto se extendió por su cara y no se esforzó por ocultarlo.

—¿Escuchas lo que estás diciendo? No estoy aquí por eso, no espero que eso pase —respondió hosco.

—Bien, porque no caeré a tus pies otra vez.

—Sé que no lo harás. No eres ese tipo de mujer.

—No, no lo soy.

Negó y los bordes de su cara se suavizaron.

—En todo caso, sería yo quien estaría a tus pies —dijo de forma tan casual como si hablara del clima, pero se las arregló para expulsar el aire de mis pulmones—. Siempre fue así y aún te las ingenias para conseguirlo.

Mi corazón dio un salto y me sentí terrible por percibir tal cosa, así que hice mi mayor esfuerzo por ignorarlo.

—Lo estás haciendo de nuevo, decir esas cosas —apunté, enojada con él y conmigo misma.

—Lo siento. Solo estaba asentando un hecho.

—Uno que es irrelevante y que te agradecería te guardaras para ti.

—De acuerdo. —Algo en su rostro se apagó.

Volvió a centrarse en el lago y, por lo que me pareció una eternidad, ninguno de los dos dijo nada. Mi mente bullía con el montón de palabras que nos habíamos dicho en los últimos minutos, como si fueran piezas de un rompecabezas que necesitara completar para entender las verdaderas intenciones de Alexander. Sin embargo, cuanto más trataba de dotarlas de sentido, más imposible me parecía obtener el panorama completo. Todo parecían mentiras.

—Lamento la tardanza. —Me giré para encontrar al señor Masterson sonriendo en la entrada del quiosco—. Me entretuve con una llamada de negocios. ¿Comenzamos?

Alexander y yo compartimos una mirada. La tensión era palpable, pero era hora de iniciar los negocios, así que hice a un lado mis sentimientos, sonreí y me centré en la conversación con mi mejor cara.

Llegamos al rellano principal de la casa de los Masterson, donde la empleada de servicio nos recibió, pero no había rastro de ella por ningún lugar para recuperar nuestros abrigos. Habíamos pasado cuatro horas dialogando —discutiendo— con el hombre para convencerlo de regresar al proyecto, pero lo habíamos conseguido. Lo único que quería ahora era llegar a casa, darme un largo baño, ponerme algo holgado, dormir y más que todo, alejarme de Alexander. ¿Dónde demonios estaba la mujer? Quería mi abrigo para largarme de aquí.

—Te lo comiste vivo —comentó mi ex luego de unos minutos en silencio sin que la empleada apareciera.

—Solo le hice ver su mejor opción.

Sonrió.

—No me sorprende que convencieras a alguien tan obstinado y escéptico. Tu poder de persuasión es extraordinario.

—Gracias, aunque también podría hacer uso de mis tacones si no accedía a mi propuesta.

Soltó una risita.

—Sé que eres peligrosa con tacones.

Resistí el impulso de reírme también cuando recordé un percance que tuvimos en el que uno de mis tacones se vio involucrado.

—Tu prometido debe estar muy orgulloso de lo que haces —dijo de pronto.

Lo miré entonces y toda la diversión del asunto se desvaneció. Tenía ese gesto de agriedad en la cara que lo asaltaba cuando hablaba de él.

—No lo sé, tal vez. No es como si necesitara su validación para sentir que soy buena en mi trabajo. Sé que lo soy.

Me regaló una de sus características sonrisas, de esas que me hacían cuestionar mi sanidad mental por observarlo por tanto tiempo.

—Siempre tan orgullosa.

—Sí, soy orgullosa. También soy demandante, terca, controladora y me encanta tener la razón. ¿Y sabes qué? Eso está perfecto para mí.

No supe de dónde provino la repentina necesidad de resaltarle los atributos de mi persona. Quizás porque no me gustaba sentirme inferior y Alexander, con todas sus cualidades, me intimidaba hasta cierto punto.

Sus ojos se inundaron de algo parecido al afecto.

—Lo sé, sé que eres todo eso. Son algunas de las cosas que siempre me han gustado de ti.

La declaración me pilló por sorpresa y desvié mi atención hacia la puerta de la habitación donde sabía que la mujer había puesto nuestros abrigos. Quería dejar de sentirme abrumada por su presencia y tan afectada por sus palabras, pero cuanto más luchaba por hacerlo, más lejos estaba de conseguirlo.

Apreté el asa de mi maletín y escaneé el lugar con impaciencia. Necesitaba salir de aquí.

—¿Crees que tarde demasiado? —pregunté.

—No lo sé.

Me mordí el interior de la mejilla y caminé hacia la habitación donde había guardado las prendas.

—Leah —me llamó y lo miré sobre el hombro—. Si vas a entrar ahí...

—No voy a traer tu abrigo. Consíguelo tú mismo.

—No voy a entrar ahí.

Elevé una ceja, a mitad de la incredulidad y el desafío.

—¿Te da miedo que haya un monstruo en el armario? —me burlé y abrí la puerta.

—No es apropiado. No es nuestra casa. No podemos entrar a habitaciones ajenas sin el consentimiento de los dueños.

—¿Desde cuándo te importa si el dueño te da permiso o no para entrar a un lugar? ¿Quieres que te recuerde cómo entraste a mi baño sin autorización de nadie?

Un deje de indignación rasgó su cara, pero fue reemplazado rápidamente por la diversión que estoy segura provocó el recuerdo. Negué con la cabeza y me adentré entre las filas de prendas colgadas, empeñada en encontrar mi gabardina.

No me giré para comprobar que me seguía, pero estaba revisando los abrigos de la tercera fila cuando lo miré rodear la esquina. Fue hacia el otro lado de la habitación en búsqueda de su abrigo.

—Vaya, al final sí entraste a pesar del monstruo en el armario. Estoy impresionada. —No perdí la oportunidad de burlarme.

Alex me miró desde la fila de enfrente.

—¿Crees que no soy lo suficientemente valiente para enfrentarlo?

—No estoy segura de que tú conozcas el significado de valentía —recalqué la última palabra con deje amargo.

Lo que dije le molestó, a juzgar por la dureza con que me miró y me deleité en su reacción.

—¿Por qué lo dices?

—Tú sabes por qué lo digo —musité con fingido desinterés, aunque mi corazón se compungió—. Eres un cobarde, Colbourn.

Le di la espalda y me concentré en buscar mi gabardina en una nueva fila. Cuanto antes saliera de aquí, mejor. No deseaba perder más el tiempo, pero Alexander, como siempre, estaba distrayéndome.

Suspiré aliviada cuando al fin encontré la maldita prenda.

—¿Ya encontraste tu abrigo? Quiero largarme de... —Las palabras murieron en mi boca cuando me giré y lo encontré frente a mí, tan cerca que las puntas de nuestros zapatos se tocaban.

Estaba segura de que, si tomaba un respiro profundo, mi pecho rozaría el suyo. Esto estaba mal, muy mal. Mal en todos los sentidos. Debía alejarme, poner tanta distancia entre nosotros como fuera posible, pero no era capaz de moverme. Era como si su cuerpo mantuviera cautivo el mío y su presencia amotinara mi cerebro. Lo que inundaba sus ojos era un enigma. ¿Qué era esa mirada? ¿Curiosidad? ¿Codicia? ¿Deseo?

—Me preguntaste por qué seguía aquí —habló y su voz me hizo vibrar igual que antes. Maldición—. Estuve pensándolo durante toda la reunión con el señor Masterson y... no quería aceptar la respuesta.

Abrí la boca para replicar, pero siguió.

—Traté de convencerme de que en realidad seguía aquí por el trabajo, pero no me importa tanto como para exponerme a la tortura que representa verte con Montague. —Sus dedos rozaron mi brazo, un toque fugaz, tan suave que creí imaginarlo—. Pensé que seguía aquí por mi madre, porque le hace feliz tenerme de vuelta en casa, pero ella no me necesita tanto para impedirme regresar.

Tragué y sus dedos ascendieron por mi piel, creando un camino de fuego en su travesía.

—Entonces me di cuenta de que en realidad soy un masoquista, porque no me importa si estás con Montague y solo puedo verte desde la distancia: sigo aquí porque tú estás aquí y eso es suficiente para hacer que me quede.

Mi corazón dio un salto de una forma que no sucedía desde hacía bastante tiempo. Algo estaba conspirando en mi contra ahí afuera; quizás era el destino, o el maldito Cupido haciendo algo de lo que se arrepentiría el resto de su vida inmortal.

Su mano llegó hasta mi hombro y retiré el rostro cuando la sentí rozar mi mejilla. Esto no estaba bien y no iba a quebrar mi resolución de pretender que no existía y que no significaba nada en mi vida por unas cuantas palabras bonitas.

—Tomaste tu decisión tres años atrás. No vengas ahora a fingir que te arrepientes.

Su índice acarició la forma de mi cara y, esta vez, la tristeza que desbordaban sus ojos me impidió retirar su tacto.

—Desearía no arrepentirme, tal vez así sería más fácil hacerme a la idea de que ya no puedo tenerte.

—Alex…

—Pero me arrepiento. Me arrepentí desde el momento en que te abandoné en el hospital y tomé ese avión a Suiza, y no he dejado de arrepentirme ningún día desde entonces.

Un nudo se formó en mi garganta, pero me negué a llorar y, en cambio, retiré su mano de mi rostro.

—Las consecuencias de las decisiones que tomamos estarán siempre con nosotros. Solo nos queda vivir con ellas —atajé, componiéndome lo mejor que pude.

Se mantuvo en silencio, inmóvil, y el aire pulsó entre nosotros. Estaba tan cerca que solo tendría que inclinarse un centímetro hacia adelante para besarme y, para mi horror, mis labios ardían por tomarlo, mis manos hormigueaban por tocarlo. Un centímetro y entonces lo besaría. Era un momento íntimo que le habíamos robado a nuestra inconciencia y mi parte más irracional quería disfrutarlo, solo una vez, solo un segundo.

Inspiré, mis pulmones ardían por el aire que se volvía más pesado con nuestra cercanía. Entonces, de un momento a otro, se alejó para darme espacio.

—¿Lo quieres? —inquirió en tono bajo pero duro.

Parpadeé un par de veces para que mi cerebro se reactivara.

—¿Qué?

Sus ojos eran tan oscuros como pozos.

—A Collin, tu prometido, ¿lo quieres?

La ferviente insensatez del momento se congeló con la frialdad de su pregunta.

La respuesta corta era sí, sin embargo, la respuesta completa era sí, pero no más que a ti.

Dudaba que pudiera llegar a querer a otro hombre de la misma forma arrebatadora, profunda e intensa en que había querido a Alexander. Era casi imposible.

Sopesé mis posibilidades, nuestros antecedentes y, sobre todo, analicé mis emociones. ¿Realmente quería exponerme a otra posible ruptura por su parte? ¿Quería abrirme con él de tal manera que pudiera destruirme por una segunda vez?

Lo amaba, lo había hecho por años incluso después de lo que pasó, pero me amaba más a mí misma.

—Sí, sí lo quiero —respondí con sinceridad y sus ojos se apagaron de nuevo.

—Entiendo.

Di un respingo cuando sentí algo posarse sobre mis hombros, y me tomó un segundo percatarme de que era mi gabardina lo que estaba poniéndome. ¿En qué momento me la había quitado de las manos?

Procedió a ponerse su abrigo a la velocidad de la luz mientras mi cerebro luchaba por comprender lo que acababa de pasar. Sentía como si hubiera sobrevivido a una montaña rusa de emociones los últimos minutos. Sonrió al terminar, pero mi corazón por poco se rompió al notar la tristeza que teñía el gesto.

—Siempre pensé que era el hombre con más suerte en el mundo. Ahora creo que es Montague.

—¿Por qué?

—Porque él es quien tiene tu corazón ahora, Leah —explicó con suavidad y casi me hizo llorar—. ¿Nos vamos?

Me dio la espalda y salió de la habitación a paso apresurado. Había puesto tanta distancia entre nosotros como fuera posible, levantado tantos muros como mi sensatez me lo había permitido y, a pesar de ello, parecía no haber espacio suficiente para mantenernos separados. Era como si, de alguna manera, no encontrara la salida al laberinto de emociones que Alexander Colbourn despertaba en mí incluso después de tanto tiempo. Quizá, cuanto más la buscara, más difícil sería encontrarla.

Collin plantó un beso en mi coronilla tan pronto entró a la habitación.

—Llegas temprano —dije mirándolo desde la cama. Cerré la *laptop* en la que trabajaba, la dejé sobre el buró y me senté recta. Seguíamos quedán-

donos con mis padres y eso me daba cierta tranquilidad. Era el lugar donde había crecido y en donde siempre me sentí segura. Y a pesar de todos los recuerdos que intentaban atropellarme, me gustaba estar en casa.

—Te extrañaba. —Sonrió mientras se quitaba la corbata y desfajaba su camisa. Se dejó caer en la cama y me atrajo hacia él tomándome de la cintura para besarme con lentitud, en un gesto repleto de cariño.

—¿Qué te sucede? —pregunté cuando nos separamos—. Estás más cariñoso de lo normal —bromeé.

—¿No puedo solo extrañar a mi prometida?

Puse los ojos en blanco y lo besé de nuevo, regodeándome en su familiaridad, aunque, muy en el fondo, sabía que quería desaparecer los rastros de Alexander de mi mente. Mordí su labio y colé mi lengua en su boca; me correspondió con apetito, hasta que se separó.

—¿Qué te sucede a ti? —imitó mi pregunta con ojos oscuros.

Me percaté de lo que estaba a punto de hacer y mis ganas se congelaron. Me alejé de su toque y, de nuevo, me senté erguida sobre la cama.

—¿Qué pasa? —cuestionó con un deje de preocupación, sentándose junto a mí—. ¿Sucedió algo con los Masterson?

—No —dije seca.

—Parece que estás de mal humor —apuntó y retiró un mechón de cabello de mi cara—. ¿No consiguieron el trato?

—Sí, lo conseguimos. —Intenté sonreír para demostrarle que tenía buen ánimo, aunque no podía engañarlo, ni a él ni a mí—. Hoy fue un largo día, estoy cansada, eso es todo. Discutimos con el señor Masterson por cuatro horas seguidas, pero lo hicimos volver.

—¿Lo hicimos volver? —recalcó—. ¿Quiénes? Pensé que habías ido sola.

Mierda. Olvidé por completo que le envié un mensaje en medio de la reunión diciéndole que había ido a casa de los Masterson a negociar para que no me llamara más, pero debió asumir que estaba sola. Hubiera sido mejor que siguiera pensando así.

—Un empleado me acompañó, ya sabes, para dar apoyo con los números —dije casual.

Creí que se conformaría con esa explicación, pero al parecer no tenía tanta suerte.

—¿Quién?

Carajo. Pensé en mentirle, pero no quería ser esa persona. No otra vez y no con mi prometido.

—Alexander me acompañó.

Inspiró con fuerza, las fosas de su nariz inflándose. Sus ojos se llenaron de enojo, pero se contuvo.

—¿Por qué? —preguntó con voz tensa.

—Papá lo ordenó.

Asintió con la mandíbula apretada.

—Y no podías negarte, ¿cierto? —Noté los celos en su tono.

—No, además, es solo trabajo —aclaré. No quería iniciar otra discusión, ya tenía suficiente con mi ex torturándome para que mi prometido lo hiciera también.

—¿De verdad es solo trabajo o es una excusa para verlo?

Aquí íbamos de nuevo. Era demasiado pedir que se lo tomara bien. Entendía sus celos y su inseguridad, pero ¿por qué no confiaba en mí?

—Collin, no quiero verlo. Lo evito tanto como me es posible en la empresa, lo último que quiero es convivir con él —expliqué tranquila.

Intenté tocarlo, pero se alejó y se puso en pie, mirándome letal con los brazos cruzados sobre el pecho.

—No lo sé, me cuesta creerte.

—¿Por qué? —pregunté ofendida—. Tienes que confiar en mí. Todo lo que siento por él es resentimiento, ya lo sabes.

Estrechó los ojos, suspicaz.

—¿Me preguntas por qué? Bueno, para empezar no me has respondido sobre la propuesta de casarnos en Bali en dos meses. Mis padres llevan allá tres días esperando que les digamos algo.

Fruncí los labios, nerviosa. Era el tema que quería evitar, al menos hasta que la idea se desvaneciera de su mente, pero era evidente que no sería así. Lo había pensado y no sentía que estuviera lista para hacerlo tan pronto.

—Sabes lo que pienso sobre eso —contesté, cruzándome de brazos también.

Me miró incrédulo, como si me hubiera vuelto loca.

—¿Por qué? ¿No quieres casarte conmigo?

—Sí quiero. —Me pasé una mano por el cabello con frustración y me puse en pie también para enfrentarlo—. Pero no sé si…

—¿Qué es lo que no sabes? Si me amaras, casarte en poco tiempo no tendría que representar un sacrificio —dijo serio y el pesar se reflejó en sus ojos.

Mi corazón se estremeció y sentí una punzada de culpa llenarme.

—Collin…

—Sigues pensando en él, ¿no es así? —inquirió de pronto y su semblante se oscureció—. Después de todos estos años y todo lo que te hizo.

—¡No pienso en él! —Alcé la voz, harta de que me lo restregara en la cara cuando lo último que quería era que me lo recordaran.

—¿Entonces por qué no quieres casarte? Todo esto me hace pensar que lo estás postergando porque quieres darle otra oportunidad a tu ex.

—¡NO! —grité, horrorizada y molesta—. Ese es un tema que superé hace años, no pienso en él, no quiero estar con él. —Bajé la voz y me esforcé por recuperar la templanza—. Quiero estar contigo.

—¡Entonces demuéstramelo! Si se supone que me quieres, lo lógico es que aceptes casarte. ¿Qué te lo impide? —insistió y sentí mis sienes punzar.

No iba a ceder hasta que le dijera que sí y me sentía exhausta de pelear con todo el mundo, y, sobre todo, de luchar contra mí misma; así que, luego de un largo momento de silencio, me armé de valor.

—Bien —acepté—. Nos casaremos en dos meses.

Su semblante cambió y la sorpresa lo asaltó.

—¿En serio?

Asentí despacio, sin que la inquietud me abandonara.

—Sí. Diles a tus padres que pueden comenzar a enviar todo sobre el hotel y los decoradores. Les daremos la noticia a los míos hoy en la cena.

Los bordes de su cara se suavizaron y donde antes ardía la ira, ahora brillaba la felicidad. Rodeó la cama, tomó mi rostro entre sus manos y me plantó un beso ferviente.

—¿Era tan difícil aceptarme? —susurró acariciando mi nariz con la suya.

No fui lo suficientemente valiente para decirle que ese no era el problema, sino que, mi mente y mi corazón eran asediados por quien era su peor miedo, y que, de alguna manera, se las estaba ingeniando para hacer temblar mis murallas con las dudas que me asaltaban.

—No —dije en su lugar y lo abracé con fuerza, desesperada por llenarme de él y evaporar a Alexander de mi cabeza.

34
FAMILIA POR ELECCIÓN
Alexander

Contemplé su puerta por mero hábito.

Había perdido la cuenta de las veces que mitigué el impulso de entrar a su oficina bajo alguna excusa tonta solo para escucharla o verla, pero deseché el pensamiento como había hecho todas las ocasiones anteriores. No habíamos vuelto a hablar desde el incidente en la mansión de los Masterson y desde entonces ya había transcurrido una semana.

Continué caminando hasta salir del edificio y ajusté la gabardina para conservar el calor. Ignoré la nieve que se acumulaba en las aceras. El clima en Washington empeoraba siempre durante la víspera de Navidad.

Aceleré el paso hasta llegar al restaurante que me había hecho adepto las últimas semanas. Recibí de buena gana el aire cálido que me asaltó apenas entré. Me quité la gabardina al localizar la mesa de siempre, junto al enorme ventanal que ofrecía una vista de todas las personas que iban y venían frenéticas por la acera. Ocho días más y se cumpliría poco más de un mes desde mi regreso a Washington.

El tiempo era un hijo de puta, aunque dudaba quedarme mucho más. No tenía caso hacerlo ahora que Leah había esclarecido nuestra insalvable situación. Se casaría con Montague más temprano que tarde y, aunque era verdad que no conocía límites cuando se trataba de conseguir alguna migaja de ella, no tenía intención de quedarme a contemplar algo así mucho tiempo. No era sano.

Parecía lejano, utópico e idílico todo lo que habíamos vivido juntos. Como un sueño lleno de cosas imaginarias e inconexas que lo convertían en algo imposible de suceder. ¿En verdad habíamos sido así de felices en algún punto de nuestra vida? Parecía un producto de mi imaginación ahora.

Leah se había vuelto una fortaleza inexpugnable para mí. Debía ser su forma de lidiar con todo lo que le había sucedido. Quizás era el mecanismo que utilizaba para sellarse a cualquier cosa que le recordara esos traumáticos eventos, incluyéndome a mí. No dudaba que yo fuese uno de sus recuerdos más amargos. Siempre actuaba inquieta en mi presencia, tan nerviosa que parecía al borde del quiebre.

Emití un sonido de frustración. Analizarlo y racionalizarlo no volvía el asunto indolente, lo volvía peor.

—¿Lo mismo de siempre?

Salí de mis pensamientos cuando la camarera designada a mi mesa me sonrió expectante.

—Sí, por favor.

—Enseguida —asintió y se fue.

Inspiré y me dediqué a mirar a las personas que pasaban. De alguna manera, me había acostumbrado a Washington otra vez. Era fácil hacerlo, mucho más que a Londres. Quizá porque Leah estaba aquí. Todo lo que la incluyera era más sencillo, casi como algo natural. Excepto verla con ese imbécil.

Mierda. Ahí estaba de nuevo, colándose en mis pensamientos e invadiéndolos. Puse los dedos en el puente de mi nariz y volví a tomar aire. ¿Alguna vez dejaría de arrepentirme por abandonarla? Posiblemente no.

Di un respingo cuando la mesera dejó la taza de café sobre la mesa con una sonrisa amable. Le agradecí con un gesto y me concentré de nuevo en la vista que ofrecía el ventanal para olvidarme de la desagradable sensación.

Leah estaba comprometida. Iba a casarse. Seguir aquí era puro masoquismo.

Di un sorbo mientras asimilaba el nuevo panorama. Lucía desolador.

Leo no estaba feliz cuando le informé que regresaría a Inglaterra durante las próximas semanas —o al menos eso creía—. Era difícil adivinar lo que pensaba por la máscara de impasibilidad puesta siempre sobre su cara.

—¿Alex? —Desvié la vista del ventanal y me encontré a Edith de frente a mi mesa, mirándome—. Por Dios, ¡sí eres tú!

—Claro que soy yo, ¿ya no me recuerdas?

—¡Abrázame, maldición! —chilló abriendo los brazos para mí y la obedecí al instante.

Me rodeó el cuello tan pronto me tuvo cerca. Era bueno ver a una cara familiar que no me odiara, al fin.

Ocupó un lugar en mi mesa, frente a mí.

—Sabía que habías regresado, pero no habíamos logrado coincidir. —Sus ojos brillaban con emoción—. ¿Qué haces aquí?

Señalé la taza de café como si fuera algo obvio.

—Salí a tomar aire. Suelo venir cuando quiero despejar la mente.

Soltó una risita.

—Me imagino, el trabajo debe ser un lugar de locos.

Asentí dándole la razón.

—¿Qué ha sido de ti? —pregunté, buscando algún anillo en su mano que denotara matrimonio, pero no encontré nada.

—Oh… —Se irguió dándose importancia—. No estoy casada, por si te interesa. —Me sonrió con coquetería y solté una risa.

—Es bueno saberlo. Me sorprende que no lo estés, de hecho. Siempre pensé que terminarías casándote con Ethan y adoptarían un perro.

Se encogió de hombros.

—No éramos una buena combinación. Además, ya está casado.

—Lo sé. Eso de ser padre también le sienta bien, jamás pensé decir eso —dije y asintió, apoyándome—. ¿Por qué no fuiste a su boda? Creí que te vería ahí.

—Tenía planeado ir, pero surgieron otros planes.

Enarqué una ceja, escéptico.

—¿Un plan llamado resentimiento?

—¡No! Somos amigos. Su esposa es un amor. Estaba en Grecia, en una cita muy importante de... trabajo.

Bufé.

—Sí, claro.

—Obviamente esa cita no resultó bien. —Hizo una mueca de incomodidad—. Pero no importa, ya acepté que fui relegada a ser el hada madrina y no la princesa del cuento. —Sus ojos brillaron con cariño y un deje de pesar—. Por eso estoy esperando a Leah. Soy su dama de honor.

—¿En serio? —No pude ocultar mi desagrado.

—Sí, pero estoy a punto de pedirte que me ahorques o me empujes para que un auto me pase encima. Leah ha estado insoportable.

Emití un sonido de burla.

—¿Por qué no la esperas en la empresa?

Puso los ojos en blanco, hastiada.

—No me gustan las oficinas, siento que me asfixio.

—Entiendo el sentimiento.

—Comeremos algo aquí y después... —se mordió el labio y habló— iremos a escoger las invitaciones para su fiesta de compromiso.

—¿Cuándo lo anunciará?

—La próxima semana.

La acidez se extendió por mi estómago.

—¿Se casará tan pronto?

—En dos meses. —Frunció el ceño—. Collin insistió. No sé cómo sobreviviré a dos eventos de esa magnitud tan seguidos uno de otro.

La noticia se sintió como una patada en la cara e hice un esfuerzo para no demostrarlo, aunque, por la mirada compasiva que me dedicó, no lo logré.

—Ya veo.

Nos mantuvimos en silencio un minuto, Edith movía nerviosa sus dedos sobre la madera.

Se aclaró la garganta y lo siguiente que salió de su boca bien pudo ser una alucinación mía.

—Tú eres lo que Leah quiere —espetó, y me centré en ella para asegurarme de que no lo hubiera imaginado—. Quiero decir, todos lo sabemos. Incluso creo que Collin lo sabe, solo está en negación.

Frunci los labios, escéptico.

—Leah ya ha dibujado un límite claro que no pretendo traspasar. No quiero presionarla. Además, si se casará con Montague supongo que es porque lo ama, o lo que sea.

—Sí, claro. —Su tono estaba impregnado de ironía—. Lo ama tanto y está tan feliz por su boda que se ve demacrada.

—¿Qué?

—Sí, ¿no lo has notado? Ha permanecido en ese estado desde que regresaste, y todo empeoró desde hace una semana, cuando aceptó la propuesta de anticipar la boda. —Hizo una mueca de incomodidad, se mantuvo en silencio y luego de unos minutos, volvió a hablar—. Me contó lo que pasó en casa de los Masterson. Creo que le afectó.

Sentí la culpa llenarme. Tal vez tenía razón y sí le estaba jodiendo la vida, otra vez.

—No es mi intención.

—Ya lo sé. Pero para ella es difícil aceptar lo que siente y por eso se ha encerrado en sí misma. No parece feliz y estoy segura de que lo que le dijiste solo acentuó su conflicto.

Negué con exasperación.

—No te estoy siguiendo, Edith. Sé que mi presencia le molesta, por eso la evito y me iré tan pronto como este proyecto esté en marcha.

—Leah quiere a Collin, pero sé que no es nada comparado con lo que siente todavía por ti —explicó y mi estómago se hizo un nudo—. La conozco y sé lo mucho que prefiere ignorar sus emociones o lo que en verdad desea, porque eso es más sencillo que intentar resolver ese conflicto emocional.

Leah es práctica, quizás no quiere aceptar lo que aún siente por ti debido a todo lo que representa.

Intenté decir algo, pero me cortó.

—Eres lo que Leah quiere, Alex. Lo has sido por años. No me habría llamado para contarme al día siguiente de tu regreso, ni habría tenido un ataque de pánico si le fueras indiferente, pero tengo una amiga terca y orgullosa, y tal vez tú puedas lograr que acepte lo que siente para que puedan ser felices, para que deje el orgullo atrás. No quiero ver cómo se encadena a alguien que realmente no ama, no quie...

Calló de repente. Yo la insté a continuar con un gesto de la mano, pero me ignoró sin despegar la vista de la puerta.

—Lamento llegar tarde. —Reconocí su voz al instante, junto a mí—. Había una fila de compradores exigiendo un reembolso en... —Debió percatarse de mi presencia porque guardó silencio—. Colbourn.

Su saludo era cortés, pero frío. Cuando alcé los ojos hacia ella, noté el color en su nariz y sus mejillas; los labios contrastaban apetitosos en la blanca piel, su rostro impasible y sus ojos inertes cuando antes habían sido vivaces.

—McCartney.

Edith se removió incómoda luego de que una tensión palpable se asentara entre nosotros. Pasado un momento, sonrió de manera felina, como si comprendiese un secreto que nadie más podía.

—¿Nos vamos? —pidió mi exesposa.

—Tengo hambre. ¿Por qué no te sientas? Podemos comer los tres juntos y ponernos al dí...

—Edith, es tarde —insistió con un deje autoritario—. Tenemos una cita.

—Pero tengo ham...

—Edith.

La rubia hizo una mueca de descontento y se puso en pie a regañadientes.

—Sí, sí. Lo que digas. —Tomó su abrigo del respaldo de la silla y me obsequió una sonrisa—. Espero verte pronto de nuevo, Alex.

—Lo mismo digo.

Me dedicó una mirada cómplice antes de ir junto a Leah, que salió sin volver a mirarme.

Permanecí con la vista fija en las dos mujeres que caminaban por la acera; Edith guardaba silencio mientras Leah hablaba de forma airada, como si le reclamara algo, pero había cierto descontento en su rostro.

Edith tenía razón, parecía un cadáver hermosamente conservado. Lucía normal, pero el problema eran sus ojos: estaban vacíos.

Continué sentado en el pequeño restaurante por un poco más de tiempo, analizando la conversación que había tenido con Edith. Cuanto más evaluaba, más evidente se volvía que tenía razón.

Comparada con Sabine, Leah parecía a punto de atender su funeral más que su boda.

Sabine no había dejado de hablarme de Nicholas durante los seis meses anteriores a su matrimonio. Todo era Nicholas esto, Nicholas aquello, nuestra boda esto, esto y esto. Sus ojos brillaban con solo mencionar el tema, estaba exageradamente feliz y emocionada por el evento. Resplandecía.

Chasqueé la lengua.

Lo primero que noté cuando vi a Leah luego de tanto tiempo fue que había perdido algo que era inherente solo a ella: su chispa, su luz. Aún la llenaba algunas veces, se esparcía por la estancia como calidez siempre que hacía acto de presencia, pero no estaba ahí lo suficiente. No como en otras ocasiones.

Sus ojos parecían haber sido drenados de todo su color y el destello feroz y vivaz que distinguía a Leah McCartney había desaparecido. Su risa era más vacía, sus movimientos más lentos y su lucha más apagada.

Si lo había perdido como resultado de los eventos traumáticos vividos a manos de Louis y los otros cabrones, o si la raíz residía en algo más, no tenía idea, pero me molestaba igual.

No podía saberlo porque nunca hablaba de ello, y no quería revivir memorias indeseables con preguntas impertinentes.

Así que adoraba traerla de vuelta, a la Leah que yo conocía. Disfrutaba la manera en que la hacía enojar. Amaba discutir sobre asuntos que hacían a sus ojos iluminarse con fuego, que la hacían determinada y apasionada por probar su punto.

Si podía lograr aquello con Leah, entonces significaba que había esperanza. Significaba que no la habían roto más allá de lo reparable.

Era algo que Collin debía hacer, llenarla de vida, y estaba fallando.

De pronto, una idea descabellada se instaló en mi mente: ¿y si Leah y yo pudiéramos ser una posibilidad otra vez?

Conocía a mi esposa —nunca dejé de verla como tal—, sabía cómo despertar ese fuego en ella, lo había hecho incluso a pesar de su fingida indiferencia y su meditada frialdad. La Leah que conocía seguía ahí y quizá, solo quizá, podría traerla de vuelta y reparar lo que rompí años atrás.

Sabía que era una mala idea desde el momento en que puse un pie en el primer escalón, pero también estaba seguro de que sería peor para mí si no asistía. Me parecía surreal estar de regreso en casa de los McCartney.

Cuando Leo me llamó a su oficina dos días atrás, jamás creí que sería para invitarme a una comida familiar después de las vísperas de Navidad. Pensé que me estaba tomando el pelo y mi primera reacción fue reírme y declinar, hasta que insistió y toda la diversión del asunto se perdió. Hablaba en serio.

Permanecí de pie en el centro del vestíbulo y, mientras esperaba, vi la fotografía que le había tomado a Leah en Rockport al amanecer. No pensé que la conservarían. Mi corazón se comprimió y tuve que desechar la absurda idea de robar el cuadro y quedármelo, porque adoraba a la chica que aparecía en él. Era mi Leah.

—Amamos esa fotografía —dijo Allison apareciendo a mi lado—. Pensé que no vendrías. —Sonrió.

—Yo no creí ser invitado. —Le correspondí el gesto.

—Supe que estabas aquí y le dije a Leo que quería verte. Él hizo el resto.

—Sí, parecía dispuesto a amenazarme para que asistiera y preferí no tentar mi suerte.

Se acercó para darme un abrazo cortés, pero afectuoso.

—Tomaste la decisión más inteligente. —Se alejó y puso las manos en sus caderas—. Estoy muy molesta contigo.

—¿Qué hice?

—Sabes bien lo que hiciste.

Moví los pies, incómodo. Sabía a qué se refería, pero preferí hacerme el desentendido.

—Les envié postales.

Sus ojos esmeraldas llamearon.

—¡Dos postales en tres años, Alexander! Ni siquiera atendías o regresabas mis llamadas.

—¿No fueron tres postales? —pregunté, pero callé cuando me dedicó una mirada de muerte que competía con la de su esposo—. Espero que no le dijeras a Leah sobre la postales. No creo que le agrade saber que mantuvimos el contacto.

—No tengo nada que decirle porque no mantuvimos ningún contacto —reprochó—. Desapareciste.

—Era mejor así —dije, cansado de dar la misma explicación una y otra vez.

—No lo creo. Estaba preocupada por ti.

—Estoy bien, estoy vivo, y más importante, estoy aquí. —Sonreí, pero ella siguió acribillándome con los ojos hasta que relajó su postura y correspondió apenas.

—Sí, supongo que eso es mejor que una simple postal. —Sus facciones se suavizaron y me hizo una seña con la mano para que la siguiera por el pasillo—. Ven, estamos todos en el jardín. Los días soleados son tan raros en estas fechas que es mejor aprovecharlos.

Caminamos en silencio hasta llegar a las puertas del patio trasero y fue ahí donde la sensación de incomodidad se hizo más palpable.

—¿Estás segura de que puedo estar aquí? —pregunté con cautela.

—Claro, ¿por qué no podrías?

—Por Leah, obviamente. No quiero alterarla. O a su prometido. —Aunque en realidad, la perspectiva de alterarlo a él parecía atractiva.

Allison soltó una risita con un deje de travesura, al tiempo que me hacía un gesto con la cabeza para avanzar hacia el jardín.

—Claro que no. No eres ningún fantasma, no puedes asustarla. Estará bien.

Resistí el impulso de aclararle que sí era un fantasma de su pasado, y no debería estar ahí atormentándola.

Me sentí fuera de lugar tan pronto llegamos al jardín. No tenía idea de qué hacer o con quién ir; toda la familia estaba enzarzada en una conversación cerrada entre ellos. Mis ojos localizaron a Leah por instinto: estaba sentada unos metros más alejada, envuelta en una charla con Collin. Parecía tan interesada que apenas parpadeaba o despegaba los ojos de él.

Repentinamente me sentí como un intruso, invadiendo una foto familiar en la que no tenía derecho a estar.

—¿Cerveza? —Damen me tendió una botella con una sonrisa de reconocimiento—. Parece que la necesitas.

La tomé de buena gana y choqué mi botella con la suya.

—¿Puedes beber? —inquirí.

Puso los ojos en blanco.

—Claro que puedo, ¿no me ves?

—No tienes veintiuno aún.

—¿Y? —Encogió un hombro y le dio un buen trago. Era difícil deshacerse de la imagen del niño insolente que solía ser—. No les prestes atención, tengo fe en que mi hermana recuperará el sentido común.

—¿Qué dices?

—Sé que Leah está loca y tiene un pésimo gusto para los hombres. —Lo miré de tal forma que soltó una risa—. Sí, también hablo de ti, pero creo que esta vez se superó a sí misma.

—No conozco al tipo.

—No te pierdes de nada, no es ninguna maravilla. Es tan aburrido. Quiero mandarlo a callar siempre que abre la boca —comentó con hastío—. Ni siquiera entiende mis chistes, ¿sabes lo horrible que es eso? Debe haber algo mal con él, pero me mira como si yo fuera el del problema.

—Te acostumbrarás —dije sin creerme una palabra.

—De ninguna puta manera. Me costó mucho acostumbrarme a ti y tu fea cara para ahora tener que soportar a otro tipo que es más imbécil que tú. Tenemos que hacer algo. Tanto drama durante su relación no puede ser para nada.

Solté una risa corta.

—Damen, el cambio de horario está afectándote. Las cosas no funcionaron entre tu hermana y yo, ya está, eso es todo.

—Ni hablar. Tengo un plan y es perfecto —dijo con entusiasmo y sus ojos esmeraldas brillaron con malicia. Enarqué una ceja para instarlo a continuar—. La secuestraremos el día de la boda. Yo tendré el motor encendido mientras tú la rescatas de cometer el peor error de su vida y la mantienes cautiva hasta hacerla entrar en razón. De ser necesario la amordazas, suele ponerse difícil.

No pude evitar partirme de risa.

—¿Qué mierda te metes? Es de muy buena calidad.

—¡Hablo en serio! —insistió—. Joder, ¡me tienes de tu lado y ni siquiera me aprovechas!

—Olvídalo —dije con los últimos rastros de risa desapareciendo—. Leah me rompería el brazo antes de dejarme tocarla.

—Cierto, ¿pero no es mejor arriesgarse? —Me miró de forma significativa—. No quiero tener a don puedo-leer-tu-mente-con-solo-mirarte en las cenas de Navidad, qué horror. Yo sé cuáles son mis traumas, no necesito que don psicólogo me los recuerde.

Volví a reír. En verdad había extrañado a aquel idiota.

—Alex. —Leo se acercó para abordarme junto a Erick.

Pensé que hablarían sobre algún asunto relacionado con la empresa, pero no fue así. Hablamos de todo excepto del trabajo y, de a poco, la sensación de ajenidad y extrañeza desapareció.

Luego de una hora charlando para ponernos al día, Allison nos invitó a tomar asiento en la mesa para la comida. Tomé el lugar más alejado que encontré de Leah y Collin, que parecían empeñados en ignorar mi existencia. Más él que ella: la había atrapado lanzándome miradas furtivas de vez en cuando.

Su prometido tenía su mano cautiva dentro de la suya, apretándola con tanta fuerza que sus nudillos estaban blancos. Leah terminó por soltarse de su agarre y le dedicó una mirada de reproche antes de concentrarse en los demás.

Durante la comida, evité coincidir con Collin lo mejor que pude. No quería ni siquiera verlo por accidente, aunque sentía sus ojos clavados en mí. No sé qué demonios planeaban los McCartney, pero yo también me sentiría ofendido si mis suegros invitaran al exmarido de mi prometida a una comida familiar. Lástima por él; yo estaba en el papel correcto.

—¿Entonces no crees en las jerarquías? —inquirió Erick y dejó su copa a un lado, intrigado por su charla con Collin.

Llevaban cuarenta minutos discutiendo sobre los *status* sociales. Collin, como el psicólogo idealista, no creía en ello, mientras que Erick, el empresario realista, apoyaba por completo el esquema. Miré a un aburrido Damen y contuve la sonrisa al comprobar que no mentía al decir que quería cerrarle la boca cada vez que hablaba.

—Te lo dije —gesticuló mi excuñado con los labios, rodando los ojos con hastío.

—Sé que existen, pero no me gusta apoyarlas —replicó Collin con deje clínico—. Todos los seres humanos somos iguales, provenimos del mismo lugar, hacemos lo mismo, tenemos las mismas capacidades. Me gusta pensar que todos tenemos la capacidad de decidir en qué escalón de la pirámide queremos estar.

Me mordí la lengua para no rebatir.

—La superioridad es un concepto que reside en nuestra mente y fue delimitado y aceptado por nosotros mismos a lo largo de nuestra vida —siguió el psicólogo.

—Aun así, existen personas y seres que están por encima y otros que están por debajo de nosotros. Los perros, por ejemplo. Obedecen porque saben que somos superiores. Lo mismo sucede con los empleados en nuestra empresa —intervino Leo, apoyando la postura de su hijo.

Collin encogió un hombro.

—De nuevo, el origen de la superioridad es mera psicología, no existe tal cosa. Los perros obedecen porque psicológicamente están entrenados para ello y los empleados igual.

Me mofé, incapaz de seguir escuchando tal estupidez.

—Todos los seres humanos somos iguales —acoté de pronto, ganándome una mirada gélida del idiota, pero lo ignoré—, todos comemos, cagamos y follamos, es cierto. Los perros hacen lo mismo, nuestros empleados igual, pero la pregunta de la superioridad tiene su respuesta en el poder —expliqué con determinación—. Dado que soy el amo de los perros y el jefe de los empleados, puedo hacer lo que me plazca con ellos, o que ellos hagan lo que me venga en gana, porque tengo el poder para obligarlos.

Damen soltó una risita baja, Leah tenía cara de impresión y Collin abrió la boca para replicar, pero me adelanté.

—Por ejemplo, si yo comprara el hospital donde trabajas, también sería tu jefe, tendría el poder para obligarte a hacer lo que me viniera en gana —dije con un tono de suficiencia que rozaba la amenaza—. La superioridad nace del poder, no de lo que tus empleados decidan por sí mismos.

Cerró la boca por fin y me deleité en la forma en que tensó el cuerpo y me acribilló con la mirada. Estaba seguro de que lo había hecho enojar. Esta reunión familiar no podía ir mejor. O tal vez sí, si tan solo Leah se diera cuenta de que ese charlatán no era lo que aparentaba.

—Supongo que todos tenemos opiniones distintas —contestó hosco luego de un tenso silencio—. Es respetable, también lo es la ignorancia y los errores que cometemos.

—¿En verdad debería respetarse la ignorancia o tratarse? —seguí molestándolo.

—Alex —habló Leah en un tono claro de advertencia. Su padre, por otro lado, parecía disfrutar de la conversación, porque atrapé la sonrisa burlona que intentaba ocultar.

—Es normal que seamos ignorantes cuando somos jóvenes, o que cometamos errores —el charlatán me miró de manera significativa—, lo importante es que aprendamos de ellos y los enmendemos. Por ejemplo, espero que, cuando tengas una nueva pareja, seas un hombre maduro y en lugar de abandonarla, te quedes a su lado cuando te necesite.

—¡Collin! —reprochó Leah y escuché el jadeo ahogado que emitieron Erick y Allison.

Apreté el puño que mantenía sobre la mesa e hice un esfuerzo descomunal por mostrarme impasible, aunque ese era un golpe bajo.

—Como lleve mis relaciones no es de tu incumbencia —repliqué y el idiota sostuvo mi mirada—. Lo único que debería preocuparte en este momento es llenar las expectativas de tu prometida y ser el esposo que ella merece y espera, aunque sé que dejé un espacio difícil de llenar. —Le obsequié una sonrisa—. No te sientas mal si no consigues superarme, así es la vida, ¿cierto, señora Colbourn?

—¿Cuántas veces tendré que decirte que no soy más tu espo...?

Allison carraspeó para aligerar la tensa atmósfera, interrumpiendo a su hija, y juntó sus manos en un aplauso que resonó en el mortal silencio.

—¿Quién quiere postre? —preguntó en un tono feliz.

Nadie se atrevió siquiera a respirar. Leah me dedicaba una de sus emblemáticas miradas matadoras; Collin, por otro lado, estaba lívido de rabia. Qué aburrido, con esa actitud tan temperamental no podía jugar mucho tiempo con él. ¿Y se hacía llamar psicólogo? ¡Por favor!

Mi exsuegra se puso en pie y la imité.

—Te ayudaré a servir —me ofrecí para salir de allí.

Hizo un gesto de sorpresa, pero al final sonrió.

—Por supuesto, acompáñame.

Fui tras ella y suspiré aliviado cuando la sensación de inquietud abandonó mi cuerpo, aunque la satisfacción de joder al prometido de Leah no desapareció. Era un cretino.

—No deberías provocarlo así —me riñó Allison mientras abría la nevera para extraer de ella el postre.

—No lo estaba provocando —respondí con cinismo—. Si él no sabe aceptar opiniones distintas a la suya, no es mi problema.

—No quiero disputas —prosiguió severa—. Los dos tienen que comportarse.

—Yo sé controlar mis emociones —dije mientras ponía los platos sobre la barra para servir el pastel—. No es mi culpa que él no pueda hacer lo mismo. ¿Y se supone que es un psicólogo?

Allison soltó un suspiro de resignación, pero siguió con lo que hacía.

—Termina de servir en los demás platos, por favor. —Dejó unos cuantos sobre una bandeja y se dispuso a salir—. Volveré por los restantes en un momento.

—De acuerdo.

Salió al jardín y me concentré en terminar la tarea. No corté ni siquiera la primera rebanada cuando alguien me tomó del hombro y me giró con brusquedad. Lo siguiente que registré fue la mano de Collin haciendo puño mi camisa.

—No pienses ni por un momento que no sé lo que estás haciendo —siseó.

—¿Partir el postre? —Me hice el desentendido—. ¿Qué mierda te pasa, Montague?

Retiré su agarre con un manotazo y se irguió.

—No te hagas el idiota conmigo. Sé lo que estás buscando, y lo único que te diré es que no tienes oportunidad, así que deja de humillarte a ti mismo y lárgate. Leah no te quiere aquí —espetó y el recordatorio me escoció el pecho.

—Por desgracia para ti, soy invitado de Allison y Leo, no tuyo. No me iré a menos que ellos me lo pidan.

Bufó mordaz.

—Eres patético. Vienes aquí a molestarla como un niño falto de atención, ansioso por ella, y no desistes hasta que te dedica, ¿qué? ¿Dos segundos de su tiempo? ¿Hasta que te mira?

El enojo me invadió por un momento, antes de recordarme que ese era su endeble intento por provocarme, y no iba a conseguirlo.

—Te sorprenderías de lo mucho que Leah me pone atención. —Sonreí de forma cruel—. Quizás tú deberías empezar a molestarla para que note más tu existencia.

Sus manos se volvieron a cerrar en mi prenda, acortando la distancia entre los dos.

—Eres un engreído de mierda.

—Puedes insultarme sin tomarme de la camisa. Suéltame, la estás arrugando —pedí con indiferencia a sus intentos de intimidación.

—No la mereces.

—Ya, y tú sí te la mereces, ¿no? Don perfecto —siseé con un deje ácido.

—No la mereces —repitió—. No mereces nada de ella, ni siquiera que te dirija la palabra.

—¿Acaso te duele que me hable más a mí que a ti? —presioné más la herida con satisfacción sádica cuando la vena en su cuello apareció.

—Estoy cansado de ti y de tus apariciones en todos lados, como un maldito acosador, estoy...

—Escucha, por desgracia para ti, trabajamos en el mismo lugar, es imposible que...

—No, escúchame tú a mí —gruñó—. No sé si no puedes comprenderlo, o si solo eres imbécil, pero no te necesita en su vida. No te quiere en ella.

La declaración escoció horrores, pero ignoré la sensación.

—Leah puede decírmelo a la cara, es ella quien decide.

—No, es algo que yo decidiré, porque no tiene la voluntad para decírtelo o para dejarte ir, y no permitiré que la sigas jodiendo como lo hiciste tres años atrás. La destruiste más allá de lo reparable y no permitiré que hagas lo mismo otra vez.

—Yo no la dest...

—¡Sí lo hiciste! —bramó perdiendo los estribos y estampó mi cuerpo contra la barra—. Yo estuve ahí los primeros meses contemplándola mientras se hundía en su depresión por ti —siseó con odio—. No la mereces. No mereces su perdón, no mereces una puta migaja de ella. Leah será mi esposa, tendrá mi apellido y será feliz para que pueda deshacerse de ti, de la maldita infección que eres.

Le di un violento empujón para quitármelo de encima.

—No creo que Leah cambie su apellido por uno tan vulgar como el tuyo. Yo no me haría ilusiones con algo así. ¿Por qué no dejas que ella decida si me quiere en su vida o no?

—Estoy seguro de que ya te lo dijo. ¿Por qué no eres capaz de aceptarlo y largarte? Ya la jodiste lo suficiente, merece ser feliz ahora.

—¿Y se supone que será feliz contigo? —me burlé—. Eres el único imbécil que no se ha dado cuenta de que no eres lo que ella quiere.

—Ella estaba bien antes de que se te ocurriera aparecer. Han pasado tres putos años, no tienes nada que reclamar, ya has perdido el derecho.

—¿Según quién?

—Yo... Yo lo digo.

Solté una risa sonora pero vacía.

—Noticia de última hora: me paso por los huevos lo que tú me digas.

—¡No tienes derecho a reclamarla!

—¡No es una puta posesión para reclamar nada!

—¡Déjala tranquila! —explotó—. ¡Lárgate de una vez!

—¿O qué? —Di un paso hacia él, listo para romperle la cara—. ¿Qué harás?

—No te lo diré una vez más.

—¡Pues tendrás que decírmelo un millón de veces más porque no voy a...!

—¡Leah está embarazada! —bramó, y la confesión rebotó en mi cabeza hasta caer como una piedra.

Retrocedí un paso y trastabillé, a punto de caer. Mi sangre viajó hasta mis pies en un segundo.

—Está... ¿qué? —Intenté decir algo más, pero las palabras no salían.

Encuadró los hombros y se recompuso.

—Lo que escuchaste. Está embarazada. Tendremos un hijo —repitió, lastimando más la llaga—. ¿Por qué crees que nos casaremos tan pronto?

Me tomé de la barra para apoyarme de algo y no desplomarme allí mismo. Mi boca estaba seca, mi garganta cerrada por la impresión. La noticia fue tan dolorosa como recibir una patada en la cara.

—Está embarazada —dijo una vez más y mis entrañas se retorcieron—. No es bueno para ella someterse a tantas situaciones de estrés o ansiedad. Lo único que tú le provocas es eso.

Permanecí en silencio, incapaz de procesar lo que me decía.

—Si tienes algún aprecio por ella todavía, te pido que te vayas. Era feliz antes de volver a verte, estaba tranquila. Déjala en paz, estamos a punto de tener una familia y no...

—¿Qué está pasando aquí? —Allison entró a la cocina, alterada—. ¿Por qué están discutiendo?

Collin endureció el rostro y se alejó.

—No es nada.

—¿No es nada? Se escucha un alboroto desde el pasillo. —Centró sus ojos en mí—. ¿Qué sucede?

Intenté moverme, pero no pude. Traté de responder con algo coherente para regresar al jardín como si nada hubiera pasado, pero tampoco pude.

—Lo siento, tengo que irme. —Forcé las palabras y comencé a andar sin ser consciente de mis pasos.

—¡Alex! —Escuché la voz de mi exsuegra llamándome a lo lejos, pero no me detuve.

La cabeza me iba a estallar, o quizá el corazón lo haría primero tras la noticia. Necesitaba salir de ahí.

35
PUNTO DE QUIEBRE
Alexander

Mi cabeza estaba a punto de explotar. Parecía que alguien estuviese martilleando en su interior. Parpadeé cuando mi mente volvió a evocar cosas que había mantenido a raya, como Leah casándose con Collin, niños con un apellido horrible y…

Me concentré en el papeleo que tenía frente a mí para amortiguar la molestia emocional que me retorcía desde dentro. Escaneé el resto de la sala, ocupada por un montón de ejecutivos idiotas a los que no quería ver. ¿Por qué decidí ir a trabajar? Claramente no estaba ayudando a mi jaqueca ni a mejorar el humor de mierda que había tenido desde la comida con los McCartney, cinco días atrás.

Leah estaba embarazada. Ese nuevo factor había cambiado por completo la ecuación, un elemento que nunca se me cruzó por la mente debido a la reticencia que sentía ella a tener hijos. En alguna ocasión me dijo que no sabía si quería ser madre, ¿y ahora esperaba un bebé de Collin? Mis sienes punzaron. El dolor se ciñó a mi cabeza con uñas y dientes.

—¿Comenzamos? —Leo apareció acompañado de su hija y tomó su lugar.

Centré la vista en la mesa de madera. Ni siquiera tenía la voluntad para mirarla. Sin embargo, noté demasiado tarde que el único asiento disponible estaba al lado mío. Maldije para mis adentros cuando su esencia me envolvió: lis, lavanda, rosas.

Coloqué un tobillo sobre mi rodilla y me recargué en el respaldo, lo más alejado que pude de ella. Intenté no mirar la manera en que su pecho subía y bajaba, la forma de su estómago, que parecía levemente abultado, y… ¿esos eran tacones? ¿Las embarazadas pueden usarlos? ¿No es peligroso para el bebé?

Mierda.

Desvié mi atención otra vez. Jugué con un bolígrafo entre mis dedos para distraerme con algo más mientras los segundos transcurrían despacio. No podía siquiera prestar atención al desarrollo de la junta, porque lo único para lo que mi mente tenía cabida era el niño que crecía en el vientre de Leah. Tal vez había cambiado de parecer con los años y ahora su instinto maternal había salido a la luz, o quizá Collin la había convencido para atarla a él de por vida; el maldito bastardo manipulador. Quizá Leah no sabía qué hacer, el charlatán la estaba chantajeando, necesitaba ayuda y…

—¿Qué es esto? —Su voz me sacó de mis cavilaciones. ¿Me hablaría hoy? ¿En serio? Dios, el universo estaba poniéndome a prueba. Con reticencia, me acerqué a ella.

—¿Qué cosa?

Se acomodó mejor en la silla para hablar sin interrumpir a los otros ejecutivos que se habían enzarzado en un debate.

—Ese papel. —Señaló con la mano la hoja que tenía frente a mí.

Apreté los labios en una línea.

—Mi carta de delegación.

Giró el cuello para mirarme a la cara, la sorpresa se reflejaba en sus bonitos ojos.

—¿Te vas?

Asentí como si fuera algo obvio de lo que ella ya estaba al tanto.

—Ya lo sabías.

—¿Cuándo te vas? —inquirió con un hilo de voz sin que su semblante templado cambiara.

—En dos días.

No pude descifrar las emociones que emboscaron su rostro, pero podría jurar que vi pesar por un instante.

—Qué bien. —Posó una mano sobre su vientre: podría haber sido un gesto casual, pero luego de la discusión con Collin, quizás mi presencia sí le provocaba dolores o algo por el estilo.

¿Cuántos meses tenía de gestación? Por lo que recordaba de nuestro incidente en la piscina y su cuerpo en ropa interior, no debía tener más de dos meses; su vientre no estaba abultado. No lo estaba. ¿O sí? Tal vez un poco. No, imposible, detallé cada parte de su cuerpo y no recuerdo…

—¿Qué te hizo entrar en razón al fin? —volvió a hablar y tardé unos segundos en registrar lo que decía.

—Ciertos… descubrimientos —respondí sin más. No quería ahondar más en el tema, aunque una parte de mí se moría por preguntar si era verdad lo que Collin decía o si solo era una sucia mentira.

Se mordió el labio y creí verla contener una sonrisa.

—Siempre que creo que he descifrado algo sobre ti o tu forma de pensar, cambias por completo el juego —dijo de pronto—. Pensé que sería más difícil deshacerme de ti.

Elevé una comisura.

—Estoy al tanto de que puedo ser... impredecible. Además, no quiero traerte más problemas o estrés.

Mis ojos se encontraron con dagas de metal escrutándome sin pudor, implacables.

—¿Desde cuándo te ha importado si me traes problemas o no? —Negó con la cabeza—. Lo único que te importa es tenerme en la palma de tu mano.

—Te equivocas, princesa. Lo único que me importa es estar cerca de ti, lo es ahora como lo fue antes. Siempre fuiste tú la que me tuvo en la palma de su mano —admití, y fue solo cuando las palabras salieron de mi boca que caí en cuenta de lo que realmente implicaban.

El aire pareció cargarse de algo pesado, espeso; hubo una pausa larga entre nosotros, tan silenciosa que podía registrar la voz del representante de los Graham enojado por algo.

—¿Y te molestaba? —inquirió con vacilación.

Pensé en evadirla con alguna de mis típicas estupideces, pero no tenía caso. Me iría en dos días, merecía saber de mi boca todo lo que sentía por ella. Al menos esta vez, no sería un cobarde y le hablaría de frente.

—¿Que tuvieras mi corazón en tus manos? No, yo mismo te lo entregué. Sabía que ese era su lugar, que te pertenecía a ti.

Su rostro se suavizó un poco, pero siguió siendo severo.

—Estás haciendo eso otra vez.

—¿Qué cosa? —pregunté sin comprender.

—Decir cosas que no deberías.

—Solo estoy siendo sincero, abriéndote mi corazón.

—Tú no tienes corazón, Colbourn.

Sonreí con pesar.

—Cierto. Lo tienes tú incluso después de años.

Algo cambió en sus ojos. Las murallas que los rodeaban parecieron caer por un momento para que Leah me mirara como solía hacer cuando era mi esposa y mi pulso aumentó.

No dijo nada después y, poco a poco, perdió el brillo que la había asaltado tras mi confesión. A medida que la hora transcurría, la junta avanzaba y mi tiempo con ella se agotaba. No quería dejar esta sala ni esta ciudad. No quería irme otra vez. No quería dejarla.

Si en verdad teníamos una oportunidad, si existía una parte de Leah, una minúscula parte que aún sentía algo por mí, deseaba aferrarme a ella para recuperar a mi esposa. Me daba completamente igual si esperaba o no un hijo de ese idiota, la idea de ser padrastro no me desagradaba en absoluto; no si la arpía insolente era la madre.

Escudriñé una última vez su estómago y la duda me asfixió. Era ahora o nunca; necesitaba saberlo.

—Leah. —Me acerqué y pegué mi brazo al suyo—. Tengo que preguntarte algo.

—¿Qué?

Inhalé y me preparé mentalmente para cualquier respuesta, buena o mala.

—¿Las embarazadas pueden usar tacones?

Me miró como si me hubiera vuelto loco.

—¿Qué?

—¿No es malo para los bebés?

Frunció el ceño más profundamente.

—¿Yo qué sé?

Abrí la boca, alarmado.

—Deberías saber.

—¿Por qué?

—Por el bebé que tú... —Lo pensé por un momento—. ¿No estás embarazada?

—¿Qué? —casi gritó y después miró su estómago, aterrada—. ¿Me veo tan gorda?

—No —me apresuré a aclarar—. Es solo que... pensé que estabas embarazada.

—No lo estoy, ¿qué demonios? —contestó cada vez más perdida—. ¿De dónde sacaste eso?

El alivio que me llenó casi me hizo soltar un suspiro e incluso pensé en besarla, pero sabía que me ahorcaría con mi corbata si lo hacía, así que me abstuve.

—¿Y bien? ¿Quién está inventando chismes sobre mí? —presionó.

El alivio cedió paso al enojo.

—El imbécil de tu prometido me lo dijo en la comida con tus padres —solté de mala gana y sus ojos se abrieron desmesurados.

—¿Te dijo eso?

Asentí.

—Está desesperado por conservarte, tanto que usaría cualquier artimaña para conseguirlo. No lo culpo, si fuera él, también me desharía de cualquier hombre para no perderte.

—Lo que tú digas —dijo sin creerme.

—Hablo en serio.

—Ya es muy tarde para ti, Colbourn.

Toqué más su brazo con el mío.

—Tal vez no lo es.

—Créeme, lo es.

—No sabes si lo es.

—Lo es —insistió, competitiva.

—¿Segura que lo es?

—Sí, lo es.

—Bueno, lo es —seguí el juego.

—No lo es —admitió.

Calló y nuestras miradas conectaron en el preciso instante en que sus ojos se inundaban de vergüenza y los míos de triunfo. Abrió y cerró la boca un par de veces más, sus orejas tan rojas como un tomate. Gesticuló, sin encontrar palabras, y se puso en pie de pronto.

—Tengo que ir al baño —avisó antes de salir disparada hacia la puerta.

Dejé que el alivio, la satisfacción y el triunfo me llenaran por unos segundos más mientras me repetía una y otra vez que cualquier idea temeraria que tuviera de seguir a Leah debía arrancármela de la cabeza porque no era lo correcto.

Me puse en pie luego de un minuto.

A la mierda lo correcto.

—Olvidé algo en el auto.

Las voces de la reunión volvieron a apagarse, Leo me dedicó una mirada que no pude ni quise identificar porque toda mi concentración estaba puesta en ir detrás de su hija. Salí de la sala a paso apresurado, giré en el pasillo, pasé por un par de cubículos y me detuve en mi camino al baño de mujeres cuando vi a Leah dentro de su oficina a través del cristal.

Soltó un grito en cuanto me vio en su umbral y cerré la puerta.

—¿Qué haces aquí? ¿Por qué no llamas primero? —Se llevó una mano al pecho.

—La puerta estaba abierta.

—Sí, ¡pero esta es mi oficina!

—Soy consciente de ello. —Acorté la distancia que nos separaba con pasos lentos, calibrando su reacción, y me sorprendió que no se alejara. Me detuve cuando estuvimos a un palmo.

—¿Y por qué sigues aquí entonces? —reprochó.

—Porque tenemos una conversación pendiente. —Avancé un paso más y pegó su cuerpo al escritorio—. Tengo la sensación de que estás alterada. ¿Qué sucede, Leah?

Puse los dedos bajo su barbilla para alzar su rostro, y retiró mi tacto con determinación.

—Para, alto ahí. —Puso una mano al frente, nuestros cuerpos tan cerca que la punta de sus zapatos tocaban los míos y su aroma asaltaba mis sentidos—. No sé qué pretendes, pero de nuevo, no deberías estar aquí ni deberías decir esas cosas, o comportarte como lo haces, o...

—¿Quieres que me vaya?

—No. —Enarqué una ceja—. Quiero decir, sí. Es... —gruñó frustrada.

—Lo que me dijiste en la sala, ¿es cierto? ¿No es tan tarde para mí?

Se pasó una mano por el cabello, alterada, y la tomé antes de que llegara a su costado, su piel suave y cálida a comparación de la mía, que se había vuelto callosa y áspera con los viajes y el tiempo.

—Dime que tengo una oportunidad, por favor. Dime que tenemos una oportunidad. —La súplica se coló en mi voz y quizá ella la veía en mi cara porque su cuidada máscara de impasibilidad se rompía de a poco para mostrar a la agitada Leah que escondía debajo.

—No la tenemos. Lo nuestro murió hace años —dijo con vacilación, e intentó liberar su mano de mi agarre, pero lo impedí.

No la dejaría ir otra vez, no si ella me permitía luchar por nosotros.

—¿En serio? Porque pareces muerta cuando estás con ese idiota, no pareces tú, pero nunca te he visto más viva que cuando discutes conmigo, o hablas conmigo; esa es la Leah que recuerdo. Entonces, respóndeme con sinceridad, ¿realmente murió?

Sus labios se abrieron apenas, hinchó el pecho y entonces se quebró.

—Ya no lo sé. No sé, Alex. Estoy cansada. No sé qué es lo que debo hacer, no sé qué es lo correcto.

—¿Sobre qué?

Sus ojos eran una tormenta cuando los alzó hacia mí.

—No lo sé —contestó exhausta—. No vas a detenerte, ¿verdad?

—¿No me detendré con qué?

—Con esto. —Nos señaló a ambos con un dedo—. Hacer preguntas. Obtener respuestas. Decirme cosas que me hagan sentir… Es demasiado, no puedo lidiar contigo, no puedo controlarte. Nunca he podido.

La estudié en silencio.

—No sabes el poder que tienes sobre mí, Leah. —Acaricié el dorso de su mano con mi pulgar—. Dices que soy yo el que te tuvo comiendo de su mano, pero no es así. Siempre has sido tú. Me has tenido siempre a tus pies.

Detallé su expresión de angustia, cruda y pura.

—Me asustas.

—No es mi intención asustarte.

—Me asusta lo que me haces sentir —susurró. Lucía tan vulnerable, tan frágil... Tan real.

—¿Qué te hago sentir?

—Todo. —Había un deje amargo en su sinceridad y alejó al fin su toque del mío—. Me haces perder el balance que tanto me costó conseguir, y no es justo. No quiero perderlo. Se supone que, después de todos estos años, lo único que debería sentir por ti es odio, rencor, desprecio…, y no esta mierda que ni siquiera sé cómo llamar.

Soltó un quejido desesperado y sus ojos se anegaron en lágrimas. El revoltijo de dolor y rabia que vi en sus pupilas me atravesó el pecho como una espada de doble filo.

—No quiero analizar esos sentimientos.

—¿Por qué no? ¿Qué te asusta tanto? —pregunté.

Su labio tembló un poco.

—El no poder odiarte después de tantos años. Sé que debería hacerlo, que no debería perdonarte, ni hablarte o mirarte, pero aquí estoy, otra vez, como una idiota.

Mi corazón se compungió por la ira que había tras sus palabras.

—Tú no eres la idiota. Fui yo, por dejarte cuando más me necesitabas, pero estaba tan consumido por la culpa… Pensé que ni siquiera querrías volver a verme luego de despertar en el hospital. Creí que solo verías en mí al hombre por el que te violaron.

Negó y soltó una risa amarga.

—Si tan solo hubieras esperado y hablado conmigo…

—Lo sé. —Volví a cerrar el espacio entre los dos y acogí su rostro entre mis manos, impulsado por el arrepentimiento que me comía por dentro—. Lo arruiné, no puedo remediarlo, no puedo darte todos esos años que perdimos, pero sabes tan bien como yo que nunca fuimos un error, fuimos el mejor acierto del otro. Leah, no cometas otro error tan grande como el mío.

—¿Y qué se supone que debería hacer ahora? ¿Luchar por ti? ¿Luchar por recuperarte?

Negué.

—No tienes que luchar por recuperar lo que jamás ha dejado de ser tuyo.

Sus ojos se tornaron cristalinos bajo la impresión, pero no era momento de ser un imbécil que se escondía tras su arrogancia. Leah me conocía mejor que nadie, a ella no podía engañarla y no tenía intenciones de hacerlo. Si quería mis emociones al descubierto, entonces eso tendría.

—No podemos recuperar los años que perdimos por mi culpa, pero puedo darte más años para compensarte, todos los años de mi vida, si me dejas.

Percibí el desbocado latir en su cuello, a través de mis dedos. Estábamos tan cerca que solo tendría que inclinarme un centímetro para besarla, para reclamar esos labios con los que había soñado por años. Por un instante, creí que me permitiría hacerlo, hasta que su rostro se endureció otra vez y retiró mis manos.

—Quiero que te vayas de mi oficina, ahora.

Me sostuvo la mirada sin flaquear y sentí mi cuerpo entero apagarse.

—Leah…

—Vete —insistió, y se alejó hasta quedar del otro lado del escritorio, como si fuera su escudo.

Consideré quedarme pese a sus alegatos, hasta que caí en cuenta de que era mejor no hacerla enojar más. Reticente, caminé hasta la puerta, pero me detuve para mirarla sobre el hombro una última vez.

—Tú y yo sabemos lo que somos, y créeme, estamos lejos de ser un error.

Y, sin decir una palabra más, salí de su oficina.

36
CONFLICTO DE CONCIENCIA
Leah

—¿Qué te pasó?

Edith dejó la copa en la minúscula mesa y se acercó para tomarme de la muñeca: posó dos dedos sobre el dorso.

—¿Qué demonios haces? —Retiré el brazo con brusquedad, sin humor para sus juegos.

—Comprobando si sigues viva. Te ves horrible.

—Gracias. —La pasé de largo y dejé mi bolso en el sillón de la sala de espera de la tienda.

—Te ves igual que la mierda que pisé en el camino hacia acá.

—Vuelve a insultarme y no respondo —amenacé—. Vaya dama de honor que eres.

—¡Exacto! Es mi deber informarte de tu estado deplorable. ¿Viniste arrastrándote por el pavimento acaso?

Le dediqué una mirada de advertencia mientras ella bebía de un solo trago el resto de champaña en su copa.

—No, vine en mi auto.

—¿Entonces por qué te ves tan mal?

Tomé la botella del contenedor metálico sobre la mesita, lista para servirme una copa. Arrugué los labios cuando una mejor idea acudió a mi mente y tomé directo del cuello.

Necesitaba apagar la insistente quemazón que amenazaba con incinerarme desde dentro.

Edith soltó un chillido y empujó la botella de tal modo que mi blusa terminó mojándose con unas cuantas gotas.

—No es un buen momento para comenzar con el alcoholismo. Yo esperaría al menos a tener tres meses de casada —sugirió y la miré irritada—. No deberías beber. El vestido de novia no te entrará con una panza hinchada. Parecerás una piñata.

Me quitó la botella con desdén.

—Y en todo caso, yo soy la que debería estar embriagándose para seguirte el juego con tu estúpido teatrito de la novia feliz —escupió—. ¿Me dirás ya qué mierda te pasó? Estás temblando.

Reparé entonces en mis manos, con un leve tremor a causa de la adrenalina que aún circulaba por mi sistema.

«Vaya, ahora hasta Parkinson tienes». Acallé la burlesca voz de mi conciencia y me recompuse lo mejor que pude.

—¿Y bien? —insistió.

Vacilé, pero me di por vencida ante el yugo de su implacable escrutinio.

—Alexander.

Sus cejas se elevaron casi hasta la raíz de su cabello.

—¿Alexander qué? ¿Te amarró a una silla eléctrica?

—¡No!

—¿Entonces por qué pareces una desquiciada con temblores?

—Estábamos en mi oficina.

Arrugó la cara en una mueca de confusión.

—¿Haciendo qué?

—Hablamos —acoté entre dientes; un montón de emociones conflictivas bullían dentro de mí.

—¿Hablaron? —preguntó incrédula—. ¿Sobre qué?

—Cosas.

—¿Qué cosas? ¿El clima? ¿El incremento del dólar? ¿El próximo presidente de los Estados Unidos?

—Él solo…

—Como no me cuentes en este momento, te estrello la botella en la cabeza, Leah McCartney.

Me mordí el labio, incapaz de contenerme más.

—Me preguntó si aún teníamos una oportunidad, si aún podía volver. Me dijo… Me dijo que había sido un idiota por irse y que no recuperaríamos los años que perdimos, pero podría compensarme con los años que teníamos por delante si lo aceptaba de vuelta.

—¿Y qué le dijiste?

—Yo… —Sentí mi corazón latir en mis oídos y cerré los ojos para ralentizarlo antes de continuar—. Le dije que no sabía qué me hacía sentir y lo corrí de mi oficina.

Centré los ojos en el suelo para no ver su cara de reproche. No quería contemplar cómo me juzgaba por ser la peor novia del universo. Otra vez. Quería tirarme de la primera ventana disponible.

—No lo puedo creer —dijo impresionada.

Una punzada de culpa oprimió mi pecho. Escuché un quejido, un susurro de pasos y cuando levanté la vista, Edith estaba sentada en el sofá: sus manos unidas y su vista en el techo.

—¿Qué haces?

—Pidiéndole a Dios que me dé paciencia contigo, porque como me dé fuerza, te mato —espetó severa y se puso en pie—. A ver si entendí: me estás diciendo que estabas con el hombre en el que has pensado por años, el maldito amor de tu vida, pidiéndote una oportunidad más para estar juntos, dispuesto a arrastrarse por ti, y tú… ¡¿tú lo corriste de tu oficina?! ¡¿Estás loca?!

—¡Deberías estar riñéndome por idiota!

—¡Eso hago! —Se llevó las manos a la cintura—. Leah, no seas una idiota orgullosa otra vez. Ambos se alejaron porque jamás hablaron, y ahora que tienen la oportunidad de hacerlo, arreglar las cosas y ser felices, ¡lo estás dejando ir por orgullo!

Dejé caer los hombros en un signo de rendición. Ni siquiera sabía por qué le contaba estas cosas a Edith si estaba más loca que una cabra.

—¿Te estás escuchando? Voy a casarme. —Me toqué el pecho con aprehensión—. ¿Y tú me riñes porque no acepté volver con mi ex?

—¿Qué esperas que te diga si vas a casarte con el descendiente de Igor? —reprochó—. Y para ser una novia te ves bastante miserable, querida.

Sus palabras resonaron en mi cabeza junto a las de Alexander. ¿En verdad lucía tan infeliz?

—Luzco así por culpa de Alexander. —Bajé el volumen de mi voz cuando un par de chicas salieron de la lujosa tienda mirándome raro por mi escena.

—No, luces así porque ambas sabemos con quién quieres estar realmente. Solo te engañas a ti misma.

Alcé la vista al techo, frustrada.

«¿A quién engañas? Esa frustración no es hacia tu mejor amiga, es contigo misma», mi estómago escoció con la aclaración. Estaría mintiendo si dijera que la idea de aceptarlo de vuelta no había emboscado mi mente en algún punto. De hecho, la consideré tanto que estuve a punto de ceder y cometer otro error monumental. Alexander siempre tuvo la capacidad de hacerme perder el control.

—Mira —llamó mi atención—, ambas sabemos que te gusta, que lo amas y que te hace sentir cosquillas ya sabes dónde —puse los ojos en blanco—, solo te estoy sugiriendo la posibilidad de ir tras lo que quieres.

Compungí mi rostro en una mueca de aversión. Suspiró derrotada un segundo después.

—Dios, paciencia —susurró como si fuera un mantra—. ¿Qué más te dijo?

Me removí incómoda.

—Me preguntó si estaba embarazada.

—¿Por qué? ¿Quiere preñarte él?

—¡No!

—Lástima. —Atrapé un atisbo de decepción en su voz.

—Collin se lo dijo, o al menos eso dice Alexander. No sé por qué lo hizo.

—Para alejarlo de ti, claro está. —Suspiró con pesadez—. Me alegra que al menos hayan aclarado eso, así no te preocupas por el pariente de Igor.

La fusilé con la mirada.

—Él es mi prometido, Edith. Deja de ofenderlo.

—Sí, es tu prometido, pero sabemos que no lo amas. Solo mírate. —Me señaló—. Sientes más cosas por tu exmarido que por tu futuro esposo.

Me crucé de brazos y me negué a darle la razón.

—Como sigas hablando te despido como dama de honor.

—Las damas de honor existen para decirle sus verdades a la novia. Si no quieres afrontarlas, no es mi problema, yo solo cumplo con mi trabajo.

Negué, cada vez más enojada conmigo misma.

—No entiendes. No puedo ir por la vida engañando a todas mis parejas por tener a Alexander frente a mí. —Me mordí el labio, sintiéndome en verdad miserable—. Collin no se lo merece. Es una persona increíble, me ama.

Se supone que Alex debería serme indiferente, no provocarme nada en absoluto, o en su defecto, debería poseer la capacidad para mandarlo directo a la mierda por haberme abandonado, pero ¿qué hacía la idiota de Leah? Exacto, casi ceder ante él.

Edith jugueteó con un mechón entre sus dedos, evaluándome.

—Yo creo que sufres el síndrome de Jordan.

—¿Qué? —La miré sin comprender.

—Sí, ya sabes, te sentías cómoda con él, pero no era realmente lo que querías y te engañabas todo el tiempo para aparentar que sí. Suprimías tus deseos a cambio de tu comodidad.

—No es cierto.

—Sí lo es. Es lo mismo que estás haciendo con Collin ahora.

Torcí la boca, abatida, con la campana de la verdad resonando a lo lejos en mi mente, pero hice oídos sordos.

—No lo es. Me casaré con él porque lo quiero —aseguré—. Y lo que sucedió con Alexander... —titubeé, pero dominé las emociones intensas que me llenaron solo de recordarlo—. No volverá a repetirse. No quiero saber nada de él.

Abrió la boca para decir algo, antes de que la regia empleada de la tienda se acercara con una sonrisa.

—Señorita McCartney, ya puede pasar para la cita de entalle de su vestido.

Edith me lanzó una mirada dura, como si me desafiara a continuar con el teatro. Y como la buena actriz que era, alcé la barbilla y caminé hacia donde nos esperaba la mujer. Mi amiga suspiró y me siguió resignada.

—Bien, ya que continuarás en esa postura de negación, espero que te sujetes bien las bragas, querida —me susurró al oído—. Porque estoy casi segura de que se te estaban cayendo en la oficina.

Le di un empujón y ella sonrió triunfal. ¿A quién pretendía engañar? Tenía razón.

—¿Cómo se siente? —La empleada terminó de acomodar el vestido sobre mi cuerpo—. ¿Le incomoda en alguna parte?

Me aprecié en el enorme espejo e inspiré para aligerar la rara tensión sobre mi pecho, que nada tenía que ver con el vestido. La sensación de inquietud no se iba.

—No, está bien.

Asintió y abrochó algo más sobre la parte trasera. Había atrapado a la mujer mirando más de la cuenta mi espalda, tal vez por mis cicatrices, pero hace tiempo que habían dejado de incomodarme.

—Es un vestido exquisito. —Sonrió—. Es perfecto para una fiesta de compromiso.

Asentí sin que la sensación de inquietud disminuyera. Quizá eran los nervios del evento.

Miré mi reflejo una vez más. La prenda sí que era exquisita. El vestido caía como una cascada de agua azul marino, resaltaba mis atributos y mostraba el inicio de mis pechos. La apertura en el lado derecho lo dotaba de un toque atrevido para no parecer una señora de sesenta, como había dicho Edith. La espalda estaba remataba con una columna de moños pequeños, otorgándole otro detalle.

—Sí, es perfecto —sonreí.

Mi amiga regresó entonces y evaluó el vestido con ojo crítico.

—¿Qué opinas?

—Es divino. —Se empinó la copa que tenía en la mano y la puso sobre una mesita.

—Llámenme si necesitan algo más —dijo la dependienta antes de retirarse con una sonrisa cordial.

—No deberías beber tanto. No te entrará el vestido de dama —la molesté con el mismo comentario y ella se encogió de hombros, acercándose para apreciarme mejor.

—Es la única forma en que puedo soportar tu numerito, ya te lo dije.

Suspiré cansada.

—Edith...

—Ya lo sé. —Sonrió, colocándose su mejor máscara de felicidad—. ¿Comprarás tu vestido de novia con Vera Wang al final?

Incliné la cabeza a un lado. Había postergado ese momento lo más posible. Una parte de mí no quería comprar el vestido porque volvía todo más real e inminente.

—He visto algunas opciones, pero no estoy segura aún.

—Deberías tenerlo listo.

Hice tiempo alisando arrugas inexistentes en la prenda.

—Aún hay tiempo.

—Estamos en enero.

Emití un sonido de exasperación.

—No me presiones.

—Como quieras. Toma. —Me extendió una bolsa de papel de la tienda.

—¿Qué es? —La abrí y extraje lo que había dentro.

—No tienen tanta variedad como me gustaría, pero es un regalo como tu dama de honor.

Alcé la cabeza luego de extender las reveladoras piezas de lencería negra. Enarqué ambas cejas en una demanda muda por una explicación.

—Espero que tengas un poco de acción luego de tu fiesta de compromiso. —Sonrió con picardía—. Aunque sea con Igor.

—Edith —volví a reñirla.

—¿Qué? Te urge relajarte. Espero que Collin haga bien su trabajo.

Le di un empujón en el hombro a modo de juego.

—A veces no sé si quiero abrazarte o ahorcarte —musité divertida.

—Lo primero. Me adoras.

Puse los ojos en blanco. Era cierto.

Ojalá solo hubiese tenido razón en eso y no en tantas otras cosas que me negaba a admitir.

37
REGALO DE COMPROMISO
Leah

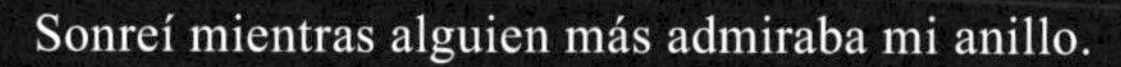

Sonreí mientras alguien más admiraba mi anillo.

—Es precioso —me felicitó la menuda mujer con un apretado moño en lo alto de su cabeza.

Debía ser familiar de Collin, a juzgar por la forma de su nariz, idéntica a la de él.

—Gracias. —Retiré mi mano con delicadeza de sus curiosos dedos, que no dejaban de frotar la joya. Me ponía nerviosa.

—¿Sabes qué es más precioso aún? —Mi prometido me tomó de la cintura para pegarme a su cuerpo—. La que porta el anillo.

Le sonreí con cariño y le di un casto beso en los labios.

—Son tan bellos juntos —nos halagó la mujer—. Tienen mucha suerte de haberse encontrado.

Collin dijo algo más, pero yo me desconecté enseguida. Paseé la vista por el lugar y di un sorbo a mi copa intentando llenarme de paciencia para tolerar las cuatro horas de fiesta que faltaban aún. La idea de mi fiesta de compromiso me emocionaba al principio, pero luego de una hora saludando y hablando con los invitados por cortesía, estaba harta y todo lo que quería era regresar a casa para dormir.

Me deleité con la forma en que habían decorado el salón del hotel Saint Regis. No era una celebración tan exuberante como la de Erick, considerando la limitada lista de invitados que habíamos hecho Collin y yo, pero era lo suficientemente elegante para mis gustos.

Las personas pululaban por el salón ataviados con sobrios vestidos, charlaban entre sí y volvían el ambiente más ameno. La única que se había vestido como si este fuera mi funeral había sido Edith, cuyas curvas estaban ocultas en un vestido hasta el suelo con mangas largas y un profundo color negro. Tuve que contenerme para no obligarla a cambiarse por algo menos… triste.

Pensé que Collin optaría por un hotel mucho más minimalista o moderno para hacer el evento, pero me sorprendió cuando se decidió por uno mucho más señorial. Me removí incómoda intentando evitar que la excéntrica ropa interior que había conseguido Edith para mí no se me metiera hasta los intestinos. Moría por quitármela de una maldita vez.

—¿Qué opinas, cariño?

Caí en cuenta de que me había dispersado demasiado cuando Collin me miró expectante.

—Sí, claro —asentí y sonreí, usando la técnica infalible para aparentar que estaba escuchando.

La mujer soltó una risa.

—Es un poco distraída, ¿no?

—Mucho. —Mi prometido depositó un beso sobre mi coronilla.

—Perdón, me fui. ¿Qué decías?

—Mi tía te preguntaba cuántos hijos te gustaría tener conmigo.

Me crispé y Collin me miró pesaroso por mi reacción. Mierda. Fijé entonces mi atención en nuestra invitada y estiré los labios en mi mejor sonrisa.

—No lo sabemos aún.

—Yo sí sé —me contradijo él, apretándome más contra sí—. Cuatro está bien.

Tuve que concentrarme para no demostrar mi aversión a la idea con una mueca.

—Ya veremos —dije.

—Deben darse prisa —nos instó la mujer—. El tiempo pasa rápido.

—Oh, no se preocupe, tenemos mucho tiempo —rebatí y volví a desconectarme cuando abordaron un tema familiar que no me interesó.

Contuve el suspiro de cansancio que amenazaba con brotar de mi garganta. Necesitaba dormir con urgencia. Localicé a mamá, ataviada con un bonito vestido tinto y un chongo sobre su cabeza. Llegó hasta las enormes puertas de roble, custodiadas por columnas de mármol y largos floreros de cristal a cada lado. Mi mente estaba tan lejos de ahí que la pasé de largo cuando recibió más invitados. No tenía interés en saber a quiénes más había invitado Collin, solo quería salir de ahí.

Qué fastidio. No sabía qué me molestaba más, si la exótica tanga que se me metía constantemente o los duros tacones que no ablandé antes de usar para la oc...

Espera, espera. Retrocede. Eso es...

Sentí que perdía el piso al reparar en los nuevos invitados que recibió mamá. Mi diseminada mente armó filas para concentrarse en la persona que atravesaba el umbral como un Dios cruzando las puertas del maldito Olimpo.

«¿No es ilegal lucir tan bien en un traje?», pensé. Y no tenía idea, pero era una vista que definitivamente valía la pena contemplar. Sería un insulto no hacerlo: el sobrio traje se ajustaba a su cuerpo, hecho a la medida, ciñéndose sin ninguna arruga a su alta, trabajada y bien formada figura, su cabello estaba peinado de esa forma despreocupadamente profesional. No había nada fuera de su lugar, lucía pulcro, impoluto y jodidamente apetecible. Alexander estaba como para comérselo y lo odié por ello.

Percibí mis piernas un poco más débiles cuando sus ojos me encontraron. Una parte de mí esperó que hiciera alguna travesura a modo de reconocimiento, como lanzarme un guiño o esbozar el inicio de una sonrisa, pero no. Sus ojos me abandonaron con la misma facilidad con la que se pasa de largo una pared vacía y se concentraron en el hombre de barriga prominente que lo abordó apenas llegó. Agnes también estaba aquí, hablando con otras personas que no reconocí.

¿Quién demonios los invitó? ¿Y por qué decidieron asistir? Sabía que los Colbourn estaban locos, pero no a este nivel. ¿Qué pretendía Alexander presentándose? ¿Iniciar una pelea con Collin? «¿Cuándo tendré un día tranquilo?».

Me terminé lo que quedaba de licor en mi copa e intercepté a un mesero que pasaba cerca para tomar otra y vaciarla con la misma velocidad. Ya sentía los indicios de las emociones intensas que la cercanía de Alexander despertaba en mí.

«No podemos recuperar los años que perdimos por mi culpa, pero puedo darte más años para compensarte, todos los años de mi vida, si me dejas».

Cerré los ojos e inspiré para guardar sus palabras en el baúl de las cosas que no debían importarme ni provocarme nada, aunque ni siquiera el largo trago que le di a mi nueva copa ayudó a disiparlo de mi mente.

Desde nuestra conversación en mi oficina tres días atrás, no había dejado de pensar en él. No importaba cuánto luchara por mantenerlo fuera haciendo algo diferente, ni siquiera podía concentrarme en algo más que no fuera nuestra última charla. Era como si, de alguna manera, hubiera logrado liberar esos sentimientos que había mantenido cautivos en una jaula hecha por el resentimiento y la ira, y me aterraba lo que pudiera pasar ahora, lo que yo pudiera hacer ahora.

No quería mirarlo de una forma diferente, ni sentir algo diferente a la ira cuando estaba cerca, porque entonces ¿qué me quedaba? ¿Cuál sería mi escudo contra él y todos sus intentos por recuperarme? Estaría desprotegida y a su merced, otra vez, para darle su preciada oportunidad. Y esa era la pregunta del millón: ¿quería darle una oportunidad? ¿A él? ¿A lo nuestro?

Luego de tantos años, pensé que había logrado arrancarlo de raíz..., pero no. Al parecer estaba incrustado tan profundo en mí que cada latido de mi corazón estaba marcado por Alex, y respondía a él y solo él.

Gruñí frustrada.

«No se merece nada de ti». Recordé las palabras de Collin y sirvieron para levantar un poco más los muros alrededor de mi tonto corazón. Lo único que tenía que hacer para evitar un desastre era ignorarlo, de la misma forma en que lo había hecho los últimos días.

—Leah. —Di un respingo cuando sentí los labios de Collin rozar mi oreja.

—¿Qué?

Me miró con dureza.

—¿Por qué estás tan distraída?

—No lo estoy —mentí.

—Te he llamado tres veces. Pensé que habías entrado en estado catatónico.

Reí forzado.

—¿Qué sucede? —preguntó y me acarició la mejilla en un gesto lleno de preocupación.

—Nada, solo estoy... cansada. —Miré la punta de mis altos tacones.

Su aliento contra mi oreja me provocó un escalofrío.

—Sabes que podemos irnos cuando quieras, ¿no? —susurró—. Edith me dijo que tenías algo para mí, una sorpresa.

Me congelé en el lugar por el tono sugerente de su comentario. «Hija de puta», pensé y fulminé con la mirada a la rubia, que en ese momento estaba absorta charlando con un tipo que no reconocí.

Ahora entendía por qué había insistido tanto en que usara lencería y su insinuación de pasarla bien con Collin luego de la fiesta de compromiso. Seguramente se habían puesto de acuerdo.

La sensación de molestia ocasionada por la repentina noticia se desvaneció y, en su lugar, sonreí con picardía. Sería buena forma para expulsar a Alexander de mi mente al menos por treinta minutos.

—Vamos ya. —Me pegué a él y besé su mandíbula con más ganas de las que debería para estar en público.

Su deje juguetón se evaporó.

—No me refería a poder irnos ya literalmente. Tenemos invitados que atender, cariño.

—Nadie notará que nos fuimos treinta minutos.

Negó y yo tensé la mandíbula, frustrada.

—¿Veinte? —intenté negociar. Un polvo rápido en la habitación no sonaba tan mal.

—Seré todo tuyo cuando la fiesta termine, lo prometo. —Besó mi frente y bajé los hombros, sintiéndome decepcionada y rechazada.

—Bien —accedí a regañadientes—. Tú te lo pierdes.

—Leah… —Estaba a punto de decir algo más, pero otra persona se acercó a conversar y nuestro momento terminó.

Permanecí junto a él uno dos minutos más y luego me encaminé en busca de otro mesero que me diera una nueva copa. Me perdí entre los invitados que llenaban la sala y cuando encontré lo que necesitaba, le di un largo trago. Mi suspiro de satisfacción se quedó atorado en mi garganta cuando me encontré con mi madre y Alexander frente a mí.

—¿Qué haces aquí?

—¡Leah! ¡No se trata así a los invitados! —me riñó mi madre por mi rudeza, pero no le presté atención. Alex me sostenía la mirada, algo intenso ahondaba en sus ojos y mi corazón aumentó en sus latidos.

—Felicidades por tu compromiso, McCartney. —Se acercó y elevó su mano un poco, expectante. Por un momento no comprendí qué haría, hasta que… ¿de verdad iba a besar mi mano? ¿En qué siglo estábamos? ¿Y esa felicitación? Era la más falsa que había escuchado en mi vida.

Correspondí el gesto y tomé la mano que me ofrecía. Se inclinó para depositar un beso en el dorso, sus labios rozaron apenas mi piel, pero lo que me tomó con la guardia baja fue el sentir que depositaba algo en mi palma. Se irguió y fui rápida en hacer puño lo que fuera que me hubiera entregado.

—Sabía que podían ser civilizados uno con el otro. —Mi madre sonrió.

—Somos bastante civilizados con el otro, ¿cierto, Leah? —Había cierta broma en su voz que no pasé por alto, pero me negué a caer en su juego. Solo estaba provocándome.

—Al menos lo intentamos —dije en tono tenso.

—Perfecto. —Mamá juntó sus manos sin perder el buen humor y tocó el hombro de mi ex—. Acompáñame, hay un viejo amigo al que quiero presentarte. Podría ser un inversionista potencial.

—Claro. —Alexander asintió en mi dirección—. Te veré después, McCartney.

Y, sin decir una palabra más, caminaron por el salón en otra dirección. Sentía el corazón en la garganta y la adrenalina corriendo por mi sistema a causa de lo que acababa de pasar entre Alex y yo, como si volviéramos a ser un secreto. Giré el cuello en busca de Collin; esperaba que no nos hubiera visto interactuar o tendríamos otra pelea. Suspiré aliviada cuando lo ubiqué hablando muy animado con otras personas.

Me detuve en una esquina del salón para abrir la nota, como si fuera una ladrona que no quisiera ser descubierta con su nuevo tesoro. Mi pecho se oprimió apenas leí lo que había escrito.

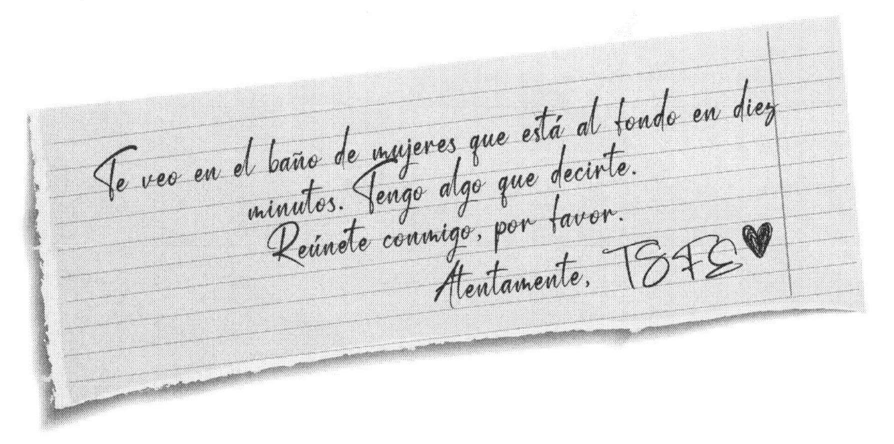

Te veo en el baño de mujeres que está al fondo en diez minutos. Tengo algo que decirte.
Reúnete conmigo, por favor.
Atentamente, TSFE ♥

Las lágrimas se agolparon en mis ojos al leer las iniciales y, esta vez, no pude evitar las estúpidas mariposas que revolotearon en mi estómago, como si, por un momento, volviera a ser la Leah enamorada de su esposo en la universidad.

Arrugué la nota entre mis dedos y la indecisión pesó más que nunca. ¿Debería reunirme con él? ¿Qué quería decime que no me hubiera dicho ya? Me mordí el labio, sin saber qué hacer. Una parte de mí quería hacer esto, la más insensata y temeraria, aquella que extrañaba lo emocionante que eran estos encuentros con él; sin embargo, la más madura, quería cerrar esta puerta para siempre, marcharse y no mirar atrás otra vez.

Apreté la nota en mi mano y, por más estúpido que pareciera, decidí ignorar mi parte racional. Caminé por el largo pasillo que llevaba al baño de mujeres sin cruzarme con nadie. No era el más solicitado, pues había otro más cerca de la puerta principal.

Cerré la puerta del baño una vez que entré y admiré los sillones beige dispuestos junto a la entrada, fungiendo como una sala de espera. La estancia era elegante y amplia como el resto del salón. Me miré en el enorme espejo y noté el lavabo de mármol adornado con floreros de cerámica repletos de orquídeas.

Observé la bandeja de metal donde estaban dispuestos contenedores de cristal estilizados con letreros como "Perfume", "Jabón", "Crema" y demás. Me pareció un detalle distinguido. Pulsé dos veces la bombilla del jabón y lavé mis manos, enojada conmigo misma porque otra vez había caído en los juegos de Alex y él ni siquiera estaba aquí.

Como si lo hubiera invocado, un minuto después escuché la pesada puerta del baño abrirse y los vellos de mi nuca se erizaron. Alexander me miraba sereno, a solo unos cuantos pasos de distancia, con las manos dentro de los bolsillos de su pantalón.

—Creo que tenemos algo pendiente —comentó con jovialidad.

Me tomó un segundo salir del estupor en el que su presencia lograba sumergirme.

—¿Qué haces aquí? —pregunté severa.

—¿Aquí en el baño? Atendiendo a nuestra reunión.

—Aquí en mi fiesta de compromiso —aclaré irritada por su actitud y me crucé de brazos.

—Tu madre me invitó.

Tensé la mandíbula. ¿Por qué mi familia se empeñaba en incluirlo en cosas donde no debía estar? Tendría una conversación muy seria sobre esto con ellos mañana.

—¿Ahora la obedeces en todo? ¿Crees que así podrás ganártela otra vez? —pregunté con desdén.

—No es a ella a quien quiero ganarme otra vez —respondió serio y mi corazón sufrió un pico en sus latidos.

Maldito. Me obligué a ralentizar el ritmo que bombeaba en mi pecho y mantuve mis muros en alto.

—Ya te lo dije, es tarde para nosotros. Voy a casarme con alguien más. Ni siquiera deberías estar aquí, es mi fiesta de compromiso.

—Lo sé. —Bajó la cabeza con resignación y esbozó una pequeña sonrisa—. Ya te lo dije, soy un masoquista cuando se trata de ti.

Mi corazón comenzó a latir tan rápido que pensé que se me saldría por la boca. No podía caer de nuevo, por mi bien y por respeto a Collin. Venir aquí había sido un error.

—O tal vez solo eres idiota —apunté y me preparé para salir—. Si me disculpas, tengo una fiesta de compromiso que atender.

Caminé con seguridad y pasé junto a él, dispuesta a llegar hasta la puerta, pero sus dedos en torno a mi brazo arruinaron mi dignísima retirada.

—Tenemos que hablar, Leah.

Su tacto envió una corriente exquisita por mi columna; el lugar donde su piel se encontraba con la mía me quemaba y, para mi horror, el resto de mi cuerpo ardía porque lo tocara en otros lugares. Sofoqué la estúpida quemazón que nació en mi vientre y me solté. No era la persona por la que debería percibir tales cosas.

—Apenas tolero hablarte, ¿qué te hace pensar que quiero mantener una conversación contigo? —dije con desdén y él sonrió.

—Eso no era lo que pensabas antes.

—Lo nuestro fue un error desde el inicio —repetí por millonésima vez.

—Leah, tú y yo siempre fuimos un error. —Dio un paso hacia mí, invadiendo mi espacio personal y aumentando exponencialmente las probabilidades de sufrir un ataque al corazón—. Y, aun así, seguimos cometiéndolo, una y otra vez.

Su aroma llegó hasta mí cuando dio otro paso despreocupado y algo en mi vientre se apretó, expectante.

—Habla por ti. Yo no tengo intención de repetirlo, jamás —siseé, cruzándome de brazos—. Y por favor, aléjate. Me molesta tu proximidad.

—¿En serio? Siempre fuimos muy próximos —susurró con un claro tono sugerente que concentró el calor en mi centro.

Retrocedí un paso cuando estuvo peligrosamente cerca.

—Estás invadiendo mi espacio personal.

Esbozó una sonrisa ladina.

—Nunca te molestó que invadiera ninguno de tus espacios —musitó con gravedad, sus ojos tornándose oscuros, el hambre asentándose en su rostro—. Ni siquiera el personal.

Sentí mis mejillas arder un segundo después por el doble sentido de sus palabras, o quizás era por el calor que me recorría el cuerpo de pronto.

—Claro que sí —dije lo más digna posible.

—Mentirosa. Te encantaba tenerme dentro de ti.

Mis piernas estuvieron a punto de ceder por la crudeza de sus palabras.

«Ni se te ocurra hacer una estupidez. Es tu fiesta de compromiso». Recuperé la cordura.

—No tengo tiempo para perderlo contigo —escupí, molesta conmigo misma por sentir tales cosas hacia él—. Tengo una fiesta que atender.

—Si te dejaras llevar un poco más, tal vez obtendrías lo que tanto deseas.

Enarqué ambas cejas, impresionada por su arrogancia.

—¿Perdón? Alex, ni siquiera deberías estar aquí. Yo no te quiero aquí.

—¿Segura? Después de tu discurso sobre tus sentimientos contradictorios, ya no estoy tan seguro de que me quieras lejos.

Lo fusilé con la mirada por su acertada deducción. Maldito.

—Leah, te conozco, sé que estás luchando por contenerte y no ceder a lo que de verdad quieres. Te asusta lastimar a Collin, y lo entiendo, pero, otra vez, ¿dónde quedas tú?

Quise rebatir todo lo que decía, pero me interrumpió.

—Tienes tanta bondad en ti que siempre olvidas serlo con quien realmente importa: tú. —La punta de sus zapatos tocó los míos y mi corazón latió errático—. Haces todo porque los demás a tu alrededor sean felices, das todo aunque eso te deje hecha nada.

Sus palabras me escocieron el estómago y me oprimieron el pecho, retumbando en mi cabeza como un eco. Tenía razón. Siempre eran los demás y después yo. Pero se suponía que eso era la bondad.

—Necesitas ser más egoísta —continuó.

—¿Tan egoísta como lo eres tú? —pregunté mordaz.

—No soy una persona egoísta, en general.

—¿En general?

—Solo lo soy cuando se trata de ti.

—¿De mí? —Fruncí el ceño sin comprender—. ¿Por qué de mí?

—Porque no puedo ser de otra manera si tiene que ver contigo. —Mostró entonces el amago de una sonrisa—. No quiero renunciar a ti, supongo que eso me convierte en un hombre egoísta.

La declaración hizo a mi corazón detenerse un segundo para derretirse después.

«No caigas», me recordó mi parte racional, pero su voz perdía volumen y convicción cada vez más.

—Esa no parece ser la decisión correcta —solté en un patético intento por detener cualquier locura que seguramente asaltaba su cabeza en ese momento.

—Nunca he sido bueno en tomar las decisiones correctas. Lo único que hice bien fue casarme contigo y ahora te perderé por segunda vez.

—Alex, para. —Me alejé otro paso cuando sentí mis murallas a punto de ceder y, para mi desgracia, él me siguió de cerca—. Te dije lo confundida y exhausta que me siento para que me ayudaras alejándote, no para que me emboscaras en todos lados.

Su semblante se llenó de seriedad entonces.

—Creo que sé cómo ayudarte a resolver el conflicto.

—¿Cómo? —pregunté—. Si es alguna locura com…

Las palabras murieron en mi boca cuando posó una mano fuerte sobre mi nuca y sus labios atraparon los míos, devorándolos al segundo siguiente, besándome de tal forma que parecía como si quisiera consumirme, tomar cada parte de mi ser. Sí, era una locura, pero en ese momento yo no quería nada más que ser consumida por él.

«Sí, sí, sí. Dios, sí», canturreó mi conciencia en conjunto con mi cuerpo, que rogaba por su toque. Me besaba como si hubiese esperado esto por años y no podía estar más fascinada con ello. Le correspondí con la misma premura, imperiosa e implacable. No era consciente de la insistente necesidad que sentía por probarlo de nuevo, por besarlo, hasta que lo hice otra vez.

Se separó a regañadientes cuando el oxígeno se agotó entre nosotros, dejándome aturdida, con un infierno en mi interior y una piscina entre las piernas.

—¿Te he aclarado las ideas? —inquirió con voz cruda, baja, y solo sirvió para atolondrarme más.

—Yo... no...

—¿No? Tendré que poner más empeño entonces. —Volvió a tomar mis labios entre los suyos. Si sus besos antes eran ansiosos, ahora eran voraces, hambrientos y posesivos.

Si aquél no era el mejor beso de toda mi puta vida, que bajara toda la corte celestial a comprobarlo. Supe que había perdido la cordura cuando enredé mis brazos en su cuello para atraerlo más hacia mí y sentirlo en todo su esplendor. Lo tomó como la carta de acceso libre, porque me arrastró consigo hasta estamparme en la primera superficie disponible para presionarse contra mí, permitiéndome sentir su duro miembro en mi bajo vientre, arrancándome un gemido de mera anticipación.

Había extrañado tanto aquello que mis ojos escocieron con lágrimas de pura felicidad.

Moví mis manos para tocar su cuello, su cabello, sus hombros, su firme torso, todo, todo. Quería tocar todo de él. Le quité el saco incluso antes de pensarlo mejor y el aire se atoró en mis pulmones cuando sus labios descendieron por mi mandíbula, besando todo el camino hasta mi garganta, y la sensación de su húmeda lengua bailando sobre mi cuello envió descargas a mi vagina.

No fui consciente de que había enredado sus dedos en los tirantes de mi vestido hasta que los bajó lo suficiente para liberar mis pechos sin previo aviso, mis pezones se erizaron por el frío. Se relamió los labios, su vista clavada en ellos, y el hambre desnuda cincelada en su bella cara. Tomó uno entre sus manos, apretándolo, y por poco viví un orgasmo con ese contacto tan simple.

—Tienes las mejores tetas que he visto en toda mi vida.

Sentí un atisbo de timidez, pero me alegré de haber optado por las copas del vestido en lugar de usar sostén cuando cerró su boca en torno a uno de mis pezones, ganándose un gemido por lo satisfactorio que resultó. Extrañaba su boca, caliente, húmeda y diestra en mimar mis pechos. Apreté mis piernas en un patético intento por no correrme, pero se sentía tan bien.

Pellizcó mi otro pezón, retorciéndolo entre sus dedos. La humedad en mi sexo era tan insistente que lo único que quería era que me tocara en ese lugar. Clavó sus ojos en los míos desde su sitio en mi pecho, aún devorándolo y comiéndome con ello a la par. Se irguió de pronto, me besó con rudeza una última vez robándome el aire y me giró con brusquedad, mis pezones endureciéndose todavía más por la frialdad de la pared.

Supe entonces que su cautela y control se habían ido al carajo, al lugar donde mi cordura llevaba tiempo guardada. No más educación. Sabía que tomaría lo que quisiera de mí ahora.

Coló su mano por la abertura en mi vestido, con las yemas de sus dedos acariciando mi pierna en su ascenso y haciendo mi piel hormiguear con necesidad. Apoyé mi frente en la pared para recuperar la respiración cuando recordé el tipo de bragas que estaba usando.

Emitió un gruñido bajo que no supe cómo interpretar.

—¿Es un regalo para tu prometido? —inquirió con voz ronca, bordeando el reproche.

Sentí el miedo nacer en mis entrañas por la pregunta, porque me volvería loca si se atrevía a parar por un ataque de moralidad. Luego de un momento en silencio, soltó una risita baja, acariciando una de mis nalgas.

—Parece que tendré que desenvolverlo yo —sentenció antes de azotarla, haciendo a mi cuerpo estremecerse por la impresión.

Lancé un gemido cuando percibí su miembro frotándose contra mis expuestas nalgas, abrumada con las exquisitas sensaciones, porque a pesar de la tela del pantalón, podía notar su dureza, calentándome a niveles estratosféricos.

—Nunca pude elegir entre tus tetas o tu culo, siendo franco, pero extrañaba más de lo que te imaginas esta vista —susurró contra mi oído y mordió el lóbulo mientras tocaba con rudeza mis nalgas.

Tomó mi cara en un agarre de hierro, mis mejillas levemente adoloridas mientras me giraba para besarme de nuevo en esa posición, con hambre e insistencia renovadas. Se llevó dos dedos a la boca, mojándolos con su saliva para tirar de un pezón; la sensación de humedad tan electrizante y placentera que gemí contra su oído, amoldándome más contra su cuerpo.

—Joder. —La maldición se deslizó cruda en sus labios—. Me estás volviendo loco, Leah.

Sonreí con una combinación de triunfo y picardía.

—¿De una mala manera?

—De todas las maneras posibles.

Gemí alto cuando noté su mano colarse más allá de mis bragas, su brazo rodeando mi cintura para llegar hasta mi sexo y rozarlo con sus dedos a través de la tela.

Casi alcancé la cima con esa caricia tan fugaz. Mis caderas se movieron por sí solas buscando su tacto cuando permaneció inmóvil. Me sentía tan desesperada por alcanzar el orgasmo, tan abrumada por todas las sensaciones placenteras que exacerbaban cada uno de mis sentidos.

Frotó sus dedos unas cuantas veces más sobre la tela, haciendo a mi cuerpo ondular contra el suyo, chocar contra él, hasta que coló por fin su mano más allá del elástico de mis bragas; mi corazón estuvo a punto de detenerse y mi sexo a nada de contraerse para entregarse al orgasmo.

Soltó un suspiro de satisfacción, sus labios devoraban mi cuello mientras sus dedos abrían mis húmedos pliegues, su tacto acariciaba con destreza mi clítoris, jugando con él y extinguiendo cualquier rastro de sentido común que pudiera conservar mi cabeza. Lo único que quería era sentirlo dentro de mí, entero y profundo.

Yo era quien iba a volverme loca si no... Deslizó un dedo dentro con facilidad, mi vagina punzando, bullendo y estremeciéndose por la exquisita sensación. Arqueé la espalda, encantada.

—Estás empapada, Leah, Dios. —Acarició mi clítoris con su pulgar y gemí. Iba a correrme sin siquiera haberlo tocado, mis manos hervían con la necesidad de hacerlo, pero era difícil en esta posición.

Introdujo otro dedo más; la cima estaba a solo unos cuantos embates de sus diestros y largos dedos.

—¿Escuchas eso? —susurró contra mi piel, ronco—. Se escucha delicioso.

Tuve que morderme el labio para contener los sonidos e intentar mitigar la vergüenza, porque estaba tan excitada que, por la humedad entre mis piernas, podía escucharse el chapoteo que creaban sus dedos cada vez que trabajaban en mi interior.

Su intromisión se volvió más insistente al tiempo que su boca oscilaba entre mi cuello, mi espalda, mi oreja y mi barbilla. Su otra mano se ocupó de mi pecho, sobreestimulando mi cuerpo.

—Alex... —No tenía ni puta idea de cómo mi lengua podía funcionar aún.

Moví mis caderas al compás de sus dedos presa del deseo y el placer, con la sangre corriendo por mis oídos, aturdiéndome; mi boca seca, abierta para respirar, y mi vagina a punto de explotar. No se detuvo, el trabajo de sus dedos diligente y ágil. Enredó una mano en mi cintura, presionó mi estómago, me permitió sentir su erección y simplemente estallé en mil pedazos, el orgasmo llenándome, elevándome y demoliéndome a la vez.

Me sostuvo para no caer mientras recuperaba la fuerza que mis piernas habían perdido y me giró de nuevo para mirarlo a través de la bruma del placer; mi respirar elaborado aún. Ni siquiera era consciente de dónde demonios estaba o de quién era, solo sabía que me sentía fenomenal.

Sin despegar su vista de mí, introdujo los dedos en su boca para limpiar mis fluidos. La vista casi me hizo terminar otra vez.

—Eres exquisita, Leah.

Se acercó para besarme de nuevo. Mi lengua se encontró con la suya, aletargada aún por los restos del orgasmo. Tenía un tenue sabor a mí y solo eso bastó para encenderme como la primera vez. Acaricié su miembro sobre la tela del pantalón y un sonido gutural emergió de su garganta. Lo necesitaba dentro ya. No soportaría otro segundo más.

—¿Vamos por el segundo round? —sugerí batiendo las pestañas.

Me miró serio por un segundo y eso fue todo lo que duró su estúpido autocontrol. Mi cabeza dolió cuando me estampó contra la pared para besarme como si no hubiera un mañana. Mordió mi labio y coló de nuevo sus manos por la abertura de mi vestido, sus dedos apretando mi culo para darme impulso y ayudarme a enredar mis piernas en su cintura, el contacto de su polla, incluso sobre la tela del pantalón, me generaba sensaciones increíbles.

Desabotoné su camisa con manos torpes y ansiosas, intentando concentrarme en mi tarea para que su lengua circulando sobre mi pezón no me distrajera. Estrujó mis nalgas con rudeza e hizo palpitar con más insistencia mi sexo.

Deshice todos los botones como pude, acaricié su torso un segundo antes de que una de sus manos se cerrara en mis muñecas para llevarla a su pantalón. Estaba tan ansioso como yo. Con el corazón acelerado, deshice el cinturón, abrí la pretina y liberé su erección, dura y erguida; sus caderas se movieron contra mí cuando la tomé en mi mano. Suspiró de satisfacción en mi cuello y fue el mejor sonido de todo el jodido mundo.

Sujetó mis muslos con sus brazos y abrió más mis piernas para hacerse espacio, mis pulmones a punto de explotar por el aire denso, el calor infernal entre nosotros y el deseo pesado.

Frotó su polla contra mi entrada, pero se detuvo, y, en su lugar, reclamó mi boca una vez más. Me entregué al gesto de buena gana, fascinada con la forma en que encontrábamos siempre un compás intenso y consumidor.

Se separó cuando estuvo seguro de que me había dejado sin aire, con sus preciosos ojos mirándome con atención y haciéndome perder la capacidad de respirar. Así, dominado por la lujuria y el deseo labrado en su cara, Alexander era otra de las maravillas del mundo. Tragué con dificultad, a punto de volverme loca si no se introducía en mi interior en ese instante. Abrí la boca y forcé las palabras, porque a juzgar por su mandíbula tensa, sabía lo que estaba esperando.

—Alex.

—¿Mmm?

—Fóllame —demandé, pedí o supliqué, no tenía idea, pero fue suficiente para que se deslizara de una sola estocada hasta mi interior, profunda y limpia.

Fue la mejor sensación de mi vida. Gemí aferrándome con brazos y piernas a su cuerpo, la sensación de él llenándome me infló el pecho.

Se mantuvo estático un momento sin quitarme los ojos de encima, que parecían quemarme la piel y, cuando lo besé, el poco control que conservaba se esfumó. Comenzó a moverse justo como recordaba, sus embates inclementes y duros, el ritmo rápido y despiadado. Mi cabeza chocaba contra la pared, pero el dolor era rebasado por el placer. Su miembro se abría paso por mi vagina con experticia, sin dejar un solo espacio libre. Aruñé su cuello, con mis piernas afianzándose a su cuerpo mientras seguía conquistándome, tomándome y regalándome sensaciones cósmicas que no eran de este mundo. Lamió mi cuello y su lengua combinada con sus intromisiones me empujaron por el borde más rápido de lo que me gustaría, porque me moría por sentirlo más tiempo. Toda la vida, si era posible.

Enredé mis dedos en sus mechones, encajando las uñas en su cabeza cuando sentí el orgasmo construirse al ritmo de sus embates rudos y sucios, sacudiendo cada hueso que poseía. Apreté mis piernas contra él, cada nervio de mi cuerpo concentrado en absorber las sensaciones increíbles que solo Alex conseguía provocarme. Saltaría al vacío tan felizmente, tan...

Salió de pronto, disipando el inicio del orgasmo de forma tan tajante que casi gruñí de la frustración. No tuve tiempo de respingar, porque me pegó con su cuerpo en lo que creí era el lavabo, sus dientes encajándose en mi labio con tal brutalidad que pensé que lo arrancaría. Una de mis manos se movió a ciegas y escuché algo quebrarse cerca. Me giró con brusquedad, retiró mis bragas casi arrancándolas y fue entonces que noté el florero hecho añicos, estrellado contra el piso.

No me dio tiempo de pensar en nada más y gemí cuando entró en mí otra vez con lentitud, permitiéndome sentirlo centímetro a centímetro. ¿Podía ser más feliz que en ese momento? Comenzó a moverse con ímpetu enseguida, arrancándome un grito que nada tenía que ver con el dolor.

—Carajo, eres una delicia —maldijo con voz tensa, carnal.

La invasión era tan implacable que sentía como si sacudiera hasta el último nervio de mi cuerpo, mis brazos se movían al frente para aferrarme a algo mientras tomaba cada uno de sus duros embates, salvajes, brutales. Los contenedores de cristal se estrellaron también contra el suelo cuando moví torpemente las manos sobre el lavabo, la bandeja hizo un estruendo que reverberó en la estancia y ahogó por un momento mis jadeos desesperados.

Entonces sentí su cuerpo inclinarse contra mí, su mano pellizcó un pezón antes de tomar mi barbilla con tal fuerza que pensé la romperia, haciéndome mirar el espejo, obligándome a contemplarnos.

—Ojos al frente, Leah. Quiero que mires cómo te follo.

Volvió a moverse con el mismo salvajismo, invadiéndome tan profundo que parecía no querer dejar ningún espacio de mí sin conquistar. Y yo nos admiré extasiada, todo este desastre que éramos. Mis pupilas estaban ansiosas por grabar esto en mi memoria a fuego, por grabarlo a él abandonado a la lujuria y la pasión que despertaba en sí mi cuerpo, mis gemidos, cualquier cosa que yo hiciera. Éramos fuego y dinamita.

Nuestros ojos conectaron a través del espejo, la sensación de ese gesto fue extrasensorial. Ya no había un resquicio de azul en sus orbes, solo negro. Alex de verdad era una maravilla.

No paró de embestirme hasta que sentí los músculos de mi vagina a punto de contraerse otra vez; mi cara se contorsionó en una mueca de placer puro y el orgasmo me emboscó incluso antes de ser consciente de ello.

Fue tan arrebatador que me robó la respiración, las fuerzas; Alexander se llevó mi alma.

Parecía que hubiese tenido tres años de abstinencia con ese orgasmo tan violento. Tuve que tomarme del lavabo para no caer, Alex moviéndose aún agresivo e implacable mientras mis músculos se cerraban en torno a él, mi vagina tan sensible que volví a correrme en segundos solo por sentirlo.

—Mierda.

Me dejé caer rendida cuando se corrió momentos después, un gruñido brotó de su garganta y me llenó. Cada parte de mi cuerpo estaba trémula luego de una experiencia tan profunda.

Tenía tres años sin sentir que me desmayaría luego de un orgasmo. Cerré los ojos para recuperar la respiración y evitar terminar en el hospital por un infarto. Podrían haberme preguntado cómo me llamaba y yo no habría sabido qué cosa responder.

Me tomó del brazo para ayudarme a incorporar. Me percaté de que se había abrochado los pantalones, aunque seguía con el cinturón y la camisa abiertos, y su cabello era un desastre.

Seguramente yo lucía peor. Cuando me giré al espejo lo comprobé.

—Por Dios, tengo cara de...

—¿De recién corrida? —completó con suficiencia y me ayudó a poner de vuelta el vestido en su lugar—. Sí, sí tienes esa cara.

Lo fulminé con la mirada solo por costumbre, porque en ese momento no tenía motivos ni fuerzas para estar enojada con él.

«¿Y quién lo estaría? Acaba de regalarte tres de los mejores orgasmos de tu vida».

—Lo mismo puedo decir de ti.

—Lo sé. Gracias. —Me besó en los labios de manera fugaz y se inclinó para tomar mis bragas, que permanecían inertes en el piso como víctimas del frenesí—. Estas me las quedo yo.

Sonrió con malicia cuando estreché los ojos, pero se las guardó en el bolsillo de su pantalón para abrocharse la camisa después.

Escaneé el lugar, reparando en los daños: había vidrio por todos lados, agua y otros líquidos esparcidos, y unas orquídeas aplastadas, quizá por Alexander. Éramos un caos.

Mi efímera burbuja de felicidad se fue al carajo cuando recordé dónde demonios estaba.

En mi fiesta de compromiso. Mierda.

—Tengo que regresar a la fiesta.

—De acuerdo. —Se peinó lo mejor que pudo con los dedos—. Espero que te haya gustado mi regalo por tu compromiso.

—Cállate —me quejé, intentando recuperar mi dignidad.

Se detuvo detrás de mí, acariciando mis brazos mientras yo arreglaba la mierda que era mi cabello.

—Leah, ¿por qué sigues engañándote? —susurró en mi oído, provocándome un escalofrío.

—¿Qué?

—Acabas de engañar a tu prometido en tu fiesta de compromiso. Creo que es bastante obvio cuáles son tus sentimientos —explicó antes de darme un beso en la sien—. Te veré después.

Recogió su saco y salió del baño como si nada, dejándome helada por sus palabras. Tenía razón, ¿qué demonios había hecho?

Salí del baño luego de pasar diez minutos quitándome todas las horquillas del cabello para dejarlo suelto, en un intento por ocultar las marcas que Alexander dejó en mi cuello, cerca de mi oreja. Me dispuse a ir con los invitados, pero una mano sobre mi hombro me detuvo.

—Deberían ser más cuidadosos —susurró Damen contra mi oído y sus manos comenzaron a trabajar en mi espalda. ¡¿Cómo sabía?!

—¿Qué haces? —pregunté desconcertada.

—Arreglar tu vestido. Es un desastre.

—¿Qué? —inquirí, intentando hacerme la desentendida.

—No estoy ciego. Le dije a tu prometido que habías ido a la cocina a supervisar los bocadillos —informó al terminar de acomodar la prenda y

se puso a mi lado para dedicarme una sonrisa traviesa—. Aunque más bien estabas supervisando otra cosa.

Le di un empujón y rio con ahínco.

—Invéntate una buena excusa para el cabello. Yo ya hice mi parte.

—Per…

—Leah, ¿dónde demonios estabas? —Collin apareció y me tomó del brazo con suavidad, su semblante abatido por la preocupación.

Mi hermano carraspeó mirándose los zapatos.

—Estaba… en la cocina, supervisando los bocadillos.

Frunció el ceño.

—¿Todo este tiempo? Te perdiste casi una hora.

Damen suspiró con pesadez.

—Alguien me llama por allá. Nos vemos. —Se retiró dando largas zancadas.

Cuando por fin me concentré en Collin, lucía molesto.

—Estuve en la cocina y después anduve por ahí, charlando con los invitados. —Impregné mi voz de toda la convicción que pude.

—No te vi.

—El lugar es amplio y está repleto. Es normal. —Acaricié su mejilla con el pulgar. Sus facciones se suavizaron un poco y suspiró.

—Lo siento. Sé que Alexander está aquí. —Me congelé cuando lo mencionó—. Me preocupé, eso es todo.

—No sabía que estaba aquí.

—Tu madre debió invitarlo —dijo con acidez y me encogí de hombros.

—Ignóralo.

Apresó mi cintura entre sus brazos y me besó en los labios con lentitud. El suave contacto se sintió extraño luego del salvajismo de Alexander.

—¿Estás lista para anunciar el compromiso? En unos minutos haremos el brindis. —Sus ojos claros se iluminaron con alegría y la punzada de culpa en mi pecho se transformó en un golpe.

—Claro —volví a mentir.

Convocamos a los invitados luego de algunos minutos más charlando con ellos; anunciamos nuestro compromiso en el centro de la sala con un mosaico de expresiones diferentes en cada persona.

Papá parecía de mal humor, Damen tenía una cara de aversión que ni siquiera se molestaba en ocultar, mientras Erick y mamá parecían… afligidos, pero ellos eran mucho mejor para disimular sus emociones. La madre de Collin no cabía en sí de felicidad, igual que el resto de su familia. Alexander era otra historia. Levantó su copa hacia mí en un símbolo de brindis tácito, aunque su bello semblante estaba fragmentado en tantas emociones que no pude identificar ninguna.

Mi pecho se oprimió, invadido por la sensación de que algo estaba mal. Cuando Collin me besó para sellar el compromiso, la emoción solo aumentó. Alex ya no estaba ahí cuando nos separamos.

La fiesta transcurrió relativamente rápido después del anuncio, y antes de caer en cuenta, ya estaba subiendo al piso donde Collin había rentado la habitación. Apenas abrió la puerta, me abrazó contra sí para apoderarse de mis labios, mi mandíbula levemente adolorida por la rudeza de Alexander. Me concentré en corresponderle, sus manos explorando mi cuerpo, acariciándolo y familiarizándose con él, su tacto sobre mis pechos, mi cintura, mis nalgas.

Me presionó más contra sí para sentir su erección y gemí dentro de su boca. Percibí su tacto haciéndose camino por la abertura de mi vestido y me alejé con brusquedad, justo a tiempo para evitar que notara mi ausencia de bragas. Lo miré asustada.

—¿Qué sucede, cariño? —preguntó con agitación.

—Nada, es… estoy cansada, eso es todo.

Elevó las comisuras en un acto travieso.

—Te sentirás mejor luego de…

—No, en serio no quiero —insistí, abrazándome a mí misma—. Prefiero ducharme y dormir.

Sus ojos brillaron con deseo.

—De acuerdo, duchémonos entonces. —Se quitó el saco de su traje y me crispé alarmada.

—No, Collin, realmente no estoy de humor. La fiesta me drenó.

La decepción se asentó sobre su cara antes de recuperarse y sonreír.

—Está bien, entiendo. —Me besó lento una última vez—. Ve a ducharte, esperaré a que termines.

Una ola de apego me llenó.

—Gracias. —Sonreí y tomé la pequeña maleta que había sobre la cama, esperando que hubiese algo de ropa decente para dormir dentro.

Pero por supuesto, me equivoqué. Gruñí cuando noté que efectivamente todo lo había preparado Edith, a juzgar por las reveladoras pijamas que había puesto dentro como opciones. Suspiré, puse seguro a la puerta y me desnudé.

Había marcas rojas sobre mis pechos, cerca del pezón, y también unas cuantas en la parte cercana a mi nuca. Tendría que ingeniármelas para cubrirlas.

Me metí bajo la regadera y agradecí el agua caliente, liberando toda la tensión en mis músculos. Me froté con movimientos lánguidos, porque una parte de mí estaba renuente a borrar los restos de las caricias de Alexander; no quería eliminar los vestigios de su toque.

Cuando terminé, me vestí con el pijama más decente que encontré, que básicamente era un minúsculo *babydoll* negro. Oculté las marcas sobre mis pechos y mi cuello lo mejor que pude y salí para encontrar a Collin sentado al borde de la cama, con las mangas de su camisa dobladas, algunos botones desechos y el cabello revuelto. Lucía más joven así.

Alzó sus ojos hacia mí con ilusión, así que me apresuré a hablar.

—El baño está listo, ya puedes usarlo.

Asintió despacio, sin quitarme los ojos de encima. Se puso en pie con una instancia predatoria, como si quisiera comerme, y cuando se acercó para intentar abordarme, giré el rostro, andando hasta el tocador para comenzar a cepillarme el cabello. Suspiró y se encerró en el baño con un portazo. Intenté neutralizar las emociones que bullían dentro de mí.

Me metí bajo las sábanas, me cubrí hasta la barbilla e intenté dormir. Él se recostó junto a mí cuando terminó de ducharse, abrazándome por la cintura y atrayéndome.

—Te amo —me susurró antes de dormir.

Quise corresponderle, pero nada salió de mi boca. Lo único que acudió a mi mente fueron las crudas palabras de mi exesposo. «Creo que es bastante obvio cuáles son tus sentimientos».

Tragué para apaciguar el nudo en mi garganta. Si era así, ¿dónde terminaba el resentimiento y dónde empezaba mi amor por Alexander?

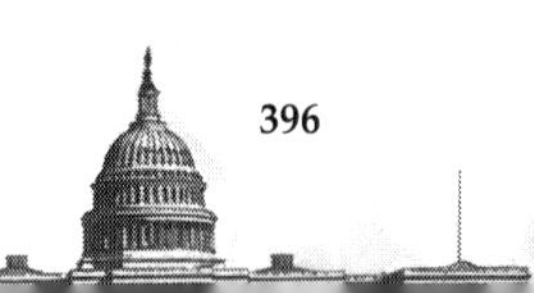

38
EL CAMINO CORRECTO
Leah

Di un sorbo a mi café y paseé la vista por el atestado restaurante del hotel. No había señales de Collin aún. Tomé mi móvil y leí el último mensaje que me envió esta mañana, cuando lo llamé luego de no encontrarlo junto a mí en la cama.

> Lo siento, no escuché el móvil. Salí a correr. Te veo para el desayuno en media hora, tenemos que hablar.
> 7:21 a.m

Habían transcurrido más de treinta minutos y él no solía ser impuntual. Me removí en mi silla sin que los nervios desaparecieran. La última parte del mensaje era la que me mantenía inquieta. ¿Teníamos que hablar? ¿Sobre qué? Cuanto más lo pensaba, más miedo me generaba la posible razón. ¿Nos había atrapado a Alex y a mí al salir del baño? No, me habría enfrentado de inmediato. ¿Y si había visto las marcas en mis pechos? Posé una mano en mi cuello, en un estúpido intento por cubrir las que adornaban esa área.

La culpa se instaló en mi pecho con pesadez y caí en cuenta de que estaba repitiendo los mismos errores del pasado. Era mayor, pero seguía siendo la misma Leah que se derretía por Alexander. Si Collin lo había descubierto, no iba a negarlo. Si me confrontaba sobre ello y pretendía dejarme, no iba a impedírselo. Si me daba la oportunidad de confesárselo para no lastimarlo más, iba a…

—Buenos días, cariño. —Su voz me regresó a la realidad al tiempo que depositaba un beso sobre mi frente.

El desconcierto me asaltó mientras él tomaba asiento frente a mí. Pensé que estaría molesto por el mensaje que me envió, que tenía matices serios, pero parecía… contento.

—Buenos días —respondí y sonrió. Se había duchado y cambiado de ropa a una más casual.

—Lamento haberte hecho esperar, no quería bajar oliendo a mierda.

—No me habría molestado, era solo sudor.

Tomó mi taza y noté las heridas en sus nudillos. Estaban limpias, pero la piel estaba en carne viva.

—¿Qué te pasó? —pregunté consternada.

Miró su mano por un momento.

—Me caí —dijo sin más.

—¿Dónde?

—En el parque, mientras corría. Me tropecé y me lastimé la mano. —Movió sus dedos—. Pero no es nada, estaré bien.

No le creí. Era poco probable que se cayera y sus nudillos terminaran en ese estado. Más bien parecía que había golpeado algo… o a alguien. Me mantuve en silencio mientras sopesaba la posibilidad de preguntar más sobre el tema o dejarlo pasar. Tal vez yo estaba siendo paranoica y en verdad se había caído; Collin era alguien pacífico que repudiaba la violencia, pero yo había visto demasiadas veces esas heridas en las manos de Alexander para no reconocerlas.

Mi corazón se compungió ante su recuerdo y el sabor a hiel se extendió por mi boca. ¿Y si se enteró de lo que hicimos y fue a confrontarlo? No, imposible. Lo sabría. Collin no estaría tan tranquilo.

—¿Ya ordenaste el desayuno? —preguntó con voz suave y me esforcé por dejar todas mis locas especulaciones de lado.

—No, te estaba esperando.

—Bien. —Tomó mi mano y admiró un momento el anillo en mi anular—. Me gusta, se te ve bien.

Esbocé una pequeña sonrisa.

—Gracias.

—Me recuerda que pronto serás completamente mía, señora Montague. —Besó mi mano.

«Creo que es bastante obvio cuáles son tus sentimientos». El nudo en mi estómago se apretó más y puse mi mano sobre el regazo.

—¿De qué querías hablar?

—¿Perdón? —preguntó sin comprender.

—En el mensaje, decía que teníamos que hablar. ¿Sobre qué?

El buen humor que iluminaba su cara se apagó. Se mantuvo en silencio un segundo, dos, tres…, y con cada latido de mi corazón que pasaba, mi miedo se hacía más grande. ¿Temor a qué? ¿A perderlo o a ser descubierta? No estaba segura de qué pesaba más.

—Olvídalo, era una tontería sobre la fiesta. —Se recompuso y volvió a sonreír.

De nuevo, no le creí, y esta vez sí presioné.

—¿Qué cosa? Deberías decirme.

Hizo una mueca, como si le molestara, pero al final habló.

—Odié que tu ex estuviera en un evento tan especial para nosotros. No debió aparecerse por ahí, no me importa si fue invitado por tu madre, tu padre o el mismo Jesucristo.

Mi miedo se hizo más grande cuando se refirió a él.

—No lo tomes a mal, estoy segura de que mis padres no lo invitaron con la intención de arruinarnos la noche, solo… lo hicieron como la atención hacia un socio, eso es todo.

Entornó los ojos y, por un instante, vislumbré en ellos algo que me inquietó, pero se fue tan rápido como llegó.

—Ya, ¿y el que lo invitaran a la comida familiar después de Navidad también era una atención hacia un socio? —Negó con la cabeza, enérgico—. Tus padres tienen que entender que ese bastardo ya no tiene nada que ver contigo. —Clavó sus ojos en mí, una emoción intensa en ellos—. Vas a ser mi esposa, no la suya.

Su actitud me conmocionó. Nunca se había comportado así, como si quisiera ordenarme. De pronto, el recuerdo de Alex contándome lo que mi prometido le había dicho sobre un supuesto embarazo llegó a mi cabeza y me preparé para enfrentarlo sobre ello.

—Collin, hay algo que quiero preguntarte —comencé y él me miró expectante—. Quiero saber por qué…

El mesero del restaurante llegó con una sonrisa.

—¿Café, señor? —Puso una taza en la mesa cuando Collin asintió y comenzó a llenarla con una lentitud que parecía deliberada—. ¿Están listos para ordenar?

¿En serio? ¿Ahora? Lo fulminé con la mirada, pero mi acompañante le tomó la palabra y pidió su comida. Cuando llegó mi turno, decliné con cortesía. Mi estómago estaba tan apretado que no podría comer nada. El mesero al fin se fue y Collin se enfocó en mí.

—¿Y bien? ¿Qué quieres saber?

Me mordí la lengua, dubitativa. ¿En verdad quería empezar otra discusión con él? Las cosas entre nosotros ya estaban bastante tensas y lo último que necesitaba era más problemas. Ya tenía demasiados con Alexander.

—Olvidé lo que iba a preguntar —me excusé—. Olvídalo, no debió ser importante.

Se mantuvo serio, como si calibrara mis reacciones, pero luego de un rato, comenzó a hablar de un nuevo tema.

Pasamos ese día juntos, a pesar de que lo sucedido con Alexander en mi fiesta de compromiso no abandonó mi cabeza un segundo, igual que la posibilidad de contárselo. Iba a hacerlo, pero cuando creía haber reunido la convicción suficiente para hablarlo, me invadía el miedo.

Era un desastre. Necesitaba hablar con alguien que pudiera ayudarme a aclarar mis ideas antes de explotar y arruinarlo todo.

Abracé a Erick con todas mis fuerzas cuando llegó a casa.

—¿Qué mosca te picó? —Sonrió cuando nos separamos—. Nos vimos hace apenas una semana, hermanita.

—Lo siento. Te extrañaba, eso es todo.

Enarcó ambas cejas, incrédulo.

—Estás en problemas, ¿verdad? —preguntó como si pudiera ver a través de mí. Tal vez sí podía: siempre me leyó mejor que nadie.

No respondí y, en cambio, caminamos por el jardín de la casa de nuestros padres hasta sentarnos en una de las mesas de metal que adornaban el lugar. Sufrí una especie de *déjà vu*: recordé la ocasión en que le pedí consejo luego de que nos descubriera a Alex y a mí en su fiesta de compromiso. Igual que en ese entonces, no sabía qué hacer y mi problema era el mismo.

—¿Y bien? ¿Qué sucede? —Me miró expectante con las manos entrelazadas sobre su estómago.

Tragué saliva y me preparé para mi vómito verbal.

—No sé qué hacer, me estoy volviendo loca. Hice algo terrible en mi fiesta de compromiso, y me siento la peor persona del mundo. Collin no se merece esto y he querido decírselo, toda esta semana desde que sucedió he intentado reunir la valentía suficiente para hacerlo, pero no puedo, no sé… no sé…

Las palabras se atoraron en mi garganta y mi respirar se tornó agitado. Cuanto más hablaba, peor me sentía conmigo misma.

—Alto, para ahí. —Puso una mano al frente—. ¿Qué sucedió en tu fiesta de compromiso?

El latir de mi corazón se disparó igual que el de un asesino a punto de ser descubierto en su crimen, y, al igual que un criminal atrapado, confesé mi falta.

—Tuve sexo con Alexander. En el baño del hotel.

Erick no se molestó en disimular su conmoción, cincelada con crudeza en su cara, y mis entrañas se retorcieron presas de la culpa. Exteriorizarlo fue mucho peor, lo volvía más real. Había trabajado desde casa la última semana, desesperada porque los recuerdos de lo sucedido con mi ex desaparecieran y empeñada en no cruzármelo para no volver a caer en la tentación, pero no estaba funcionando. Él ocupaba mi mente cada segundo del día y volvía todo más difícil.

Las palabras pendieron en el aire por tensos segundos, hasta que se aclaró la garganta y se inclinó en su silla para mirarme a la cara.

—¿Has hablado con él sobre lo que pasó?

—No —respondí aterrada—. No he ido a la oficina toda la semana para no verlo.

—¿Por qué? ¿No sería mejor hablarlo?

—No, no. —Negué con la cabeza—. Ni siquiera debió pasar en primer lugar. Si lo hago, si hablamos más del tema, le estaría dando una oportunidad para volver.

—¿Y no es eso lo que quieres? —Su pregunta cayó como un bloque en mi estómago—. ¿No es a Alex a quien quieres?

Me mordí el interior de la mejilla y las lágrimas se agolparon en mis ojos. ¿A quién pretendía engañar? Era obvio que Alexander no había muerto para mí y que, a pesar de haber mantenido mis sentimientos por él encerrados en una jaula, ahora eran libres y más intensos que nunca. No me engañaría a mí misma como la primera vez.

—Aún lo quiero, no voy a mentirte, pero no puedo volver con él.

—¿Por qué no?

—Me abandonó, Erick —dije dolida—. ¿Cómo sé que no lo hará otra vez?

—La verdad, no creo que lo haga.

Lo miré estupefacta.

—No lo sabes.

Frunció los labios y se rascó la frente, como si considerara decirme algo y, luego de un minuto, habló.

—Lo vi un mes después de que se fuera a Suiza. Yo tenía negocios en el país, así que lo llamé. No creí que aceptara reunirse conmigo, pero lo hizo. Se veía terrible, no parecía él en absoluto. Separarse de ti fue duro para él, no tuvo que decírmelo, yo pude verlo —confesó.

—¿Por qué nunca me dijiste esto?

—¿Me habrías escuchado? —Enarcó las cejas y no repliqué. Tenía razón.

—¿De qué hablaron? —Me moría por saber.

—Hablamos sobre ti, le conté sobre tus pesadillas y cómo sobrellevabas lo que… pasó. —Me miró como si tuviera miedo de mi reacción, pero era un tema que de alguna manera había logrado controlar, la mayor parte del tiempo al menos.

Aún tenía pesadillas y, en las peores noches, había experimentado ataques de pánico, pero los años de terapia me habían enseñado a controlarlos. No era una experta, aunque cada vez se volvía más fácil tranquilizarme y los terribles episodios se hacían más lejanos unos de otros.

—¿Eso es todo lo que hablaron? —insistí.

Erick se removió en su lugar.

—También me explicó por qué se fue y por qué no podía volver: el miedo que sentía de que te relacionaran con él y te volvieran a hacer daño lo consumía. Fue duro verlo, estaba aterrado.

Fruncí el ceño, incrédula.

—Eso es una estupidez. Todo había acabado. Rick estaba en la cárcel, Dominik murió y Louis… —Me detuve cuando mi hermano desvió la mirada—. Nadie me habría dañado.

—Dijo que lo estaban siguiendo. Había visto a un par de tipos rondar su departamento.

—Tal vez era solo su paranoia, o quizá Fejzo…

—No lo sé, eso fue lo que dijo. No quería tomar el riesgo. —Me miró con fijeza—. No justifico lo que hizo, estuvo mal, pero lo entiendo. Si mi esposa y mi hijo estuvieran en peligro por mi culpa, y la única solución para que los dejaran en paz fuera alejarme, también lo haría.

—¿Cómo podrías protegerlos estando lejos? ¿Y si les hicieran daño mientras no estás?

—Preferiría no tomar el riesgo y alejarme por completo. No me gustaría ser un peligro para las personas que amo.

Permanecí en silencio para asimilar sus palabras, aunque las dudas todavía me mantenían en la oscuridad y dejaban una desagradable sensación en mi estómago.

—Si ese es el caso, si alguien todavía lo seguía, ¿por qué regresó? ¿Por qué ahora? No tiene sentido.

—Yo tampoco lo entiendo. —Se encogió de hombros—. Escucha, cometió un error, igual que tú cuando le pediste el divorcio, pero no significa que no puedan arreglarlo. No se pierdan el uno al otro de nuevo. Si está aquí, y está luchando por ti, entonces no lo dejes ir.

Desvié la vista hacia el jardín y me retiré una lágrima rebelde que corrió por mi mejilla.

—¿Y si ese no es el camino correcto?

—No hay un camino correcto o incorrecto, solo uno que te hace feliz y otro que no. Tú decides cuál seguir.

Otra lágrima cayó por mi mejilla.

—¿Y qué hay de Collin? ¿Qué pasará con nosotros?

—Hay una forma correcta de hacer las cosas, eso sí, y es hablar con él para decirle la verdad sobre cómo te sientes.

—Va a odiarme. —Un sollozo angustiado brotó de mi boca—. Todo lo que hizo por mí…

Mi hermano se puso en pie para ayudarme a hacer lo mismo y me abrazó.

—Solo tú sabes qué es lo que quieres en realidad, Leah, pero sé que te odiará más si te quedas con él sin amarlo.

No estaba de acuerdo con él en muchas cosas, pero en esto último, sí. No había nada peor que quedarte con alguien solo por agradecimiento, sin que hubiera amor.

Me sentía frustrada y perdida. Las cosas iban bien hasta que Alexander apareció de nuevo para arruinarlo todo: mi esquema de la vida perfecta y tranquila se iba al carajo una vez más por su culpa. En mi mundo ideal, las cosas no eran tan complicadas. En él, mi matrimonio con Collin no era un problema, sino el siguiente paso de una relación que se había forjado con paciencia y cariño. En mis planes, me casaba con él y dejaba atrás todo lo que alguna vez me ató a mi exesposo. Todo estaba cuidadosamente planificado y tenía el control sobre mis emociones.

Ahora, parecía que mi corazón apuntaba a una dirección completamente diferente a la de mi cabeza y no sabía qué hacer con todo lo que sentía.

Permanecí abrazada a Erick por lo que me pareció una eternidad, hasta que el dolor en mi pecho aminoró un poco y la indecisión supo amarga en mi boca. ¿Cuál era el camino correcto?

39
TODAS LAS RAZONES
Alexander

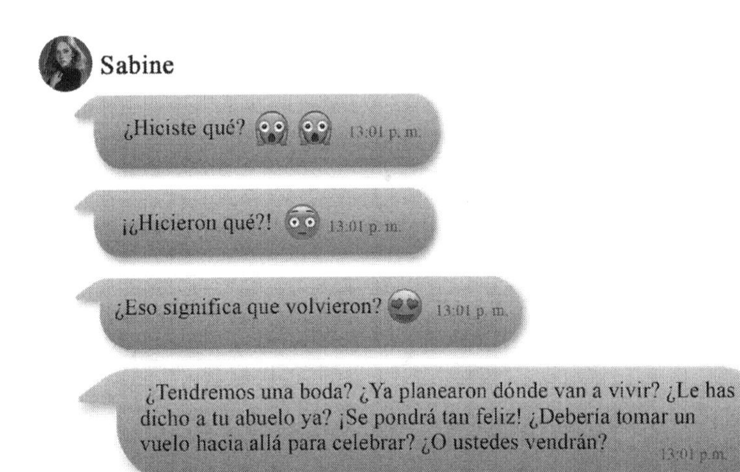

Resistí la sonrisa que me provocó su sarta de mensajes.

Alto ahí, loca. Nunca dije que me aceptó de vuelta, te dije lo que hicimos en el baño. 13:03 p. m.

¿Y no es lo mismo? Ahora dejará a su prometido y vivirán felices por siempre, ¿no? 13:03 p. m.

Negué con la cabeza mientras caminaba para llegar a la sala de juntas.

¿La verdad? No tengo idea, pero si debo soportar ser su amante para tener algo de ella, pues… 13:04 p. m.

Por favor, cállate. Ambos sabemos que no puedes compartirla. 13:05 p. m.

«No, nunca pude», pensé con agriedad mientras caminaba a la sala. Guardé mi móvil en el bolsillo de mi pantalón y entré. Mi pulso sufrió un pico cuando encontré a Leah dentro, sentada en una de las sillas de la esquina. Levantó sus preciosos ojos hacia mí y, de nuevo, mi latir se alteró.

Pensé que se levantaría y huiría como lo había hecho esta semana en la que ni siquiera se presentó a la oficina, pero no fue así.

—Llegaste temprano. La reunión será hasta dentro de media hora —dijo.

Cerré la puerta con lentitud y me acerqué con cautela. La mesa redonda nos separaba.

—Pensaba adelantar trabajo. Creí que no habría nadie.

Soltó un sonido mordaz.

—Al parecer tuvimos la misma idea.

Barajé mis opciones, y, a pesar de ser una insensatez, rodeé la mesa y me detuve a su lado con un par de pasos como separación. Otra vez pensé que se iría, pero se quedó, con sus ojos siguiendo cada uno de mis movimientos. ¿No estaba enojada? ¿No quería evitarme a toda costa para pretender que nada había ocurrido entre nosotros?

—No te estabas escondiendo de mí aquí, ¿o sí? —pregunté, incapaz de guardarme lo que pensaba.

—Si quisiera esconderme de ti, no hubiera venido —respondió tranquila.

Estaba sorprendido con su actitud. La Leah de antes habría hecho un escándalo por lo que pasó en su fiesta, me habría gritado y tratado como si fuera la peor escoria del mundo, pero esta nueva Leah era… diferente. Apoyé una mano en la mesa y me centré en ella, deseoso por saber cuánto había madurado en estos años, cuánto podía presionarla antes de llevarla al límite y hacerla explotar. La pequeña arpía había sido siempre alguien difícil de romper. Era alguien que se mostraba reacia a aceptar sus verdaderos deseos, pero yo siempre fui bueno para sacarlos a la luz.

—Te escondiste bien por una semana —apunté—. Tu padre me dijo que trabajaste desde casa.

—Así fue.

Sus ojos se clavaron en los míos. Sentí la tensión construirse entre nosotros, volviéndose más densa con cada segundo que transcurría.

—¿Y dices que no estabas huyendo de mí?

Suspiró y se puso en pie, tan cerca que su aroma suave me embriagó.

—Al principio sí, huía de ti —admitió—. Pero decidí darte la cara.

Enarqué ambas cejas, sorprendido por su cambio de actitud.

—¿Ah, sí?

—Sí —dijo con determinación y se irguió—. Quiero saber algo y me responderás con la verdad.

—¿Qué cosa? Si es sobre mi historial de mujeres…

—No quiero saber con cuántas chicas te acostaste, no me importa —dijo entre dientes y sentí una satisfacción sádica por su muestra de emoción.

—¿Segura? Porque percibo algo de celos.

—Quiero saber si Fejzo te siguió luego de que todo terminó —soltó de pronto y toda la diversión del asunto se desvaneció—. ¿Te amenazó de alguna forma después de mi secuestro?

La tensión se construyó sobre mis hombros y un horrible sabor amargo se instaló en mi boca cuando los recuerdos de los primeros meses en Suiza se agolparon en mi mente.

—¿A qué viene eso? —pregunté tratando de esquivarla.

—Respóndeme —insistió con ese tono férreo que no dejaba salida.

Desvié la mirada, reacio a contestar, pero al final accedí.

—Solo lo vi una vez después de tu secuestro, cuando estabas inconsciente en el hospital.

La angustia llenó su bonito rostro, así que me apresuré a explicar.

—Me dijo que esperaba hacer negocios conmigo en el futuro. Lo evadí, pero algo no se sentía bien. Nunca me dejaría en paz.

—¿Te hizo algo? ¿Por eso te fuiste?

—No y sí —admití de mala gana—. Fejzo es como Louis: nunca me atacaría directamente, así no ganaría nada; sabía que, si le daba la oportunidad, iría por ti. Salir de ese tipo de ambiente no es tan fácil, siempre hay algo que te ata a él.

—¿Qué te ata a ti? —El miedo en los ojos de Leah era evidente, tan crudo que me caló hondo.

—Perdonó mi vida y la tuya cuando me fui. Yo tuve elección, pero no iba a arriesgarte a ti, no otra vez, eso ya lo sabes.

La inquietud que me generaba esa etapa de mi vida era abrumadora y había tardado años para dejar de tener pesadillas con Michael muerto, Leah azul en mis brazos y toda la mierda que pasó por mi culpa.

—Sé que Fejzo tiene un ojo sobre mí, lo ha tenido todos estos años. Me dejó vivir, pero eso no significa que me dejará ser libre del todo —expliqué—. Por eso no quería volver.

El temor en su semblante se esfumó y fue reemplazado por algo más.

—¿Entonces por qué volviste?

—No tenía planeado volver, mi madre me lo pidió. Eso también lo sabes.

—¿Y por qué te quedaste?

Clavé mis ojos en ella, en su boca, en todo lo que era y representaba para mí.

—Por ti. Porque soy un idiota que cometió un error, y un imbécil que tal vez ya no tiene una oportunidad de recuperarte, pero me niego a renunciar a ti.

Algo brilló en sus ojos, aunque no logré identificarlo.

—Dijiste que me dejaste para que no me lastimaran y ahora vuelves. ¿Eso no me pone en peligro?

Un nudo se formó en mi estómago.

—Soy mejor protegiéndote de lo que soy huyendo de ti.

Su mandíbula se tensó.

—Te fuiste tres años, yo diría que sí eres bastante bueno huyendo.

Negué y di un paso hacia ella. Su rostro se elevó orgulloso para no soltar mi mirada.

—Me dolió cada segundo que estuve lejos de ti, Leah.

No despegó sus ojos de los míos y, por un estúpido instante, creí que me permitiría besarla, hasta que dio un paso hacia atrás y se alejó.

—No necesito tu protección, puedo cuidarme sola. ¿De verdad crees que soy tan débil?

Sonreí y el cariño que sentí fundió todo en mi interior.

—No, nunca lo has sido, mi indómita arpía.

Hubo un largo silencio en que solo nos miramos, temerosos de dar el siguiente paso, o de respirar incluso, para no romper el pequeño lapso de paz que habíamos creado entre nosotros. Leah y yo éramos fuego, pero había momentos como este donde la calma después del incendio era lo único que quedaba.

—Ahora que sabes todas las razones por las que me fui, ¿huirás de mí? —pregunté, temeroso de su respuesta.

—No tiene caso hacerlo después de lo que pasó en mi fiesta de compromiso.

La escruté, intentando descifrar qué era lo que en realidad pensaba.

—¿No dirás que fue un error lo que sucedió entre nosotros? ¿O que no puede repetirse? —cuestioné con dureza y desvió la mirada.

—No puede volver a suceder.

Un dolor agudo se instaló en mi pecho.

—Tenía el presentimiento de que dirías eso.

La vulnerabilidad con la que se mostró desapareció para ser reemplazada por una máscara de indiferencia.

—Bien, ya he sabido lo que quería. ¿Necesitas algo más?

—No lo sé. ¿Qué estás dispuesta a darme? —pregunté con travesura para aligerar la atmósfera.

—Una patada en el culo.

Reí y por un momento creí captar el inicio de una sonrisa antes de que el gesto se esfumara.

—Eres terrible para los insultos, ¿sabías? —la molesté y acorté el espacio que nos separaba.

—Y tú eres terrible para mantener una distancia profesional —replicó y dio un paso hacia atrás—. ¿Eres así con todas las empleadas?

—Solo contigo. Eres la única mujer a la que persigo.

Puso su mano al frente cuando estuve a un palmo de distancia para mostrarme su anillo de compromiso como si fuera un escudo.

—Alex, voy a casarme.

—Sí, ¿y?

Di un paso más y apresé su cintura entre mis manos, pegándola a mi cuerpo. Podía ver en sus ojos cómo sus murallas comenzaban a derrumbarse y la excitación corrió por mi sangre como un torrente. Quería estar dentro de Leah otra vez, hundirme en ella hasta intoxicarme de su persona.

—Ambos sabemos lo que queremos, ¿por qué te niegas a tus deseos? —Incliné la cabeza cerca de su boca y tuve que luchar horrores para alejarme—. Eres lo que quiero y sé que soy lo que quieres.

—Lo del baño fue un *lapsus stupidus* —aclaró recuperando un poco de conciencia—. Un bloqueo de sensatez.

Elevé la comisura en un rictus.

—Entonces deberías bloquear tu sensatez más a menudo, princesa.

—Fueron tus artimañas las que me indujeron a actuar de esa manera —dijo con desdén—. Por eso me emboscaste en el baño, sé lo mucho que te gusta follar ahí.

Enarcó una ceja retándome a contradecirla, pero fui suficientemente inteligente para no hacerlo y, en su lugar, la estreché más, permitiéndole sentir todo lo que provocaba en mí con su cercanía.

—No son los baños. No es el lugar. Eres tú, Leah. Te habría follado hasta en el centro del salón, y créeme, no me habría importado quién nos mirara.

El comentario logró descolocarla y aproveché el momento para adueñarme de sus labios. Soltó un jadeo de sorpresa que se perdió en mi boca y la tomé con codicia; un sentimiento de posesividad nació desde lo más profundo. Quería reclamar cada parte de ella. Su cuerpo se derritió junto al mío y, cuando me permitió entrar en su boca, atrapé su gemido de satisfacción. Enredé mi mano en su cabello para profundizar el beso y mi polla vibró al sentir su lengua deslizarse sobre la mía.

Enredó sus brazos en mi cuello sin dejar de corresponderme con avidez. Esto era el puto cielo; era lo que había ansiado durante toda la semana y la razón por la que me había masturbado todas las mañanas y todas las noches después de nuestro encuentro. Apreté su culo con firmeza y la levanté un poco para sentarla sobre la mesa de madera. Mordí su labio enredando mi lengua en la suya.

—Espera. —Se separó con la respiración agitada cuando el oxígeno se agotó entre nosotros—. No podemos hacer esto ahora. Estamos en la sala de juntas, cualquiera podría entrar, incluyendo a mi padre.

—Nadie vendrá. —Besé su mejilla, su mentón, y bajé por su cuello, llenando mis pulmones de su aroma—. Todos están ocupados preparando la junta.

—Una junta que es en veinte minutos —recalcó y me empujó de los hombros con suavidad para arrancarme de su cuello a regañadientes.

La miré serio y, tras pensarlo un segundo, fui hasta la puerta y coloqué el seguro. Regresé al lugar y me senté en la silla que estaba junto a Leah. Desde este ángulo, lucía jodidamente apetecible: con la falda a medio subir por su muslo, la blusa arrugada, los labios hinchados y los ojos llenos de deseo. Era una maldita fantasía. Creo que nunca me había puesto tan duro solo de contemplar a una mujer en toda mi puta vida, pero Leah siempre tuvo la capacidad de hacerme sentir más que nadie.

El desconcierto llenó su rostro.

—¿Por qué pusiste seguro a la puerta? La junta empezará en…

—Ya lo dijiste —apunté tranquilo—. Poco más de quince minutos. Ese es tiempo suficiente para regalarte ¿qué? ¿Dos orgasmos al menos?

Sus orejas tomaron color y se aclaró la garganta al tiempo que se incorporaba.

—Estamos en una oficina, es un lugar público.

Le dediqué una media sonrisa.

—Eso jamás nos ha importado. ¿O tengo que recordarte las veces que lo hicimos en lugares públicos?

Sus ojos se encendieron de esa forma que conocía tan bien y supe que era el momento. Había demolido sus murallas al fin.

—Leah.

—¿Qué?

—Quítate las bragas —ordené.

Abrió los ojos desmesurados para después reír con ironía.

—Ya, sí, claro —se burló.

—Hablo en serio —repetí con tono duro—. Bragas fuera. Ahora.

Se mordió el labio, vacilante, y casi pude escuchar los engranajes de su cerebro trabajar.

—Tú eres el interesado. ¿Por qué no me las quitas tú? —me desafío y solo sirvió para encenderme más.

—Porque quiero que seas tú quien me las entregue.

Bufó mordaz.

—¿Qué crees que soy? ¿Un premio? —Me sostuvo la mirada, desafiante, pero el deseo desbordaba sus ojos. Lo quería, quería esto tanto como yo.

—Eres una maldita arpía, eso eres —dije en tono grave y extendí mi palma—. Quiero tus bragas fuera y en mi mano —sentencié—. Ahora.

Se mantuvo estática y creí que no obedecería a mi descabellada orden, hasta que, poco a poco, comenzó a levantar su falda para dejar al descubierto sus bragas. Me pasé la lengua por los labios, deseoso de lo que tenía delante. Encajó sus dedos en el elástico y las retiró con una lentitud deliberada que hizo a mi polla punzar, codiciosa. Cuando las tuvo alrededor de sus tobillos, movió un pie para terminar de retirarlas y, con parsimonia, se inclinó para recogerlas del suelo. Ninguno habló por densos segundos, pero la excitación flotó entre nosotros, pesada y sofocante.

Alisó su falda e hice un gesto con dos dedos para recordarle que debía dármelas y así fue. Era yo quien siempre las robaba, pero que fuera ella quien me las entregara me volvió loco. Mi poco autocontrol se desvaneció un poco más cuando palpé la humedad en sus bragas.

—¿Estás excitada, Leah? —pregunté tan afectado como ella se veía.

Desvió la mirada, otorgándome una respuesta que ya sabía. Me puse en pie, incapaz de seguir un segundo más con este juego de resistencia. Yo había perdido. Enredé mis manos en su cintura y percibí el vibrar de su cuerpo.

—Arpía —susurré antes de posar mis dedos sobre su barbilla para girar su rostro. La atraje hacia mí y capturé sus labios con los míos en un beso violento, lleno del deseo ferviente y arrebatador que Leah me hacía sentir y que llevaba años guardado, esperando explotar. La besé con más rudeza y me correspondió con más ganas.

Hizo puños mi camisa, se pegó más a mí y mis manos vagaron por su cuerpo: delineé su cintura, estrujé su culo y gimió al sentir mi miembro chocar con su vientre.

—¿Sientes eso? ¿Sientes lo duro que me pones? —mascullé contra sus labios antes de tomarlos otra vez.

La senté sobre la maldita mesa de juntas. Esperaba que a los inversionistas no les importara que la usara para cosas más importantes. Jaló de mi camisa para atraerme hacia ella y acomodé mi cuerpo entre sus piernas. Con lentitud, acaricié su sexo; mis dedos empapándose de su humedad y su calor. ¿Cómo había sobrevivido tanto tiempo sin esto?

—Carajo, Leah. Me está pidiendo a gritos que lo folle —espeté y volví a besarla sin dejar de masturbarla.

Froté sus pliegues, esparcí la humedad sobre su vagina y gimió cuando introduje un dedo al tiempo que construía un ritmo. Jadeó contra mi oreja al meter el segundo dedo en su interior, bombeando y deleitándome con la forma en que su vagina se desbordaba en sus fluidos.

Sus manos se dirigieron a mi pantalón para desabrochar el cinturón. Mordí su mentón en el frenesí mientras mis dedos seguían penetrándola; se sentía tan bien que mi polla parecía a punto de explotar. Sus manos estaban por abrir mi pantalón cuando su móvil comenzó a sonar. Creí que su conciencia regresaría y me detendría, pero no. En su lugar, bajó mi bóxer y liberó mi erección, que rogaba por ella. Siseé cuando la sostuvo en su mano, cálida y suave.

—Mierda —mascullé, preso de las sensaciones que despertaba en mí con el movimiento de su mano, el diestro ondular de su muñeca sometiéndome y el firme agarre de sus dedos en el tronco haciéndome perder la cabeza.

Abrí más sus piernas, la excitación en su punto más álgido, densa y pesada en la estancia, haciéndome hervir la sangre y... El jodido aparato volvió a sonar, matando el momento. Leah se estiró sobre la mesa para tomar el móvil.

—Es Collin —dijo con un hilo de voz. Volvió a ponerlo en el mismo lugar.

Hijo de puta. Hijo de la gran puta. La quemazón de los celos se extendió por mi estómago. Lo sensato hubiese sido alejarme y ser un buen hombre, pero yo no le debía nada a ese cabrón. Una idea perversa se plantó en mi mente.

—Respóndele —ordené.

Me miró conmocionada.

—No.

—Leah, respóndele —exigí. Lo alcancé, deslicé el dedo sobre la pantalla para contestar, puse el altavoz y se lo tendí.

—¿Hola? —La voz de Collin se escuchó en la sala.

Ella lo sostuvo en su mano, dubitativa y con la desilusión en su cara.

—Hola —contestó seca luego de un momento.

—Cariño, ¿cómo estás?

Clavé mis dedos en su cintura con un deje posesivo.

—Bien — respondió y enterré mi cara en su cuello. Deslicé mi boca por su garganta, dejando húmedos besos, y por poco sonreí cuando contuvo un gemido.

—¿Tienes mucho trabajo? —preguntó el imbécil.

Mis labios se fundieron en su clavícula y desabotoné su blusa. Con calma, separé ambos extremos y contemplé el sostén de encaje que hacía juego con las bragas. El deseo ardió con más fuerza én mi sangre.

—S...sí. —Sofocó un jadeo cuando enganché un dedo en el centro del sostén y lo bajé para liberar sus pechos—. ¿Qué me de...?

Apretó los labios y calló para evitar que brotara otro gemido cuando cerré mi boca en torno a un pezón. Me prendí de él como un poseso; quería que el imbécil la escuchara gemir, quería que supiera cómo sonaba Leah cuando realmente estaba disfrutando.

Alcé los ojos hacia ella sin dejar de jugar con su otro pezón y sonreí contra su piel cuando me fulminó, pero dejó el móvil sobre la mesa mientras el tipo siguió hablando.

—¿Es un mal momento? Quiero comentarte algo.

Engullí su pecho casi por completo y arqueó su espalda, enterrando sus dedos en mi cabello. Besé el medio de sus pechos y dejé una cadena de besos por su estómago a medida que bajaba. Me arrodillé y mi boca se hizo agua con la vista: su vagina estaba hinchada y húmeda, lista para mí. Me miró conmocionada cuando acomodé sus piernas en mis hombros, mi boca peligrosamente cerca de su sexo.

—¿Leah? ¿Sigues ahí? —preguntó el idiota.

—Tu prometido está esperando que le respondas —musité. Besé el interior de su muslo y le di una lamida rápida a su vagina—. Yo me ocuparé de lo mío.

Enterré mi boca en sus pliegues y emitió un gemido bajo que me hizo vibrar.

—¿Qué mierda estás haciendo? —A juzgar por su tono, lo había escuchado y una sensación de triunfo se extendió por mi pecho.

Era hora de que se enterara de una vez por todas que Leah jamás sería suya.

—Estoy en medio… de algo… de algo muy importante —dijo a duras penas y le hice la tarea más difícil introduciendo dos dedos y mimando su clítoris a la par. Si era un hombre que conocía a su prometida, no tardaría en deducir lo que estaba haciendo.

Sentí sus piernas tensarse en mis hombros y sus ojos me suplicaron, pero no dejé de darle atención. Si ella tenía un orgasmo al teléfono con Collin, sería una puta maravilla. Al tipo no le quedarían dudas de a quién prefería su futura mujer.

—Tengo una junta en unos minutos, no pued… Lo siento, estoy oc… ocupada.

Él suspiró con pesadez desde el otro lado.

—Es importante, necesito que me escuches. ¿Es un mal momento?

Me incorporé, besé la comisura de su boca y su mejilla.

—Mía —susurré contra su cuello, tan bajo que quizá no me escuchó, pero no importó, porque ella lo sabía tan bien como yo.

—Es un momento perfecto —jadeó y sonreí sobre su garganta—. Di…me.

La miré a la cara para contemplar su expresión al frotar mi polla en su entrada, tomando lubricación. Quería enterrarme en ella ahora.

—Mis padres te han enviado ya las fotos del hotel y la playa donde será la boda. ¿Qué te parece?

—Ajá —musitó con su frente pegada a la mía, todos mis sentidos puestos en ella.

—Ajá… ¿Y qué te parece? —insistió.

—Perfecto —dijo con voz estrangulada, y presionó el botón de mute para apagar el micrófono—. ¿Qué demonios haces? —demandó furiosa; furiosa y excitada. Esta era la Leah que recordaba. Era mi Leah.

—¿De verdad? —preguntó el tipo—. Pensé que no te lo tomarías tan bien, digo, por lo que hablamos.

Acaricié con mi nariz el arco de su oreja.

—Poniendo a prueba tu nivel de concentración —susurré y entré en ella de una sola estocada. Un fuerte gemido brotó desde su garganta y posé un pulgar sobre sus labios para callarla.

—Shh, no queremos que nos interrumpan. —Di un embate duro para entrar en su vagina por completo—. Respóndele a tu prometido.

Se apresuró a retomar la llamada, mientras un brazo lo enredaba en torno a mi cuello para aferrarse a algo en tanto mis invasiones amenazaban con partirla en dos.

—Sí, está bien —respondió—. ¿Te pare…? —Un embate violento la cortó y sonreí triunfal—. ¿Te parece si hablamos después? De v…verdad estoy muy ocupada. E…estoy a punto de… terminar algo.

—Claro. Te veo en unas horas. Te amo.

No respondió. Colgó la llamada y lanzó el móvil a algún lugar de la sala. No perdí el tiempo: la besé con dureza y necesidad, el ansia reflejándose en cada halar e invadir de mi boca. Sujeté sus piernas y la atraje más cerca del borde de la mesa para tener mejor acceso a su vagina. Se sujetó a mí con fuerza mientras nuestros sexos se encontraban sin tregua, regalándome sensaciones exquisitas. Había olvidado lo increíble que era esto con Leah.

—Hijo de puta —escupió furiosa—. ¿Por qué hiciste eso?

Reí y salí de su interior para levantarla y llevarla conmigo. Me dejé caer sobre una de las sillas de la sala. Se acomodó a horcajadas sobre mí, enterré los dedos en su cintura y, una vez que me posicioné en su entrada, la hice descender sin aviso, con su vagina embalando mi miembro. Ambos gemimos por la intensa sensación.

—No tienes concentración, Leah.

—Tú tomas toda mi concentración —logró decir entre jadeos y en sus ojos destelló algo que nada tenía que ver con deseo sexual.

—Parecía que te morías por colgar —la molesté y me obsequió otro gemido.

Afiancé mis manos en su cintura y la pegué tanto a mí que pensé que la lastimaba, pero resistió mientras la invadía una y otra y otra vez. Se sentía tan bien sobre mí que esto parecía un maldito sueño, uno que no quería que acabara jamás. Sentí el orgasmo construirse y aumenté el ritmo de mis estocadas, duro y brutal. Abrió la boca, los gemidos apagados, pero su cuerpo tenso. Conocía esa expresión.

—Mírame —pedí con tono áspero y me obedeció. No quería perderme esto, quería ver su cara mientras vivía un orgasmo.

Se detuvo un momento, encajó las uñas en mis hombros y se retorció sobre mí, con los músculos de su vagina contrayéndose alrededor de mi polla. Era siempre un espectáculo cuando se corría, uno que solo yo quería disfrutar.

El nuevo sentimiento de posesividad me motivó y aumenté mis envites, despiadados e inclementes, hasta que un orgasmo intenso me recorrió desde la cabeza a los pies. Permaneció abrazada a mí incluso después de que los últimos resquicios de la liberación desaparecieran y continué acariciando su cintura con mis pulgares en un gesto distraído. Quería quedarme aquí, pero sabía que nuestro tiempo a solas se nos había agotado. La empujé con suavidad para que se incorporara y lo hizo con piernas temblorosas. Me acomodé los pantalones y me puse en pie para ayudarla a abotonar su blusa.

—Sigues siendo un desastre —apunté.

—Ya lo sé —rio—. Tú también. Me arreglaré un poco, no quiero que alguien se dé cuenta de lo que pasó aquí.

Se bajó la falda y entró al baño de la sala.

Me pasé una mano por el cabello revuelto en un intento por domarlo y acomodé mi ropa. El pantalón estaba manchado con nuestros fluidos, así que tendría que inventar una excusa si alguien preguntaba al respecto. Tomé la primera hoja que vi y la usé para limpiar el resto de evidencia de la mesa. Era lo mejor que podía hacer. Esperaba que nadie notara el olor a sexo que llenaba el lugar.

Recogí sus bragas del suelo justo cuando ella emergía del baño con un aspecto mucho más normal.

—¿Dónde dejaste mis…?

—¿Buscas esto? —Se las tendí y estuvo a punto de tomarlas, pero las alejé de su alcance. Sonreí con malicia—. Son mías ahora, tú misma me las entregaste.

—Regrésamelas. Tengo una junta en…

Miré el reloj en mi muñeca.

—Tenemos tres minutos aún. —Me guardé las bragas y caminé a la puerta para quitarle el seguro—. Te dije que podría hacerte terminar en ese tiempo.

Me acerqué a ella y le retiré un mechón de cabello que se pegaba a su cara por la transpiración. La lujuria que llenaba sus ojos se había ido y ahora solo había un bonito brillo de contento. Habíamos follado otra vez, sí, pero era solo la punta del *iceberg*. Quería mucho más de ella, quería su tiempo y su atención. Quería un momento más a su lado.

Leo entró un minuto después con cara dura y el instante de calma que habíamos ganado se esfumó. Me apresuré a retirar mi mano del rostro de su hija y di un paso hacia atrás para alejarme. Nos miró extrañado.

—¿Por qué no están los demás inversionistas aquí? —inquirió entre dientes—. Faltan dos minutos.

—Dos minutos son dos minutos —aclaré sin perder la jovialidad.

A él no le hizo gracia.

—Al menos ustedes fueron puntuales —mencionó y se sentó a la cabeza para revisar documentos.

Compartí una mirada cómplice con Leah, aunque sus ojos se apagaron y la máscara de practicada frialdad volvió a asentarse en su rostro. Me senté junto a ella y pretendí que nada había ocurrido entre nosotros, otra vez. Pero sí había sucedido. No pensaba casarse con Collin ahora, ¿o sí? Y, aunque no lo hiciera, eso no significaba que me aceptara de vuelta. ¿Dónde nos dejaba eso a nosotros? ¿Qué éramos ahora?

Yo estaba seguro de lo que quería: a ella. Esperaba que Leah estuviera tan segura como yo de lo que deseaba y no cometiera otro error.

K

40
LO QUE NUNCA DIJIMOS
Leah

Me contemplé en el espejo por lo que pareció una eternidad. El vestido se ajustaba bien a mi cuerpo, pero seguía sin poder respirar. Resultaba extraño verme vestida de esa manera, como si estuviera dentro del cuerpo de una desconocida. Había evadido este momento, no quería que se volviera algo real e inminente. Pero el día había llegado.

Mamá soltó un sollozo ahogado y la miré a través del enorme espejo: su rostro estaba compungido por el llanto y se limpiaba las lágrimas con el dorso de la mano.

—Se ve preciosa, ¿verdad? —Loren, la madre Collin, le puso una mano en el hombro a mamá y ella lloró con mayor ahínco—. Recuerdo cuando me casé, me sentía tan feliz. —Sus pálidos ojos azules destellaron con emoción—. Sé que mi hijo se encantará al verte caminar hacia el altar. Será una maravilla.

—O una tragedia —murmuró Edith cerca de mí y la mandé callar con la mirada.

Mi amiga hizo un mohín y ahogó un comentario venenoso al sorber de su copa. Se suponía que las mujeres que me acompañarían en este momento tan especial que era elegir el vestido de novia deberían estar felices por mí, pero no era así. Edith se oponía por completo a esta locura y mi madre no había dejado de llorar desde que entramos a la tienda. La única que parecía genuinamente feliz con todo esto era Loren, mi futura suegra, quien había vuelto de Bali hace dos días, después de organizarlo todo.

Ni siquiera sentía que fuera mi boda, no después de elegir manteles, flores y decoración a través de un móvil, además de un hotel con playa que yo no recordaba haber aprobado. Otra vez, me sentía dentro del cuerpo de una desconocida.

Mamá volvió a sollozar y me acerqué a ella con cuidado de no pisar el vestido.

—¿Qué pasa? ¿Qué está mal? —pregunté con preocupación y ella se apresuró a negar, enjugándose las lágrimas.

—Nada. —Su voz salió estrangulada y sus ojos jade me miraron con una mezcla de devoción y pesar—. Es solo que... me conmoví. Me... —Se cortó y lanzó un quejido—. Siempre esperé verte vestida de novia y ahora...

Otra ola de llanto la asaltó y Loren se apresuró a acariciarle la espalda para tranquilizarla.

—Mamá, tranquila, todo estará bien, tod...

—¿Qué está pasando aquí? —Escuché una voz familiar entrar a la tienda, férrea y severa—. ¿Quién es tan importante para llamarme e interrumpir mi día de *spa*? ¿No podían manejarlo ustedes? No puede ser alguien tan...

Agnes se interrumpió a sí misma cuando entró a la gigantesca estancia que fungía de probador y palideció como si hubiese visto un fantasma. Estaba segura de que yo me veía igual. ¿A qué idiota se le ocurrió llamarla? Jamás pensé que las empleadas se intimidarían tanto conmigo como para llamarla a ella, precisamente a ella. Joder, sabía que algo así sucedería estando en su tienda. No volvería a poner a prueba mi suerte jamás.

—¿Qué haces aquí? —pregunté descolocada.

—¿Qué parece que hago en mi tienda? —rebatió mordaz, con el mismo humor ácido que su hijo—. Qué preguntas tan estúpidas haces.

—Agnes —le advirtió mamá y reparó en ella también.

—Oh, ¿tú también estás aquí? —Sonrió con ironía—. Te has traído a toda la corte para que coteje tu vestido.

—Necesita gente con buen gusto que apruebe lo que se pondrá. Algo lindo debe tener el día de su boda —soltó Edith.

—Es un vestido precioso —la halagó Loren y la aludida no perdió el tiempo en mirarla como si fuera una mosca.

—Claro que es precioso, yo misma lo diseñé —dijo Agnes con superioridad, retirándose el costoso blazer, y se acercó para apreciarme mejor—. Bueno, ya has arruinado mi día de descanso, lo mejor será que valga la pena. Sube al círculo —ordenó con tono profesional y la obedecí pese a la incomodidad.

Me puse en pie en el círculo que permitía apreciar el vestido desde todos los ángulos en los espejos que adornaban la pared. Mi exsuegra inspeccionó la prenda, la forma ajustándose a mi silueta de manera perfecta. Las cuentas opacas eran un buen detalle que relucía de vez en cuando con la luz, y el encaje le daba un toque que me parecía encantador.

Era un vestido sencillo y adecuado para una boda de playa. No tenía mucho tiempo para elegir después de todo, considerando que debíamos irnos a Bali en pocos días y aprovechar las últimas dos semanas antes de la boda para afinar los detalles.

Acomodó el encaje e hizo otros ajustes. Trabajó en silencio y con diligencia, sin hacer algún comentario sobre las cicatrices que adornaban mi espalda y cubriéndolas con la fina tela.

—¿Dónde será tu boda? —preguntó, rompiendo el silencio.

Me mordí el interior de la mejilla. ¿Para qué quería saber? Quizás ella le daría esa información a Alexander o la usaría en mi contra de alguna manera para arruinar mi evento o...

—Solo quiero saber para seleccionar el tipo de velo que usarás —aclaró con hastío, apaciguando la revolución en mi mente—. No me interesa nada que tenga que ver contigo.

El comentario escoció, pero la comprendí. Nunca nos agradamos en realidad.

—En la playa.

Miré a través del espejo el mohín de displicencia mal disimulada que hizo.

—Es un vestido adecuado para la playa —halagué.

—Ninguno de mis vestidos había sido usado jamás para una boda en la playa —rebatió y alzó la barbilla con altanería—. Se llenará de arena y se estropeará. Tus fotografías serán un desastre y tú también.

—Claro que no.

—Créeme, tu cabello no sobrevivirá la primera hora.

Fruncí los labios. Era un detalle que también había pensado. El *spray* fijador y el maquillaje en general no se llevaban bien con la playa.

—¿Entonces qué tipo de velo debería usar? —Loren se acercó con una gran sonrisa, su cabello corto y oscuro reluciendo con las luces del lugar.

Agnes no la miró por más de un segundo.

—Ninguno. Con suerte podrá mantener el peinado sobre su cabeza veinte minutos, un velo no sería adecuado.

—Qué lástima.

—Sí, lástima —se quejó mi amiga, mirándome directo a los ojos a través del espejo y mi corazón se compungió.

—Leah dice que no puede respirar bien con el vestido. ¿Podrías soltarlo un poco de la cintura? —intervino Loren de nuevo y Agnes hizo una mueca de exasperación.

—¿Estás embarazada? —preguntó la madre de Alex.

—No —me apresuré a aclarar.

Un atisbo de alivio iluminó su cara fugazmente.

—¿Y puedes respirar bien?

—Sí, estaré bien —contesté. No lo admitiría a Loren, pero no era el vestido lo que me impedía respirar. Era lo que estaba a punto de suceder.

—Entonces no hay por qué hacer algún ajuste —dijo Agnes.

—Pero falta algún tiempo para la boda, ¿qué pasará si sube o baja de peso en ese tiempo? —insistió la madre de Collin, cruzándose de brazos.

—Entonces tendrá que arreglárselas para mantener el mismo peso. Mis vestidos no se adaptan a las novias, las novias se adaptan a mis vestidos —espetó con suficiencia, cerrándole por fin la boca a mi suegra.

Loren arrugó la cara, ofendida por su rudeza.

—¿Cómo se siente? —preguntó Agnes a unos pasos de distancia.

Me admiré otra vez en el espejo, sin que la sensación de extrañeza se disipara.

—Bien. —Me observé por enésima vez, como si con ese simple gesto pudiera convencerme de que hacía lo correcto—. Gracias por ayudarme a entallarlo, pensé que lo harían las empleadas.

—Me llamaron en medio de un ataque de pánico. —Negó con reprobación—. No querían hacer algo mal y tener problemas conmigo después.

—Eso deja ver el tipo de jefa que eres.

Se encogió de hombros.

—Hay que tener mano dura —contestó.

Volví a hablar luego de que otro silencio se instalara entre nosotras, sus manos todavía arreglando algo en mi espalda.

—Pensé que estarías con tu hijo hoy, es fin de semana.

—Desayunamos juntos, después me fui. Tenía una cita en un *spa*. —Me miró mal a través del espejo. Parecía molesta, pero no por perder su día de descanso.

Tal vez estaba al tanto de lo que sucedía entre su hijo y yo, o lo deducía, igual que mamá. Desde lo ocurrido en la sala de juntas no había vuelto a cruzar palabra con Alex y, de alguna manera, los días que no interactuamos, sirvieron para que pensara con mayor frialdad las cosas.

Quería a Alexander. Lo quería con la misma intensidad que años atrás; nada había cambiado y coincidir luego de tanto tiempo solo sirvió para reafirmar lo que ya sabía: él ocupaba un lugar en mi corazón que nadie más podría. Ese era mi corazón hablando, pidiéndome a gritos que recuperara lo nuestro y me aferrara a lo que sentía, pero era demasiado incierto. ¿Y si al final me abandonaba otra vez? ¿Y si, después de todo, no funcionábamos?

No sabía qué demonios hacer y mientras la indecisión se cernía sobre mí como una nube negra, los planes de boda seguían adelante porque no tenía la valentía suficiente para romper el corazón de Collin.

—Listo —dijo cuando terminó de arreglar la espalda del vestido y me contemplé.

Otro sollozo de mamá inundó el aire y retiró las lágrimas que no dejaban de caer.

—Por Dios, qué dramática —se quejó Agnes.

—Tranquila. —Edith le acarició la espalda para confortarla.

—Lo siento, es solo que estoy tan... —Mamá se atragantó con sus palabras—. Estoy muy feliz por ti, cariño.

—Sí, claro que lo estás —dijo Agnes, mordaz, sin creerle una palabra—. Iré por un pañuelo, no quiero que mojes mi alfombra. —Se centró entonces en mí—. Y tal vez un tocado para disimular el nido de pájaros que será tu cabello por la brisa.

—Gracias —dije cuando se dispuso a salir del probador, se giró y me miró con la misma dureza que su hijo.

—No me agradezcas, lo hago porque es mi trabajo —acotó tajante e hizo una seña con la cabeza hacia mi madre—. Mejor confórtala, parece que está a punto de asistir a tu funeral y no quiero que arruine mi alfombra persa, suficientes cosas han estropeado ustedes dos.

Edith soltó una risita y de los labios de Loren se deslizó una maldición por su crudo comentario. Agnes compartía muchos rasgos con su hijo, y uno de ellos era decir verdades sin temer las consecuencias. Tenía razón: ya había estropeado demasiado las cosas, era hora de arreglarlas, aunque mi corazón se rompiera en mil pedazos durante el proceso.

Subí al auto de Alex luego de una tediosa hora negociando con los Masterson. Otra vez.

Mi primera opción para evitar este aire de incomodidad que ahora nos envolvía era desobedecer la orden de papá de acompañarlo a hacer las negociaciones, pero no me dejó salida. Alex condujo en su auto hasta la mansión, en un tenso silencio que me sofocaba, y ahora que estábamos de vuelta, el único sonido que se escuchaba era el constante caer de la lluvia torrencial en el parabrisas.

Habían transcurrido varios días desde lo que pasó en la sala de juntas y ninguno dijo nada al respecto, aunque sabía que solo retrasaba lo inevitable.

—¿Me dirás qué te sucede? —inquirió sin despegar la vista del frente, concentrado en el camino.

Ni siquiera yo sabía qué me pasaba. Mi mente estaba exhausta, abatida después de considerar tantas posibilidades y escenarios. No había hecho otra cosa que evaluar pros y contras de irme a Bali, porque sabía que no regresaría una vez que tomara ese avión. Y ya no estaba segura de querer hacerlo. No tenía la misma certeza sobre mi matrimonio que antes. La

razón era obvia y conducía tranquilamente junto a mí, ajeno al *pandemónium* que era mi cabeza.

Había tantos factores por considerar, tantas cosas que me aterraban y me hacían dudar. Me sentía molesta conmigo misma por no poseer la voluntad para marcar la línea, molesta con mi corazón por no cerrarse a Alex completamente y furiosa con mi cuerpo por no resistirse al suyo. Tres años no parecían haber sido suficientes para matar todas las cosas que Alexander Colbourn despertaba en mí.

—Nada —dije para evadirlo.

—Te conozco —contestó luego de un instante—. Dime qué te pasa.

Emití un quejido de frustración. Cerré los ojos y recargué mi cabeza en el respaldo del asiento. Las cosas nunca debieron suceder así entre nosotros. Se suponía que ya no me importaba. Lo nuestro debía ser un final limpio y sin complicaciones; una ruptura definitiva, tomar caminos separados y continuar con nuestras vidas, pero ahora ese final parecía más lejano que nunca y me aterraba la posibilidad de no ser capaz de dejarlo ir tanto como me asustaba la idea de casarme con Collin.

—¿Quieres que te abra la ventana? Parece que quisieras saltar —bromeó y me arrancó una sonrisa.

—¿Me harías ese favor? Qué considerado.

—Nunca te tomé por una suicida potencial.

Bufé.

—Aunque creo que ni siquiera estando muerta podrías descansar. Un día de estos sobrepensarás tanto las cosas que tu cabeza explotará, McCartney —dijo sin perder el buen humor.

—No puedo dejar de pensar.

—Podrías pensar menos y vivir más —sugirió.

—No es tan fácil como parece.

Me dedicó una breve mirada y se centró al frente otra vez.

—No lo es, pero tú puedes lograr lo que sea.

Ignoré su comentario, consciente de que no era verdad. Había cosas que no podía lograr, como sacarlo de mi corazón. Me concentré en la ventana y supe que el montón de emociones contradictorias luchando por liberarse de mi constreñido pecho estaban a punto de explotar. Era mejor arrancarlo de raíz ahora, antes de que fuera tarde.

—Me iré a Bali —confesé, mirando las manos sobre mi regazo y detuvo el auto por un instante antes de seguir.

—¿Cuándo?

—En dos días.

—¿Qué? —Perdió su estoicismo y despegó su vista del frente para mirarme—. ¿Por qué?

—Collin quiere casarse en Bali.

Su cara se deformó en una mueca de molestia y sus nudillos se volvieron blancos cuando apretó el volante.

—¿Y tú quieres casarte en Bali?

—No.

—¿Pero te irás con él?

—Yo...

—Leah, ¿en serio? ¿Por qué haces esto?

—¡Voy a casarme con él! ¿Por qué no me iría? —repliqué, molesta.

—Porque es una estupidez —masculló con el mismo tono—. ¿Por qué haces cosas que no quieres por otros?

—Porque eso hacen las parejas que se quieren.

Negó con ímpetu.

—¿De verdad sigues empeñada en casarte con ese imbécil?

—¿Y qué quieres que haga? ¿Que lo deje todo por ti como tú no pudiste hacerlo por mí? —reproché con desdén.

Un músculo en su barbilla se movió.

—Entiendo que no me perdones, entiendo que intentes castigarme negándote a aceptarme, pero ¿por qué tienes que sufrir tú también? No tienes que quedarte con él, eso es miserable.

—¿Y estar contigo es mejor? —Las lágrimas me escocieron los ojos.

—No se trata de nosotros, o de mí o del idiota de Collin, se trata de ti, de lo que tú quieres, ¿te lo has preguntado? —Me miró con dureza—. ¿Te has detenido a pensar qué quieres? ¿Sabes si realmente amas a Collin? ¿O si prefieres estar sola un tiempo? ¿O si quieres estar conmigo?

Me escrutó severo y sentí cómo me aplastaba bajo el peso de su mirada.

—¿Crees que podría volver contigo cuando ni siquiera puedo confiar en ti? ¿Cómo sé que no me abandonarás otra vez?

—No lo haría.

—¡No puedo estar segura de ello!

—¡Sí, sí puedes! —bramó y su voz reverberó en el pequeño espacio del auto—. Nunca me iría de tu lado otra vez, ¿por qué no puedes entenderlo? Ya cometí ese jodido error, no volvería a hacerlo nunca más. No lo haría, Leah.

Mi corazón se compungió. Estaba por decir algo cuando el auto se movió con violencia y Alex intentó mantener el control virando sobre la carretera; las llantas derraparon sobre el pavimento cuando frenó y logró detenerse al borde de la autopista. Mi corazón latía tan rápido que pensé se me rompería una costilla; me sentía aturdida.

—¿Estás bien? —preguntó preocupado, escaneándome para asegurarse.

—Sí... Creo que sí, ¿tú?

Asintió. Miró por el espejo retrovisor antes de salir hacia la tormenta. Bajé justo detrás. La lluvia disminuía la visibilidad y no quería que ocurriese una tragedia.

—¿Qué pasó? —Me detuve a su lado con la mano en la frente en un patético intento por cubrir mis ojos de la lluvia, que caía a cántaros, y observé la llanta desecha. Teníamos muy mala suerte con las llantas y las autopistas.

Se pasó las manos por el cabello mojado y pateó la llanta que se había reventado, aunque no sabía si su enojo era por el incidente o por la conversación que habíamos tenido segundos antes.

—¿Qué haces afuera? —Elevó la voz para escucharse sobre el rugido del viento y la lluvia—. ¡Vuelve al auto!

—No voy a irme —respondí—. Puedo ayudarte.

—Te vas a enfermar.

Lo ignoré.

—¿Quieres que llame a la grúa?

—No. —Dobló las mangas de su camisa—. No creo que tengan servicio con la tormenta. —Abrió el maletero y comenzó a extraer las cosas necesarias para resolver el problema

—Podría intentar.

Volvió a retirarse el cabello húmedo de la cara, la camisa empapada y pegándose a su trabajado cuerpo.

—La cambiaré yo mismo. Entra al auto, ahora.

Le quité la linterna de la mano y me planté a su lado.

—Dije que no me iría. Yo sostendré la linterna y te pasaré lo que necesites.

Me miró escéptico un momento, pero fue inteligente para no discutir más.

—Como te enfermes yo no tendré la culpa —mascculló cerrando el maletero.

—Nunca dije que la tendrías.

Tomó la llanta de repuesto y comenzó a trabajar.

Una hora y media después intentando cambiar una llanta en medio de una carretera de alta velocidad con una lluvia torrencial, logramos hacerlo. No fue nada sencillo y en más de una ocasión tuve que agitar la linterna a los conductores para evitar que le arrollaran las piernas a Alexander.

Ahora estaba en su viejo departamento, arruinando su piso con el rastro de agua que dejaba al caminar y esforzándome en no llorar a causa del montón de recuerdos que guardaba este lugar.

—Te daré una toalla y ropa seca. Dame un minuto y te llevaré a casa —dijo.

—Está bien. Prefiero que no volvamos a salir. Esperaré a que pare la tormenta. ¿Puedo ducharme?

Me miró sobre el hombro, descolocado, y yo removí mis pies. Ambos sabíamos que era una excusa para no irme.

—Te mostraré el baño —accedió.

Lo seguí, aunque no necesitaba hacerlo, pues conocía bien este lugar a pesar de no haber estado aquí en años. Al llegar, me abrió la puerta.

—La mayoría de las cosas que necesitas están aquí. —Señaló un par de cajones—. No tengo ropa de mujer.

Estreché los ojos, suspicaz.

—¿Eso debería sorprenderme?

—Te traeré ropa seca —informó sin más y salió a paso rápido.

Miré la tina que aún conservaba y mi pecho se apretó. La habíamos usado de mil maneras durante nuestra relación, para unas cosas más decentes que otras, pero mi recuerdo favorito era aquel en el que me había permitido rasurar su barba en este mismo lugar. Sentía como si una vida entera hubiera transcurrido desde ese entonces.

Alex regresó y me tendió una camiseta suya en conjunto con unos shorts de ejercicio.

—No encontré nada mejor —se disculpó.

—Está bien. —Tomé las prendas.

—De acuerdo. Llámame si necesitas algo más. —Cerró la puerta sin decir otra palabra.

Me quité la ropa empapada y agradecí el agua caliente. Cuando terminé de ducharme, me puse su ropa sin que la sensación de familiaridad desapareciera. Emergí del baño y lo encontré en la cocina. También se había duchado, a juzgar por su cabello húmedo y el cambio en su ropa: una camiseta y pan-

talones deportivos. Tardó un momento en reparar en mí, pero cuando lo hizo, el destello en sus ojos hizo revolotear algo en mi estómago. Me miraba de la misma forma que tres años atrás, como si me adorara.

—¿Café? —me ofreció al salir de su estupor y tomé la taza que había sobre la barra.

Me senté en su mullido sofá. Alex se sentó a mi lado y me pareció surreal que estuviéramos en este lugar, en esta posición, tanto tiempo después. Tomó el control que había sobre el reposabrazos, presionó un par de botones y la chimenea frente a nosotros se encendió de pronto, proveyendo la estancia de más calor.

—¿Este eres tú tratando de ser romántico? —me burlé.

—Este soy yo tratando de calentar mis pies —dijo estoico y estiró sus largas piernas hasta ponerlas sobre la mesa de centro.

Bebí del café y agradecí el líquido caliente. La tormenta no se apaciguaría pronto, a juzgar por la manera en que el viento azotaba las ventanas y la lluvia, que caía con fuerza. Ninguno dijo una palabra en lo que pareció una eternidad, pero estaba bien. De alguna manera, me sentía tranquila y en paz, como si en este lugar mis problemas y preocupaciones no pudieran alcanzarme.

Saboreé la tranquilidad por otro instante, hasta que recordé que teníamos una conversación pendiente que no podía eludir por más tiempo.

—Sabía que volvería a encontrarte en algún punto de mi vida —hablé con un hilo de voz. Alex suspiró.

—Yo no. Creí que no te volvería a ver en mi vida.

—Lamento haber arruinado tu mundo feliz con mi presencia. —Intenté bromear, pero él no se rio.

—Mi mundo era miserable sin tu presencia. —Giró su rostro hacia mí y sus ojos brillaron con un toque de travesura—. Supongo que me acostumbré tanto a ti que ahora necesito tu veneno para vivir, arpía.

Me arrancó una risa que resonó en la estancia, pero no tardó en apagarse.

—Yo no tengo tanta suerte, por eso sabía que te encontraría. Durante todos estos años me repetí que estaba preparada para enfrentarte, para cerrarme a ti y darte una patada en el culo por abandonarme, pero cuando te volví a ver simplemente… —Mi voz tembló un instante—. Hice todo lo contrario.

—No te culpo, yo también hice todo lo contrario a lo que me prometí que haría si alguna vez volvía a verte.

Un nudo se formó en mi garganta.

—Sabía que me romperías el corazón otra vez —musité.

—Eso implicaría que tengo tu corazón, Leah.

—Sí lo tienes —admití, y abrió más sus ojos, sorprendido—. Patético, ¿verdad?

—¿El qué?

—Que aún conserves mi corazón después de tantos años.

Soltó una risita con un deje de pesar.

—Entonces somos dos seres patéticos, porque tú también conservas el mío todavía.

El nudo en mi garganta se apretó más.

—Podríamos haber sido felices, ¿sabes? Después del secuestro, creo que lo habríamos logrado.

—Yo no lo creo —rebatió—. Ambos tenemos actitudes muy fuertes. Nos habríamos acabado con reproches. Ambos teníamos que sanar, de formas y situaciones diferentes.

—¿Pero por qué una relación era un impedimento?

—Porque no puedes apoyarte en alguien que también necesita apoyo —explicó—. Ambos estábamos lidiando con nuestra propia mierda. Estando tan dañados, ¿cómo nos íbamos a ayudar entre sí?

Me miró exigiéndome una respuesta que no poseía.

—Sí, tenía miedo de que algo más pudiera pasarte, sí, fui un cobarde y sí, también estoy siendo egoísta ahora al arruinar tu perfecto esquema de la novia feliz, pero al verte otra vez yo solo… —Miró mi boca un segundo—. Me di cuenta de que nunca debí dejarte, que fue un error y no quiero volver a cometerlo.

Sentí las lágrimas agolparse en mis ojos.

—El miedo retiene mucha vida, Leah. Retiene tanta vida que no nos damos cuenta de ello hasta que la hemos perdido, como yo perdí tres años en los que pude haber estado contigo de haber sido alguien más valiente. Cuando te vi… supe que no quería perder otro día más.

El nudo en mi garganta se tensó tanto que no pude hablar.

—Y sí, también pensé mucho en todas aquellas cosas que pudimos haber hecho de permanecer juntos, lo pienso cada día. No logramos concretarlas, pero tampoco cambiaría ninguna de las cosas que hicimos antes. —Se acomodó mejor en el sofá para quedar frente a frente—. No sé si es el discurso que esperabas, o lo que querías escuchar, pero es la verdad. Quizás es una verdad que llegó demasiado tarde, no lo sé, pero te

amo, incluso después de tanto tiempo, puedo decírtelo sin reservas, porque mis sentimientos hacia ti no han cambiado.

Perdí la capacidad de respirar y algo en mi interior se rompió.

—Y sé que también me amas —dijo seguro, sus ojos sin abandonar los míos—. Te conozco mejor de lo que te imaginas, eres la misma persona de hace tres años, pero has conseguido una mejor versión de ti. Puede que no sepa tu color favorito o tu comida preferida, pero te conozco.

—¿Cómo qué sabes de mí? —logré articular y Alex sonrió con afecto.

—Sé que te apasionas con cualquier cosa que se planta en tu mente, que eres inteligente, ágil, astuta. Sé cómo tomas el café, la forma en que te muerdes el interior de la mejilla cuando estás preocupada o indecisa por algo, la manera en que frunces el ceño cuando te molestas. Sé cómo luces cuando estás enojada, apasionada, triste, feliz, cansada, viva. Carajo, Leah, podría seguir por siempre.

Gimoteé y me di cuenta demasiado tarde de que estaba llorando. Lloraba por la persona magnífica que tenía frente a mí, que había perdido y que había extrañado con locura.

—No tendrías que haberte ido —jadeé con desesperación.

—Lo sé, lo siento. Perdóname. —Se acercó para limpiar mis lágrimas con su pulgar, con una suavidad impropia de él que me hizo llorar más—. Sé que quizás ahora es tarde. Sé que no puedo darte los años que perdimos.

Lloré con impotencia. No quería dejarlo ir, Dios, no quería dejarlo ir otra vez.

—Quiero que seas feliz, eso es todo —susurró cerca, sus labios contra mi frente y un brazo firme rodeándome—. No importa si soy o no parte de ello.

Levanté mis brazos para rodear su cuello y aferrarme a él mientras vivía mi catarsis. Siempre habíamos sido Leah y Alex, Alex y Leah. Nunca hubo nada mejor, nada que encajara de la forma tan perfecta en que lo hacíamos nosotros a pesar de ser un error, una improbabilidad. Éramos quienes éramos y era perfecto, cualquier cosa híbrida y extraña que resultara de nuestra unión lo era. Siempre fue suficiente para mí, porque éramos nosotros.

—Te amo —susurré apenas, luchando porque no sonara como la despedida que en realidad era.

Él inspiró con fuerza, su pecho se hinchó y me apretó más contra sí.

—También te amo, arpía.

Lloré con mayor ahínco, pero me sostuvo durante toda la tormenta y mis espasmos, hasta que paré junto con la lluvia. Permanecimos así por lo que me pareció la mejor eternidad de mi vida, pretendiendo que podíamos reparar lo irreparable.

Fruncí el ceño cuando sentí algo moverse debajo de mí y abrí los ojos con lentitud hasta divisar una mesita de centro. Parpadeé un par de veces, tratando de ubicarme, y entonces me percaté de dos cosas a la vez: la primera fue que me dolía el cuello, se sentía rígido y me pregunté dónde había tenido la magnífica idea de dormir para que me molestase tanto. La segunda —y más alarmante— fue que algo se movía debajo de mí de manera acompasada.

Levanté la cabeza y encontré a Alexander mirándome con atención, su cara sin rastros de sueño. Elevaba una comisura de la boca en una media sonrisa.

—Buenos días —saludó.

—Buenos días —respondí, y me removí para aligerar la tensión en mi cuello, sin abandonar mi lugar sobre su pecho—. Lo siento, estaba tan cansada que ni siquiera supe cuándo me quedé dormida —expliqué sin convicción.

La excusa resultó tan endeble que se esforzó por contener la risa.

—Claro, lo que tú digas —dijo. Sentí sus dedos acariciar mi cintura, dibujando patrones sin sentido sobre la tela en un gesto afectuoso.

Carraspeé e intenté quitarme de encima. Ya era suficientemente malo que me viera llorar como una niña durante la madrugada sabiendo que él era la razón. Hice el ademán de levantarme, pero Alex me jaló de vuelta, rodeándome con ambos brazos para mantenerme en el lugar.

—¿Qué haces? —inquirí, presa entre los confines de su cuerpo.

—Shhh. —Me estrechó con fuerza—. Cinco minutos.

—¿Cinco minutos? —Forcejeé apenas. Una parte de mí me decía que ya era hora de irse, y la otra, la que dominaba mi cerebro, me repetía que debía permanecer justo ahí, que este era el lugar correcto para estar.

—Quédate por cinco minutos más —pidió y llevó una mano hasta mi cabello para acariciarlo. Mi corazón se estremeció, porque a pesar de ser un gesto simple, estaba lleno de cariño y devoción.

Lo obedecí sin rechistar, porque también quería disfrutar de esto, de nuestros últimos cinco minutos. Sabía que estar aquí con él era un error, en esa posición tan íntima y cercana, rogando porque el tiempo transcurriera con más lentitud para disfrutar de su presencia tanto como fuese posible,

pero de nuevo, parecía justicia poética que todo terminara de la misma forma en que empezó: con nosotros siendo un error.

Así que permanecí abrazada a él mientras sus dedos dibujaban patrones dispares sobre mi espalda y su acompasado respirar me serenaba. Conocía a Alexander y sabía que esa era su forma de pedirme que me quedara. No era el tipo de hombre que recitaba palabras de amor al oído o un montón de promesas vacías en un desesperado intento por detenerme; era mucho más sutil con sus acciones, un tipo de sutileza que escondía siempre contundencia.

El problema entre nosotros era que, en algún punto de nuestra construcción, nos rompimos y nos hicimos añicos. Había demasiados fragmentos —demasiado tiempo, demasiadas palabras sin decir entre nosotros— que ni siquiera sabía cómo juntar los pedazos de vuelta.

Las cosas rotas solían ser así. Había muchas cosas que podríamos decir para intentar llenar los vacíos, pero algunos huecos seguirían ahí, algunas grietas permanecerían ahí, amenazando con quebrarnos otra vez. Me ahogaba con las palabras que quería decirle y había algo ajeno atorado en mi garganta que aún no tenía muy claro. Solo hacía las cosas peor.

—¿Volviste a dormir? —Su voz me trajo de vuelta y moví la cabeza en un gesto leve.

—No, sigo despierta. —Suspiré—. ¿Qué hora es? —Ya habían transcurrido más de cinco minutos y mi cuerpo se negaba aún a alejarse del suyo.

—No lo sé. Considerando que llevo despierto aproximadamente dos horas más que tú, diría que son cerca de las diez.

Volví a levantar la cabeza y lo miré atónita.

—¿Llevas dos horas despierto? —Asintió—. ¿Y por qué no te moviste?

—No quería despertarte.

—Qué considerado de tu parte —dije con sorna y sonreí.

El sonido de mi móvil irrumpió en la atmósfera y noté la tensión en el cuerpo de Alexander, su agarre se hizo más fuerte sobre mi cuerpo, negándose a dejarme ir. Lo ignoré y dejó de timbrar. Tuvimos unos segundos de paz antes de que el molesto tono inundara la estancia otra vez y disipara nuestro santuario. Suspiré.

—Debo irme, es tarde —dije y volvió a apretarme contra sí, tan fuerte que perdí la capacidad de respirar por un momento, hasta que sus brazos se volvieron lánguidos a sus costados y pude incorporarme por fin.

El aparato sonó de nuevo contra su mesa del comedor. Me apresuré a llegar hasta él y respondí la llamada.

—¿Dónde estás? —Collin me asaltó con la pregunta apenas pegué el auricular a mi oreja.

Me rasqué la cabeza y miré a Alexander de reojo, de pie a solo unos cuantos pasos de mí, su cuerpo apoyado sobre el respaldo del sofá, su cabello revuelto y sus brazos cruzados sobre el pecho.

—Con Edith —mentí—. Ayer tuve un inconveniente con mi auto, no pude regresar y...

—¿Estás bien? —Su tono cedió un poco, aunque seguía siendo duro.

—Sí, de hecho, estoy por volver a casa.

—¿Quieres que pase por ti?

—No —me apresuré a rechazarlo y lancé otra ojeada a mi anfitrión. Collin tendría un ataque si se enteraba dónde había pasado la noche en realidad—. Edith me llevará, no te preocupes.

—De acuerdo. —Su voz se llenó de cansancio—. Deberías comenzar a hacer las maletas, queda poco tiempo.

—Lo sé. —Me froté los ojos cuando un latigazo de dolor me invadió la cabeza ante la perspectiva—. Te veré después.

—Te veo en unas horas, cariño. Te amo.

Emití un sonido que ni siquiera yo supe qué mierda significaba y colgué al segundo siguiente.

—Deberías vestirte —sugirió Alex, pero no me moví del lugar. No tenía la voluntad para hacerlo.

—Sí, tienes razón —concedí al final luego de un largo lapso en silencio.

No dijo otra palabra, pero su cara estaba descompuesta en un montón de emociones que no podía identificar, aunque todo era intenso: desde la delgada línea de su boca hasta la tensión de su mandíbula y sus hombros, como si fuese asaltado por la impotencia. Esperaba que pudiera perdonarme por esto algún día, por no encontrar las palabras adecuadas para decir adiós, porque cualquier comentario sonaría mal. Sonaría igual a rendirse.

—Yo no... —dijo de pronto y detuve mi andar hacia su habitación.

—¿Qué?

Calló, como si buscara algo en mi cara, quizás las palabras que ninguno de los dos podía decir. Era algo digno de admirar: Alexander sin palabras. Sus brazos cayeron a sus costados y su rostro se apagó.

—Tienes tres minutos antes de que el orangután de tu prometido vuelva a llamarte —dijo en su lugar.

Esbocé el amago de una sonrisa derrotada y fui hasta su habitación para vestirme. Me puse la misma ropa del día anterior con lentitud, los músculos doloridos y la mente aturdida. Cuando terminé, Alex seguía en el mismo lugar, apoyado sobre el sillón, y sus ojos fueron lentos en enfocarme, como si su conciencia estuviese muy lejos de allí.

Tomó una gabardina negra que tenía sobre el respaldo de su silla y se acercó. Tardé un par de segundos en comprender que debía meter los brazos en las mangas y, cuando por fin lo hice, comenzó a abotonarla. La prenda era cálida, enorme y estaba impregnada de su perfume. El nudo en mi garganta no me dejó hablar.

Permaneció a un palmo de distancia de mí mientras abrochaba la gabardina. Estaba cerca, pero no del todo. Quería alcanzarlo y tocarlo, quería sentir la presión de su cuerpo contra mi palma y saber que era Alexander. Miré hacia abajo cuando abrochó el siguiente botón. Luego detallé su cara, su expresión dolorosa. Debía ser por toda la culpa que se retrataba en mis facciones. Mis ojos se sentían pesados, cargados de emociones y lágrimas.

No hablamos mientras trabajaba. Parecía no existir palabras adecuadas para recitar en un momento tan triste como aquel. Esperé paciente, pero su cercanía, su esencia y el halar de sus dedos sin siquiera tocarme me hacían desear contacto, algo para validar que estaba realmente ahí. Logré esperar hasta que el último botón estuviese abrochado y sus manos se alejaron en el mismo momento en que yo me acerqué para abrazarlo con todas mis fuerzas.

Este era Alexander. Era cálido, familiar y único. Era él y solo él.

Me abrazó de vuelta, con tanta fuerza que mi espalda crujió. Casi temí que no me dejara ir y también temí que me soltara, mis brazos ardían por la forma en que se aferraban a él, casi con desesperación. Parecía imposible dejarlo ir, pero también lo era quedarse.

Respiré apenas y apoyé mi mejilla contra su pecho, esforzándome por memorizar el sonido de su firme latir. Se separó un poco y me tomó del rostro para mirarme directo a los ojos.

—Eres una heroína, Leah, pero no lo seas si eso significa sacrificar tu felicidad en beneficio de otros. Sé egoísta una vez en tu vida. —Me dio un casto beso en los labios y me dejó ir al segundo siguiente.

No comprendí ninguna de sus últimas palabras. Lo único de lo que fui consciente mientras salía de su departamento era que no lo había elegido. Otra vez. Reconocerlo partió mi corazón y mi pecho colapsó. Lo único que había frente a nosotros ahora era un camino de devastación.

41

LA RESPUESTA

Leah

—Gracias a todos por estar aquí —dijo Collin con una enorme sonrisa—. A Leah y a mí nos hace felices compartir este momento tan especial con ustedes.

Tomó la copa que estaba sobre la mesa y se puso en pie.

—¿Qué haces? —pregunté desconcertada.

—Agradecerles —contestó sin más y se aclaró la garganta—. Sé que no era lo que teníamos planeado al inicio, y que una boda en Bali era lo último que se esperaban, pero gracias a todos por hacer un esfuerzo para estar aquí y celebrar con nosotros nuestro amor.

Damen me dedicó una mirada de exasperación desde su lugar en la mesa, frente a mí.

—Cuando conocí a Leah, supe que sería la mujer de mi vida —inició y atrapé a mi hermano poniendo los ojos en blanco—. Cuando la vi cruzar el umbral de mi consultorio, yo solo sentí…

—¿Qué debías romper la ley médico-paciente y enamorarte de ella? —se burló mi hermano—. Vamos, guarda ese discurso para mañana durante la boda, tengo hambre.

—Damen. —Le lancé una mirada de advertencia, pero me ignoró y se concentró en retar a mi prometido.

Collin soltó una risita incómoda.

—Sí, supongo que tienes razón. Es mejor que sea una sorpresa para todos. —Levantó su copa y me miró—. Por un feliz y largo matrimonio.

—Por un feliz y largo matrimonio —repetí. Di un sorbo a mi bebida y sonreí. Nuestras familias chocaron sus copas y brindaron por nuestra felicidad. Bebí un poco más, en espera de desaparecer el nudo en mi garganta, pero estaba dispuesto a quedarse.

Papá me miró de forma extraña desde su lugar en la mesa, justo frente a nosotros. No estaba feliz con nada de esto y no se preocupaba por disimularlo. Mamá estaba a su lado y mantenía un semblante templado, aunque tampoco estaba del todo contenta. Edith, bueno…, no era el mejor ejemplo de la dama de honor emocionada por la novia, más bien parecía dispuesta a sobrevivir a todo esto ahogándose en alcohol. Di otro sorbo a mi copa y me di cuenta de que yo estaba haciendo lo mismo, así que la dejé sobre la mesa.

—Estamos muy felices por ustedes —dijo la madre de Collin con una brillante sonrisa.

—Pronto todos seremos una gran familia —intervino Eider, el hermano menor de Collin, y le sonreí de vuelta. No lo conocía mucho, pero parecía alguien agradable.

—A Frank y a mí nos enorgullece que nuestro hijo encontrara alguien tan impresionante como tú —dijo Loren—. Tienes muchísimas virtudes.

—Gracias. —Le regalé una sonrisa a mis suegros.

—Ninguna de esas virtudes tiene que ver con el dinero de mi hermana, ¿cierto? —intervino Damen otra vez y lo acribillé, pero no se detuvo—. Quiero decir, yo también estaría feliz de encontrarme con el boleto de lotería que ella es.

—Damen, por favor —le advirtió mamá en tono severo.

Erick le puso una mano en el hombro y le susurró algo al oído que no comprendí, pero hizo a mi hermano menor enojar.

—No lo decimos por esa razón —se apresuró a responder Frank, el padre de Collin—. Y no necesitamos su dinero.

—Cierto, no lo necesitamos en absoluto —lo apoyó Eider—. Tenemos nuestros propios medios para conseguirlo.

—No todo en esta vida es sobre el dinero —acotó mi prometido al tiempo que entrelazaba sus dedos con los míos—. Yo me enamoré de tu hermana, de cada parte frágil y vulnerable, y también de sus actitudes fuertes y determinadas.

—Sí, pero aquí la pregunta es: ¿ella se enamoró de ti?

—¡Damen! —lo riñó Erick.

—De acuerdo, ven conmigo —pidió Edith, ya de pie a su lado, ofreciéndole una mano.

—¿A dónde? Estamos en medio de una cena para celebrar su feliz matrimonio, no quiero ir a ningún lado.

—Tengo que mostrarte algo, anda —insistió mi amiga y él se puso en pie a regañadientes.

—Por la feliz pareja —dijo y se bebió lo último de su copa antes de ir junto a mi amiga hacia la playa.

—¿Siempre es así cuando bebe? —se quejó Loren, conmocionada.

—Lamento mucho el comportamiento de mi hijo. Suele ser un poco imprudente —se disculpó mi padre.

—Si lo piensa es porque algo sabrá. —Mi suegra me dedicó una mirada de displicencia—. No lo diría si no tuviera motivos.

—Mamá, por favor. —Collin puso una mano al frente para frenarla—. Déjalo pasar, es solo un chico. Estoy seguro de que nuestra relación mejorará con el tiempo, igual que sucedió con nosotros, ¿verdad, Erick?

Mi hermano dejó de jugar con su hijo para prestarle atención y me dedicó una rápida mirada antes de responder.

—Claro, por supuesto. —Asintió y volvió a centrarse en mi sobrino, que estaba en los brazos de su madre.

La cena se sirvió entonces y mi familia, junto al resto de invitados, se dispusieron a comer. Esto era una cena de ensayo, una forma de celebrar con aquellos que nos acompañarían. Jugué con la comida, pues no podía pasar bocado. Había sido así desde que aterricé al otro lado del mundo. Había transcurrido una semana desde que llegué a Bali, y todavía me parecía imposible que mi boda con Collin Montague estuviera a menos de veinticuatro horas de celebrarse. Durante esa semana, traté de convencerme de que esto era lo correcto.

Miré al hombre que tenía junto a mí. Él se había quedado a mi lado mientras vivía la peor parte de mi proceso, cuando las pesadillas con Louis y Dominik me asaltaban por las noches; se quedó cuando no sabía qué hacer con mi corazón roto y me enseñó que podía repararse. Era justo que ahora yo estuviera para él y no lo abandonara, a pesar de mis dudas e inseguridades. Quizá, con el tiempo, podría amarlo tanto o más que a Alexander.

Agradecí el asalto de aire fresco que entró desde el balcón de mi habitación en esa noche calurosa. Terminé de ponerme el pijama, lista para dormir después de la tediosa cena de ensayo. El nudo en mi estómago no desapareció en ningún momento, ni dejó de recordarme que el tiempo pasaba cada vez más rápido, como si me empujara a casarme Collin. Trataba de convencerme de que esto eran solo los nervios de la boda y no la inquietud que sentía alguien que cometía un error. Yo ya había cometido uno que me costó bastante; no estaba dispuesta a cometer otro.

El sonido de toques en la puerta me sacó de mis cavilaciones y me apresuré a abrir creyendo que era mi prometido, pero me llevé una sorpresa cuando me encontré a mi madre en el umbral.

—¿Qué haces aquí? Creí que estabas durmiendo. Mañana será un gran día. —Traté de sonar feliz, pero a juzgar por su expresión, no me creyó.

—¿Puedo pasar? Quiero hablar contigo un momento.

El desconcierto me asaltó, pero me hice a un lado y entró.

—¿Tienes todo listo para mañana? —preguntó sentándose en la cama y ocupé el lugar junto a ella.

—Creo que sí —contesté con un hilo de voz, mirando mis pies.

Mi madre respiró profundo y tomó mis manos entre las suyas. La conocía demasiado bien para saber cuando algo la inquietaba.

—Solo quiero que seas feliz, cariño. —Me dio un apretón—. Pero no es demasiado tarde para arrepentirse. Nadie te juzgará si decides no casarte.

La conmoción se abrió paso por mi pecho y no fui capaz de disimularla.

—¿Por qué me dices esto? —pregunté sin dar crédito a lo que me decía.

—Porque creo que estás cometiendo un error al casarte con Collin, y porque creo que no serás feliz con él.

Fruncí el ceño, sin comprender a dónde quería llegar con todo esto.

—Mamá, no es un error. Él me ama, es un buen hombre y estuvo conmigo durante mis días más oscuros. Me parece justo que nos casemos.

Apretó más su agarre en mis manos, sus ojos desbordando consternación.

—Leah, no tienes que casarte con él solo por agradecimiento, o porque sientes que le debes algo. No puedes pagarle con tu vida, cariño.

Retiré mi mano de su toque y sentí la molestia nacer en mí.

—¿Vas a cuestionar mis decisiones como cuando tenía veintidós? ¿En serio? No soy la misma chica que hace tres años, sé lo que quiero.

—O crees que lo sabes —rebatió—. Te conozco mejor que nadie y sé que no eres feliz. Cariño, te he visto enamorada y, créeme, no luces así. —Los ojos de mamá se llenaron de tristeza—. Sé que no pude salvarte de muchas cosas y que, de alguna manera, terminaste pagando por mis errores del pasado. Nunca podré perdonarme por eso, y ahora, no quiero tener otra razón más para no perdonarme.

—Lo que pasó con Louis no fue tu culpa, así como tampoco fue culpa de Alexander —repliqué dolida—. Él tomó sus propias decisiones, él fue quien me hizo daño, no ustedes. No tengo nada que perdonarte.

Negó y sus ojos se anegaron en lágrimas, pero se mantuvo templada para no ceder a sus emociones y poder seguir hablando.

—Sí tienes. Él era un fantasma de mi pasado que arruinó mi presente y… tu futuro.

—No te entiendo.

—No pude protegerte de mis errores, y ahora no quiero que tú cometas nuevas equivocaciones. Leah, no te cases con Collin. No quiero ver a mi hija en un matrimonio infeliz.

—No sabes si será infeliz —rebatí.

—Lo será, sé que no lo amas. Es tan claro que todos lo vemos, la única que aún no se ha dado cuenta eres tú. Es un futuro horrible que no quiero que vivas porque es egoísta y es miserable.

—Mamá, no sabes si lo será, no sabes…

—Pude haberme casado con Bastian —me interrumpió y, de nuevo, la sorpresa lo abarcó todo en mi interior.

Todos sabíamos lo importante que era mi madre para Bastian y la estrecha amistad que compartían, incluso más que la de él y mi padre, pero enterarme de que hubo algo más entre ellos… resultaba extraño.

—Me amaba, mucho. Habría tenido una buena vida con él. —Sus ojos se llenaron de afecto y nostalgia—. Me ayudó mucho para salir de esa horrible vida en la que estaba inmersa y estuvo siempre ahí para mí, apoyándome.

Sentí un pinchazo de traición hacia papá. ¿Acaso se arrepentía de estar con él?

—¿Y por qué no te casaste con Bastian en lugar de papá entonces? —inquirí con acidez y mamá sonrió, mirándome como si por fin hubiera comprendido lo que sea que ella quisiera que entendiera.

—Porque yo no lo amaba de la misma forma que él a mí. Lo quería, pero era en todos los alcances de una amistad. Habría sido cruel y egoísta de mi parte quedarme con él. A la larga, ambos habríamos sido miserables.

—No lo creo —rebatí, comprendiendo por fin hacia dónde iba toda la conversación—. Si él te amaba, quizás habría sido suficiente, quizás tú lo habrías amado igual con el tiempo.

—No habría sido suficiente para mí, porque nunca habría podido corresponderle como se lo merecía. Habría pensado siempre en Leo y en todos los qué tal si; en todas las cosas que pude haber hecho para estar con él en su lugar, y eso me habría vuelto alguien infeliz, y a Bastian mucho más.

—¿Cuál es el punto de contarme todo esto? Mamá, si este es tu intento por hacerme cambiar de opinión...

—Solo estoy diciendo que las personas que nos aman no son siempre las correctas para nosotros, y está bien —acotó seria, el pesar de sus palabras robándose las mías—. Muchas personas pueden amarnos, Leah, pero solo habrá una que nosotros amaremos completamente, en todas sus facetas y con todos sus matices. —Me miró con aprehensión, sus jades escarbando más allá de mi alma—. No hay nada malo en perseguir nuestra felicidad, hay algo malo cuando hacemos infelices a los demás por nuestra infelicidad.

Abrí la boca ligeramente, pasmada.

—Piénsalo antes de hacer algo de lo que puedas arrepentirte, cariño. —Acarició mi mejilla con afecto, se puso en pie y salió de la habitación, dejándome sola con mis vertiginosos pensamientos.

«No hay nada malo en perseguir nuestra felicidad, hay algo malo cuando hacemos infelices a los demás por nuestra infelicidad». Sus palabras cayeron sobre mí como un bloque y me arrollaron con la misma magnitud de un tsunami. Mis emociones se estrellaron unas con otras, con la misma intensidad con que las olas chocaban en la costa, y el sabor a hiel en mi boca no desapareció.

Si me casaba con Collin, ¿en verdad seríamos tan infelices? Y, si tomaba la decisión de terminar el compromiso, ¿qué sería entonces mi felicidad? Tenía la respuesta en la punta de la lengua, pero mi orgullo me impedía verla con claridad.

42
CINCO MINUTOS
Leah

Acomodé los tirantes de mi vestido por enésima vez. No dejaban de molestarme, a pesar de que los había alisado. Me contemplé en el espejo esperando que la sensación de extrañeza desapareciera, pero seguía ahí, aferrándose a mí.

Era como verlo todo desde fuera. Me sentía como una espectadora de mi propia vida, sin poseer el control sobre ella. ¿En qué momento llegué hasta aquí? Estaba a punto de casarme por segunda vez y la felicidad que se suponía debía llenarme no estaba ahí. Todo lo que sentía era… nada. No había nada.

«Muchas personas pueden amarnos, pero solo habrá una que nosotros amaremos completamente, en todas sus facetas y con todos sus matices». Las palabras de mamá resonaron en mi cabeza y el nudo en mi estómago se apretó.

Había llegado hasta aquí con Collin, con el hombre que se quedó conmigo durante mi proceso, que me apoyó y me ayudó a salir adelante. Era alguien increíble y no merecía que le rompiera el corazón, sabía lo insoportable que era esa clase de dolor. Lo había vivido en carne propia.

Mamá decía que nunca podría amarlo como él a mí, pero yo sabía que sí podía, con paciencia, tiempo y empeño. Respiré profundo, guardé las dudas en una caja al fondo de mi mente, me admiré en el espejo una última vez y sonreí. Era mi boda, debía ser el día más feliz de mi vida.

Los golpes en la puerta me sacaron de mis cavilaciones y me acerqué.

—¿Quién es? —pregunté.

—Soy mamá, cariño. Edith está conmigo. —Abrí para encontrarlas de pie frente a mí, y ambas me miraron impresionadas.

—¡Luces preciosa! —dijo mi amiga, emocionada, con una sonrisa de oreja a oreja.

—Gracias —contesté tratando de sonar contenta—. Ustedes también se ven increíbles.

Ambas llevaban exquisitos vestidos de satín: el de Edith era de un bonito azul oscuro con los hombros al descubierto, mientras que el de mi madre era de un elegante color lavanda.

Mamá me contempló con ojos llorosos.

—Llegó el día —musitó y tomó mis manos para darles un afectuoso apretón.

—Llegó el día —repetí, intentando convencerme de que lo que estaba a punto de hacer era lo correcto.

—Te ayudaré a ponerte el tocado —dijo mamá.

—¿Segura? —intervino Edith—. Aún es pronto.

—Faltan menos de veinte minutos, más bien ya es tarde —rebatió mi madre. Fue hasta la cama donde estaba el tocado y me hizo una señal con su mano para sentarme en el banco que había frente al tocador.

Cuando me senté, miré a mi amiga a través del espejo; estaba ocupada escribiendo en su móvil a toda velocidad.

—¿Con quién discutes? —pregunté mientras mi madre empezaba con su tarea.

La rubia levantó la cabeza de golpe y la sorpresa invadió sus ojos un instante antes de desvanecerse.

—Con nadie. —Dejó de escribir, pero capté el nerviosismo en su voz, como si la hubiera atrapado haciendo algo indebido.

—¿En serio? Las únicas veces que escribes tan rápido es cuando discutes con alguien. ¿Es algún chico del que no me he enterado?

Mamá soltó una risita.

—Tal vez tengamos otra boda pronto, ¿verdad, Edith? —Hizo los últimos ajustes y se alejó cuando el tocado estuvo fijado en mi cabeza.

—Sí… tal vez. —La vacilación en su voz no desapareció, pero dejé de prestarle atención para mirarme al espejo.

El nudo en mi pecho se apretó más. Ahora, con el atuendo completo, sentía que no habría escapatoria. Debía afrontar las consecuencias de mis decisiones, y estaba lista. O eso me gustaba pensar.

Nuevos golpes en la puerta irrumpieron la conversación que mantenían mi madre y mi amiga, y me puse en pie con el corazón acelerado.

—¿Quién es? —Edith se acercó a la puerta.

—El novio. —Escuché la voz de Collin y una punzada de decepción me invadió. Fue entonces cuando caí en cuenta de la locura que estaba esperando: Alexander no iba a aparecerse mágicamente aquí para reemplazarlo.

Una oleada de culpa por desear tal cosa me invadió, pero la mitigué y corrí a la puerta cuando hizo el intento de abrirla.

—¡No puedes entrar! —dije, impidiéndoselo—. ¡Es de mala suerte ver a la novia antes de la boda!

—Eso son tonterías. Déjame verte, por favor —pidió con voz suave.

Edith me miró esperando una respuesta de mi parte y me encogí de hombros luego de pensarlo un instante. ¿Qué más daba? Nos casaríamos en poco más de quince minutos. La tierra no iba a abrirse de pronto para separarnos e impedir la boda.

Mi amiga abrió la puerta y le permitió entrar. Los ojos de Collin se iluminaron y cristalizaron, como si estuviera a punto de llorar. Mi pecho se comprimió ante la visión, y la oleada de culpa por desear que otros ojos me contemplaran con la misma devoción me golpeó con más fuerza. No debería anhelar tal cosa. No debería, pero el sentimiento estaba ahí.

—Te ves… —Las palabras murieron en su boca y tardó un momento en hablar otra vez—. Te ves hermosa. Nunca te has visto más hermosa que ahora.

—Gracias. —Sonreí con timidez por su avasalladora mirada.

—Soy el hombre con más suerte en el mundo, no cabe duda. —Tomó mis manos y besó cada una—. En solo unos minutos serás mi mujer.

—Estoy ansiosa —contesté, pero las palabras supieron raras en mi boca.

Hizo el ademán de besarme, pero Edith carraspeó y él se detuvo.

—No la beses hasta la boda, arruinarás su maquillaje —le advirtió.

—Además, besar a la novia antes de la boda sí que es mala suerte —intervino mi madre.

Collin sonrió, resignado, y besó de nuevo el dorso de mi mano.

—De acuerdo, te veo en unos minutos, cariño.

—De acuerdo. —Le devolví la sonrisa, y traté de convencerme de que el acelerado latir de mi corazón se debía a los nervios del evento y no al miedo que sentía por lo que estaba a punto de hacer.

Salió de la habitación justo cuando papá y Damen entraban. Ambos me miraron con la misma devoción, pero lejos de halagarme, solo aumentó en mí la sensación de que estaba haciendo algo mal.

—Deberíamos ir a las puertas que llevan al altar —sugirió papá, y el temor debió reflejarse en mi cara porque me miró consternado—. ¿Te sientes bien, cariño?

—Sí, son los nervios de la boda, eso es todo.

—¿Segura? Te ves pálida. —Mamá se acercó y me tocó el hombro—. ¿Comiste?

—Hace como tres horas. Estoy bien, es solo la… emoción.

—Sabía que te pondrías así —intervino Damen.

—¿Así cómo? —quise saber, lista para recibir su insulto, y no me equivoqué.

—Como una damisela a punto de desmayarse. —Puso los ojos en blanco—. Por suerte para ti, te conozco bien. Ven, arreglé algo para ayudarte a calmar esos nervios.

Fruncí el ceño, desconcertada.

—¿Tú? Si planeaste una estupidez como embriagarme o sedarme, prefiero estar consciente, gracias.

Mi hermano soltó una risita.

—No es nada malo. Acompáñame. —Me tendió su mano.

Lo miré suspicaz y el gesto pendió entre nosotros por varios segundos, hasta que, un momento después, lo seguí por el pasillo hasta salir por una de las puertas laterales del hotel. Afuera, había un auto oscuro estacionado al pie de las escaleras.

—Te sentará bien tomar un poco de aire antes del evento, te quitará los nervios —dijo mi hermano.

¿Estaba loco? ¿Qué clase de broma era esta?

—La boda comenzará en menos de diez minutos. No puedo irme —repliqué a su absurda idea.

—Solo será una vuelta a la calle, te sentará bien y podrás despejar tu mente.

—Pero…

—Será solo un minuto, después regresarás aquí más tranquila y estarás lista para casarte —me interrumpió y sonrió seguro.

Miré de nuevo el auto que me esperaba antes de enfocarme en Damen.

—¿Vendrás conmigo?

—¿Quieres que vaya contigo? —Enarcó ambas cejas—. Porque creo que necesitas estar sola con tus pensamientos un rato.

Suspiré resignada. Era cierto. Necesitaba calmar la revolución que era mi mente si no quería vomitar de los nervios en el altar.

—Tienes razón.

Me ayudó a bajar las escaleras y abrió la puerta para mí. Me acomodé en el asiento trasero con cuidado de no arrugar el vestido.

—Me lo agradecerás después —dijo con una sonrisa.

—De acuerdo, te veo en unos minutos. —Sonreí de vuelta.

El olor a cuero y auto nuevo me invadió. El conductor llevaba una gorra y lentes oscuros, así que supuse que debía ser algún empleado del hotel.

—Cuídala, por favor —le pidió mi hermano, y me pareció algo exagerado dado que solo sería un viaje de cinco minutos para calmar mis ansias.

El conductor no respondió y mi hermano cerró la puerta. El auto arrancó y los seguros de las puertas se pusieron en automático. Ninguno habló mientras salíamos al boulevard en la avenida principal que daba a la playa. El silencio que siguió por varios minutos ayudó a calmar mi errática mente.

Miré por la ventana y me esforcé porque la vista de las olas me relajara. Estaba lista para casarme con Collin. Este miedo a no ser feliz seguramente eran las típicas inseguridades de todas las novias, así que no había razón para sentir que mi prometido no era el hombre correcto para mí.

Sí, estaba lista. Cuando llegara al altar y lo viera, todas las dudas se disiparían al igual que todos mis miedos. Tendría una vida tranquila y feliz con él, lo que siempre deseé. Me equivoqué con Jordan, me equivoqué con Alexander, pero no podía equivocarme con Collin.

Estaba tan inmersa en mis pensamientos que no me di cuenta cuánto tiempo había pasado y miré alarmada el reloj en el sofisticado tablero: faltaban poco menos de cinco minutos para el inicio de la boda y seguíamos avanzando por la carretera de la playa, pasando el primer retorno.

—Será mejor que regresemos —pedí—. No quiero llegar tarde.

No respondió, pero creí que tomaría el siguiente retorno. No fue así.

—Señor, disculpe, se pasó el retorno. Por favor, gire en el siguiente para regresar —dije más lento y alto. Tal vez no me escuchó la primera vez.

El desconcierto me asaltó cuando se pasó el tercer retorno y siguió conduciendo por la autopista en la dirección contraria a donde estaba el hotel.

—Oiga, ¿no me escucha? ¿No me entiende? —Me acerqué a él—. Tiene que regresar al hotel, se está haciendo tarde y tengo que atender una boda.

Miré la hora y faltaban dos minutos. ¿Qué mierda pretendía este hombre? Era el único evento en mi vida al que no podía llegar tarde.

—Oiga, ¡le exijo que me lleve en este momento a…!

Aceleró de pronto y mi espalda chocó con el respaldo del asiento.

—¿Qué le pasa? ¿Está loco? —Alcé la voz, perdiendo la paciencia—. ¡Lléveme en este momento al hotel!

Se pasó el siguiente retorno y la confusión se convirtió en molestia. ¿Qué pretendía? ¿Acaso Damen me había puesto en manos de un enfermo que quería secuestrarme?

—Hablo en serio, ¡si no me lleva en este momento al hotel habrá consecuencias! —le advertí, acercándome otra vez y tomándolo del hombro—. ¡No sé qué planee, pero no va a funcionar! ¡Lléveme al hotel! ¡Lléveme al maldito hotel! —Lo sacudí cuando no reaccionó—. ¿No me escucha? ¡Lléveme al hotel! ¡Mi novio se preocupará! ¡Tengo una boda a la que asistir!

—Ya es tarde —habló por primera vez y mi sangre se congeló. Conocía esa voz. La reconocería en cualquier parte, incluso en el infierno.

Giró la cabeza hacia mí y se quitó los lentes oscuros. Sus ojos me escrutaron con fijeza.

—No tienes ningún evento al que asistir. No puede haber boda sin la novia, y yo me la acabo de robar.

Miré a Alexander conmocionada. El impacto de verlo fue tal que no supe qué decir o cómo reaccionar. ¿Qué…? ¿Esto era un sueño? ¿En qué momento él…? ¿Cuándo…?

—¿Tú? —fue todo lo que salió de mi boca.

—Sí, yo. Siempre yo —dijo con una sonrisa antes de centrarse otra vez en el camino.

Salí entonces de mi estupor. La impresión se desvaneció para ceder el lugar a la molestia y, después, rápidamente, a la ira.

—¡¿Perdiste la cabeza?! —grité—. ¡¿Qué mierda pretendes?! ¡Regrésame ya mismo al hotel!

—¡No! —dijo con el mismo tono, aumentando la velocidad—. No creas ni por un segundo que te casarás con él.

—¡Estás demente! —espeté y lo tomé otra vez del hombro—. ¡Voy a casarme con él, voy a…!

—¡No, no lo harás! —Giró la cabeza hacia mí, sus ojos rebosaban determinación—. No permitiré que hagas esa estupidez. Primero tendrás que matarme.

—¡Estás loco! ¡Esto es una locura, una maldita locu…!

—¡Sí, estoy loco! ¡Estoy tan loco por ti que haría esto una y otra vez hasta que entiendas que él no es a quien amas! Así que cállate, ponte el cinturón y déjame conducir. Tenemos que irnos de aquí.

Esto era demencial. De todos los escenarios posibles que imaginé, jamás creí que el de Alexander robándome, literalmente, sería el que se concretara. Y mientras conducía por la autopista a toda velocidad como un ladrón con un tesoro en su auto, me pregunté qué le pasó por la mente para pensar que era una buena idea o para creer que todo resultaría de acuerdo a su plan.

Siguió avanzando y yo seguí luchando con él, aunque la batalla ya parecía perdida.

43
EL SANTUARIO
Alexander

—¡Henry Alexander Benedict Percival Colbourn! ¡Hablo en serio! ¡Da la vuelta en ese instante! —insistió y su voz reverberó en el espacio, pero la ignoré de la misma forma que hice con mi sentido común para pensar que esta era una buena idea.

Aunque, siendo franco, me daba igual si era una buena estrategia o no. Solo quería impedir esa maldita boda.

—Es demasiado tarde para eso, princesa. ¿Por qué no simplemente te relajas? Hay botellas de agua allí atrás si qui… ¡oye! —me quejé y la fulminé a través del espejo retrovisor cuando me lanzó una y dio justo en mi oreja.

—Da la vuelta, ahora —amenazó con otra botella en su mano.

—¿O qué? ¿Me golpearás con una botella hasta dejarme inconsciente? —la desafié—. No te conviene, chocaríamos, y tendrías menos posibilidades de volver a tu farsa.

—¡Regresa de una maldita vez, Alexander! —espetó desesperada. Dejó la botella en el asiento y puso una mano en su frente, estresada.

Cerró los ojos y se mantuvo en silencio por un minuto. Creí que los alegatos habían terminado y haría esto más fácil, pero esta era Leah, y con ella nada era sencillo. Sus ojos encontraron los míos a través del espejo: estaban llenos de determinación cuando se pegó a la puerta.

—Voy a saltar si no te detienes ahora y me dejas bajar —advirtió con los dedos rodeando la manija.

—Arruinarás ese bonito vestido. Y la verdad, si se arruinará, prefiero ser yo quien lo haga —bromeé y ella palideció de ira.

—¡Hablo en serio! ¡Saltaré con el auto en movimiento y, si algo me sucede, será tu culpa!

Tuve que esforzarme por ocultar la risa que me provocaba su actitud.

—Adelante, princesa.

Me fusiló con los ojos una última vez antes de sacudir la manija para intentar abrir la puerta, sin éxito.

—¡¿Es en serio?! —bramó y me arrancó una risa que no pude contener.

—Sabía que intentarías eso. Puse el seguro de niños —informé tranquilo—. Y no perdería tiempo con las ventanas, también están aseguradas.

—¡Estás loco! ¿Me escuchas? ¡Loco!

—Llámame como quieras, eso no cambiará el hecho de que no te casarás con él.

Salí de la autopista y conduje por una larga calle que llevaba a un pequeño embarcadero.

—¿A dónde vamos? ¿A dónde estás llevándome? Sabes que Collin te matará si te encuentra, ¿no?

Apagué el motor cuando llegamos a la orilla, donde un hombre nos esperaba. Me giré hacia ella, enlacé mi mirada con la suya y sonreí irónico.

—Quiero que lo intente. Jamás he perdido una pelea y menos si tiene que ver contigo.

Descendí del auto y abrí la puerta trasera para que ella hiciera lo mismo. Me miró como si en verdad estuviera loco, y tal vez lo estaba, pero prefería perder la razón a perderla a ella.

—Baja.

—No. —Se cruzó de brazos—. Me quedaré aquí hasta que recuperes la cordura y me regreses a donde debo estar.

—Ya estás donde debes estar y con quien debes estar —dije con suavidad. La sorpresa abarcó sus facciones y aproveché ese momento en el que bajó sus murallas para tirar de su brazo y hacerla bajar del auto.

Sin darle tiempo de rechistar, enredé un brazo en su cintura y la cargué sobre mi hombro antes de empezar a caminar hacia el embarcadero.

—¡Bájame! ¿Qué crees que soy? ¿Un saco de harina? ¡Dios! —se quejó y golpeó mi espalda, pero seguí caminando—. ¡Esto es humillante!

—Es esto o arriesgarme a que me rompas la nariz y huyas.

—Te romperé más que la nariz si no me bajas en este instante. ¡No soy un saco que puedas mover a tu antojo!

—No lo eres, pero no pienso tomar el riesgo de perderte otra vez.

—Alex, bájame, no voy a huir. Puedo caminar —habló con un tono más suave, pero la conocía demasiado bien para caer en sus artimañas.

La ignoré y llegué hasta el muelle donde se anclaba la lancha que nos llevaría a nuestro destino. El dueño era un hombre oriundo del lugar, con la piel quemada por el tiempo y el clima, que me recibió con una sonrisa y me dio la mano. Se la estreché con firmeza.

—Me está secuestrando, ¿me escuchó? ¡Necesito su ayuda! —suplicó Leah, todavía sobre mi hombro.

El tipo dijo algo que no entendí en su idioma natal y la señaló. Debía ser una broma, a juzgar por su cara, pero lo ignoré. El hombre hizo una seña para indicarme cómo subir. La embarcación onduló y crujió bajo nuestro peso, pero logré subir sin problema. Una vez ahí, bajé a la arpía de mi hombro.

Me dio un violento empujón y me fusiló con sus férreos ojos grises.

—Se acabó esta locura. Me voy. —Hizo el ademán de subir al muelle, pero el conductor bajó en ese momento y se lo impidió.

—Será mejor que te sientes —dije jovial y me senté.

—Primero muerta —sentenció, y cuando estaba por bajar, el bote arrancó con un violento tirón. Su cuerpo se impulsó hacia atrás y fui rápido en atraparla, sentándola sobre mi regazo.

—Por muy empeñada que estés en morir, jamás dejaría que eso sucediera, así que sujétate.

Me miró mal para después sentarse a mi lado con los brazos cruzados y el rostro deformado en una mueca de enojo. El hombre que conducía nos miró y soltó una risita, como si supiera que esta locura no saldría bien. Y quizá tenía razón.

—¿Tendré que cargarte sobre el hombro para bajar o lo harás tú sola?

Leah miró con odio la mano que le ofrecía desde el muelle que había en la isla, casi como si quisiese quemarla. Creí que tendría que sacarla del bote sobre el hombro, pero, para mi sorpresa, aceptó mi ayuda y salió por su propio pie.

—Gracias, pero prefiero no perder más dignidad —espetó seca.

—Gracias por cooperar —dije a modo de broma y me dedicó una mirada matadora al tiempo que se cruzaba de brazos.

—¿Y cuál es tu plan ahora? ¿Vivir tú y yo solos en esta isla para siempre? —inquirió con desdén mientras el hombre que nos había traído se alejaba.

—Vaya, descubriste mi plan.

—¿Hablas en serio? —La incredulidad se filtró en su voz, pero sabía que conocía la respuesta.

—No creo que puedas sobrevivir sin tu café. O tus bolsas de marca, tu ropa de diseñador o tus joyas. —Incliné mi cabeza a un lado—. Aunque admito que verte solo en taparrabo no suena nada mal.

Me dio un empujón y solté una risotada.

—No sé de qué carajo te ríes. —Me encaró—. Estamos aquí por tu culpa. ¿Qué demonios se supone que es esto? —Señaló hacia la casa de playa que había en el centro de la isla.

—Un santuario —contesté casual y empecé a caminar. Leah, como esperé, no se quedó atrás.

—¿Un qué? —Inspiró hastiada—. Estoy comenzando a pensar que de verdad perdiste la razón. ¿Qué se supone que haremos aquí? ¿Me mantendrás cautiva de por vida? ¿Ese es tu magnífico plan, Colbourn?

Soltó un gruñido de frustración cuando los tacones se enterraron en la arena y detuve su caída tomándola del brazo. Nos miramos en silencio por un segundo, dos…, hasta que fui el primero en romperlo.

—Solo quiero hablar. No te pido más, solo que me escuches. —La súplica se coló en mi voz, pero no me importó.

—¿Y qué pasará después? ¿Me regresarás al hotel?

Tensé la mandíbula y un músculo se movió. ¿Qué pasaba después? ¿Qué sucedía si Leah no me aceptaba de vuelta? La verdad, no lo había previsto, porque pensar en la posibilidad de perderla para siempre me aterraba más allá de la razón; sin embargo, no dejaba de existir y, por mucho que doliera, debía considerarla.

—Si es lo que quieres.

Algo cambió en su mirada, pero fue tan fugaz que creí haberlo imaginado. Se soltó con brusquedad y levantó el vestido para caminar por la arena.

—Bien, vamos entonces. —Se adelantó y caminó frente a mí, guiando la marcha.

Cuando llegamos a la casa de playa, Leah fue la primera en entrar y yo le seguí, detallando todo lo que había en el recibidor: una pequeña sala, cocina, un comedor enorme y algunos cuadros decorando las paredes. Había un pasillo que seguramente conducía a las habitaciones y los baños. No estaba mal para ser una renta en una isla privada que conseguí en menos de una hora. Tenía poco más de tres horas en Bali y por poco llegué tarde.

Leah me miró desde el centro de la sala y, por primera vez, pude observarla con detenimiento. Se veía tan hermosa con su vestido de novia que me sentía indigno de verla; parecía un ser fuera de este mundo.

—¿Cuándo llegaste? —fue lo primero que preguntó y tardé un par de segundos en salir del hechizo que ella tenía sobre mí.

—Hace poco más de tres horas.

—¿Organizaste todo esto tú solo en ese tiempo? —Enarcó las cejas, incrédula.

—Damen me ayudó.

—Claro, por supuesto que tenían que ser dos tipos igual de locos. —Cerró los ojos un instante e inspiró antes de centrarse en mí otra vez—. ¿Qué estabas pensando? Arruinaste mi boda.

—Lo sé, y lo volvería a hacer, hasta que comprendieras el punto.

—¿Cuál punto?

—Que te amo, que me amas, que somos el hogar del otro. —Agoté la distancia que nos separaba y acuné su rostro entre mis manos—. Tenía que evitar que cometieras otro error.

Su cara se desfiguró.

—Alex, ¿qué demonios pretendes? Mi plan es casarme con Collin, se lo debo.

—¿Por qué todo tiene que ver con el deber para ti? ¿Dónde queda lo que tú quieres? —insistí, mirándola a los ojos—. Siempre es por el deber con tus padres, por el deber con ese idiota, el deber con los demás. ¿Dónde queda lo que te debes a ti misma? Te debes a ti el ser feliz, Leah, y ambos sabemos con quien está esa felicidad.

Me contempló en silencio, la inquietud asentándose en su bonito rostro.

—No puedo. No es tan sencillo. Collin está aquí, su familia está aquí y…

—Sí lo es. Vámonos de aquí —insistí, incapaz de dejarla ir—. Podemos tomar un avión y largarnos para nunca volver.

—¿Te volviste completamente loco?

—Sí, dime lo que quieras, como quieras, pero vámonos —pedí, sin apartar la mirada de la suya—. Te conozco, y ¡Dios! Eres la mujer más terca sobre esta tierra, sabía que no cambiarías de opinión aunque esa decisión no te hiciera feliz. Por eso estoy aquí. Sabía que tenía que venir por ti y evitar que cometieras esta locura.

Algo en su expresión cambió, y donde antes había sorpresa, ahora solo se asentaba un pesar palpable.

—No puedo dejar a Collin, me odiará.

—Lo superará.

—¡No es tan simple!

—¡Sí lo es! Se supone que es un psicólogo, que se haga terapia a sí mismo. —Apreté más su rostro con mis manos—. Y si no puede superarlo, lo siento por él, pero ambos sabemos dónde está tu corazón.

Sus ojos se anegaron en lágrimas y se alejó de mi toque.

—¿Y qué quieres que haga? ¿Que lo deje todo por ti y huya contigo?

—¿Suena tan descabellado?

Abrió la boca, impactada, y negó con la cabeza un momento después.

—Alex, ¡eso está mal en tantos niveles que ni siquiera sé por dónde comenzar!

—¡No tiene nada de malo! —respondí con el mismo tono.

—Estás siendo cruel y egoísta, Collin no se merece algo así.

—Sí, soy un hombre egoísta, tan egoísta que no puedo renunciar a ti, como sé que tú tampoco puedes renunciar a mí. No es tan difícil de entender.

—¿Y qué se supone que pasará si nos vamos? Nuestro momento ya pasó, tú y yo nos divorciamos, y…

—Entonces cásate conmigo otra vez —la interrumpí y sus ojos se abrieron desmesurados—. Lo único que hice bien fue ser tu esposo. Déjame serlo otra vez.

—Estás proponiendo una locura.

—¿Y desde cuándo eso te molesta? Empezamos siendo una locura y fue lo mejor de nuestras vidas. —Esbocé una media sonrisa y atrapé la vacilación en sus ojos. Leah era difícil, pero no podía ser tarde, no podía perderla. No a ella.

—Pero…

—Sé que no lo amas y no permitiré que hagas esto. Si tengo que llevarte hasta el avión sobre mi hombro para sacarte de aquí, voy a hacerlo —advertí y ella dio un paso hacia atrás.

—¡No! ¡No puedo estar contigo! —gritó, alterada.

Una punzada de dolor me llenó el pecho.

—¿Por qué no? —Volví a acercarme y esta vez no retrocedió.

—Porque no es lo correcto.

—Sabes tan bien como yo que somos lo correcto para el otro, lo hemos sido por años.

Negó con energía y algo en su expresión, llena de vulnerabilidad e incertidumbre, me removió.

—Tengo miedo —confesó—. Miedo de que un día simplemente creas que lo nuestro ya no vale la pena y te vayas. Miedo de que dejes de considerarme suficiente para ti. Siempre has tenido claro lo que quieres y cómo lo quieres, siempre has tenido el maldito mundo en tus manos y yo… —Se cortó un momento, sus ojos anegados de lágrimas, pero se llenó de determinación y siguió—. No soy la misma persona de hace tres años. Ni siquiera sabes si soy lo que quieres en realidad.

Intenté tocarla, pero retiró su cara de mi alcance.

—Tienes razón. No eres la misma chica de hace tres años, eres mucho mejor, pero sigues siendo tú. —Sonreí—. Sigues siendo demandante, terca y una maldita arpía que me saca de quicio todo el tiempo porque se cree mejor que todo el mundo. Sigues jodiéndome la cabeza, y sigues volviéndome tan loco como la primera vez.

—Alex…

—Te amo. Te amo tanto que no sé qué hacer con eso —insistí. Me sentía tan vulnerable como la primera ocasión que se lo dije, pero no me importó. Merecía escucharlo—. No tenía idea de lo que significaba amar a alguien hasta que te conocí, hasta que te convertiste en mi esposa y me jodiste todo de una forma maravillosa. Quiero quedarme contigo, te quiero en mi vida, en cada segundo de ella.

Los músculos de su garganta se movieron cuando tragó, y vi la vacilación en sus ojos. Por un momento, creí que la había hecho entrar en razón, hasta que habló.

—Tienes que llevarme de vuelta al hotel —sentenció—. Tengo que dar explicaciones y decirles por qué demonios desaparecí.

El miedo de perderla se imponía cada vez más.

—No tienes que casarte con él. Por favor, no te cases con él. —Sentía cómo mi determinación se desmoronaba ante la idea de que ella decidiera quedarse con ese idiota.

Su rostro se llenó de aflicción.

—Te dije por qué no puedo quedarme contigo, por qué…

—¿Quieres que me arrodille y te ruegue? —dije justo como la primera vez, pero en esta ocasión, no esperé su respuesta.

—¡No! ¿Qué haces? Alexander, ¡no hagas esto!

—Perdóname —rogué con desesperación, con mis rodillas y orgullo en el suelo, consciente de que mi tiempo se agotaba—. Quédate conmigo, Leah, por favor. Sé que será difícil al inicio, sé que tendremos que trabajar en nuestras actitudes y todos los problemas que nuestra relación representa, pero nunca tomamos la salida fácil, siempre tomamos la izquierda, ¿recuerdas?

Leah me contempló desde su altura, erguida y firme, como una maldita diosa a la que le debía pleitesía. Y quizá ella representaba eso para mí, porque me tenía a su merced. Cada parte de mí le pertenecía y tenía en sus manos el poder de hacer conmigo lo que quisiera. Podía arruinarme o hacerme el hombre más feliz sobre la tierra con unas cuantas palabras. Mi corazón latió una vez, dos, tres…, y con cada segundo que transcurría, más me carcomía la incertidumbre. Pero no podía ser tan tarde para nosotros. No podíamos ser irreparables.

Se limpió una lágrima que cayó rebelde por su mejilla.

—Por favor, llévame al hotel. Es tarde.

Me puse en pie con el corazón en el suelo.

—Leah. —La tomé de la muñeca, su nombre impregnado de súplica.

Me miró con un montón de emociones desbordando sus preciosos ojos, pero se deshizo de mi agarre y dio un paso lejos de mí.

—Por favor, llévame al hotel —repitió con voz clara.

Entonces inspiró y terminó de componerse para colocarse esa máscara de impasibilidad que la caracterizaba. Algo en mi interior se rompió cuando la contemplé.

Por un momento, creí no haber escuchado bien. Permanecí en mi lugar uno, dos segundos, creyendo que recapacitaría, pero la conocía bien. Había hecho su elección y no era yo.

Quise decir algo más, intentar algo diferente, igual que un hombre moribundo aferrándose a los últimos resquicios de su vida, pero sabía que no tenía caso hacerlo. Era demasiado tarde. Demasiado tarde para nosotros.

—De acuerdo. —Mi voz sonó extraña cuando hablé—. Llamaré a Eko y traerá el bote. Está cerca. Él te llevará al hotel.

Asintió sin mirarme, con el cuello rígido. En silencio, se sentó en el sillón de la sala a esperar.

Parecía una horrible representación de un libro romántico, solo que, en esta ocasión, no habría un final feliz para los trágicos amantes. Era curioso que para Leah nunca dejé de ser un error, mientras que ella se había convertido en mi único acierto.

Un terrible dolor me llenó desde dentro y me obligué a darle la espalda y llamar a Eko para sacarla de la isla. Leah se había resignado a que nunca estaríamos juntos, que fuimos solo un destello fugaz de felicidad en la vida del otro, y quizá yo también debía resignarme, aunque resultara tan doloroso como la primera vez que me separé de ella, solo que, en esta ocasión, era mucho peor.

Hice la llamada. Eko respondió a pesar de mis plegarias porque no lo hiciera y, cinco minutos después, Leah estaba de regreso. No hubo despedidas dramáticas, ni promesas sin cumplir, solo el silencio de dos personas conscientes de que se habían perdido para siempre.

Por mucho tiempo me consideré un hombre con mucha suerte; alguien acostumbrado a ganar. Nunca pensé que perder lo único que tenía valor para mí fuera tan doloroso, pero era así.

Había perdido a la persona que era mi hogar. Había llegado tarde. La había perdido para siempre.

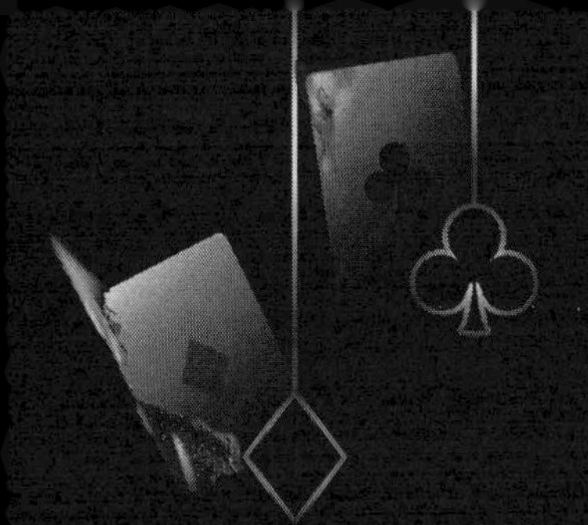

44
VENCER EL MIEDO
Leah

Mi mente era un torbellino mientras iba de regreso al hotel, en el mismo auto, con un conductor diferente. Sentía que no podía respirar mientras mi mente procesaba lo que acababa de ocurrir: Alexander raptándome de la boda, regresando por mí, confesándome todo y suplicándome volver mientras estaba de rodillas.

¿Acaso estaba soñando? No podía creer que algo así acabara de suceder, no podía entender cómo un hombre tan arrogante era capaz de dejar su orgullo de lado con tanta facilidad por… mí. Lo había hecho por mí.

Parecía surreal, increíble incluso. Si alguien me hubiera dicho que Alex había hecho algo así, probablemente me hubiera reído, incrédula; pero lo había presenciado, él había expuesto todo lo que sentía por mí. Lo había dejado al descubierto para que lo apreciara y fue abrumador.

Abrumador porque yo tampoco sabía qué hacer con todo lo que me hacía sentir. Abrumador porque quería ir tras él y quedarme a su lado, pero el miedo era mucho más grande. Siempre fue más grande.

Por ahora, mis sentimientos en ese ámbito eran un desastre, solo había una cosa de la que estaba segura: tenía que hablar con Collin, por su bien y por el mío.

El conductor se detuvo en la puerta del hotel y el primero en recibirme fue Damen, que me miró desconcertado.

—Creí que no volverías.

—Tengo algo que hacer aquí —dije con firmeza—. ¿Cómo sabías que venía?

—Alexander me llamó. —Una nota de pesar se coló en su voz—. Mamá, papá, Erick y Edith saben dónde estuviste, pero Collin…

—¡Leah! —mi prometido interrumpió a mi hermano, llegó hasta mí en dos zancadas y me abrazó con fuerza—. ¿Dónde estabas?

Se separó y me tomó del rostro para examinarlo; tenía los ojos llorosos y la preocupación cincelada en cada línea de su cara.

—Tenía tanto miedo de que algo te sucediera… Tu hermano me lo dijo —admitió y el terror me llenó—. Me contó que te pusiste nerviosa y huiste. —Soltó una risita extraña—. De verdad, Leah, no tenías que hacer eso.

Me esforcé por tragarme el nudo en la garganta.

—Collin…

—La boda se suspendió, pero podemos reanudarla. He hablado con los invitados y los organizadores, mañana podemos…

—No, tenemos que hablar —dije con determinación y me retiré de su toque.

Algo cambió en su expresión y me miró suspicaz, pero se mantuvo sereno.

—Claro, por supuesto. Acompáñame.

Miré a mi hermano mientras entrábamos al hotel y asintió solemne, como si intentara transmitirme templanza. Se lo agradecí con un gesto y subí junto a Collin a la habitación.

Una vez allí, fui la primera en entrar. Me quité el estúpido tocado que me hacía punzar la cabeza, y los tacones, que se habían llenado de arena en mi travesía por el santuario de Alexander.

—¿Qué sucede? —Collin fue el primero en hablar.

Mi pecho se apretó. No estaba lista para la desgracia que se avecinaba. Un silencio pesado se instaló en la estancia, como si hubiera una bomba a punto de explotar. Y tal vez así era, quizá me estallaría en la cara, pero lo aceptaba. Necesitaba hacer esto. Debía hacerlo, ahora o nunca.

—¿Qué sucedió? ¿Por qué no te apareciste en la boda? ¿Estás nerviosa? —Se acercó e intentó tocarme, pero me alejé—. Si esto es por los nervios, créeme, todo estará bien, todo será magnífico, to…

—No es por los nervios de la boda —lo interrumpí, contemplándolo. Se veía guapísimo con su traje blanco y sabía que cualquier chica estaría feliz de tenerlo. Una que pudiera darle su corazón completo—. Collin, en verdad tenemos que hablar.

Su expresión cambió.

—¿Sobre qué? ¿Qué sucede? ¿Es por los invitados? ¿No te gustó la decoración? Podemos cambiarla, pod…

—¡No es por la boda! ¡Es porque no quiero casarme! —lo corté elevando la voz y palideció.

Su cara se llenó de terror y confusión.

—¿Qué?

Mamá tenía razón: no lo amaba como él a mí, y eso nos convertiría en personas miserables. Y ninguno se merecía algo así.

—He estado pensando y no quiero casarme.

Frunció el ceño, descolocado, antes de recomponerse un poco.

—Si ese es el problema, podemos postergar la boda, podemos...

—No. —Lo miré con exasperación—. Creo que no me expliqué correctamente: No quiero casarme contigo.

Su rostro se inundó de aflicción.

—¿Por qué? ¿Qué hice mal?

—No hiciste nada mal, es solo que... no funcionamos.

—¡Pero sí funcionamos!

—No es así.

—¿Quieres terminar porque crees que no funcionamos? ¡Eso solo está en tu cabeza! ¡Funcionamos bien!

—¡No, no lo hacemos! —dije en el mismo tono—. ¡Ninguno de los dos es feliz con esto, no quiero empeorar las cosas con un matrimonio!

—¡No nos estás dando una oportunidad! ¡Todo iba a la perfección antes de volver a Washington! —espetó airado, sus ojos llameando—. No has sido la misma conmigo desde entonces, pero yo he sido paciente contigo, te he dado tiempo, te...

—No me des más tiempo, Collin, no voy a cambiar de opinión. ¿Qué otra razón necesitas? —repliqué—. No soy feliz. Hay más razones, tú no entiendes, no sab...

—¿La polla de Alexander es una de esas razones? —escupió con desdén y percibí el sabor del miedo en mi boca, frío y amargo.

—¿Qué? —inquirí con un hilo de voz, a punto de desfallecer.

—Sé que te lo follaste —confesó con amargura y el terror amenazó con dejarme sin aire—. Sé que te lo follaste en nuestra fiesta de compromiso. ¿No pudiste tener un poco más de respeto hacia mí? ¿Por qué mierda dejaste que te tocara con sus asquerosas manos?

Lo miré impresionada e iracunda.

—Si ya lo sabías, ¿por qué seguiste con el compromiso?

—¡Porque te amo! —vociferó, su cara roja y su voz áspera—. ¡Lo hice porque te amo! ¡Vi las marcas en tus pechos! —confesó sin perder la imperiosa animosidad—. Quería matar a ese hijo de puta, quería matarlo por haberte hecho algo así, pero entonces me di cuenta de que tú lo habías consentido —dio otro paso hacia mí y noté tanta tensión en su cuerpo que retrocedí por instinto—, que lo habías dejado meterse en tu vida de nuevo, estropeándolo todo. Estaba tan enojado y dolido que creí que moriría, pero no pude ni puedo renunciar a ti. No puedo.

Dio otro paso y yo retrocedí, notando la ira irradiando de él.

—Creí que si permitía que te lo follaras una vez ya no tendrías las mismas ansias, ya no te interesaría, pero creo que me equivoqué —agregó.

Lo miré aterrada, las palabras muertas en mi lengua por la impresión. ¿Qué tan mal tenías que estar para permitir que tu pareja se follara a alguien más a cambio de conservarla?

—Collin, me acabas de dar la razón, si dejaste que me lo follara, entonces es obvio que lo nuestro no funciona.

—¡Es que no lo puedo creer! —volvió a gritar y su voz reverberó en toda la estancia—. ¡¿El tipo te jode la vida y tú lo recibes con los brazos abiertos como si nada?! ¿Es que no te valoras? ¿Te sientes tan poca cosa que prefieres dejar algo maravilloso como lo nuestro para mendigarle amor a ese miserable? ¿Te gusta tanto su polla que…?

Mi mano cobró vida y le di una bofetada para callarlo antes de pensarlo mejor.

Su cara estaba roja y la conmoción cincelaba cada facción. Lo miré dolida.

—No lo hago por él. Hago esto por mí. Hago esto porque quiero perseguir lo que deseo en lugar de cumplir lo que le apetece a los demás —dije jadeando, la atmósfera tensa entre nosotros.

—Me estás mintiendo. Irás tras él, ¿verdad? —preguntó con un hilo de voz, su rostro sombrío.

—Lo que yo haga después de esto no es tu problema. Quiero terminar nuestra relación como personas civilizadas.

Me miró iracundo.

—¡Estás mintiéndome! —rugió.

—¡No estoy mintiéndote! ¡Esto no se trata de ti, por primera vez, se trata de mí!

Me tomó del brazo hincando sus dedos en mi piel, su semblante tan letal que en verdad sentí terror de que pudiera hacer algo.

—¿Dejas todo lo que hemos construido por un imbécil que no merece ni siquiera una mirada tuya? —siseó—. ¡Dime la verdad una vez en tu vida!

—¡Sí, iré tras él, pero no es tu problema! —insistí. Me zafé de su agarre y lo empujé con brusquedad—. Sé que querías que todo resultara entre nosotros, pero no funcionó. Collin, no funcionó. Ni siquiera sé por qué le mentiste a Alexander con un embarazo, ¿qué pretendías lograr?

—Alejarlo de ti —espetó resentido—. Evitar que te hiciera más daño.

—No funcionó.

La ira se desvaneció para ceder el lugar al pesar.

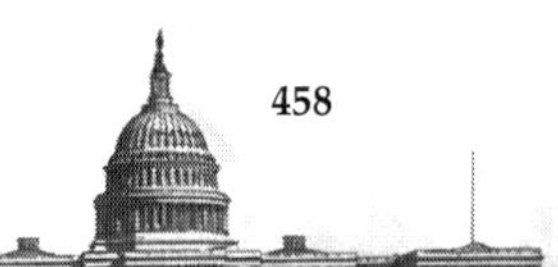

—¿Por qué haces esto? ¿No soy suficiente para ti? —inquirió, tan afligido que mi corazón amenazó con romperse justo ahí.

—No es eso. —Lancé un quejido ahogado por el nudo en mi garganta—. Eres alguien increíble, Collin. No sería quien soy ahora si no te hubiera encontrado.

—¿Entonces por qué estás terminándome? —Sus ojos se llenaron de una emoción devastadora y quise tener la capacidad de tragarme mis emociones y quedarme con él, pero no podía hacerlo, no quería hacerlo.

—Porque te mereces a alguien que te ame por completo, no a alguien que lo haga a medias.

—Cariño, tenemos tiempo... —Intentó tomarme de la cara, pero me retiré de su tacto.

—No se trata del tiempo, o de la paciencia, o de las cosas que podamos practicar para hacerlas mejor, se trata de que ninguno de los dos es feliz porque no somos lo que buscamos —expliqué, tragándome el nudo.

—¿Y todo lo que hice por ti? ¿No significó nada?

Retiré una lágrima rebelde de mi mejilla con el dorso de la mano e inspiré.

—Me ayudaste a sanar mis heridas como nadie más lo hizo, y te lo agradezco; te agradezco todo lo que hiciste por mí, te agradezco todo lo que compartimos estos años.

Me miró anonadado, como si no pudiera creer que aquello en verdad estuviese sucediendo.

—Sí te quiero, Collin —admití—, pero no de la forma en que a ti te gustaría. Perdóname por no ser lo mejor para ti.

—Leah, tú eres lo mejor para mí —insistió y yo negué con ahínco, sacándome el anillo del dedo.

—Yo sé lo que quiero, y sé qué es lo mejor para mí. Espero que tú también puedas encontrarlo. —Me acerqué y dejé el anillo sobre la palma de su mano.

Collin permaneció pasmado mirando la joya, hasta que me giré para tomar algunas cosas e irme. No quería quedarme ahí, necesitaba estar en otro lugar.

—Ojalá puedas perdonarme algún día —dije con pesar y me dispuse a salir.

—¡Leah! —Me tomó del brazo, girándome con brusquedad, su rostro lleno de cruda desesperación—. No hagas esto, no te hagas esto.

—Collin, suéltame, tengo que irme.

—¡No! —gritó y me jaló hacia él—. ¡Podemos repararlo! Sé lo que vas a hacer. No vayas tras ese tipo. Dios, te destruirá de nuevo.

Mi pecho ardió ante la perspectiva, pero me llené de determinación.

—Sé que no lo hará.

—Leah, escúchame, cariño, escúchame. Puedo hacerlo mejor, podemos mejorar, pod...

—¡No! ¿Por qué no puedes entenderlo? —Intenté liberarme, pero sus dedos se encajaron más en mi piel—. ¡Solo déjame!

—¡No hasta que entres en razón!

—¡Collin!

—¿Qué está pasando aquí? —La voz de mamá interrumpió nuestro forcejeo y me soltó al instante apenas la vio en el umbral de la habitación.

—Allison, por favor, haz que entre en razón, se volvió loca —suplicó él con desesperación.

—Necesito salir de aquí —dije sin más y ella asintió, ayudándome a salir y colocándose como un escudo entre nosotros.

—Leah…

—Collin, será mejor que dejes las cosas como están —le pidió mi madre.

—¡Pero ella…!

—Es lo mejor —insistió mamá y le dediqué a él una última mirada de disculpa.

—Lo siento, Collin, pero no es aquí donde debo estar —musité y salí de allí junto a mamá, dejando todos nuestros planes y sueños en esa pequeña habitación de hotel.

Cuando llegué a la habitación que ocupaban mis padres, papá fue el primero en abrazarme.

—¿Estás bien? Escuché gritos.

—Estoy bien. —Sonreí apenas—. ¿Dónde está Alex?

Mis padres intercambiaron una mirada.

—Damen dijo que se fue directo a Londres —contestó mamá.

—¿Qué? —pregunté, sorprendida—. Estuve con él hace apenas unas horas, pensé que… olvídalo. —Me enfoqué en papá—. Tengo un favor que pedirte.

—Claro, lo que necesites.

Sonreí. Era un riesgo, pero también la única forma de vencer el miedo. Por primera vez, iría tras la persona que me hacía realmente feliz.

Esperaba que no fuera demasiado tarde.

45
FUTURO
Leah

Llovía a mares cuando bajé del avión por fin, el agua fría traspasando más allá de la gabardina de Alexander y calándome hasta los huesos. Caminé por la autopista y llegué hasta el auto que esperaba por mí. Agradecí que el conductor mantuviera encendida la calefacción, pues la delgada tela del vestido de playa no ayudaba en absoluto para mantener calientes mis rígidas piernas.

Esperaba que no fuera demasiado tarde. Las condiciones climáticas de Londres habían sido tan malas los últimos dos días que cancelaron todos los vuelos, incluyendo los privados, así que tuve que esperar hasta que la lluvia se calmara un poco. Le di al chofer la dirección a la que debía llevarme y avanzamos por las calles de la ciudad en silencio, aunque mi mente fuera un alboroto. Mi estómago se apretaba cada vez más y los nervios me llenaban.

Me concentré en identificar alguno de los edificios o los monumentos que adornaban las calles para dispersar mi mente de aquello que me mantenía en vilo, pero la lluvia torrencial dificultaba ver más allá de dos metros de distancia.

—¿Quiere que paremos en algún lugar para conseguirle ropa seca, señorita? —inquirió el hombre y sopesé la posibilidad de comprar algo más decente y adecuado para el clima, pero el pensamiento quedó enterrado entre las ansias apremiantes que me carcomían. No quería perder un segundo más.

—No, está bien. Solo llévame a donde te he indicado.

—De acuerdo —respondió, y no dijo más durante los siguientes cuarenta minutos que estuvimos atorados en el denso tráfico.

Cuando se detuvo frente al edificio que era mi destino, le agradecí por llevarme. El viento gélido volvió a azotarme el rostro en conjunto con la lluvia en cuanto bajé, empapándome en menos de tres segundos otra vez. Me arrebujé más en la gabardina y entré al complejo. Seguí las instrucciones de los guardias, que me miraron como si fuese una vagabunda intentando asaltar el lugar. Me habría ofendido, pero estaba segura de que sí parecía una.

Con las piernas entumidas por el frío, subí al ascensor y pulsé el botón del piso 42. Caminé por el pasillo que me recibió y tomé izquierdas y derechas recordando las indicaciones de los guardias lo mejor que pude. Paré un momento para recuperar la respiración, después de todo, había ido de lado a lado buscando la oficina de Alexander. Bali estaba ocho horas por delante de Inglaterra, y si mi memoria no me fallaba, a esa hora debía estar justo aquí, en su oficina.

Luego de un viaje de casi nueve horas, la gente normal habría tenido tiempo para pensar qué decir, pero yo no. Había permanecido tan absorta en todas las otras posibilidades que se desplegaban frente a mí, que ni siquiera pensé en qué demonios le diría al encontrarlo. Giré en un pasillo y encontré un espacio enorme a modo de sala de espera. Había una chica de rizos rojos trabajando tras un escritorio, así que asumí que era su secretaria. Intenté hablar, pero nada salió de mi boca, así que carraspeé. Ella levantó la cabeza en reacción.

—Quiero ver a Alexander Colbourn —exigí, irguiéndome.

Permaneció inmóvil, aunque había cierta sorpresa en su rostro. ¿En verdad me veía tan mal? Sí, seguramente mi cabello era un desastre, mi maquillaje debía estar corrido y mi ropa debía lucir igual que la de una loca vagabunda usando ropa de playa en un gélido día lluvioso en Inglaterra, pero no debía verme tan mal para dejarla sin palabras.

—¿Y bien? —presioné impaciente.

Salió de su estupor.

—Lo siento, ¿tiene una cita? —preguntó con tono profesional.

—No, pero no necesito una. Me recibirá.

Esbozó una sonrisa poco natural.

—No lo creo, al menos no por ahora.

—¿Por qué no? —inquirí, cada vez más desilusionada.

—Está en una junta de consejo.

—Entonces llámalo —demandé y me miró como si fuera idiota.

—Me temo que no puedo hacer eso, pero puedes esperarlo, si gustas.

Fruncí los labios. Cualquier persona habría esperado, pero ya no quería hacerlo más.

—No quiero esperar, ¿dónde está?

—Ya te lo dije, está en una reunión.

—¿Dónde?

Me miró con exasperación, y yo la escruté igual.

—Ya te dije que no pued...

El tenue sonido de una risa atronadora llegó hasta nosotras a través de unas puertas de madera, a unos cuantos metros de la oficina principal. Le dediqué una última ojeada a su cara de terror antes de trotar hacia lo que asumí era la dichosa sala de juntas. La chica me tomó del brazo para detenerme.

—Ya te dije que no puedes entrar ahí. —Me jaló con toda su fuerza para alejarme, pero opuse resistencia, empujando al lado contrario, cada vez más cerca de mi objetivo.

—¡Suéltame! ¿Acaso no sabes quién soy?

—¡No te cuesta nada esperarlo! ¡Harás un escándalo!

—¡No me importa!

—Por Dios, arruinarás la reunión —suplicó aún sujetándome, pero me soltó en cuanto abrí las puertas de par en par. Las voces se acallaron enseguida y todos los ojos se posaron sobre mí, conmocionados por mi repentina entrada. Debía parecer una desquiciada, pero no podía importarme menos.

Alexander estaba sentado a la cabeza, su porte erguido, seguro; un tobillo sobre su rodilla y su cara una perfecta máscara de impasibilidad que no denotaba ninguna emoción, ni siquiera el más pequeño resquicio de sorpresa. Parecía un monarca sentado sobre su trono, sosegado y perfecto. Casi me arrepentí de aparecer en estas condiciones, pero me habría arrepentido más de no haberlo hecho. Emití un sonido cercano a una palabra cuando el silencio se alargó demasiado, los dieciséis pares de ojos expectantes a mi próximo movimiento como si fuese un animal peligroso.

—Necesito hablar contigo —dije por fin, mi voz ronca y tensa.

Las quince cabezas alrededor de la mesa se giraron hacia él en reacción. Mi corazón se estremeció, temeroso de su rechazo.

—Caballeros —habló tranquilo luego de un momento—. La reunión terminó. Pueden retirarse.

Hubo una reacción general de conmoción.

—Pero señor Colbourn, estamos a mitad de los informes de finanzas —dijo un hombre calvo.

Alex posó su atención sobre él y lo observó con dureza.

—He dicho que terminó. Lo retomaremos después. —Se puso en pie y el resto lo imitó—. Si me disculpan.

Rodeó la mesa dando largas zancadas y me acompañó afuera elevando una ola de murmullos tras su partida. Posó una mano en mi espalda, guiándome hasta su oficina con su secretaría pisándonos los talones.

—Intenté detenerla para que no interrumpiera la reunión, lo siento —se disculpó.

No dejamos de caminar, pero Alex le dedicó una corta mirada sobre el hombro.

—Está bien, no te preocupes. Hiciste bien en dejarla entrar.

Abrió la puerta y entré a su oficina primero. Cerró detrás de sí y fue como entrar a otra dimensión, una en la que solo existíamos él y yo. Se detuvo frente a mí, mirándome con curiosidad mientras apoyaba el cuerpo en su escritorio. De no haberlo conocido de la manera en que lo hacía, todo lo que él era y que se escondía tras esa inmaculada pulcritud, jamás habría imaginado el tipo de persona apasionada que era en realidad. Conocía todo lo bueno, lo malo, lo trágico y lo perfecto que conformaba a Alexander Colbourn.

—Esa fue una entrada digna de un libro. —Soltó una risa corta—. No sé por qué esperaba algo más normal tratándose de ti. —Negó con la cabeza—. ¿Qué haces aquí, Leah?

Sus palabras no hicieron otra cosa que despertar una revolución de inquietudes en mi interior: ansiedad, miedo, anticipación. ¿Era normal sentir tantas emociones a la vez? Una persona promedio quizás podía, pero esas emociones eran tan nuevas para mí como lo fueron tres años atrás, cuando las sentí con viveza por primera vez.

—¿Y bien? —insistió.

Mi cabeza giraba y me maldije por no haber preparado un discurso o al menos haber hecho algunas anotaciones para anclar mis ideas. ¿La tensión en la estancia era mi imaginación o un producto de nuestra cercanía? Muy en el fondo, sabía la respuesta. Había estado ahí por meses desde que él regresó, densa y casi vibrante, emanando de ambos, justo como la primera vez.

—Yo... —Quise abofetearme por mi dificultad para expresarme, por el nudo que impedía la fluidez de las palabras—. Te fuiste. —No supe de dónde provino la estúpida necesidad de recalcar lo obvio.

Alex soltó una risita baja.

—Vaya, diez puntos para Gryffindor.

Así no era como pensé que esto sucedería, y no era como lo retrataban los libros románticos, donde todo sucedía sin tensión, sin incomodidades y sin estúpidos tropiezos y señalamientos obvios. Mi necesidad de encontrarlo me había quitado tiempo preciado de planeación. Había cometido muchos errores en mi camino hacia acá, pero me repetí que no importaba. Tendría que hacerlo así, con mis emociones a flor de piel.

—Vine a entregarte tu gabardina —dije retirándola de mis hombros, la prenda empapada y sucia por el *Esmog* de afuera.

De nuevo quise darme de golpes contra la pared por ese comentario nada natural. Enarcó ambas cejas cuando se la tendí. La tomó casi con pinzas y la puso sobre su escritorio antes de concentrarse en mí otra vez. No parecía el hombre loco que me raptó el día de mi boda. No, aquí no estaba siendo vulnerable, porque ahora era mi turno de serlo y me aterró.

—¿Has venido hasta acá a entregarme la gabardina? —preguntó, ligeramente entretenido con mi dificultad para hablar. Ni siquiera en esta situación dejaba de burlarse de mí. Imbécil.

—Sí.

Alex resopló y soltó una risita. Había más cosas que quería decirle, había mucho más que necesitaba saber, encerrado en mi interior y listo para explotar, pero las ideas aún se me escapaban, no podía conectarlas y no entendía por qué. Las palabras añadían definiciones y las definiciones eran concisas y finitas. Una vez que dotara de definición a mis sentimientos, entonces le daría el poder a Alexander. Tendría mi corazón en sus manos, otra vez. Y era todo inesperado, porque a pesar del miedo, allí estaba yo, de pie junto al borde.

—¿Eso es todo? —preguntó de repente.

—¿Qué?

—¿Eso es todo? —repitió más despacio y se alejó del escritorio para situarse cerca de mí—. Si lo es, entonces volveré a la reunión. —Había un deje de pesar que no me pasó inadvertido.

—Yo... —Me aclaré la garganta, exasperada por retirar de ella cualquier cosa que contuviese a mis cuerdas vocales.

Joder, aquello era más difícil de lo que imaginaba. Negó e hizo el ademán de ir hacia la puerta. El miedo de perderlo me llenó y fue todo lo que necesité. Era el empujón que necesitaba para tragarme cualquier cosa que mantuviera presas a mis cuerdas, y con ello, muchas cosas comenzaron a brotar: palabras, significado, propósito. Era todo tan claro ahora.

—Escúchame —pedí, con mi corazón cada vez más acelerado.

—Te escucharía si dijeras algo —respondió mordaz, deteniéndose.

Yo no era el tipo de persona que hiciera de lado su orgullo, porque era lo único que tenía y lo único a lo que me había aferrado por un largo tiempo. La ira y el resentimiento eran emociones fáciles de adoptar por su intensidad, por la protección que proveían de cierta manera a un corazón fracturado. No, no era ese tipo de persona, pero ahí estaba, poniendo todo sobre la mesa, renunciando a mi orgullo.

Estaba dispuesta ahora y sabía el motivo de ello: amaba a Alexander más de lo que amaba mi orgullo. Caer en cuenta de eso me hizo sentir como si estuviera a punto de descender escaleras en la oscuridad. Una vez que iniciara, no podría aferrarme a nada para evitar mi caída.

—Leah, deberías irte a casa —dijo de pronto.

—No voy a irme.

Inspiró sin que el pesar abandonara su semblante.

—Entonces dime lo que has venido a decirme —me instó—. No creo que a tu esposo le agrade la idea de que estés aquí.

—¿Por qué necesitaría la aprobación de alguien para hacer lo que me venga en gana? —repliqué.

—Porque si yo fuera él, me jodería que estuvieras con alguien como yo.

—No me casé con Collin. Terminé mi compromiso con él. Vine a decírtelo.

Sus ojos centellaron con una emoción que no pude identificar, el azul intenso en ellos.

—¿Cuándo?

—Hace dos días, cuando regresé al hotel después de que me raptaras en mi boda.

El músculo en su mandíbula se movió solo un momento.

—Entiendo.

Me miró expectante, instándome en silencio a seguir, así que lo hice.

—No soy la misma persona que hace tres años, Alex. He pasado por demasiadas cosas, algunas más traumáticas que otras, y creo que aún no sé quién soy en realidad. —No tenía idea de por qué le confesaba ese tipo de cosas, pero había sido siempre algo natural con él—. Collin quiere algo que yo no puedo darle. Él quiere una familia, una esposa perfecta, él quiere hijos y yo... Yo no quiero nada de eso por ahora. Nosotros simplemente no encajábamos.

Permaneció en silencio, observándome impasible, y se lo agradecí, porque era mi turno de hablar.

—Ya no puedo vivir en medio del caos a cambio de crear la vida perfecta para los demás. Tú mismo me lo dijiste, yo no soy ninguna heroína y no tengo por qué serlo tampoco. —Callé para tragar el nudo en mi garganta—. Tú... destruiste todo mi plan de una vida sin problemas, pero también despertaste algo en mí; me hiciste perder el equilibrio de una forma maravillosa y mandaste al infierno todos mis sueños para mostrarme algo mejor, para enseñarme que también había belleza en la realidad, en la crudeza del mundo, más allá del idealismo.

Lancé un quejido desesperado. Anhelaba que fuera suficiente, porque no quería perderlo, no otra vez.

—No hay progreso en la perfección, así que no quiero algo así —dije con ímpetu—. Sé que ambos nos jodimos de diferentes maneras y en distintos niveles, pero también sé que te perdono por ello, y sé que no importa cuánto trate de huir de ti, siempre volveré a donde tú estés, porque no puedo huir de quien amo. —Di un suspiro estrangulado—. Estoy en medio de un viaje de recuperación y redescubrimiento, y quiero a alguien que también esté viviendo el suyo, que conozca mis matices más oscuros y aun así se quede conmigo. Quiero luchar para avanzar y superar, juntos.

—¿Por qué estás diciéndome todo esto?

Dios, esto sí que era difícil. Era lo más difícil que había hecho hasta ahora. Quería dar la vuelta e irme, pero no iba a hacerlo. Quería gritarle y que él me gritara de vuelta probablemente por la misma razón: estaba arriesgando mi precario control emocional y era jodidamente aterrador. Que le confesara todo lo que sentía por él no era ninguna garantía, y Alex estaba ahí, de pie, haciéndome sentir cosas peligrosas que temía percibir.

—Necesitabas saber —susurré y dio un paso más cerca de mí. Sollocé, percatándome de que estaba llorando—. Dijiste que no querías perder un día

más, yo tampoco quiero hacerlo. Sé que será difícil, pero no tomamos el camino fácil, tomamos siempre la izquierda, ¿recuerdas?

Me limpié una lágrima con el dorso de la mano, en silencio, intentando mantenerme compuesta.

—Si quieres que nos demos otra oportunidad, entonces está bien. Tomémonos nuestro tiempo, hagamos mejor las cosas esta vez y volvamos a empezar —añadí.

Alex estaba a un palmo de distancia de mí cuando me centré en él, mirándome en silencio.

—¿No vas a decir nada? —pregunté.

Esperé por alguna reacción, alguna confesión de su parte para hacerme sentir mejor y derretirme el corazón como solía suceder en las películas, pero lo único que dijo fue:

—Te tardaste más de lo que pensé.

—¿Qué? —Abrí la boca, descolocada.

—En reconocer tus sentimientos. —Esbozó una pequeña sonrisa.

—¿Qué quieres decir? —inquirí.

—Luego de nuestra parada en la isla de Bali, pensé que te había perdido. —Inclinó la cabeza ligeramente, sus ojos brillando con cariño.

—Bueno, digamos que tu numerito de raptarme en la boda funcionó y me hizo entrar en razón. Estás loco, ¿sabías?

—Pero si tú estás igual de loca.

Le lancé una mirada venenosa y él soltó una carcajada profunda que inundó la estancia.

—Eres todo un caso, Leah McCartney.

Sentí mis mejillas arder y contemplé mis pies.

—¿Y qué opinas?

—¿Sobre qué? —preguntó.

—Sobre... tomarnos nuestro tiempo, intentarlo y volver a empezar. Hacer las cosas más lento y mejor esta vez.

—Ah. —Hizo un gesto de reconocimiento y volvió a sonreír—. De acuerdo.

Mi corazón dio un vuelco dentro de mi pecho por la seguridad en su voz y la facilidad con la que accedió. Había sido tan sencillo que casi resultó extraño.

—¿En serio? Pensé que me darías todas las razones por las que no lo harías, entonces yo tendría que replicar con todos los motivos por los que sí deberías, pero tú solo... tú...

—¿Accedí? —completó con un tono petulante cuando notó mi irritación—. Escucha, no tengo razones para pelear si siento lo mismo por ti. No me gusta perder el tiempo, y lo sabes, así que perdóname si arruiné tus dramáticos planes, pero no voy a pelear por esto contigo.

Sonreí.

—Y no esperes que pelee contigo por cualquier estupidez en el futuro, princesa.

Futuro. Esa palabra me caló hasta los huesos y resonó como un eco en mis oídos. Le eché los brazos al cuello, lo abracé con todas mis fuerzas y saboreé su cercanía. *Futuro*. Habría más de esto, más de nosotros, más de estas conversaciones tontas, irreverentes y llenas de emoción. Esperaba que fuésemos mejores en el futuro. Ah, ahí estaba otra vez, esa palabra. Tendríamos un futuro juntos.

Tomó mi rostro entre sus manos cuando me separé, capturó mis labios entre los suyos; el beso lento, desmesurado y desbordando tanto cariño que vibré con cada contacto, cada tomar y empujar de su boca contra la mía. Era increíble la manera en que las cosas más especiales te recordaban el lugar al que realmente pertenecías. Y yo pertenecía con Alexander.

Cuando nos separamos, mi cuerpo seguía vibrando con el encuentro y la felicidad que lo llenaba.

—¿Y ahora qué? —pregunté luego de unos momentos en silencio.

Alex me soltó y se irguió, tomó un abrigo que estaba sobre el respaldo de un sillón y lo posó con ternura sobre mis hombros, embriagándome de su aroma y de la calidez de la prenda seca. El gesto me calentó el pecho.

—Ahora tenemos que recuperar el tiempo que perdimos, y créeme, voy a cobrármelo con creces.

Reí con ganas. Este era el Alexander que conocía.

—No me refiero a eso, me refiero a nosotros.

—Oh. —Me abrazó con fuerza de la cintura—. Tengo libre este fin de semana, ¿te gustaría ir a Las Vegas?

Abrí más los ojos, sorprendida por la propuesta.

—¿Para qué quieres ir allí?

—Para casarnos, ¿no es obvio? —dijo jovial.

—¿Qué? Es demasiado pronto.

—¿Y? Soy mejor siendo tu esposo que tu novio.

Le pedía tiempo y lo primero que hacía era proponerme matrimonio. Volví a reír y pensé negarme, pero también sabía que ir con lentitud no era nuestro estilo. No, nosotros preferíamos casarnos primero y decidir si aquello iba a funcionar sobre la marcha. Y así era perfecto para mí.

Sonreí encantada. Era la mejor idea que había tenido en toda su vida.

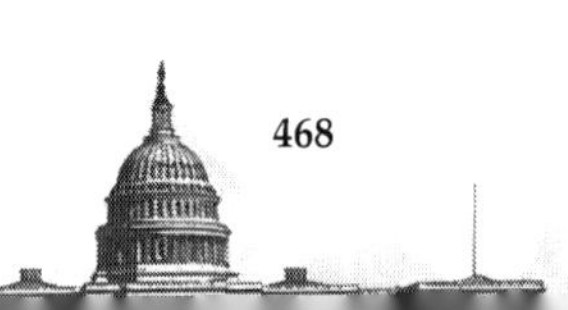

46
SER FAMILIA
Alexander

—¿Qué hago aquí? —se quejó mamá con una mueca de displicencia.

—Lo mismo me pregunto yo, ¿quién te invitó? —masculló Leo sin humor desde el sofá que compartía con Allison en el estudio de la mansión McCartney.

Era extraño ver a ambas familias reunidas aquí. Era como estar en un consejo de rivales, listos para firmar el tratado que pondría fin a la guerra.

—Van a pegarme algo —siseó mamá.

—La clase, si tienes suerte —siguió el padre de Leah.

—Tú no podrías pegarme tal cosa, Leo. En todo caso, sería la rabia. —Se removió en su asiento—. ¿Y qué es esto? ¿El circo de pulgas? ¿Por qué hay tanta gentuza en la misma sala?

—Empezando por ti —volvió a molestarla Leo y su esposa soltó una risita mientras hacía una disculpa muda a mi madre.

—No sé qué es peor, si tener que convivir contigo o con esa. —Hizo una seña desdeñosa con la cabeza hacia Charlotte, la novia de papá, sentada a tan solo unos metros en un sillón diferente.

Al menos el estudio de los McCartney era lo suficientemente grande para mantenerlas alejadas y evitar que mamá armara una escena. O eso me gustaba pensar.

—Agnes —la reprendió papá, entonando su nombre como una advertencia, que fue ignorada con éxito, como siempre.

—¿Por qué la trajiste? ¿No tienes respeto por mí? —reprochó.

—Escuchen, los hemos llamado aquí porque...

—Está divorciado, soy su pareja. No hay nada de malo en que esté aquí —argumentó Charlotte, interrumpiendo a Leah.

—Tú cállate —ladró entonces mi madre—. No me rebajaré a hablar con alguien tan ruin.

—Agnes, otra vez, compórtate —presionó papá, su boca tensa mientras se acomodaba mejor los anteojos—. No es momento para...

—Ella no tiene nada que hacer aquí.

—Ya lo ha dicho, es mi pareja —siguió mi padre.

—Después de tantos años, aún no aprendes.

—Llevamos mucho tiempo separados...

—Mi casa no es lugar para discusiones maritales, si quieren gritarse...

—No tienes ni una pizca de decencia. —Mamá alzó la voz sobre la de Leo, su rostro cada vez más rojo con lo acalorada que se tornaba la discusión—. Ni siquiera sabes qué tipo de persona es y...

—Soy bastante mayor, no necesito que vayas detrás de mí como una... —se defendió papá.

—Última advertencia, los sacaré a ambos de mi casa si no se comportan.

—No puedo creer el descaro de esta mujer… —siguió mamá, sin dejar su arsenal.

Bajé la vista hacia Leah cuando sus pequeños dedos tomaron los míos con fuerza, en una súplica muda de ayuda por detener la escena que se desarrollaba en medio de la estancia con los alegatos de mamá, las advertencias de papá y las protestas de Leo. Tal vez pensar que podrían comportarse en un espacio más amplio era demasiado optimismo.

—Se está saliendo de control y ni siquiera hemos hecho el anuncio —susurró a mi lado para que pudiera escucharla sobre la sarta de reproches que iban de un lado a otro. Acaricié el dorso de su mano con mi pulgar.

—Entonces prepárate para desatar el infierno. —Besé su sien. Estaba por ponerme en pie y terminar con ese numerito cuando tres cortos y fuertes golpes inundaron la estancia.

La algarabía se detuvo al instante, las voces se apagaron de pronto y todas las miradas se concentraron en mi abuelo, su porte regio y su mirada aún dura a pesar de los años.

—¿Han terminado ya con sus niñerías? —cuestionó severo, el silencio se volvió tenso y pesado.

Al menos había conseguido callarlos.

—Me moriré uno de estos días, si no es por la vejez, será por sus discusiones sin sentido. No tengo tiempo para perderlo en sus estupideces, suficiente tiempo han perdido estos dos. —Nos señaló a Leah y a mí con su bastón, su agarre tembloroso—. Nos citaron aquí por algo. Déjenlos hablar que me estoy perdiendo la hora de mi siesta y quiero que sea por algo que lo valga.

—Papá —lo reprendió mi tía Chelsea, sentada a su lado. Él chasqueó la lengua, restándole importancia.

—Es la verdad.

—Pero Henry...

—Cállate, Agnes —la interrumpió mi abuelo—. Dejaré que le reclames a Byron todo lo que quieras cuando esto termine, justo ahora quiero que mi nieto diga lo que hemos venido a escuchar.

Le sostuvo la mirada, desafiándola a abrir la boca de nuevo. Mamá suspiró frustrada, se dejó caer en el sofá cruzándose de brazos y se concentró en nosotros, impaciente.

De repente, todo el aire en el amplio espacio pareció evaporarse y los nervios nacieron en la boca de mi estómago. No tenía idea de cómo reaccionarían con la noticia. Había transcurrido solo una semana desde que Leah me encontró en Londres. Las cosas estaban sucediendo demasiado rápido, pero no quería perder el tiempo, así que tendrían que superarlo si no estaban de acuerdo con nuestras decisiones.

—Los hemos llamado aquí porque... —habló ella, vacilante, y supe que estaba nerviosa—, sé que esto es algo repentino, y sé que las cosas no han sucedido de la forma ideal, pero hemos llegado a la conclusión de que es lo mejor, y si ustedes nos apoyan en esto, creemos que puede funcionar y salir bien y...

Puse los ojos en blanco y contuve la sonrisa que me provocaban los balbuceos nerviosos de Leah. Era un gesto que me resultaba de lo más tierno, porque era un claro contraste con la soberbia seguridad con la que se conducía en todos los aspectos de su vida. Excepto las relaciones personales.

—Nos casaremos la próxima semana —resumí, interrumpiéndola—. Es lo que quiso decir.

Hubo una combinación de sonidos y gestos dispares, todos los rostros desencajados en expresiones distintas, pero todos llenos de impresión.

—Sí, eso —me apoyó Leah, recuperando el aire.

Otro lapso de silencio cayó sobre el estudio mientras nuestras familias luchaban por asimilar la información. Traté de adivinar quién explotaría primero en protestas: si mi madre o Leo, pero ambos estaban igual de conmocionados.

Me preparé mentalmente para su sarta de alegatos, hasta que el estruendoso aplauso de mi abuelo rompió con la densa atmósfera. Tenía una sonrisa de oreja a oreja, las mejillas caídas pero sonrojadas y sus ojos brillantes de alegría.

—¡Al fin! Pensé que serías igual de cobarde que tu padre respecto al matrimonio.

—¡Papá! —lo reprendieron sus dos hijos, pero como siempre, mi abuelo se pasó su riña por el culo.

—Pues mentira no es —acotó mamá inspeccionándose las uñas.

—Entonces, ¿para cuándo los hijos? —preguntó mi abuelo con ilusión y Leo soltó un quejido.

—En varios años más, espero.

—Cállate, Leo —le respondió con displicencia—. No tengo tanto tiempo ni paciencia, quiero que mis nietos conozcan mi cara, no mis jodidas cenizas. Esas no les sirven ni para decoración.

Mi tía se cubrió el rostro con una mano, avergonzada, y Allison soltó una risita por los irreverentes comentarios del hombre.

—¿Están seguros de esto? —intervino mi madre, su semblante oscurecido por la preocupación—. Quiero decir, es demasiado pronto y hay algunos detalles de las bodas que...

—No necesitamos tu veneno en esto, déjalos en paz —siseó el padre de Leah—. Y no se te ocurra intentar algo en contra de mi hija, porque te juro que...

—¡No lo digo por eso, maldito paranoico! —ladró.

—Aquí vamos de nuevo... —murmuró con hastío Damen, su dedo índice y pulgar a un costado de su rostro para apoyarlo mientras observaba todo el circo con una mezcla de entretenimiento e irritación.

—Lo digo porque será muy poco tiempo para confeccionar el vestido de novia —replicó, matando todas mis réplicas con esa sorpresiva reacción.

—Creo que será suficiente tiempo —dijo Leah—. Estaba pensando en comprar alguno de tu tienda.

—¿Comprarlo? —remarcó mamá, asqueada—. Vas a casarte con mi hijo, no usarás un vestido que podría estar al alcance de otras mujeres. Debe ser único.

—Per...

Hizo una señal con la mano para callarla.

—Yo me encargaré, aunque tendré que hacerlo rápido si se casarán en una semana. —Me lanzó una mirada de reproche que me hizo sonreír.

—¿Y qué hay de la recepción? ¿Y el lugar? —inquirió Chelsea.

—Ya me estoy encargando de eso —respondí seco—. Lo haremos en Las Vegas.

Damen sonrió con travesura.

—Se sienten nostálgicos, ¿eh?

—No te imaginas cuánto. —Mi tono escondía una sonrisa—. No queremos perder la tradición.

—Me imagino —musitó, y sus labios se curvaron en un gesto perverso—. Espero que estén conscientes esta vez cuando den el sí.

—Créeme, lo estaremos —dijo su hermana intentando salvar la situación.

—Ya veremos.

Mi padre carraspeó entonces.

—Creo que lo correcto es que nosotros nos encarguemos de los gastos. —Señaló a Leo con un gesto de la mano—. Podemos encargarnos del lugar, la recepción, la comida, las invitaciones..., todo; ustedes solo encárguense de organizarlo.

Estaba por asentir cuando mi abuelo volvió a golpear el piso con su bastón.

—¡Tonterías! —bramó—. No deben estresarse antes de la boda y no quiero que molesten a los chicos con la repartición de gastos. Yo pagaré todo.

Hubo silencio, hasta que asentí.

—De acuerdo, gracias, abuelo.

Él sonrió afable.

—No tienes nada que agradecer, hace años que no asisto a una boda. Esta debe ser espectacular.

—¿Y cuál será el menú? —indagó la novia de papá.

—Tú no tienes derecho a opinar en esto —le reprochó mamá.

—Claro que lo tengo, es como mi hijo también.

—¡Estás loca! —bramó—. Eso sí que no lo permito. Alexander no tiene tan poca clase.

—Quiero aportar ideas para el menú —insistió.

—Creo que algo podremos arreglar —intervino Allison, intentando tranquilizar la situación—. Contrataremos a alguien que se encargue de la planeación y lo dejaremos...

—Claro que no. Cariño, tenemos que supervisar cada detalle para que todo sea perfecto —acotó Leo.

—Exacto, tenemos...

—¿Tenemos? —escupió mamá, interrumpiendo de nuevo a Charlotte—. No, niña, tú no tienes lugar en esta foto.

—Oh, créeme que estaré en la foto.

Suspiré con exasperación cuando los alegatos volvieron a elevarse, un dolor de cabeza hizo punzar mis sienes, hasta que Leah se acercó.

—Será mejor que nos acostumbremos a los pleitos familiares.

Reí por lo bajo.

—Ya lo creo, aunque no fue tan mal como creí.

Rio también, y el sonido aminoró mi malestar.

—Pudo haber ido peor, con tu madre desgreñando a Charlotte, por ejemplo.

—No la retes.

Volvió a reír y mi vista cayó sobre mi abuelo, que nos escudriñaba con atención.

Nos dedicó a ambos una sonrisa enorme, inclinándose hacia nosotros, y elevó la voz un poco para que pudiéramos escucharlo a través de los incesantes alegatos que llenaban la sala.

—Estoy muy feliz por ustedes, ya era hora de que regresaran a donde pertenecían. Te extrañaba en casa, linda.

Apreté la mano de Leah con afecto, ella me regresó el apretón y supe que tenía razón.

Era el lugar correcto.

—¿A dónde estás llevándome? —pregunté y jaló de mi mano para subir las escaleras de su casa.

Luego de escuchar los alegatos de nuestra familia sobre la organización de la boda por horas, decidimos aceptar el dinero de mi abuelo para planearlo todo nosotros. Confiaba en Leah, era una maniaca del control. No conocía a nadie mejor para organizar ese evento tan importante.

—A mi habitación —respondió y caminé junto a ella por el pasillo que llevaba a ese lugar.

—Pensé que podrías resistir cinco días más —me burlé.

—No te voy a encerrar en mi habitación para follar —replicó sin perder el buen humor.

—¿No? Qué desperdicio.

Me dio un golpe en el hombro por la irreverencia.

Abrió la puerta e hizo un gesto con la cabeza para que entrara, el lugar justo como lo recordaba: la enorme cama con dosel en el centro, el tocador de caoba a un costado, el gigantesco armario del otro y la puerta de su baño. Ese último lugar en particular despertó una oleada de nostalgia y un cosquilleo de excitación en mi bajo vientre al evocar lo bien que la habíamos pasado en su tina al inicio de nuestra relación, cuando Leah era reticente a aceptar cuánto le gustaba y yo era aún más renuente a dejarla ir.

Si lo analizaba en retrospectiva, nos había costado horrores llegar hasta este momento, pero no podía estar más feliz por eso.

—Atrápalo. —Su voz me devolvió a la realidad y atrapé sin esfuerzo el objeto que me lanzó.

—¿Qué es esto? —pregunté observando la minúscula caja entre mis dedos.

Leah sonrió con un toque de malicia.

—Tienes suerte de que no lo haya lanzado por la ventana para que lo atraparas, como hiciste tú conmigo la primera vez, cuando me lo lanzaste en el puente.

Alcé la vista hacia ella de golpe, entendiendo por fin lo que era: el anillo de compromiso.

—¿Lo conservas? —Abrí la caja para contemplar la joya real de mi familia, el zafiro anidado en el delicado aro de diamantes—. Dijiste que lo habías vendido.

Negó, acercándose.

—No lo vendí, no podría hacerlo. Es una joya invaluable, no me lo habría perdonado.

—¿Por qué me dijiste que lo habías hecho entonces? —Intenté ocultar el reproche, sin éxito.

Leah se encogió de hombros, mirando la caja.

—No lo sé, quería hacerte sentir mal, supongo. Era mi patético intento de venganza.

—Muy maduro de tu parte, McCartney —la reñí, a modo de broma.

—Cállate, Colbourn.

—Ya estaba pensando qué decirle a mi abuelo cuando me preguntara por qué no estabas usando el anillo de la familia. —Sonreí—. Iba a ir hoy a ver anillos de compromiso.

Sus ojos se iluminaron con una mezcla de sorpresa y afecto.

—Qué suerte tienes, te he ahorrado el viaje. —Se mordió el labio, vacilante—. Había pensado en regresártelo antes de casarme con Collin, para que pudieras dárselo a tu próxima prometida.

Enarqué una ceja, divertido por la muestra de celos que hizo ceñir su frente.

—Qué suerte tienes, porque tú serás mi próxima prometida.

—Sí, qué suerte tengo. —Sus labios se curvaron en una sonrisa—. ¿Y bien?

—¿Qué?

—¿No vas a preguntarme? —cuestionó, expectante.

—¿Qué cosa? —pregunté a mi vez, haciéndome el desentendido.

—Estás muy ocupado anunciando planes, invitando personas y organizando una boda, pero te falta lo más importante.

—¿Ah sí? —Simulé una mueca pensativa—. ¿Qué cosa?

—¡Yo! —chilló—. ¡Soy la novia y ni siquiera me has pedido matrimonio!

—Pero ya lo hice —dije para molestarla—. En mi oficina, te propuse ir a Las Vegas y tú aceptaste.

Frunció el ceño, indignada, y me costó horrores no partirme de risa.

—Eso no es una proposición.

—Claro que sí, y ya lo has aceptado.

—¡Pero no es una propuesta en toda regla!

—¿Desde cuándo tiene reglas?

—No tal cual, pero sí existen algunos formalismos y...

—¿No quieres casarte conmigo?

—¡Claro que quiero!

—Bien, porque si no aceptabas, iba a robarte otra vez.

Su expresión se suavizó y supe que era el momento. Adoraba molestar a Leah, pero amaba más hacerla feliz. Puse una rodilla en el suelo y la miré directo a la cara.

—¿Quieres casarte conmigo? —dije con suavidad.

Me miró desbordando emociones, su labio inferior temblaba un poco y sus brazos se relajaron a sus costados.

—¿Y bien? —presioné, nervioso.

Sus labios permanecieron en una fina línea, el silencio alargándose con cada pálpito de anticipación, esperando por una respuesta que no sabía cuánto tardaría en llegar. Me puse en pie con el miedo en mi pecho luego de un minuto.

No dijo una palabra, pero sus manos apresaron mi cara, sus palmas se sentían cálidas contra mis mejillas mientras estiraba el cuerpo y tiraba de mí para encontrar mi boca a medio camino; sus labios abrazaron los míos en un compás lento, embriagándome de ella.

La apreté contra mí, dejándome envolver por el contacto y su cercanía.

—¿Eso qué significa? —susurré contra sus labios cuando nos separamos buscando aire, sus pulgares acariciando mis mejillas.

—¿Tú qué crees?

Presioné mis dedos en su cintura para pegarla más a mí.

—Quiero una respuesta categórica.

Suspiró en silencio, sus ojos cerrados y su aliento haciéndome cosquillas en los labios, como una invitación para tomar su boca de nuevo.

—Sí.

—¿Sí qué? —insistí. Quería escucharlo con todas sus letras.

—Sí quiero casarme contigo. Otra vez.

Esbocé el amago de una sonrisa, lo suficiente para que pudiera sentir la curva de mi boca mientras la tomaba de nuevo, mi mano dejando el lugar en su cintura para ascender hasta su cuello e inclinar su cara en un mejor ángulo mientras la besaba con cariño.

—Eso era justo lo que quería escuchar —musité antes de separarme.

Con cuidado, deslicé el anillo en su dedo, el zafiro reflejando destellos con la luz que se filtraba por las ventanas y reemplazando el de Collin. Gracias al cielo. Una sensación de plenitud me infló el pecho.

— Ese es el lugar donde debe estar —dije orgulloso—. ¿Te he dicho que me encantan tus dedos?

Leah frunció el ceño, desconcertada.

—No, no lo habías hecho.

Besé sus nudillos sin apartar mis ojos de los suyos.

—Y se ven divinos cuando están envueltos alrededor de mi polla.

—¡Alex! —me reprendió y me dio un empujón en el pecho. Solté una carcajada al notar sus mejillas rojas—. ¿Alguna vez tendrás un poco de pudor?

—Mientras te provoquen esas reacciones, lo dudo mucho, princesa.

Me dedicó una de sus emblemáticas miradas matadoras, pero lo tomé como algo bueno. Podía fingir que estaba enojada conmigo lo que quisiera, pero sabía una cosa: siempre volveríamos con el otro.

47
VEGAS, ARPÍA
Alexander

—No lo puedo creer. —Mamá me miró con los ojos anegados en lágrimas—. Vas a casarte.

—Sí —me acomodé el saco del traje frac—, es la razón de que estén todos aquí, en mi boda.

Mamá me ayudó a ajustar mejor la prenda. Podía notar su lucha por no llorar, pero la estaba perdiendo.

—Estoy tan orgullosa de ti —dijo y me abrazó con fuerza, su complicado moño rozándome la mejilla e impidiéndome asentar la cabeza en su hombro—. Creciste tan rápido. —Me dio un apretón con cariño, como si no quisiera dejarme ir.

—Mamá, no te pongas sentimental, no va contigo. —Nos separamos y le acaricié la mejilla con afecto.

—Ya lo sé, pero no puedo evitarlo. —Rio para sí misma—. Todavía no puedo creer que, de todas las chicas posibles, hayas elegido a la hija de Leo.

—La amo.

—Ya lo sé, y estoy feliz por ti, estoy feliz de que lo hagas. —Esbozó una pequeña sonrisa, sus ojos cada vez con más lágrimas—. Me costó un poco de trabajo comprenderlo, pero créeme, lo único que quiero es tu felicidad.

—¿Qué dijimos de los sentimentalismos? —la reñí. No quería un discurso que me hiciera llorar a unos minutos de mi boda.

—Lo siento es que... —Se limpió una rebelde lágrima con el dorso de la mano—. Eres lo más importante que tengo, Alex; nunca he amado nada de la forma en que te amo a ti. He hecho muchas cosas malas en mi vida, tantas que pensé que jamás tendría algo tan bueno como tú.

—Mamá... —Intenté detenerla cuando vislumbré el rumbo de la conversación.

—Sabes lo complicada que es mi relación con tu padre. —Sorbió por la nariz—. Lo quise en su tiempo, sí, pero las cosas salieron mal entre nosotros mucho antes de empezar, y cuando supe que estaba esperándote, tenía tanto miedo. —Su rostro se desencajó por la angustia y resistí el impulso de abrazarla—. No sabía cómo criar a un niño y no quería hacerlo sola, con

un padre que apenas me dirigía la palabra. Estaba tan asustada que estuve a punto de terminarlo.

Intenté ocultar la punzada de dolor que casi se colaba por mi cara. ¿Por qué estaba diciéndome todas esas cosas?

—De acuerdo, no tenía idea, pero...

—Pero me alegro de no haberlo hecho. —Sonrió con tristeza, con más lágrimas deslizándose por sus mejillas a medida que hablaba—. Eras un niño divino, tenías los ojos más hermosos que vi jamás, unas mejillas regordetas y unas manos tan pequeñas pero tan curiosas. —Rio con añoranza—. Querías saberlo todo, preguntabas por cada cosa que mirabas y todo a tu alrededor te fascinaba, y yo me embelesaba con tu fascinación. Eras lo más extraordinario en mi vida, cariño, tanto que sabía lo mucho que debía cuidarte para que nadie te hiciera daño. No quería que cometieras mis errores, ni que experimentaras la misma infelicidad que yo.

—Mamá, en serio, no tienes que hacer esto ahora, ¿de acuerdo? —Quería que se detuviera porque sentía un nudo en mi garganta, pero ella siguió.

—Lo siento, Alex. Estaba tan empeñada en mi tarea de cuidarte, que terminé haciéndote daño yo misma. —Sollozó—. Sentía tanto rencor hacia Leo por todo lo que había sucedido entre nosotros, que cuando él amenazó con robarte de mi lado usando a su hija, simplemente no supe qué hacer para conservarte. Eras lo único bueno que tenía y no quería perderte, pero terminé haciéndolo igual.

Fruncí el ceño sin comprender.

—¿De qué hablas?

Inspiró, como si se armara de valor.

—Yo ayudé a Abraham a presionarlos para divorciarse. —La declaración se sintió como una patada en el estómago—. Lo siento, pero creo que debías saberlo. Le vendí acciones de nuestra empresa a cambio de que continuara con la demanda en contra de Leo. Solo con él presionando a su hija sabía que se separarían. No podía presionarte a ti, solo serviría para que te aferraras más a ella, y lo siento, Alex, lo siento mucho.

La helada impresión que se asentó en mi estómago se apagó con la llamarada de la ira, pero no duró mucho. Me habría encantado encontrar la voluntad suficiente para continuar furioso con ella, pero esto había sucedido hacía mucho tiempo y ambos habíamos pagado por nuestros errores.

La entendía de cierta manera: sus miedos, sus razonamientos y sus motivos. Pero, sobre todo, la entendía porque era mi madre. No elegías a tu familia, pero sí podías elegir cómo sentirte hacia ella. No me gustaba el rencor. No quería vivir con algo tan corrosivo en mi interior, ni mucho menos plantarlo en un día tan especial como aquel.

—Lo entiendo. Ya te lo dije, no celebro lo que hiciste, y me habría gustado que actuaras distinto conmigo, con Leah, con Allison. —Sus ojos centellaron ante la mención de este último nombre—. Pero no podemos regresar el tiempo. Leah y yo íbamos a separarnos de todas formas, porque ella ya había tomado su decisión sin necesidad de que tú la presionaras.

—Pero...

—Sí, influiste de cierta manera, pero dejarme fue su decisión. Además, ¿qué carajos importa? ¿Te das cuenta dónde estás? Me casaré con ella hoy. —Esbocé una sonrisa—. Está bien, mamá, no te guardo rencor por lo que hiciste, porque no soy quien tiene que perdonarte, eres tú.

Sus ojos volvieron a llenarse de lágrimas y en esta ocasión sí que la abracé, intentando contener el temblor de sus hombros provocado por el llanto.

—Está bien. —La apreté más contra mí—. Eres increíble, ¿sabes? Estoy feliz de ser tu hijo. —Me incliné para besar su coronilla y ella sollozó de nuevo, llorando con mayor ahínco, hasta que logró tranquilizarse luego de algunos minutos.

Se separó luego de calmarse, envuelta en esa pesada capa de suficiencia y quitándose los restos del llanto.

—Dame un minuto, no puedo aparecer así. —Alisó su elegante vestido de un sobrio color tinto y retocó su maquillaje—. ¿Estás listo?

La contemplé en silencio, con la respuesta en la punta de mi lengua.

—Lo estoy. Lo he estado desde siempre.

Sonrió y le ofrecí mi brazo para salir al altar.

El matrimonio era un concepto extraño para mí, desagradable incluso, pero todo cambió con la aparición de Leah, de esa arpía demandante, neurótica, preciosa y determinada. Estaba listo, pero solo porque ella sería mi esposa.

La capilla estaba repleta. Cada silla estaba ocupada y la decoración era extraordinaria. Me sorprendía lo que era capaz de hacer mi novia —pronto esposa— en tan solo una semana.

Miré a Ethan junto a mí en el altar y me hizo una seña con el pulgar para transmitirme aliento, o valor, o solo porque sí, pero no necesitaba armarme de valentía. Yo estaba seguro de cuál era el lugar al que pertenecía: con Leah.

La música nupcial llenó la estancia entonces, reverberando en el alto espacio y aumentando los nervios que me invadían. Mi corazón latió fuerte y férreo contra mi pecho, y miré hacia la puerta.

Nunca comprendí de dónde provenía el llanto en las bodas. No entendía por qué algunas personas lloraban en un día que se suponía debía ser el momento más feliz de su vida. Para mí no era lógico, al menos hasta que las puertas se abrieron y revelaron aquello que me mantenía en vilo, lleno de anticipación, y, al contemplarla, la sensación de felicidad fue abrumadora.

Leah caminó del brazo de su padre con lentitud, como un ser etéreo flotando por el sendero de tela clara, avanzando en mi dirección para reunirse conmigo, para entregarse sin límites, ni condiciones, ni miedos.

Me limpié una lágrima con el dorso de la mano. Fue un sentimiento espontáneo, una sensación tan abrasadora de emoción que arrasó con todo a su paso para dejar solo esa fascinación y veneración que despertaba en mí.

Ella era preciosa en la simpleza de ser, pero contemplarla envuelta en un vestido de blanco, lista para ser mía en todas sus formas y matices, lo elevaba a un nivel completamente diferente. Sentía que mis pupilas no eran suficientes para apreciarla, ni para grabar a fuego esta memoria, esperando que no se deteriorase con los años, porque era divina.

Sonrió cuando llegó hasta mí, sus ojos de un azul grisáceo en ese momento, idénticos a los de su padre, que la soltó para darle un beso en la sien.

—Te amo, cariño —le susurró antes de centrarse en mí y endurecer un poco sus facciones—. Cuida de ella, por favor.

Asentí embobado y tomé su mano para ayudarla a subir conmigo al altar. Este era nuestro momento, solo de nosotros dos.

La ceremonia dio inicio con el sacerdote recitando su típica letanía de siempre. El tiempo transcurrió bajo la mirada de todos los demás y mis nervios crecieron a medida que el evento avanzó. Parecía estar al borde de un precipicio, a punto de lanzarme por él y esperando que la cuerda que me sostenía fuese suficientemente resistente para no dejarme caer.

Entonces, cuando sentí los nervios en su punto más álgido, percibí los dedos de Leah enredándose con los míos, dándome un apretón para reconfortarme. ¿Cómo sabía que lo necesitaba? No tenía idea, pero me alegraba que fuese ella mi compañera de vida.

El evento siguió su curso. Ambos dimos el sí, intercambiamos anillos y, cuando menos pensé, el momento de decir nuestros votos llegó. Los nervios volvieron a asaltarme y creí que me comerían vivo, pero solo bastó ver la ilusión en los ojos de mi esposa para darme cuenta de que no había nada que temer.

—Caballero, por favor, sus votos —pidió el sacerdote y me aclaré la garganta, tratando de llenarme de valor. Solía ser bueno con las palabras, pero no mucho cuando involucraban sentimientos. Aún así, sostuve la mirada de mi esposa y me entregué a este momento.

—Espero que no consideres esto un error cuando despiertes mañana —comencé y soltó una risita junto al resto de los asistentes—. Pensé mucho en qué decirte, en todas las promesas que podía hacerte. Porque sí, podría prometerte las estrellas, pero ni siquiera todas las que hay en el universo serían suficientes, o decirte que te entregaré el mundo para que hagas con él lo que quieras, pero de nuevo, eso tampoco sería suficiente, nunca serían suficientes para alguien como tú, o para expresar una fracción de lo que yo siento por ti.

Leah rio, pero sus ojos estaban llorosos. El nudo en mi garganta provocado por la emoción me estaba ganando, pero luché contra él.

—Nada me parece suficiente para ti, así que solo me queda prometerte cosas que sé que te daré: Prometo entregarme a ti, sin reservas ni contemplaciones, para que tomes de mí lo que necesites. Prometo apostar siempre a nosotros y recordar que te amo cuando nos saquemos de quicio.

Soltó otra risa y una lágrima corrió por su mejilla.

—Prometo adorarte y dedicarte cada momento de mi vida para recuperar los años que perdimos. Prometo envejecer contigo.

Tomé su palma.

—Aquí. —Señalé el centro—. Aquí es donde tú tienes mi corazón, Leah, y estoy feliz de que seas tú quien lo tenga. Tú me tendrás siempre, incluso cuando no sepa qué hacer conmigo mismo, me tendrás.

—¿Siempre? —musitó entre lágrimas y el pulso de mi corazón aumentó.

—Siempre, hasta que el mundo se acabe, incluso cuando nuestro para siempre se haga pedazos y tenga que despedirme de ti para morir, le robaría un minuto más a la muerte para pasarlo contigo. Eres mi hogar y mi más grande acierto.

Nuevas lágrimas rodaron por su cara y me abrazó. Agradecí el contacto y me dejé envolver por él, por todo lo que ella era para mí, y ahora finalmente era mía.

—Señorita, ¿está lista para decir sus votos? —la instó el sacerdote.

Edith se acercó y le entregó un pañuelo junto a un sobre. Limpió sus lágrimas y abrió la carta con manos temblorosas. Claro que había hecho un escrito, y estaba seguro de que también había hecho varios borradores sobre esto. Reí ante el pensamiento.

—Cuando era niña, pensaba mucho en cómo sería el día de mi boda y con quién me casaría. En mi mundo de fantasía, creí que me casaría con un príncipe que vendría por mí en su blanco corcel y me llevaría a un castillo, pero no. —Enarqué ambas cejas ante la confesión—. En cambio, me casé con el hombre más exasperante, desafiante, inteligente y encantador de esta tierra.

Tomó aire y se limpió otra lágrima.

—Derrumbaste todo mi esquema y destruiste mi mundo perfecto para volverlo algo maravilloso. Prometo estar contigo durante los días buenos y las noches difíciles. Prometo estar contigo en cada momento, creciendo junto a ti. Prometo ser tu siempre fiel esposa. Y aquí está la firma. —Me mostró la hoja, firmada con las iniciales, y me eché a reír.

Hubo una serie de aplausos en la capilla y acuné su rostro entre mis manos, feliz.

No podía pedir a nadie mejor para pasar el resto de mi vida y lo comprobé una vez más cuando posé mis labios sobre los suyos y todo lo demás desapareció ante mí; solo podía verla a ella, sentirla a ella, amarla a ella, porque Leah era mi mundo…, ella era mi todo.

Leah se removió en la cama, frunciendo el ceño en su sueño, y la contemplé con fascinación.

Era increíble la facilidad que poseía para cautivarme, incluso haciendo las cosas más simples como reír, gesticular, balbucear, recuperar el aliento después de hacer el amor, emitir el más sencillo de los sonidos o hacer una mueca graciosa. El amor tenía muchas facetas, pero la que compartía con Leah era mi favorita.

Abrió un ojo entonces y sonreí cuando volvió a cerrarlo con decisión. Pensé que dormiría más tiempo, pero no. Se removió en la cama hasta que me contempló dentro de su letargo, aún descansando sobre su estómago.

—Buenos días —murmuró con voz ronca.

—Buenas tardes —la corregí, porque ya eran cerca de las doce y treinta.

Mi esposa puso los ojos en blanco.

—Como sea. Me duele el cuerpo, ¿qué me hiciste anoche?

La miré desde mi posición, mi codo apoyado en la cama y mi cabeza descansando sobre mi mano.

—¿No lo recuerdas? Sería una lástima que no recordaras nuestra noche de bodas, por segunda vez.

—Sí lo recuerdo y sé que te tomaste muy en serio eso de sacarme del vestido. Lo rompiste.

—No tenía la paciencia para deshacer tantos botones.

—A tu madre no le gustará saber lo que hiciste.

Reí.

—Me perdonará.

—Me he casado con un neandertal —bromeó.

—Pero soy uno muy atractivo.

—Tengo mis dudas.

Bufé.

—¿Ese es tu mejor ataque? Estás perdiendo el toque, McCartney.

Endureció el rostro, fulminándome con su letal mirada.

—Soy la señora Colbourn ahora. —Me enseñó el anillo en su dedo—. ¿No me digas que olvidaste que nos hemos casado?

—Créeme, no creo que pudiera olvidarlo. —Sus facciones se suavizaron y esbocé una sonrisa maliciosa—. No tengo tanta suerte.

—¡Alex! —me riñó, lanzándome débilmente la almohada más cercana—. Eres tan idiota algunas veces.

—Pero te encanto por ello, ¿no es cierto? —La miré con petulancia y noté sus orejas tomando color.

—No sé de qué hablas —dijo haciéndose la desentendida—. Por cierto, ¿ya has elegido un lugar para la luna de miel?

Fijé mi vista en ella, serio.

—¿Importa a dónde vayamos?

Negó, con su cabeza aún sobre la almohada.

—No, mientras sea contigo.

Me acerqué para besar su coronilla en un arrebato de afecto.

No tenía un destino en mente para nosotros, quizás porque nunca tendríamos solo uno, y eso era perfecto.

Estiré el brazo para tomar su mano. Entrelacé sus dedos con los míos y contemplé el anillo de compromiso que aún llevaba en su anular, como una muestra de dónde pertenecía su corazón.

Sonrió y se recostó junto a mí, y el aroma a lis de su cabello llenó mis pulmones, impregnándome de su familiaridad. Aquí era donde pertenecía mi corazón, donde sea que Leah estuviera, pues era ella quien lo llevaba consigo. Ella era mi hogar.

EPÍLOGO

Leah

Llovía otra vez. Las gotas repiqueteaban en las ventanas y los relámpagos iluminaban el cielo. Cerré mi laptop y apoyé mi espalda en el sillón de mi estudio. El olor a tierra mojada me asaltó e inspiré, disfrutando de uno de mis aromas favoritos. Luego de un año viviendo en Londres, me había acostumbrado al clima lluvioso y nublado.

Había regresado hacía pocos días de un congreso en Portugal para fungir como una de las procuradoras de la mayor organización para la defensa de los derechos humanos y todavía tenía mucho que hacer. Aún administraba algunas cosas de la empresa de papá, aunque la mayoría estaba a cargo de Erick. Era complicado mantener una fundación altruista, un trabajo administrativo y un esposo tan demandante como Alexander, pero podía manejarlo.

Era una vida de locos, y tenía que hacer malabares con el montón de cosas por hacer para no perder el control. Pero ahora, descansando en el sillón, en casa, parecía no existir ninguna responsabilidad. Cerré los ojos y me relajé.

—Señora Colbourn. —Di un respingo ante la voz femenina que me llamó y giré la cabeza para encontrar a una de las chicas de servicio de pie junto a mí—. Su esposo está aquí.

Me acomodé recta en el sillón, sorprendida.

—¿Está aquí? ¿Por qué no vino a verme? —Traté de no sonar ofendida, pero fallé.

La chica hizo una mueca de incomodidad y se encogió de hombros.

—Me pidió que le entregara esto. —Me ofreció un papel doblado y le agradecí con una sonrisa, antes de que se girara y regresara a terminar sus deberes.

Desdoblé la nota para encontrar impresa la prolija caligrafía de Alexander.

Pensé que estarias esperando por mi en la puerta, lista para recibirme con un beso luego de extrañarme tanto, pero parece que no soy digno de ser recibido por su majestad. Yo si te extrané, muchisimo. Ven al estudio principal, tengo que mostrarte algo.

Atentamente, Tu Siempre Fiel Esposo ♥

Mi indignación se disipó y solté una risa por la tonta nota. No podía creer que siguiera haciendo estas cosas. Me puse en pie y salí de la habitación para encontrarlo.

Tampoco podía creer que después de un año de casados, hiciera latir a mi corazón de esa forma extraña solo con la expectativa de verlo. Recorrí el largo pasillo, bajé las escaleras y caminé por el enorme vestíbulo. Era un maratón ir de un lugar a otro en la mansión de los Colbourn. No sabía por qué había accedido a vivir aquí cuando el abuelo de Alex lo propuso bajo la excusa de que «él era viejo y estaría bien en una casa pequeña, pero nosotros necesitábamos de un lugar amplio para criar a nuestros hijos». Estaba emocionado con la idea de tener nietos y, a decir verdad, yo también. Alexander no presionaba sobre el tema, jamás lo hacía, a pesar de que necesitábamos herederos para continuar con el manejo de las empresas.

La idea de ser madre no me interesó por mucho tiempo, pero ahora, sentía que era el momento.

Giré en la esquina para llegar al estudio principal de la mansión. Abrí la puerta con mis latidos al tope y Alex levantó la cabeza de lo que sea que estuviese viendo debajo del escritorio apenas entré, su respiración errática y su cara roja. Esbocé una sonrisa. Siempre me aturdía contemplarlo tan de cerca cuando habíamos pasado algunos días separados, como si mis sentidos lo detallaran por primera vez: reparaba siempre en su fibrosa construcción, su estatura, su mirada intensa y su porte, que parecía llevarse el mundo por delante.

Me embelesaba sin remedio, incluso después de tanto tiempo.

—Hay una rata —fue lo primero que me dijo luego de catorce días de separación.

De nuevo, podría estar casada con él cien años y, aun así, nunca me acostumbraría a sus inesperados comentarios.

Solté una carcajada por su cara de susto.

—¿Puedes vivir en la jungla, pero le temes a una rata? —me burlé—. No lo puedo creer.

—En la jungla no hay ratas —siseó, bajando su arma infalible contra los roedores. Dejó el libro sobre el escritorio, que crujió bajo el peso, y se rascó la mejilla, con un rastro de barba clara.

—Déjala ser.

—No voy a tener ratas en nuestra casa, Leah. Puedes defender los derechos del mundo entero si quieres, pero las ratas están fuera de los límites.

Me encogí de hombros con indiferencia.

—Te estás peleando con una rata, y parece que te está ganando —me burlé.

—Mmmm... —musitó escéptico—. Creo que a la rata le gusta esta habitación porque es demasiado vieja. —Estrelló su puño un par de veces contra la madera, que estuvo a punto de ceder—. Tengo que remodelarla, empezando por el escritorio.

—No parece tan viejo —dije al tiempo que él acortaba la distancia que nos separaba. Enredó sus manos en mi cintura y su aroma exquisito inundó mis pulmones.

—Crujía demasiado la última vez que lo usamos, creo que es bastante viejo —contestó sugerente y sentí la cara arder al recordar la última vez que tuvimos sexo allí.

—Podrías arreglarlo —sugerí.

—Estaba pensando en comprar uno nuevo y ver ese pudrirse. —Me estrechó contra sí, acomodó su cabeza en mi hombro, e inspiré, dejándome envolver por su cercanía.

Lo había extrañado demasiado.

—Tiene potencial —repliqué—. No tienes que botarlo.

—Tú ves potencial en todo. —Sus labios acariciaron mi cuello y su barba incipiente me hizo cosquillas—. Tomará mucho tiempo repararlo. —Mis vellos se erizaron cuando ascendió hacia mi mentón.

—Dudo que tome tanto —dije con voz afectada.

—Podría pintarlo. —Besó la comisura de mi boca, mi mejilla y acarició el arco de mi oreja con su nariz—. Pero nada de amarillo —susurró y escuché mis latidos en mis oídos, enloquecidos por su contacto.

Sonreí, acariciando los mechones de su nuca con mis dedos.

—¿Y si lo quiero amarillo? ¿No lo pintarías de ese color por mí? —lo molesté.

Sus labios besaron mi barbilla antes de erguirse para contemplarme, sus ojos sin un rastro de azul, desbordando deseo.

—No me gusta el amarillo —atajó.

—A mí sí. Lo quiero amarillo.

Bufó y acarició mi nariz con la suya, embriagándome con su proximidad. Había extrañado tanto esto.

—Te encanta hacerme ceder a tus deseos, ¿no es así? —dijo bajo y su voz me hizo vibrar—. Bien, amarillo será, arpía.

Sonreí y me alejé cuando se acercó para besarme.

—Ahora lo quiero rojo —bromeé y gruñó bajo.

—Lo pintaré del color que quieras, ahora cállate y bésame, han sido los peores catorce días de mi vida —sentenció antes de besarme con rudeza, como si hubiese sido todo un reto contenerse durante el trayecto de nuestra tonta conversación.

Mi estómago dio un vuelco. Me besaba como si quisiera tomar todo de mí con ese simple contacto. Posó una mano en mi rostro para ajustar el ángulo, de tal forma que pudiera besarme a su antojo.

Toqué su cuello y exploré su boca antes de enredar mi lengua con la suya, y mis manos se movieron ansiosas por familiarizarse con él otra vez, como sucedía siempre que pasábamos un largo tiempo separados. Viajábamos tanto por asuntos de trabajo, que nuestros destinos no siempre coincidían y era inevitable pasar algún tiempo lejos del otro, aunque siempre encontrábamos la manera de mantener el contacto hasta que nos reuníamos de nuevo.

Solíamos pelear mucho, pero también solíamos tener mucho sexo de reconciliación y era lo mejor. La dinámica con alguien que tenía un temperamento tan fuerte como Alexander no era sencilla si la combinabas con alguien tan volátil como yo, pero lo hacíamos funcionar de maravilla, y yo no podía pedir nada más.

—Hola a ti también, sí, yo también estoy bien —dijo primero a modo de broma cuando nos separamos por la falta de aire.

—Hola. —Sonreí, mi pecho moviéndose con pesadez—. ¿Qué tal Aruba?

Se encogió de hombros, acariciando mi cintura con sus pulgares y mirándome con cariño.

—Las fotos fueron toda una experiencia, pero habría sido mucho mejor si hubieras viajado conmigo.

—Tenía trabajo aquí, no podía dejarlo.

—Lo sé. —Sus labios acariciaron la silueta de mi cara, cerca de mi oreja, erizándome el cuerpo—. Pero catorce días es un largo período de abstinencia.

Enarqué una ceja.

—¿Y yo soy la dramática?

Rio también, corto y profundo, y me miró de nuevo.

—Este soy yo intentando ser romántico y lo arruinas.

—Por favor, ríndete, no es lo tuyo. —Sonreí contra sus labios antes de estirarme para besarlo una vez, dos, tres, su boca tomando el control al segundo siguiente. Tomé su cara entre mis manos y me deleité con la forma en que su boca se movía contra la mía.

—Puedes afeitarla después —musitó contra mis labios mientras mis dedos acariciaban su barba. Sonreí.

—¿Qué tal ahora? —pregunté y se separó para mirarme un momento. Sabía que lo estaba considerando.

—De acuerdo. —Me dio un último y fugaz beso—. Pero antes tengo que mostrarte algo.

—¿Qué cosa?

Me soltó, fue tras el escritorio, extrajo algo de un cajón y me tendió la fotografía. Era de nuestra primera boda en Las Vegas, y lucíamos tan felices que parecíamos otras personas. ¿En verdad habíamos disfrutado tanto al cometer esa locura? Seguramente sí. Mi mente no podía recordarlo del todo, pero mi corazón sí, y la forma en que se derritió al contemplarnos me lo confirmó.

—¿Dónde la conseguiste? —pregunté sorprendida.

—Hace algunos años recordé el nombre de la capilla en la que nos casamos y también recordé que un hombre nos sacó una fotografía. No fue difícil encontrarlo, el tipo trabajaba todavía en el lugar cuando fui y, para mi buena suerte, aún la tenía en su computadora.

Nos contemplé de nuevo y sonreí. Aquella vez en el club, bailando, Alexander dijo que me daría la mejor noche de mi vida, y no mintió.

—¿Desde cuándo tienes esto?

—Cuatro años, más o menos. Viajé desde Suiza a Las Vegas solo para esto.

Mi interior se fundió.

—¿Por una vieja fotografía?

Me miró con los ojos llenos de cariño y devoción.

—Una en la que somos felices. Era lo único a lo que podía aferrarme.

Lo contemplé un instante antes de estirarme y besarlo, conmovida por todo lo que habíamos atravesado para llegar hasta este momento, uno en el que finalmente éramos felices a pesar de todo.

—Deberíamos enmarcarla —sugerí. Alex besó mi sien.

—Por supuesto. —Me la quitó de las manos y la puso sobre el escritorio antes de centrarse en mí—. Ahora ven, quiero ducharme contigo. Apesto a selva y playa. Puedes contarme cómo te fue en Portugal mientras me lavas el cabello.

Enredó sus dedos con los míos y caminamos juntos por el vestíbulo hasta subir las escaleras. No dejé de reír.

—¿Por qué mientras te lavo el cabello?

—Porque me gusta la manera en que lo acaricias con tus dedos.

Mi corazón se estremeció por el comentario y lo seguí por el pasillo que llevaba hasta nuestra habitación. Una vez en el baño, cerró la puerta, abrió la llave de la tina y se detuvo a un palmo de distancia de mí. Tomó los extremos de mi blusa.

—¿Puedo? —preguntó con suavidad y asentí. Me retiró la prenda con cuidado y siguió con el sostén sin dilación. Mi pantalón y mis bragas fueron los siguientes en salir y caer en algún lugar de la estancia.

Me giré para entrar a la tina, pero sus brazos alrededor de mi cintura lo impidieron. Sentía que me envolvía, que era demasiado grande en comparación conmigo, y agradecí su cercanía. Acarició mi espalda, siguiendo la forma de las cicatrices que la adornaban. Mi corazón se compungió. Lo hacía siempre que las veía, como si quisiera tener la capacidad de borrarlas.

Sabía que yo no podía borrar lo que representaban, pero luchaba por olvidar los horribles recuerdos que eran inherentes a ellas.

—He pensado en retirarlas —confesé.

Alex delineó la forma de una cicatriz con los labios.

—Te ves hermosa con ellas.

—Mi espalda se vería mejor sin ellas —acoté con la voz cargada de emoción.

Mi esposo me estrechó contra sí y apoyó su cabeza en mi hombro.

—Todos tenemos cicatrices, Leah. ¿Por qué retirar la muestra de tu valor?

—Son feas. Tus socios me miran extraño en fiestas, susurran cuando ven mi espalda. Trato de que no me importe, pero no lo consigo —dije con amargura.

—Que se jodan —espetó, estrechándome más contra él—. Me casé con una mujer, no con una muñeca. Te quiero humana, no perfecta. —Besó mi hombro—. Y eso es lo que eres, una humana, una conquistadora.

Su comentario me hizo reír, pero también me sentí mejor.

—Lo haces sonar como si fuera una heroína.

—Lo eres, a tu manera. —Besó mi mejilla—. Ahora entra.

Lo obedecí y me senté en la tina apoyando mi espalda en la porcelana y lo admiré en silencio mientras se desvestía. Conocía cada línea, músculo y parte de su cuerpo, y, aun así, me robaba el aliento cada vez que lo contemplaba desnudo. Quizá era un efecto que nunca pasaría sin importar los años.

Alex entró en la tina también y le hice espacio entre mis piernas para que apoyara su espalda en mi pecho. Suspiró aliviado apenas posó su cabeza en mi hombro.

—Extrañaba esto. Te extrañaba a ti. —Acarició mi pierna bajo el agua y besé su sien.

Estiré el brazo para tomar su *shampoo* y se acomodó para que pudiera lavarle el cabello.

—Yo también —dije sin dejar de acariciar su cabeza con mis dedos—. Creo que perdí la condición en estos catorce días —mencioné de pronto con un deje casual.

—¿Cuál condición?

—La que necesito para seguirte el ritmo en el sexo —solté y una risa brotó de su garganta.

Emitió un sonido de satisfacción cuando comencé a enjuagar sus hebras. Lucía completamente relajado así, y me esforcé por memorizar esa expresión, esta intimidad que nacía entre nosotros, poderosa y magnética.

—¿En tan solo catorce días? Parece improbable.

—¿Quieres comprobarlo? —lo provoqué.

—No, pero creo que necesitas recuperarla. —Volvió a acariciar mi pierna con deje distraído—. Debes entrenar al menos dos veces al día, y para tu buena suerte, estoy disponible. Me ofrezco como voluntario para ayudarte a practicar.

—Qué conveniente para ti, Colbourn —contesté sin dejar de acariciar su cabello con cariño.

—Soy un hombre de oportunidades, señora Colbourn.

Seguimos hablando de banalidades después de eso. Le conté sobre mi viaje a Portugal y él me puso al tanto de su viaje a Aruba, el sentimiento de plenitud llenándome mientras hablábamos de estupideces y reíamos felices.

Me ayudó a salir de la tina y vestirme con la bata de baño. Sequé mi cabello mientras Alex enredaba una toalla en su cintura. Volvimos a nuestra habitación y, mientras doblaba la toalla que usé para secarme, consideré decirle lo que me había dado vueltas en la cabeza las últimas semanas. No era la primera vez que pensaba en tener hijos, pero no sabía cómo reaccionaría. ¿Se sorprendería? ¿Se reiría? ¿Se negaría? La incertidumbre me llenó y no supe qué hacer.

—¿Estás bien? —Su tacto en mi mejilla me sacó de mis cavilaciones. Estaba tan inmersa en mis pensamientos que ni siquiera me di cuenta cuándo llegó hasta mí.

—Sí.

—Díselo a tu cara, parece que quisieras llorar. —Pasó su pulgar por mi frente, como si quisiera alisar las arrugas de esa parte y relajé el rostro—. ¿Qué pasa?

Lo miré vacilante, pero decidí hablar con la verdad. Alex me hacía sentir segura en todos los aspectos, sabía que no me juzgaría o trataría mal si no estaba de acuerdo con algo.

—He estado pensando —comencé y me armé de valor cuando me observó expectante—: estoy lista para tener hijos.

—¿Qué? —dijo genuinamente sorprendido.

—Sí. —Fijé la vista en mis pies, sintiéndome expuesta—. Quiero decir que estoy lista ahora.

Cuando levanté la cabeza de nuevo, los ojos de mi esposo eran una mezcla viva de emociones.

—Leah, no estás obligada a darme hijos y no quiero que sientas que es tu obligación tenerlos solo para seguir con la estirpe familiar, o para hacerme feliz. Soy feliz contigo, con lo que tenemos.

—Lo sé —afirmé, y agradecí el toque de sus manos en las mías—. Sí quiero tener hijos, es decir…, quiero tenerlos si es contigo.

Un destello de felicidad atravesó sus ojos fugazmente.

—¿Ya no tienes miedo?

—Sí, sí tengo, pero me tranquiliza saber que haré esto contigo, que estarás conmigo. —Sonreí para aligerar la cargada atmósfera—. Además, me muero por ver cómo te las ingenias para preparar biberones y cambiar pañales.

Enarcó ambas cejas.

—¿Crees que no puedo manejarlo? —preguntó indignado sin perder el buen humor.

—Creo que será un espectáculo contemplarte en el papel de padre. —Reí.

—Eres una arpía —me molestó y me abrazó de la cintura—. Apenas puedo contigo, ¿qué haré con una versión más pequeña de ti?

—Amarnos. Será una mini arpía. —Enredé mis brazos en su cuello.

—Me volverán loco.

Reí y lo besé, el alivio y la felicidad invadiéndome, llenándome.

—Tal vez sea un pequeño imprudente, una mini versión de ti.

—Por Dios, no sé qué es peor.

Solté una carcajada y disfruté del momento.

—Y bien, ¿qué opinas? —pregunté—. No respondiste.

—Opino que empecemos a intentarlo desde hoy —dijo serio y tocó el moño que amarraba mi bata.

—No funcionará, estoy con los anticonceptivos.

—¿Y? La mejor parte de los bebés es el proceso de hacerlos. —Besó la comisura de mi boca—. Tendremos suerte si concibes, y si no, también. —Acarició mi mejilla con su nariz y el toque me hizo vibrar.

Bien, al demonio con esperar. Lo necesitaba ahora, lo había extrañado como loca.

—De acuerdo, tú ganas. Empecemos desde hoy. —Sonreí y se acercó para tomar mi boca. No supe por qué mi corazón se comprimió de la manera en que lo hizo mientras nos besábamos, o por qué me sentí abrumada con la intensidad de mis sentimientos hacia Alex: la fuerza con que amaba aquello que teníamos, con que lo amaba a él.

Quizás porque nuestra relación nunca fue convencional y nunca lo sería. Nosotros estábamos construidos a base de errores, malas decisiones y muchos momentos como aquel: íntimos.

Nunca fuimos una pareja convencional, nunca fuimos lo que era correcto; pero eso no significaba que no fuésemos perfectos para el otro. Podía existir mucha distancia entre nosotros, mucho tiempo muerto en el que no estábamos juntos, muchas cosas que aún no conocíamos del otro, pero eso poco nos importaba, porque éramos mucho más que eso.

Eran los pequeños detalles lo que nos hacía algo único, inquebrantable. Era mi esposo enviándome mensajes incitantes en el peor momento posible; era él enviándome notas como si estuviéramos en la universidad; era Alex quitándose su saco para protegerme del frío todo el tiempo y dándome la mano para que no me rompiese el pie con mis tacones. Era yo defendiéndolo frente a los demás, era yo molestándolo; era yo lavando su cabello, contentándolo. Éramos nosotros bromeando por cualquier cosa, discutiendo como adolescentes y follando como posesos.

Éramos como una fotografía que nadie podía contemplar, que era comprensible solo para nosotros, que era solo para nuestros ojos.

Mientras Alex me hacía sentir como si fuera la primera vez que me besaba, aunque se tratara de la enésima, caí en cuenta de que los errores, en algunas ocasiones, solo algunas, tenían sabor a acierto.

Y sin importar los tropiezos y las cicatrices que adornaban nuestras almas y mi cuerpo, había valido la pena cada momento vivido, porque estábamos juntos, y juntos era perfecto.

FIN

Extra
ENTONCES FUIMOS TRES
Leah

—¡¿Dónde estás?! —pregunté alterada, a punto de sufrir un ataque.

—Cálmate, loca —acotó Damen con una risa seca al otro lado del móvil—. Estoy llegando.

—¡Pues llega más rápido! —insistí al borde del infarto. Erick negó desde el sofá de mi casa.

—¿Cómo que llegue más rápido? ¿Quieres que me tire por la puta ventana del auto para llegar más rápido o qué mierda? —espetó mi hermano menor.

Me mordí la uña del pulgar.

—Damen, esto es importante.

—¡No me presiones! ¡Ya voy, neurótica!

Y dicho eso, cortó la llamada.

—¿Por qué Damen siempre está de malhumor? —me quejé, pasándome las manos por el cabello.

Erick se quitó el saco de su traje para colocarlo sobre el respaldo del sofá y rio, sus ojos esmeralda con ese brillo afable de siempre. Tenía meses sin verlo y ahora que ambos chicos estaban aquí luego de una llamada de emergencia dos días atrás, estaba muy feliz, aunque había algo que me preocupaba, y mucho.

—¿Ya me dirás para qué nos llamaste con tanta urgencia? Claire estaba asustada y eso no es bueno en su embarazo. Pronto dará a luz —dijo mi hermano refiriéndose a su segundo heredero. Un escalofrío me recorrió al escuchar esa palabra.

«Yo también estoy asustada», quise decirle, pero me abstuve. Ya debía saberlo solo con mirarme a la cara. Nunca pude ocultarle nada.

—Te lo diré apenas Damen esté aquí.

Me dedicó su característica mirada sagaz.

—¿Estás bien? —Entornó los ojos—. ¿Todo bien con Alex?

—Sí, sí, las cosas están bien. —Me puse un mechón de cabello tras la oreja, nerviosa.

—Te ves... alterada.

—No, no es eso. Es solo que... —Joder, ¿por qué tenía que ser tan complicado?—. Mi aniversario es en cinco días y...

El sonido del timbre llegó hasta nosotros en ese momento. Gracias a Dios.

Recorrí el largo rellano hasta el recibidor y, una vez que abrí, Damen me dedicó una mirada significativa. Por poco y no reconocí a mi hermano. Me costaba acostumbrarme a lo alto que era, su constitución fibrosa, ancha y fuerte igual a la de papá, con sus facciones afiladas y remarcadas con los años. Sus ojos iguales a los de mamá brillaron divertidos.

—¿Qué? ¿Para eso estabas presionándome? ¿Para tener una muerte cerebral en la puerta? —me molestó.

Reaccioné entonces, asestándole un golpe en el pecho. Lo miré indignada antes de acercarme y abrazarlo. Lo había extrañado.

—Leah, no respiro —se quejó con voz ahogada, pero lo ignoré.

Cuando lo solté, se masajeó el cuello.

—Está bien que quieras matarme por llegar tarde, pero la asfixia es muy baja incluso para ti.

—Cállate, insecto —sonreí, feliz de tenerlo al fin en casa—. Gracias por venir.

—¿Cuál gracias? Me debes tres mil dólares de mi vuelo más una cena.

—¡Usas los *jets* privados de papá para volar!

—¿Y? ¿Crees que vine gratis? —Me miró como si fuera idiota—. ¿Y bien? ¿Para qué he venido hasta acá? No me digas que es para moverte algunas plantas de lugar como la última vez, porque entonces haré que tú vueles mi *jet* de regreso.

—No, no es nada de eso —objeté.

Fuimos hasta la sala principal, donde Erick nos esperaba. Se puso en pie y llegó hasta Damen para abrazarlo brevemente y darle una palmada en la espalda.

—Pero mírate, parece que ya nos acompañarás al asilo también —dijo el mayor.

—Ah no, eso es cosa de ustedes dos, viejos —se defendió Damen con suficiencia—. ¿Dónde está Alex? —preguntó mirando a todos lados.

Traté de ignorar la tensión que se construyó sobre mis hombros apenas mencionó su nombre. Me alegraba que estuviera en la empresa. Había estado evitándolo porque no sabía cómo abordarlo o enfrentarlo, y pensar en cuál sería su reacción cuando hablara con él me generaba ansiedad.

—No está —dije casual.

—Ay no, ¿se van a divorciar otra vez? Porque no trabajé tan duro para que se divorcien por segunda vez —se quejó Damen.

—Tú no hiciste nada —rebatí, mientras él se sentaba en el sofá, con un tobillo sobre su rodilla.

—¿Disculpa? ¿Quién crees que le dio la idea a Alex de secuestrarte el día de tu boda?

Abrí la boca, impresionada.

—¿Fuiste tú?

—Por supuesto. —Sonrió con petulancia.

—Creí que todo había sido obra de Alex —intervino Erick.

—No tiene tan buenas ideas como yo —contestó mi hermano menor y me miró—. ¿Y bien? ¿Qué era tan importante para hacernos volar a otro continente?

Tomé aire y los nervios me asaltaron.

—Tengo que decirles algo.

—¿Qué sucede? —preguntó Erick, consternado.

—Fui al médico hace cuatro días y...

—¡Por Dios! —Damen se puso en pie de un salto, llegó hasta mí en dos zancadas y me miró con verdadera preocupación—. No te vas a morir en seis meses por una enfermedad rara que tendrá tu nombre, ¿verdad?

—No.

Soltó el aire, recuperando color.

—No estaba listo para quedarme sin tus insultos —bromeó.

—¿Qué te dijo el médico? —cuestionó Erick acercándose a nosotros.

—Estoy embarazada —solté sin más. Las palabras se sintieron raras en mi boca, pero no desagradables, aunque se sentía todo más real ahora que lo había exteriorizado.

—Oh por Dios —musitó mi hermano mayor, impresionado.

—Por Dios no, esto no fue obra del Espíritu Santo, fue obra de Alex —apuntó Damen, sonriendo con calidez.

Erick fue el primero en abrazarme.

—Felicidades, hermanita. —Su voz estaba llena de felicidad.

—Qué emoción, tendremos otra arpía u otro imprudente —dijo el menor, antes de sonreír—. No sé cuál me gustaría más.

Reí, mi pecho sintiéndose un poco menos apretado luego de su reacción.

—¿Alex ya lo sabe? ¿Y nuestros padres? —cuestionó Erick.

—Son los primeros en saberlo.

—¿Por qué no se lo has dicho aún? —preguntó sin comprender—. Perderá la cabeza cuando se entere, estoy seguro.

Fruncí los labios, dubitativa.

—No sé si debería decírselo todavía.

Ambos me miraron como si les hubiera dicho que vendería todos mis bolsos de marca.

—¿Estás loca? Es su padre —dijo Damen con ahínco, antes de detenerse un momento—. Porque lo es, ¿cierto?

—¡Claro que lo es! —ladré ofendida.

—Uff, qué alivio. No quería un sobrino feo. —Se puso la mano sobre el pecho y lo golpeé fuerte en el hombro por tonto.

—Tienes que decírselo, lo hará muy feliz. ¿Por qué no deberías? —me alentó Erick y me pasé una mano por el cabello, estresada.

—Porque no hemos hablado mucho sobre el tema. Sí, hablamos de intentarlo hace algunos meses, ¡pero no pensé que sucedería tan rápido! —Mi voz tembló al final, con las ganas de llorar agolpándose en mi garganta—. Pensé que tendríamos un poco más de tiempo para disfrutarnos como pareja antes de tener nuevas responsabilidades y no sé... No sé si está listo para ser papá.

Mis hermanos se dedicaron una corta mirada.

—Leah, lo conocemos igual que tú. Estará encantado con la noticia —dijo Erick.

—Pero ¿y si no? —El temor me encogió el estómago—. ¿Y si decide dejarme porque esto es demasiada responsabilidad para hacerse cargo tan pronto? ¿Y si siente que esto es invasivo? ¿Y si me pide abortar?

—Él jamás haría algo así —lo defendió Damen—. Es un idiota, pero de los buenos.

—Además, sabe que lo dejaríamos sin más descendencia si hiciera algo para lastimarte —lo apoyó mi hermano.

—Sin mencionar que papá le arrancaría la cabeza con sus propias manos —completó el menor.

—Pero no quiero que esté conmigo porque siente la obligación de hacerlo, no es justo para él. Ni para mí o el bebé.

Un bebé. Había un bebé creciendo en mi interior y era una sensación magnífica en la misma medida que aterradora.

—Leah, díselo —insistió Erick—. No saltes a conclusiones. Él te adora, pero no sabrás lo que realmente piensa si no se lo cuentas.

Me mordí la mejilla tan fuerte que sentí el regusto metálico de la sangre. Mis hermanos me miraron en silencio y, luego de pensarlo un momento, les di la razón.

—Está bien, le diré.

—También deberías decirles a nuestros padres. —Los ojos verdes de mi hermano centellaron conciliadores—. Estarán muy felices.

—Sobre todo papá. —Rio Damen.

Sonreí. Quizá tenían razón y el panorama no sería tan desolador como yo pensaba. Solo hablando con mi esposo disiparía mis dudas.

—No sé si odio o me encanta este vestido. —La voz de Alex contra mi oído erizó los vellos de mi nuca, su mano estrujando con fuerza una de mis nalgas sobre la fina tela de la prenda.

—¡Alex! —lo reprendí, porque mi familia y la suya estaban en el salón para celebrar nuestro aniversario. Y para recibir la noticia si las cosas salían bien.

—Creo que me gusta más de lo que me desagrada, es muy práctico —apuntó aún detrás de mí, sus dedos jugando sobre la piel desnuda de mi espalda y rozando puntos que me hacían estremecer.

—¿Práctico? —Giré el rostro para verlo por el rabillo del ojo. Una deliciosa corriente viajó por mi sistema cuando coló su mano con lentitud por la abertura lateral de mi cintura, la punta de sus dedos ascendiendo por mi costado hasta entrar en contacto con la forma de mi seno, tocándolo apenas.

—Podría colar mi mano por aquí sin problema —dijo tocando aún mi pecho con sutileza.

—Te verán.

—Que me vean. Sabrán lo feliz que te hago.

Reí y él alejó su mano entonces para depositar un beso sobre mi sien y colocarse a mi lado.

Le di un leve empujón con mi hombro a modo de reprimenda justo cuando papá se acercaba para charlar.

—¿Interrumpo? —inquirió receloso, sin despegar la vista de mi esposo, que le regresaba la mirada divertido.

—Siempre.

—¡Alex! —Intenté detenerlo, pero al parecer papá ya estaba muy acostumbrado a su humor, porque esbozó una pequeña sonrisa.

—No sé cómo has logrado soportarlo tanto tiempo —me dijo—. Dos años es una eternidad.

—Treinta y cinco años es mucho más tiempo. Allison es una guerrera —replicó Alex y estaba por intervenir cuando caí en cuenta de que en realidad esa era su dinámica: insultarse y molestarse.

—No he tenido quejas de Allison en todos estos años. —La voz de papá estaba llena de orgullo.

—Ni yo de Leah; de hecho, es tan feliz que no creo que dejes de verme jamás —dijo mi esposo.

Papá dio un trago a su whiskey.

—Qué tragedia —espetó, pero había un deje de aprecio en su voz.

Mamá, Claire y Agnes se acercaron en ese momento. Era extraño verlas convivir, y sabía que el término de amistad no estaría nunca sobre la mesa entre mi madre y la de Alex, pero habían alcanzado una especie de relación civilizada que, con ayuda de terceros, podía desarrollarse medianamente normal.

—¿Por qué están tan felices? —pregunté al verlas sonreír.

—Les estaba contando que este pequeño nacerá en un mes más. —Claire tocó su vientre con cariño—. Estamos muy ansiosos por conocerlo.

Una sensación rara me invadió. ¿Yo también luciría así cuando mi embarazo estuviera más avanzado? ¿Lo haría bien? ¿Sería una buena madre?

El abuelo de Alex, que permanecía sentado a la cabecera sobre su silla de ruedas, dio dos golpes sobre el suelo para llamar nuestra atención y guardé mis dudas al fondo de mi mente.

—Ustedes dos se están quedando atrás. —Nos señaló a Alex y a mí con su bastón—. Soy más arrugas y mierda vieja que persona y todavía no conozco a mis nietos.

—Papá, por favor —le advirtió Byron, sentado también en la mesa junto a su novia Charlotte.

—¿Qué? No entiendo por qué no veo niños corriendo por aquí —insistió el hombre.

—Bueno, no es por falta de intento —habló mi esposo, despreocupado—. O empeño.

—Pues no veo los resultados —se quejó el abuelo, mientras Chelsea le susurraba algo al oído que a él le daba igual, a juzgar por su mueca de displicencia.

—Dije que estábamos muy comprometidos con el proceso, no con los resultados —clarificó Alex y papá le lanzó una mirada de muerte, mientras mamá soltaba una risita, al igual que Damen, quien estaba cerca de Byron y Charlotte. Agnes hizo una mueca extraña.

—Te dije que quería que mis nietos conocieran mi cara, no mis jodidas cenizas —intervino de nuevo el abuelo.

—Bien, pero no la presiones, Henry. Tendrán un hijo cuando sea el momento —dijo papá.

—El momento es ahora —lo apoyó Byron—. Necesitamos un nuevo heredero.

—Si tanto te preocupa, tú deberías darle otro —siseó Agnes con una sonrisa siniestra cuando la expresión de su exmarido se ensombreció por la cólera.

—Sabes que no puedo. Me obligaste para que no fuera capaz de hacerlo.

Agnes alzó su copa.

—De nada. Fue la segunda cosa que mejor hiciste, la primera fue Alex.

Byron tensó la mandíbula, enfadado.

—No debí escucharte.

—Claro que sí, o estaríamos protegiendo la empresa de todos tus hijos bastardos.

—¿En qué año vives, Agnes? Ya no se usa ese término tan despectivo —intervino Charlotte, ofendida.

—Por favor, no inicien una discusión aquí, es la fiesta de aniversario de...

—En el mismo que tú, por desgracia —dijo Agnes, interrumpiendo a mi madre.

—¿Por qué no pueden comportarte como la gente civilizada? —La grave voz de papá se alzó sobre las demás, justo antes de que la sala se convirtiera en un pandemónium.

Agnes se había enzarzado en una batalla campal con Byron y Charlotte, mientras que mis padres intentaban hacerlos entrar en razón. El abuelo despotricaba contra nadie en particular y Damen parecía pasarlo en grande junto a Erick y Claire, que miraban asombrados todo el circo.

Miré a mi esposo, que parecía cansado con la discusión y el ambiente tenso, así que inspiré y me armé de valor.

—Acompáñame —susurré cerca y lo tomé de la mano para conducirlo hacia el balcón.

—¿A dónde vamos? Tenemos que evitar que se maten —dijo, pero no dejó de caminar junto a mí.

El corazón me martillaba contra el pecho y la sangre corría por mis oídos, como si estuviera a punto de lanzarme de un precipicio sin paracaídas. Tomé la caja que dejé sobre una mesa cerca de la salida al balcón y la apreté fuerte entre mis dedos mientras Alex abría las puertas para mí.

Salimos y respiré un poco de aire fresco cuando sentí que me mareaba, no sabía si por los nervios o por mi condición.

—¿Qué sucede? —Sentí sus dedos acariciar la forma de mi cara—. Estás pálida.

El ritmo de mi corazón alcanzó un pico y el miedo lo llenó todo.

—Tengo algo para ti —dije tragándome el nudo en la garganta—. Por nuestro aniversario.

Enarcó una ceja y sus ojos brillaron con travesura.

—¿Un regalo? —preguntó y asentí—. ¿Y tiene encaje?

La broma ayudó a aligerar un poco la tensión en mi cuerpo. Le tendí la caja, pequeña, rectangular, simple y con una nota atada con un listón.

—¿Qué es esto? —cuestionó, mirando lo que yacía entre sus manos. Leyó la nota que venía enlazada.

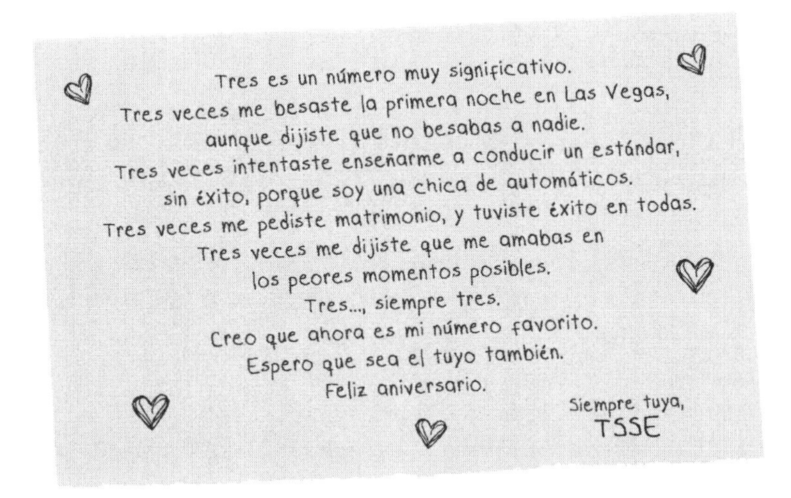
Tres es un número muy significativo.
Tres veces me besaste la primera noche en Las Vegas,
aunque dijiste que no besabas a nadie.
Tres veces intentaste enseñarme a conducir un estándar,
sin éxito, porque soy una chica de automáticos.
Tres veces me pediste matrimonio, y tuviste éxito en todas.
Tres veces me dijiste que me amabas en
los peores momentos posibles.
Tres..., siempre tres.
Creo que ahora es mi número favorito.
Espero que sea el tuyo también.
Feliz aniversario.

Siempre tuya,
TSSE

Sonrió y sus ojos estaban llenos de cariño cuando los fijó en mí.

—¿Qué significa la «S»? —inquirió, curioso—. ¿Mi Siempre Sumisa Esposa?

—Ya lo quisieras —me burlé—. Tu Siempre Sentimental Esposa.

Se acercó para besarme, antes de que pusiera una mano sobre su pecho para detenerlo.

—Abre el regalo, Alex —pedí con los nervios a tope.

—Sé que me encantará cualquier cosa que me hayas dado. Lo abriré después, ahora quiero besar a mi esposa.

Volví a detenerlo cuando sus labios buscaron los míos.

—Ábrelo —insistí, ansiosa.

Gruñó en desacuerdo, pero obedeció; mi corazón latía tan rápido como una locomotora y mi estómago se anudó por la expectación. ¿Reaccionaría mal? ¿Me lo reprocharía? ¿Lo aceptaría? ¿Se iría otra vez?

Lo primero que sacó fue una pequeña camiseta de los Giants, su equipo de fútbol americano favorito y el que tenía más historia entre nosotros. Me pasé la lengua por los labios, esperando por la reacción, y lo primero que dijo fue:

—¿Me compraste un perro?

—¿Qué? —pregunté desconcertada.

—Es ropa para un perro, ¿no?

Abrí la boca a mitad de la impresión y la indignación. No podía creer lo despistado que podía llegar a ser Alex.

—No, no —dije, y me miró más confundido—. Hay algo más en la caja.

Me mordí la mejilla mientras él retiraba el resto de papel para desenvolver el babero con el estampado de cigüeña que había comprado en la tienda departamental. Era soso y feo, pero tenía un mensaje muy claro.

—¿Qué es esto? —Frunció el ceño—. Sé que me pediste que lo intentáramos, pero ya lo estamos haciendo y...

—Significa que ya no necesitamos seguir intentándolo.

Tomé una bocanada de aire, lista para hablar. El escenario era todo menos perfecto, porque nuestras familias parecían a punto de matarse unas a otras entre gritos, insultos y cristales rotos. Hacía frío y yo estaba que me moría de los nervios, pero tenía que hacerlo. Merecía saber.

—¿Qué? ¿Cómo que...?

—Estoy embarazada —musité con voz baja pero firme, y miré en su semblante el pasar de las emociones: sorpresa, conmoción, felicidad, miedo, amor, ilusión.

—¿En serio?

Asentí con el cuello rígido, esperando encontrar una emoción definitiva en ese rompecabezas indescifrable en el que se había convertido su rostro. No sabía cómo esperaba que reaccionara, pero me sentí decepcionada cuando permaneció allí, de pie, sin decir nada, volviendo reales todos mis miedos.

—Mira, sé que esto no es ideal. Aún estamos aprendiendo a ser una pareja, nos peleamos mucho, viajamos mucho y tenemos una vida bastante inestable. —Luché contra el nudo que se formó en mi garganta para seguir hablando—. Y quizás no estamos listos para ser padres, quizás...

—¿De qué hablas? —preguntó crispado—. ¿No quieres tenerlo?

—¡No!

—¿No? —Ahora era miedo lo que asaltaba sus facciones.

—Quiero decir…, sí, pero no quiero que te sientas obligado a quedarte conmigo para criarlo si tú no te sientes listo. —Mi voz tembló ante la posibilidad—. Sé que lo hablamos antes, pero seguro que, al igual que yo, no creías que llegaría tan rápido. Tal vez no estás listo para darle el lugar a una tercera persona en nuestra relación y lo entendería.

—Leah...

—Tal vez sientas que si tenemos un hijo ahora las cosas no serán las mismas entre nosotros. Quizás ya no te pareceré atractiva con mis caderas anchas y mis tetas hinchadas, o puede que mi faceta de madre termine aburriéndote. Si no te sientes cómodo con este bebé, está bien —jadeé. Los nervios me devoraban viva.

Entonces me di cuenta de que, en medio de mi vómito verbal, había comenzado a llorar.

—Sé que acordamos intentarlo, pero tal vez sientas que es demasiado pronto. Por favor, no te quedes si no quieres. Eres una persona tan libre que tal vez ser padre en este momento no esté en tus planes y yo no quiero ser un obstáculo, ni que este pequeño lo sea, así que, si decides irte, yo...

Callé cuando sus manos se posaron sobre los costados de mi cara, sus pulgares limpiando mis lágrimas y su aroma haciéndome llorar más. Joder, ¿por qué las embarazadas tenían el olfato multiplicado por mil?

—No llores —susurró con cariño—. A tu maquillista no le gustará saber el desastre que hiciste con su trabajo.

Reí un poco por el mal chiste.

—¿De qué mierda estás hablándome, Leah? —preguntó entonces.

—De que no quiero atarte con este niño. Tal vez ya cambiaste de opinión o sientes que esto es apresurado, y no quiero que estés conmigo por obligación —dije con el corazón compungido y sonrió afable.

—No estás atándome. —Me miraba como si fuese una ecuación compleja que buscara resolver, y algo más; había algo puro e intenso en sus ojos—. Estoy contigo porque así lo quiero, porque te amo; porque adoro cada parte rara y loca de ti. El amor no es una cárcel, mi hermosa arpía, es libertad, es una casa.

—¿Otra vez la metáfora de la casa? —Reí con el nudo en la garganta aún.

—Yo quiero eso contigo: crear una casa, porque tú eres mi hogar, porque juntos construimos uno todos los días. —Me miró con devoción, hinchándome el pecho de emociones que no sabía cómo controlar o definir—. Y ahora tendremos a alguien que forme parte de este hogar y eso es magnífico. Gracias. —Me besó entonces, lento y firme—. Gracias. —Me besó de nuevo—. Joder, ¡gracias!

Cuando me besó por tercera vez, probé la sal de mis lágrimas, pero estaba bien, porque era una emoción muy diferente en esa ocasión.

—¿Entonces no estás enojado conmigo? —inquirí con cierto temor mientras él limpiaba de nuevo mis lágrimas. Malditas hormonas.

—¿Enojado? ¿Estás loca? Tendremos un hijo. —Sus manos bajaron entonces a mi cintura, su toque cálido a través de la tela sobre mi vientre—. Nuestro, ¿qué tan improbable es eso? A mamá le dará un ataque.

Solté una verdadera risa en esa ocasión.

—A papá también.

Permaneció en silencio unos momentos, con una mezcla de felicidad y curiosidad en su rostro.

—¿En qué piensas? —pregunté cuando pasó demasiado tiempo callado, con su vista clavada en la mano que reposaba aún sobre mi vientre.

—Si estás embarazada, ¿eso quiere decir que en unos meses más tendré que compartir tus tetas?

—¡Alex! —lo reprendí por arruinar el momento con esas preocupaciones.

—Tendremos que hacer un horario, no puede acapararlo todo.

Puse los ojos en blanco.

—Primero tenemos que decírselo a los demás, ¿no crees?

—Suerte en ese pandemónium. —Sonrió sin dejar de acariciar mi vientre con ilusión.

—O salimos vivos o ardemos en él, no hay más.

—Tienes razón, mejor empezar la hazaña ahora.

Sus labios se presionaron contra mi frente en un gesto que me sacudió hasta lo más profundo, y su mano envolvió la mía, guiándonos a ambos hacia el salón.

Nuestra familia aún estaba enzarzada en una pelea cuando regresamos al lugar. Agnes discutía con Byron mientras Charlotte trataba de defenderlo, y mi padre, a su manera, trataba de tranquilizarlos, o correrlos, lo que sucediera primero. ¿Cómo se los diríamos? Estando tan airados, seguramente terminarían matándonos también.

Alex hizo una seña a su abuelo con la cabeza y este se apresuró a golpear su bastón de nuevo contra el suelo para callarlos a todos.

—¿De verdad? ¿Ustedes nunca van a crecer? —reprendió a mis suegros y después nos miró a nosotros—. ¿Qué sucede?

Alex enredó sus dedos con los míos y me dedicó una mirada llena de seguridad que me tranquilizó.

—Tenemos una noticia para ustedes —dijo con firmeza.

—¿Buena o mala? Porque si es mala es mejor que traigan el alcohol. —Agnes se sentó en la esquina contraria a su exmarido.

—Buena —intervine y sonreí—. Muy buena.

—¿Es sobre el trabajo? —indagó papá.

—Sí involucró trabajo. Trabajo duro —bromeó Alex y me dio un apretón de mano—. Tendremos un bebé. Leah está embarazada.

El tiempo pareció detenerse en la estancia e, incluso, me atrevía a decir que dejaron de respirar. Las mejores caras eran las de Agnes y mi padre, parecían más impresionados que el resto. Temí que sufrieran un infarto.

El aplauso del abuelo fue lo que sacó a todos de su trance.

—¡Al fin! Estaba empezando a preocuparme —dijo, sonriendo—. Ya era hora de tener un heredero.

—O heredera. —Erick levantó su copa en señal de brindis hacia nosotros.

—Tal vez son mellizos, una mini arpía y un imprudente, ¿ya confirmaste que sea solo uno? —intervino Damen, sonriente, y mi corazón casi se detuvo ante la idea, pero el muy idiota parecía encantado con la perspectiva. ¿Dos bebés en mi vientre? Por supuesto que no.

Alex pareció notar mi expresión de horror porque lo vi conteniendo una risa.

Mamá fue la primera en ponerse en pie, llegar hasta mí y abrazarme. Tenía los ojos llorosos cuando se separó.

—Estoy tan feliz por ustedes —dijo llena de júbilo y me abrazó otra vez—. Es increíble.

—Agnes, ¿estás llorando? —Escuché la voz de Chelsea y atrapé a mi suegra limpiándose una lágrima con el dorso de la mano.

—No, te lo estás imaginando —dijo severa y se irguió para después mirarnos—. Pero me alegro. Pasará los veranos y los inviernos conmigo.

—¿Contigo? —Mi padre alzó la voz, saliendo de su estupor—. Claro que no. No desgraciarás la vida de mi nieto. Primero muerto.

—¡Lo hago para que no se la desgracies tú! —se quejó.

—Con nosotros estará perfectamente, le enseñaremos cómo ser un McCartney —siguió papá.

—Es un Colbourn, Leo. Tiene que comportarse como tal —argumentó mi suegra.

Papá lanzó un gruñido.

—Ya te dije que no.

—Que sí.

Volvieron a enzarzarse en otra pelea y suspiré. La paz había durado demasiado. No sabía si todos sobreviviríamos a la cena, pero tenía fe en que así fuera.

Alex me dedicó otra mirada llena de ilusión y mi pecho se inundó con el mismo sentimiento, ansiosa por el futuro; uno que compartiría con él y con nuestro hijo.

No había nada mejor.

Alex envolvía en sus brazos a Jarrel. Había permanecido sentado en el sofá la última hora, sin moverse, contemplándolo dormir. Se había convertido en su actividad favorita, admirar cualquier cosa que nuestro bebé hiciera: reír, llorar, comer, dormir. Todo parecía fascinarlo, al igual que a mí, pero no dejaba de sorprenderme siempre que se trataba de Jarrel.

Pensé que Alexander sería el tipo de padre distante y serio que era Byron, que su actitud cambiaría cuando tuviéramos un hijo, y así fue, sí cambió, pero no fue nada de lo que creí que sería. Estaba ahí para mí, apoyándome siempre y tan emocionado con el bebé que se dedicó todo el embarazo a aprender lo más que se pudiera sobre el tema. Nunca lo había visto poner tanta dedicación en algo.

Y las fotografías. Jarrel tenía más fotografías en dos meses de vida de las que yo tenía a mis veintisiete, y todas obras de su padre, que no paraba de documentar todo lo que hacía, porque todo lo maravillaba.

Me acerqué a ellos y posé mis manos en los hombros de mi esposo. Estaba tan concentrado en el bebé que dio un pequeño respingo y levantó la cabeza para verme.

—Lo vas a despertar —me riñó.

—Tú lo vas a despertar si sigues moviéndote así. —Reí—. ¿Por qué no me dejas cargarlo un rato? Te cansarás.

—Tú ya lo cargaste nueve meses en tu vientre, es mi turno —rebatió—. Además, quiero que reconozca mi voz, no solo la tuya.

—Por favor, le hablabas tanto como yo.

—Teníamos cosas importantes que discutir él y yo. Envidiosa —dijo y reí otra vez—. Ahora déjalo dormir. Quiero estar seguro de que no se despertará antes de ponerlo en la cuna. Tengo cosas que hacer.

—¿Qué cosas?

Me miró de nuevo.

—Estar contigo, por ejemplo. Este niño me roba a mi esposa y ni siquiera puedo quejarme.

Solté una carcajada en esta ocasión y me mandó a callar con la mirada cuando Jarrel se removió en sus brazos.

—No me está robando. Necesita atención.

—Yo también —se quejó—. Me cuesta compartirte.

—Ya, olvidaba tu complejo de hijo único. No sabes compartir. —Negué con la cabeza—. No quiero que nuestro hijo crezca igual.

Sonrió, el gesto lleno de malicia y travesura.

—Entonces tendremos que darle un hermano —sugirió.

—Suena tentador.

—Bien, entonces lo pondré en la cuna ahora —dijo con decisión.

—¿Para qué?

—Para empezar a trabajar en su hermano, no lo tendrás por arte de magia —acotó como si fuera algo obvio.

Lo miré un momento, antes de reírme otra vez.

—No tendremos otro hijo ahora, Jarrel representa mucho trabajo aún. Y no pienso pasar por otro embarazo pronto.

—Bien, pero tendremos que hacerlo en el futuro. Ahora quiero una pequeña arpía.

Lo miré con cariño.

—Me agrada la idea.

—Podríamos llamarla Haley.

Enarqué ambas cejas, sorprendida por su rápida respuesta.

—¿De quién es ese nombre? —pregunté, con el ardor de los celos asentándose en mi estómago.

—De nadie, pero me gusta.

—Más te vale —le advertí y me acerqué para darle un beso fugaz en los labios.

Se puso en pie teniendo cuidado de no despertar a Jarrel y le tendí mis brazos. Lo acomodé con cuidado, nuestro hijo suspiró entre sueños y mi corazón se derritió. Cuando miré a Alex otra vez, él tenía los ojos fijos en nosotros y estaban llenos de emoción y cariño. Comprobé, por enésima vez, que Alexander jamás sería un error en mi vida. Era lo mejor de ella.

—Te amo —susurré y él se acercó para besarme.

—Los amo.

Alex tenía razón, el amor era multifacético, cambiante. Se adaptaba como el agua.

El amor era un juego arriesgado y engañoso, pero también era elección, y siempre nos elegimos el uno al otro. A pesar de las adversidades y los problemas, nunca tomábamos el camino fácil.

Para nosotros, siempre sería izquierda, donde estuviéramos juntos… los tres.

AGRADECIMIENTOS

Gracias a mi madre y mi abuela: espero que nunca se enteren de lo que escribo o no volverían a verme igual.

A Rosario, por siempre estar ahí para mí.

A Paúl, por ser mi mayor fan. Gracias por motivarme para nunca rendirme y por ser mi hogar.

América y Yael: gracias por ser parte de este sueño desde el inicio.

A Altagracia, mi editora principal, por ayudarme a pulir esta obra y convertirla en algo extraordinario. Haces magia.

Gracias a ti, lector, por darle una oportunidad a este libro y disfrutarlo. Diste vida a este sueño y ahora lo tienes en tus manos.

Lo siento.

No sé cómo empezar esto porque no quiero terminarlo, pero tengo que hacerlo.

Sé que no te mereces este acto de cobardía que estoy usando para no enfrentarte, pero es lo mejor, porque también sé que no podría irme de tu lado si te lo digo cara a cara, y tengo que hacerlo de alguna manera.

Te amo, Leah, te amo tanto que me cuesta un mundo encontrar las palabras correctas para decírtelo, porque creo que simplemente no las hay.

No quiero arrastrarte más en mis problemas, no quiero ser tan egoísta como para permitir que te hagan daño otra vez a cambio de tenerte junto a mí. Conservarte nunca será más importante que tu bienestar; es así, por mucho que me duela.

Estaré bien si tú lo estás, y sé que eso solo sucederá si te mantengo tan alejada de mí como sea posible.

Nunca fuiste mi debilidad, Leah, tú fuiste siempre mi fortaleza; fuiste la respuesta a las preguntas que siempre tuve, y aquellas que ni siquiera me imaginé formular.

Gracias por todo lo que hiciste por mí, por hacerme sentir que la vida, más allá de los vicios y el juego, valía la pena, y por mostrarme que el matrimonio era algo especial, solo porque era contigo. Gracias por amarme de la forma en que lo haces. Sabías que yo era un problema, y, aun así, me amaste por completo sin dudas o reservas.

Creo que es hora de dejarte ir, y es jodidamente difícil, porque sé que no importa a dónde vaya, qué haga o con quién esté, mi corazón siempre será tuyo y te amará.

Casarme contigo no fue un error. Fue, quizá, el único acierto en mi vida.

No sé qué más decirte, así que solo cortaré la cuerda de una vez por todas, por tu bien.

Eres increíble, Leah McCartney.

Gracias por ser mi esposa.

Tu Siempre Fiel Esposo
Alexander

Made in the USA
Middletown, DE
13 May 2024

54249165R00305